Willi Marxsen

"Christliche" und christliche

Ethik
im Neuen Testament

Gütersloher Verlagshaus
Gerd Mohn

CIP-Titelaufnahme der Deutschen Bibliothek

Marxsen, Willi: "Christliche" und christliche Ethik im Neuen Testament / Willi
Marxsen. - Gütersloh: Gütersloher Verl.-Haus Mohn, 1989
ISBN 3-579-0089-6

ISBN 3-579-00089-6
© Gütersloher Verlagshaus Gerd Mohn, Gütersloh 1989

Umschlaggestaltung: Dieter Rehder, Aachen
Gesamtherstellung: Weserdruckerei Rolf Oesselmann GmbH, Stolzenau
Printed in Germany

As a sign of his gratitude
for the conferral of the Honorary Degree
Doctor of Divinity
the author dedicates this book to the

University of Dubuque
in Dubuque, Iowa

Inhalt

Vorwort   11

Prolegomena: Ethik - ein Aspekt von Theologie   15

a) Das "Defizit an Ethik"   15
   1. Die Entdeckung des Defizits   15
   2. Die "Aufarbeitung" des Defizits   17
b) Definitionen   18
   1. Theologie   19
   2. Historische Theologie   24
c) Das Kriterium für eine "christliche" Rede von Gott   29
   1. Die Notwendigkeit eines Kriteriums   29
   2. Die Leistungsfähigkeit eines Kriteriums   30
   3. Christliche Ethik - ein Aspekt christlicher Theologie   32

A. Die Ansätze   35

I. Die an Jesus orientierte Ethik   39

a) Das Grundproblem: Christliche Ethik - ein Aspekt von Christologie   39
   1. Zur Frage nach dem historischen Jesus   39
   2. Der Anfang der Christologie   47
      (a) Die Struktur: Der verkündigte Wirkende   47
      (b) Der Ort: Die galiläischen Gemeinden   49
      (c) Christologie und Ethik   55
b) Unterschiedliche Jesus-Bilder - unterschiedliche Ethiken   57
   1. Literarisch vorliegende Jesus-Bilder   59
   2. Durch Literarkritik rekonstruierte Jesus-Bilder   62
c) "Das" Jesus-Bild - die christliche Ethik   64
   1. Methodisches   64
   2. Markus 1,14-15   67
      (a) Der zeitgenössische Hintergrund   69
      (b) Modifizierungen im Summarium   72
      (c) Jesus-Bild und christliche Ethik nach Markus   76
   3. Matthäus 11,2-6   79

4. Zusammenfassung: der Menschensohn   82

d) Die "Entfaltung" des Jesus-Bildes   87
  1. Einzelaspekte eschatologischen Existierens   90
    (a) Lukas 6,5 (D)   91
    (b) Lukas 10,29-37   93
    (c) Matthäus 5,43-44   96
    (d) Christologische Zwischenüberlegung: Das Wirken Jesu
        in Wort und Tat   104
    (e) Markus 10,2-9   109
    (f) Markus 12,13-17   112
    (g) Lukas 16,1-8   116
    (h) Markus 12,41-44   117
    (i) Markus 11,27-33   117
    (k) Zusammenfassung   118

Exkurs: Orientierungsmuster für Sünder   119

  2. Konsequenzen aus eschatologischem Existieren   125
    (a) Das Kreuz Jesu als ethisches Problem   126
    (b) Die Nachfolge auf dem Wege zum Kreuz   128

II. Die Ethik des Paulus   132

  1. Vorüberlegungen zur Einordnung   132
  2. Vorüberlegungen zur Gliederung des Stoffes   133

a) Die Mitte: das Damaskus-Erlebnis   135
  1. Der Verfolger   135
    (a) Die Botschaft der Verfolgten   136
    (b) Die Formulierung der Botschaft der Christen   138
  2. Der Inhalt des Damaskus-Erlebnisses
     (Theologie und Ethik)   143

Exkurs: Kreuz und Auferweckung Jesu   152
  1. Christus ist für uns gestorben   154
    (a) Was wollte der Mensch, der diesen Satz
        zum erstenmal formulierte, mit ihm aussagen?   155
    (b) Wie kam der Mensch dazu, diesen Satz gerade
        so zu formulieren?   156
  2. Gott hat Jesus von den Toten auferweckt   158
    (a) Wie kam ein Mensch dazu, diesen Satz zu
        formulieren?   159

    (b) Was wollte der, der diesen Satz formulierte,
          mit ihm sagen? 161

b) Indikativ und Imperativ -
    Imperativ und Indikativ 163
    1. Konkrete Ethik? 165
    2. Paradoxien 169
        (a) Beispiele 169
        (b) Das Prägen des Geprägten 171
        (c) Paulus als Typos des auferstandenen Gekreuzigten 176

c) Imperative 182
    1. Die Notwendigkeit von Imperativen 182
    2. Die Inhalte der Imperative
        (Zur Frage einer konkreten Ethik) 189
    3. Das "Gewicht" der Imperative 194

d) Zusammenfassung: Gottesdienst im Alltag 197

B. Entwicklungen und Fehlentwicklungen 201

I. Die Ethik des Matthäus 204

a) Der Redaktor Matthäus 204
b) Überblicksexegese des Werkes des Matthäus 206
c) Das Jesus-Bild des Matthäus: Der Lehrer der besseren
    Gerechtigkeit 207
d) Die Bergpredigt 213
e) Kontrolle der Exegese 215

II. Die Funktion der Christologie in ethischen Entwürfen 218

a) Die Lösung des Verfassers des 2. Thessalonicherbriefes 219
b) Die Lösung des Verfassers der Pastoralbriefe 223
c) Die Lösung des Verfassers des Jakobus-Briefes 226
d) Die Lösung des Verfassers des 1. Petrus-Briefes 229
e) Die Lösung des Verfassers des Kolosserbriefes 235
f) Die Lösung des Verfassers des Hebräerbriefes 240

III. Die Ethiken des johanneischen Kreises 246

a) Die Ethik des Johannes 247

b) Die Ethik der johanneischen Schule   257

Epilegomena: Das Problem der Begründung einer christlichen
                 Ethik aus dem Neuen Testament   265

Register   267
1. Definitionen
   und Vorschläge für sprachliche Präzisierungen   267
2. Sachkomplexe (in Auswahl)   268
3. Bibelstellen (in Auswahl)   269
4. Autoren (mit Literaturhinweisen, in Auswahl)   271

Anhang   272

Vorwort

Das christliche Abendland ist nicht immer christlich gewesen.

Diesem Satz wird kaum jemand widersprechen, obwohl er sprachlich einen Widerspruch enthält: Dasselbe Adjektiv wird in unterschiedlichen Bedeutungen benutzt.

Wenn vom christlichen Abendland die Rede ist, liegt eine sehr weite Bedeutung vor: Es gehört alles dazu, was in einer langen Tradition gedacht, gelebt und gestaltet wurde. In diesem Sinne wird die Vokabel auch heute meist benutzt. Darum kann sehr vieles als christlich ausgegeben werden. Wenn man aber fragt, ob das alles wirklich "christlich" ist, kommt mit derselben Vokabel eine kritische Wertung ins Spiel. Es wird dann gefragt, ob das, was als christlich ausgegeben wird, der Norm entspricht, mit der das "Christliche" bezeichnet werden kann. Es geht also um die vielverhandelte Frage nach dem "christlichen Proprium".

Da in unserem Sprachgebrauch das Adjektiv nicht eindeutig ist und da sich die Bedeutung der Vokabel nur ganz selten so eindeutig aus dem Zusammenhang ergibt, wie es in dem oben vorangestellten Satz der Fall ist, ist Sprachdisziplin gefordert. Beim Gebrauch des Adjektivs muß präzise erkennbar sein, was gemeint ist: christlich oder "christlich"? Bleibt das unklar, verschwindet das "Christliche" sehr schnell im Christlichen.

Christliche Politik könnte dann etwa eine Politik sein, die sich im Rahmen von Regeln bewegt, wie sie sich in der abendländischen Tradition herausgebildet haben. Man kann durchaus noch darüber diskutieren (und sich unter Umständen sogar streiten), ob man im konkreten Fall eher dieser oder einer anderen Regel folgt. In beiden Fällen kann man sagen, daß man im Rahmen des Christlichen bleibt. Und was für christliche Politik gilt, gilt ebenso für eine christliche Erziehung, eine christliche Ehe, eine christliche Lebensführung und vieles andere mehr. Die Frage ist aber immer, ob das, was dabei herauskommt, deswegen schon "christlich" ist.

Wenn es den Kirchen, die selbstverständlich alle christliche Kirchen sind, darauf ankommt, das "Christliche" zur Geltung zu bringen, können sie sich nicht darauf berufen, daß sie doch christliche Kirchen sind, sondern dann müssen sie den Orientierungspunkt nennen, der der Maßstab für das "Christliche" ist. Ebenso muß ein Christ zeigen, ob und wieso er ein "Christ" ist. Denn daß nicht alle Christen immer "Christen" sind, dürfte auch unwidersprochen bleiben.

Im allgemeinen gibt man als diesen Orientierungspunkt die Bibel an, speziell das Neue Testament. Doch schwerlich reicht die bloße Nennung dieses Orientierungspunktes schon aus. Wäre das der Fall, müßte man vermutlich alles Christliche als "christlich" bezeichnen, denn es gibt nur wenig Christliches, was nicht unter Berufung auf die Bibel begründet werden kann. Es reicht daher nicht aus, einfach und nur den Orientierungspunkt selbst anzugeben, sondern man muß zu gleicher Zeit angeben, *wie* eine solche Orientierung zu geschehen hat. Genau an dieser Stelle aber liegen die eigentlichen Schwierigkeiten.

Die These sei gewagt: Die gegenwärtige Diskussion unter den Christen über das "Christliche", insbesondere auf dem Gebiet der Ethik, die oft genug zum Streit geführt hat, hat ihren tiefsten Grund in einem fehlenden Konsensus über den Umgang mit der Bibel. Daraus entsteht dann das Sprachproblem: Es wird vieles als "christlich" ausgegeben, was (nur) christlich ist. Wenn von christlicher Ethik die Rede ist, ist dann christliche Ethik, oder ist "christliche" Ethik gemeint? Man verschleiert das Problem, wenn man dieselbe Vokabel in unterschiedlichen Bedeutungen nebeneinander und durcheinander benutzt.

Dieser Frage bin ich in Vorlesungen nachgegangen, die ich im Wintersemester 1984/85 an der Kirchlichen Hochschule in Bethel gehalten habe. In den beiden folgenden Semestern habe ich sie in Münster wiederholt. Ich lege sie jetzt gedruckt vor und möchte sie zur Diskussion stellen.

Von meinem Anliegen aus ergibt sich, daß ich keine "Ethik des Neuen Testaments" vorlege. Ob es die im präzisen Sinne des Wortlauts überhaupt geben kann, will ich jetzt nicht erörtern, schon gar nicht, wie die historischen Informationen, die sie liefert, von der Systematischen Theologie aufgenommen werden sollen und können.

Ich gehe vielmehr von der unbestreitbaren Beobachtung aus, daß die Verfasser der neutestamentlichen Schriften nicht nur unterschiedliche, sondern zum Teil auch nur schwer miteinander zu vereinbarende Ethiken vortragen. Dann stellt sich doch aber sofort die Frage: Vertreten sie eine "christliche" oder eine christliche Ethik? Die läßt sich freilich nur beantworten, wenn man ein Kriterium für die Unterscheidung erarbeitet.

Wenn das richtig gesehen ist, erkennt man schnell, daß das aktuelle Problem ein ganz altes ist, auch wenn die Verfasser der neutestamentlichen Schriften sich dieses Problems kaum bewußt gewesen sind, wohl auch gar nicht bewußt sein konnten. Deckt man es aber im historischen Abstand auf, kann man vielleicht für die Gegenwart daraus lernen.

Ich möchte also einer Sprachverwirrung entgegentreten, die zwar weit verbreitet ist, mit der sich aber nicht zuletzt gerade Studierende auseinanderzusetzen haben. Ihnen möchte ich helfen und Mut machen, sich im interdisziplinären Raum zurechtzufinden, zumal sie dort fast immer allein gelassen werden. Denn mit dieser Arbeit unternehme ich den Versuch, nicht nur die historischen Exegesen in die Systematische Theologie hineinzuführen, sondern zugleich zu zeigen, daß und wie systematische Fragestellungen die Exegesen begleiten. Wer sich in beiden Disziplinen bewegen will, kann diesen Zirkel nicht vermeiden. Er kann ihn aber auch gar nicht vermeiden wollen, weil er sich im Pfarramt, im Lehramt und in der Kirche immer in diesem Zirkel bewegt. Darum sollte das Einüben darin schon im Studium beginnen.

Danken möchte ich den vielen, die mittelbar und unmittelbar am Zustandekommen dieses Buches beteiligt waren. Zunächst sind da neben dem "Mittwoch-Kreis" die Hörer der Vorlesungen in Bethel und Münster zu nennen, die Fragen stellten, sich an den oft lebhaften Diskussionen beteiligten und mich zu manchen Präzisierungen veranlaßt haben. Ein besonderer Dank gilt sodann Frau Pfarrerin Marie-Luise Dulige in Rodenbach/Hessen, die den Entwurf kritisch gelesen hat. Ihre sachlichen und formalen Verbesserungsvorschläge haben wir in gemeinsamer Arbeit in das Manuskript eingebracht. Schließlich danke ich den Vikaren Otto Weymann und Uwe Brand, die die Korrekturen gelesen und die Bibelstellen überprüft haben.

Münster, im Februar 1989   Willi Marxsen

Prolegomena
Ethik - ein Aspekt von Theologie

Die Überschrift ist als These zu verstehen. Mit dieser These soll die Meinung bestritten werden, man dürfe im Raum der Kirche Ethik isolieren und als Thema für sich behandeln. Ethik ist aber auch nicht etwas, was zur Theologie hinzutritt, etwa in dem Sinne, daß sie eine Konsequenz aus Theologie sei. Sondern behauptet werden soll mit dieser These, daß Ethik ein integrierender Bestandteil von Theologie ist. Sie ist freilich nur einer, eben ein *Aspekt* von Theologie. Aber sie ist unverzichtbar, denn ohne Ethik ist Theologie nicht mehr Theologie.

Nun dürfte sofort einleuchten, daß die Richtigkeit dieser These mit der Definition von Theologie zusammenhängt. Einen Vorschlag dafür werde ich alsbald vorlegen. Einsetzen möchte ich aber mit einigen Beobachtungen, die sich dem Betrachter ergeben, der sich in der Gegenwart umschaut und zu klären versucht, wie heute im Raum der Kirche weithin das Thema Ethik behandelt wird. Denn wenn es in dieser Arbeit zwar um Ethik(en) im Neuen Testament geht und also der historische Abstand gewahrt bleiben muß, geschieht die Beschäftigung mit Ethik dennoch nicht gleichsam im luftleeren Raum. Fragestellungen, Probleme und Auseinandersetzungen sind in der Gegenwart entstanden oder aufgekommen. Sie sollen daher zunächst wenigstens genannt werden.

a) Das "Defizit an Ethik"

1. Die Entdeckung des Defizits

Vom Ende des Krieges bis zum Ausgang der 60er Jahre war die kirchliche Öffentlichkeit weithin von biblischen Themen bewegt. Überall diskutierte man über Auslegung der Schrift, immer engagiert, sehr oft sogar mit großer Leidenschaft. Nicht zuletzt hing das mit dem Entmythologisierungsprogramm Rudolf Bultmanns zusammen. Gerade an ihm schieden sich die Geister. Auf der einen Seite wurde es freudig begrüßt und gern aufgenommen. Es wurde als Befreiung empfunden, weil die Inhalte des Glaubens verstehbar wurden und deswegen (auch intellektuell) redlicher darüber gesprochen werden konnte. Auf der anderen Seite stieß es (und nicht selten gerade deswegen) auf heftige Ablehnung. Man sprach von "modernistischen" Theologen, die es unternahmen, das "Geheimnis des Glaubens" mit Hilfe der Ratio zu zerstören. Der "Streit um die Bibel", in dessen Mittelpunkt vor allem christologische Themen standen, ging so tief, daß der evangelischen Kirche fast eine Spaltung drohte.

Seit etwa eineinhalb Jahrzehnten ist dieses Interesse nahezu vollständig erloschen. Zumindest aus der kirchlichen Öffentlichkeit ist es verschwunden. Das geschah ohne erkennbare Übergänge in allerkürzester Zeit, sozusagen von heute auf morgen. Dafür gibt es mannigfache Gründe, die keineswegs ausschließlich kirchliche oder theologische Wurzeln hatten. Das Aufkommen von Humanwissenschaften wirkte auf Kirche und Theologie ein. Beide entdeckten bei sich ein erhebliches Defizit; und nun setzte man alle Kraft ein, dieses Defizit aufzuarbeiten.

Dabei entstand weitgehend der Eindruck, daß die bisher fast ausschließlich an der Bibel geführte Diskussion an der Wirklichkeit des gelebten Lebens eigentlich vorbeigegangen war. Ihre Fortsetzung schien angesichts der neuen Situation wenig zu versprechen. Konnte man denn von ihr erhoffen, einen Beitrag zur Gestaltung der Praxis zu gewinnen? Die Diskussion war doch (so wirkte es zumindest im Rückblick) ziemlich "akademisch" geblieben. Was aber sollte die Auseinandersetzung der Fachleute die Gemeinden angehen? Auf dem Stuttgarter Kirchentag von 1969 konnte man hören, daß der "Streit um Jesus" nichts anderes sei als ein "Streit um des Kaisers Bart". Diese auf einem Spruchband herumgetragene Parole zündete und wirkte alsbald nach. Die Behandlung vieler Themen (nicht zuletzt das über die Auferstehung Jesu) wurde einfach abgebrochen, ohne daß diese ausdiskutiert worden wären.

Statt dessen wandte man sich mit Enthusiasmus den Humanwissenschaften zu, die von nun an in Kirche und Theologie eine fast alles beherrschende Rolle einnahmen. Soziale und wirtschaftliche Fragen wurden diskutiert. Die politischen Entscheidungen von Christen wurden Gegenstand intensiver Überlegungen, der verantwortungsvolle Umgang mit der Schöpfung als Aufgabe für Kirche und Christen formuliert.

Zu Rande gekommen ist man freilich auch damit nicht, denn im Gefolge solcher Diskussionen konnte schließlich die Frage auftauchen, ob bei einer bestimmten politischen Entscheidung nicht der Status confessionis gegeben sei. Damit aber kam jedoch wieder zumindest die Möglichkeit einer Kirchenspaltung in den Blick - nicht wegen unterschiedlicher Meinungen in der Christologie, sondern wegen unüberbrückbarer Differenzen in der politischen Ethik, z.B. in der Nachrüstungsdebatte.

Es soll jetzt nicht die Frage geklärt werden, ob man Ende der 60er Jahre mit Recht von einem Defizit an Ethik reden durfte. Pauschalurteile sind immer gefährlich; und ohne Schwierigkeit wird man auf manches hinweisen können, was ein solches Urteil mindestens als fragwürdig erscheinen läßt. Nur läßt sich nicht bestreiten, daß ein solcher Eindruck verbreitet war. Besonders am Verhalten der Studenten konnte man das ablesen. Viele waren vom Anfang ihres Studiums an davon bestimmt. Exegetische Vorlesungen wurden kaum noch besucht, Seminare nur in dem Maß, wie es zum Examen verlangt wurde. Statt dessen wandten sie sich (nicht selten gleich in den ersten Semestern) dem reichen Lehrangebot an Ethik zu. Hier lag, wie man meinte, das Defizit, das es aufzuarbeiten galt. Doch wie kann man ein Defizit aufarbeiten?

2. Die "Aufarbeitung" des Defizits

Wenn von einem Defizit die Rede ist, heißt das, daß einem Ganzen etwas fehlt. Bevor man sich nun aber vorschnell daran macht, dieses Defizit aufzufüllen, sollte man sich zunächst einige Gedanken über das Ganze machen. Dabei sind zwei Möglichkeiten denkbar. Man kann das Ganze verstehen als die Summe seiner Teile. Es kann sich beim Ganzen aber auch um eine organische Einheit handeln. Je nachdem, wie man sich hier entscheidet, fällt das Urteil darüber aus, wie man das Defizit beseitigen kann.

Solche Reflexionen hat man damals freilich nicht angestellt; und es ist wohl auch unbillig, wenn man nachträglich daraus einen Vorwurf konstruiert. Im Rückblick läßt sich jedoch erkennen, daß hier Weichen falsch gestellt worden sind. Denn ohne Zweifel war es damals so, daß das aufkommende Interesse für die Ethik zu einer *Isolierung der Ethik* führte. Ohne daß man sich das ausdrücklich bewußtmachte, entschied man sich damit dafür, das Ganze als Summe seiner Teile zu verstehen. Da, wie man meinte, *ein* Summand zu kurz gekommen war, wollte man sich seiner jetzt mit besonderem Nachdruck annehmen, um das Ganze wieder vollständig zu machen.

Das hatte Auswirkungen für die Praxis. Auch wenn man sich hier wieder vor Pauschalurteilen hüten soll, ließ (und läßt) sich doch dieser Trend beobachten: In den Predigten wurden unentwegt ethische Fragen behandelt, ob der Predigttext sie nun nahelegte oder nicht. Der Unterricht wurde vorwiegend "problemorientiert" erteilt. In den Gemeindeveranstaltungen trat die "Bibelstunde" zurück; an ihre Stelle traten Diskussionsabende über aktuelle ethische Fragen.

Daß das problematisch war, sah man nicht. Vermutlich konnte man das auch nur schwer einsehen, gerade wenn Pastoren und Lehrer an ihre Universitätszeit zurückdachten. Der traditionelle Lehr- und Forschungsbetrieb erfolgt dort im Rahmen von Einzeldisziplinen. Die Fachvertreter sind für ihre Disziplinen zuständig, häufig genug sogar nur für Spezialgebiete innerhalb ihrer Disziplinen. Die künftigen Pastoren und Lehrer, die sie ausbilden, sollen aber in der Praxis ihres Berufes für das Ganze der Theologie zuständig sein. Weithin bleibt diesen jedoch selbst überlassen, wie sie das einzelne, das sie nebeneinander und nacheinander studieren, zu einer Einheit zusammenfassen sollen. Vermittelt und eingeübt wird das nur ganz selten. Es kann darum eigentlich kaum überraschen, daß das erkannte (oder auch nur vermutete) Defizit so "aufgearbeitet" wurde, wie es nun geschehen ist: durch Intensivierung des Interesses für eine (isolierte) Disziplin.

Wie aber, wenn man davon ausgeht, daß Theologie trotz der Aufteilung in Disziplinen eine Einheit ist? Das wird, zumindest theoretisch, niemand bestreiten. Eine offene Frage ist jedoch bis heute, wo und wie man diese Einheit einsichtig machen und darstellen kann. Um das wenigstens im Ansatz zu zeigen, möchte ich zunächst einige Definitionen vorschlagen.

b) Definitionen

Wenn bisher mehrfach von Theolgie die Rede war, blieb die Vokabel immer undefiniert. Erst im Zusammenhang mit dem Kontext konnte (vielleicht) einigermaßen deutlich werden, was mit dem Wort gemeint war. Ohne einen solchen Kontext bleibt die Vokabel vieldeutig und kann daher auch in sehr unterschiedlichem Sinn benutzt werden. Wer von der Theologie des Paulus spricht, versteht unter Theologie etwas anderes als der, der nach der Mitte der (christlichen) Theologie fragt. Für andere Zusammenstellungen oder Näherbezeichnungen gilt ähnliches: wissenschaftliche Theologie, katholische Theologie, alt- und neutestamentliche Theologie, biblische Theologie usw. Kann man hier trotz mancher Differenzierungen noch eine einigermaßen klare Bedeutung erkennen, kommt man in einen völlig anderen Bereich bei den sogenannten Genitiv-Theologien: Theologie der Hoffnung, der Ordnung, der Befreiung usw., in nochmals einen anderen Bereich bei feministischer Theologie. In den letzten Fällen kann man sogar fragen, warum hier gerade das Wort Theologie benutzt wird. Machen die, die es verwenden, sich überhaupt klar, was sie präzise damit meinen? - Kurioserweise kann Theologie aber auch eine Umschreibung für "kompliziert" sein: Von einer Predigt verlangt man, daß sie einfach, aber "nicht so theologisch" sein soll.

Will man nicht in einer Sprachverwirrung landen, muß man also das Wort jeweils erklären, und zwar genauer, als es durchweg geschieht. Wer die Vokabel Theologie benutzt, muß sich fragen lassen, was er darunter versteht, und bereit sein, darauf zu antworten. Tut er das nicht, stellt er sich selbst dem Verstehen in den Weg.

Es gibt allerdings auch noch eine andere Möglichkeit. Man kann versuchen (mehr als ein Versuch ist das nicht), selbst dadurch zur Klarheit beizutragen, daß man die Vokabel möglichst nur in *einer* Bedeutung benutzt. Man definiert selbst das Wort Theologie. Der Hörer weiß dann, was der Redende meint; und dieser bemüht sich nun um Sprachdisziplin. Diesen Weg möchte ich gehen, wobei ich mir selbstverständlich klar darüber bin, daß es nicht gelingen wird, im praktischen Sprachgebrauch eine einheitliche Benutzung der Vokabel

Theologie durchzusetzen. Wieweit aber ein Versuch in dieser Richtung hilfreich sein kann, muß (und wie ich hoffe: wird) sich bei der Durchführung herausstellen.

1. Theologie

Die Definition, die ich vornehmen möchte, orientiert sich an der Etymologie des griechischen Wortes. Man kann dann formulieren: *Theologie ist Rede von Gott.*

Wenn man so definiert, ist schon eines erreicht, was angesichts des heutigen Sprachgebrauchs keineswegs selbstverständlich ist: Ausdrücklich wird das Wort Gott aufgenommen. Ich halte das für wichtig, denn das schafft zumindest eine gewisse Klarheit. Auch wer anders definiert und in seiner Definition das Wort Gott nicht benutzt, oder wer das Wort Theologie undefiniert in irgendeinem Kontext verwendet, sollte doch immer wenigstens zu erkennen geben, wie das, was er mit Theologie bezeichnet, mit Gott zusammenhängt (siehe: Theologie der Befreiung / feministische Theologie). Und das sollte so deutlich geschehen, daß der Hörer dies ohne Schwierigkeiten erkennen kann. Im Wort Theologie steckt nun einmal das Wort Gott. Kommt Gott aber nicht in den Blick und bleibt auch unklar, wie er in den Blick kommen soll, dann liegt ein Mißbrauch der Vokabel Theologie vor.

Nun stellt freilich die Aufnahme der Vokabel Gott in die Definition vor ein neues Problem: Wir können nicht davon ausgehen, daß das, was wir mit der Vokabel Gott bezeichnen, eindeutig ist. Auch das läßt sich am heutigen Sprachgebrauch ablesen.

So kann man z.B. häufig der Behauptung begegnen, daß wir doch alle an *einen* Gott glauben. Sie wird etwa aufgestellt, wenn man die Differenzen zwischen den Konfessionen bagatellisieren will, gelegentlich auch, um die Gemeinsamkeit von Juden, Christen und Moslems herauszustellen. Wird dadurch nicht aber ein Konsensus vorgetäuscht, der in Wahrheit gar nicht vorhanden ist? Ausgedrückt werden kann mit dieser Behauptung doch lediglich die Richtigkeit einer gemeinsamen Überzeugung, die man sehr mißverständlich Glauben nennt, nämlich den Monotheismus. Dabei setzt man die Existenz (nur) eines Gottes voraus und gebraucht nun die Vokabel Gott wie einen Eigennamen, jedoch wie den Eigennamen eines "Mannes ohne Eigenschaften". Denn man verzichtet auf die Nennung von Eigenschaften, auf die Beschreibung seines Wirkens und darauf, wie er und wie sein Wirken erfahren werden können. Darf man das aber unterschlagen, wenn man diese Behauptung aufstellt? Das alles ist doch nicht beliebig austauschbar, wenn es sich wirklich um denselben handeln soll. Wenn nur der Name genannt wird, wenn man lediglich die Vokabel Gott benutzt, dann ist diese Vokabel buchstäblich leer. Gott, das ist dann nicht mehr als eine bloße Wort-

Hülse, die auf Füllung wartet. Erst wenn sie gefüllt wird, erst wenn Inhalte angegeben werden, wird das Reden von Gott eindeutig. Welche Inhalte soll man nun aber nennen, und wie kann man die Nennung gerade dieser Inhalte begründen?

Wir stellen die Antwort auf diese Frage vorläufig zurück und wenden uns zunächst dem nur scheinbar unscheinbaren Wörtchen "von" in der Definition (Theologie = Rede von Gott) zu. Es ist bewußt gewählt worden, und zwar im Anschluß an eine Gegenüberstellung, die Rudolf Bultmann einmal vorgenommen hat (Welchen Sinn hat es, von Gott zu reden? [1925], in: Glauben und Verstehen I, S. 26). Bultmann unterscheidet zwischen einer Rede von Gott und einer Rede über Gott, und er erklärt, daß eine Rede über Gott "überhaupt keinen Sinn" habe, weil damit der Gegenstand der Rede, Gott, bereits verlorengegangen sei. - Ich erläutere den Unterschied zwischen beiden Wendungen.

Wo *über* Gott geredet wird, wird Gott als eine Größe angesehen, die ich im Abstand betrachten kann. Diese Größe sollte mich zwar etwas angehen, sie muß es aber nicht. Auch wenn ich richtige Aussagen über sie mache, kann ich mich dennoch ihr gegenüber neutral verhalten. Die Richtigkeit der Aussagen würde dadurch nicht tangiert. Wenn ich zum Beispiel in einer Rede über Gott ihn als "den Allmächtigen" und als "die Liebe" bezeichne, kann ich das, auch ohne daß mich das etwas angeht. Ich kann das nämlich sagen und kann dennoch, statt zu lieben, hassen. Wie steht es dann aber mit der Allmacht Gottes? Indem ich *über* sie rede, entziehe ich mich ihr und erweise mich so stärker als Gott. - Es ist überhaupt problematisch, in einer Rede über Gott die Kategorie Allmacht zu benutzen. Ein einigermaßen absurdes Beispiel kann das verdeutlichen. Wenn der Gott, *über* den ich rede, wirklich allmächtig ist, muß er einen Stein schaffen können, den er nicht aufheben kann. Kann er das nicht, ist er nicht allmächtig. Kann er diesen Stein aber schaffen und anschließend nicht aufheben, ist er auch nicht allmächtig. Dieses Beispiel ließe sich mannigfach variieren.

Man sollte daher einer Größe, *über* die man redet, nicht den Namen Gott geben. Denn wenn ich über Gott rede, verfehle ich schon im Ansatz die Größe, über die zu reden ich vorgebe.

Im Unterschied zu einer Rede über Gott ist dagegen eine *Rede von Gott* immer eine Rede ohne Distanz. Ich rede dann nämlich von der Größe, die mich unbedingt angeht, die mich bestimmt, die mir auf den Leib rückt, der ich mich ausliefere, auf die ich mich einlasse, von der ich betroffen bin, kurz: der ich glaube - und zwar beim Reden selbst. Insofern ist Rede von Gott nur als Bekenntnis möglich; und nur beim Bekennen habe ich es wirklich mit Gott zu tun.

Das führt nun aber zu einer ersten Präzisierung der Definition. Es reicht nicht aus festzustellen, daß Rede von Gott eine Rede ohne Distanz ist. Das bleibt abstrakt, solange man nicht beide "Größen" angibt, zwischen denen die Distanz

20

aufgehoben ist. Eine Rede geschieht doch immer durch einen Redenden. Den muß man dann aber auch ausdrücklich nennen. Die Definition muß also erweitert werden: Theologie ist die Rede *eines Menschen* von Gott. Auch wenn diese Erweiterung zunächst fast wie eine Selbstverständlichkeit wirkt, wird sich später herausstellen, daß das Selbstverständliche gar zu oft nicht genannt und darum auch nicht bedacht wird.

Wir nehmen nun die Frage wieder auf, wie die Wort-Hülse Gott gefüllt werden kann. Hilfreich für das Finden der Antwort kann eine Formulierung Luthers aus seiner Erklärung zum ersten Gebot im Großen Katechismus sein: Woran du dein Herz hängst, das ist in Wahrheit dein Gott. Eine wirklich kühne Formulierung angesichts des verbreiteten sorglosen Umgangs mit der Vokabel Gott!

Zu beachten ist zunächst, daß in dieser Definition "Gott" nicht das Subjekt, sondern das Prädikat ist. Es wird also nicht die Existenz eines Gottes vorausgesetzt, sondern vorausgesetzt wird, daß ein Mensch immer sein Herz an "etwas" hängt. Dieses Etwas bestimmt sein Tun und Verhalten, es regiert ihn also und ist deswegen - sein Gott.

Hier kommt nun zum erstenmal der Zusammenhang von Theologie und Ethik in den Blick.

Zugleich aber tauchen auch Fragen auf. Wenn das, woran der Mensch sein Herz hängt, sein Gott ist, muß er doch ehrlicherweise zugeben, daß er in einem permanenten Götterwechsel lebt. Da wir uns für Monotheisten halten und das ganz selbstverständlich voraussetzen, wehren wir uns dagegen, als Polytheisten entlarvt zu werden. Näher liegt es uns dann schon, zwischen diesen "Göttern" so zu unterscheiden, daß wir in einem Fall von "Gott", in den anderen Fällen aber von "Götzen" oder von "Abgöttern" reden. Doch gibt es Kriterien für solche Unterscheidung?

Am nächstliegenden scheint es zu sein, jetzt die Größe "Gott der Bibel" einzuführen. Hier möchten wir von Gott reden, zumal es in den anderen Fällen doch meistens um sehr "irdische" Größen geht: Geld, Erfolg, Fortkommen, Gesundheit, manchmal auch Ideale oder gar andere Menschen. Daß es sich hier um Mächte handelt, die uns immer wieder bestimmen, bestreiten wir nicht. Dennoch sind das, wie wir meinen, gegenüber dem "Gott der Bibel" nur Götzen.

So einleuchtend das zunächst scheint, stellt sich doch die Frage, ob wir jetzt nicht aus einer Rede von Gott unversehens in eine Rede über Gott zurückgefallen sind. Unsere Götzen können wir selbst inhaltlich benennen. Durch unser Tun und Verhalten haben wir gezeigt, daß wir uns auf sie eingelassen, ihnen vertraut, ihnen also geglaubt haben, wenn auch vielleicht nur zeitweilig. Können wir dasselbe aber von dem "Gott der Bibel" sagen? Füllen wir, orientiert an der Bibel, die Wort-Hülse Gott, finden wir eine Fülle von verschiedenen Inhalten, die keineswegs alle miteinander in Einklang zu bringen sind, weil sie oft sogar in Spannung zueinander stehen. Wieso haben wir es hier aber, statt mit Götzen, mit

Gott zu tun? Diese Inhalte sind doch zunächst einmal Ausdruck von Erfahrungen, die *andere Menschen*, nämlich die Verfasser der biblischen Schriften, mit ihrem Gott gemacht haben. Wenn aber diese Menschen von ihrem Gott reden und dabei bestimmte Inhalte nennen, dann sind diese Inhalte *für uns* doch zunächst einmal Reden über Gott.

Nun kann es zwar sein, daß wir in Reden von unserem Gott Aussagen machen, die inhaltlich mit solchen übereinstimmen, die einige Verfasser biblischer Schriften von ihrem Gott gemacht haben. Dann ist ihr Gott auch unser Gott geworden. Er blieb es aber nicht. Die Größen, die wir lieber Götzen nennen möchten, traten immer wieder an die Stelle des Gottes, dessen Macht wir in Übereinstimmung mit den Verfassern biblischer Schriften erfuhren. Ist es also ohnehin problematisch, pauschal vom "Gott der Bibel" zu reden, so stellt sich heraus, daß in unserem gelebten Leben der Gott einiger Verfasser biblischer Schriften nur einer neben anderen Göttern ist. Die Bibel kann also kein Kriterium dafür liefern, zwischen Gott und Götzen zu unterscheiden.

Wenn wir nicht in eine Rede über Gott ausweichen wollen, gilt: Von Gott können wir immer nur soviel sagen, wie durch unsere eigenen Erfahrungen gedeckt ist. In dem Augenblick, in dem wir (inhaltlich) mehr von Gott sagen wollten, würden wir *über* (einen) Gott reden und dann gerade nicht mehr von - Gott.

Dennoch ist es nicht unmöglich, zwischen Gott und Götzen zu unterscheiden. Das gelingt zwar nicht mit Hilfe der Bibel, wohl aber durch eine eigene Entscheidung. In unserem gelebten Leben haben wir uns auf viele Götter eingelassen und beim Einlassen unterschiedliche Erfahrungen gemacht. Wenn wir nun fragen, was diese Erfahrungen uns bedeuten und gebracht haben, was durch das Einlassen an uns selbst geschehen oder aus uns geworden ist, führt das zu Differenzierungen zwischen den Göttern und am Ende vielleicht zur Ausgliederung eines Gottes. Welche Kriterien wir dabei gelten lassen und anwenden, kann und wird von Mensch zu Mensch verschieden sein, je nachdem, wie und wo wir den Sinn unseres Lebens sehen. *Den* Gott aber, der uns Sinn verspricht und nach unseren Erfahrungen sein Versprechen hält, wenn wir uns auf ihn einlassen, werden wir dann "Gott" nennen und nennen nun die anderen Götter "Götzen". Diese verlieren dadurch keineswegs ihre Macht. Wir glauben ihnen ja immer wieder und lassen uns auf sie ein. Wir hängen unser Herz an sie; und wenn wir das tun, werden diese Götzen wieder unsere Götter. Wir fallen (eigentlich unverständlicherweise) auf sie herein, obwohl wir doch im Grunde bei dem einen Gott bleiben möchten, der nach unseren Erfahrungen allein den Namen Gott verdient.

Zwischen Gott und Götzen können wir also nicht dadurch unterscheiden, daß wir einen außerhalb von uns liegenden Maßstab heranziehen (z.B. die Bibel) und mit dessen Hilfe die Inhalte prüfen, mit denen wir die Wort-Hülse Gott jeweils füllen. Vielmehr ist eine solche Unterscheidung nur möglich, wenn wir uns selbst ins Spiel bringen. Theologie ist ohne eigene Betroffenheit keine Theologie mehr. Daher muß unsere Definition nun ein zweites Mal präzisiert werden. *Theologie ist die Rede eines Menschen von seinem Gott.*

Daraus folgt: Die Rede eines Menschen von seinem Gott ist nur in Unmittelbarkeit möglich. - *Redet* der Mensch aber überhaupt in dem Augenblick, in dem dieser Gott seine Hand auf ihn gelegt hat? Kaum, oder doch höchstens in ganz seltenen Ausnahmefällen. Insofern ist seine Theologie, seine Rede von seinem Gott, immer "historische" Theologie.

Bevor ich darauf näher eingehe, möchte ich die erarbeitete Definition von Theologie in Zusammenhang mit der These bringen, die in der Überschrift über die Prolegomena aufgestellt wurde: Ethik, ein Aspekt von Theologie.

Wenn Theologie die Rede eines Menschen von seinem Gott ist, dann ist das immer eine Rede aus Betroffenheit. Es ist die Rede von einer Größe, der sich dieser Mensch ausgeliefert hat. Darum bestimmt diese Größe den Menschen und sein Handeln.

Innerhalb dieses Komplexes kann man zwei Aspekte unterscheiden und diese je für sich in den Blick nehmen. Man kann vom Handeln des Menschen aus nach der *Größe* fragen, die dieses Handeln bewirkt hat. Man kann aber auch von der Größe aus nach dem *Handeln* fragen, in das der Mensch hineingeführt wird. Es liegt also zwischen dem *Gott* des Menschen und der *Ethik* des Menschen eine Entsprechung vor. Wird der Gott des Menschen anders definiert, ändert sich damit auch die Ethik des Menschen. Wird die Ethik des Menschen anders beschrieben, muß auch der Gott des Menschen anders definiert werden.

Ethik heißt demnach: Der Mensch reflektiert sein Handeln von dem ihn bestimmenden Gott her und auf den ihn bestimmenden Gott hin.

Dieser Zusammenhang läßt sich verdeutlichen und auf eine Formel bringen, wenn man eine von Paulus benutzte Terminologie aufnimmt: *typos* und *mimetes* (vgl. dazu 1. Thess. 1,6f.). Der *typos* ist der Prägestempel; der *mimetes* der vom Prägestempel Geprägte, der nun, eben als Geprägter, selbst prägen kann. Überträgt man dieses Bild auf die Definition, läßt sich formulieren: Theologie ist die Rede eines geprägten Menschen von dem ihn Prägenden. Man kann jetzt einmal den Prägenden in den Blick nehmen und ihn von der Prägung aus beschreiben, die er einem Menschen eingedrückt hat und eindrückt. Man kann aber auch die Prägung in den Blick nehmen und beschreiben, was der Prägende beim Menschen ausgelöst hat, bewirken will und bewirken kann.

Die Reihenfolge ist zwar grundsätzlich beliebig, doch ist hier ein Problem zu bedenken. Ich drücke das mit aristotelischen Kategorien aus: Das *proteron physai* (das der Natur nach Erste) ist der Prägende mit seinem Prägen. Insofern stimmt der Satz: Gott ist immer Subjekt. Man darf indes nie übersehen, wie dieser Satz zustandegekommen ist, nämlich immer über ein *proteron pros hemas* (über ein für uns Erstes). Das für uns Erste ist die erfahrene Prägung, von der aus *wir* den Prägenden definieren. So geht das Erkennen

Gottes und das Formulieren des Erkannten immer vom Menschen aus, und zwar von einem Menschen, der sich als Geprägter erfährt. Das hebt nicht auf, daß bei diesem Erkennen (aber wirklich erst dort!) erfahren wird: Gott ist es, der sich zu erkennen gibt.

Daß Gott immer Subjekt ist, ist also stets ein zweiter Satz. Wird der Satz als erster Satz benutzt (meist in der Formulierung: Gott hat sich dort und dort "offenbart"), liegt Rede über Gott vor.

Nehme ich die Prägung in den Blick, habe ich es mit Ethik zu tun. Nehme ich den Prägenden in den Blick, habe ich es mit dem zu tun, was man wohl Dogmatik nennt (oder was zumindest zentral für die Dogmatik ist). Von hier aus ist einzusehen: Dogmatik und Ethik sind Aspekte der Theologie.

Jeder Mensch, der über sich und seine Beziehung zu seinem Gott nachdenkt, ist in diesem Sinne ein Theologe. Er denkt nach über das, was ihn unbedingt angeht und umtreibt.

2. Historische Theologie

Wenn Theologie die Rede eines Menschen von seinem Gott ist, kann man diesen Menschen mit Namen nennen und dann fragen, wie dieser konkrete Mensch früher von seinem Gott geredet hat. Wende ich mich mit dieser Frage an die Bibel, lautet sie: Wie haben die Verfasser der in der Bibel zusammengefaßten Schriften jeweils von ihrem Gott geredet?

Zu beachten ist, daß sich diese Frage an die Verfasser, nicht jedoch an die Bibel richtet. An dieser Stelle ist unsere Sprache oft leichtfertig ungenau. Wer zum Beispiel formuliert: Was sagt die Bibel?, meint doch in Wahrheit: Was sagen die Verfasser der biblischen Schriften? Die Bibel kann gar nicht *von* Gott reden. Wende ich mich direkt an *sie,* kann immer nur herauskommen, was in der Bibel *über* Gott steht. Doch auch davon abgesehen ist unbestreitbar: Alle biblischen Schriften (und auch deren durch Literarkritik rekonstruierte Quellen) sind von Menschen verfaßt worden. Darum darf man diese Menschen nicht unterschlagen. Der ungenaue Sprachgebrauch suggeriert, daß das möglich sei. Man sieht nicht, daß durch diese "Personifizierung" der Bibel Voraussetzungen ungeprüft übernommen werden: die Bibel hat eine besondere Qualität. Man spricht vom "Wort Gottes" und ignoriert dabei, daß es Menschen waren, die aus Betroffenheit von ihrem Gott geredet haben.

Fragt man nun aber im historischen Abstand diese Menschen, wie sie von ihrem Gott geredet haben, erkennt man, daß sie die Wort-Hülse "Gott" mit ganz unterschiedlichen Inhalten gefüllt haben. Auf den ersten Blick sind sie oft gar nicht miteinander vereinbar. Wenn zum Beispiel ein Verfasser von seinem Gott als von einem redet, der seine Freude an der Vernichtung seiner Feinde hat (Ri 5,31), ist es schwer, diesen Gott mit dem Gott eines anderen zu identifizieren, der von seinem Gott sagt, er liebe alle seine Geschöpfe. Die Beispiele lassen sich unschwer vermehren. Von dem "Gott der Bibel" auszugehen ist daher unmöglich.

Ausgehen muß man vielmehr von den *einzelnen* in der Bibel zusammengefaßten Texten, zu denen ich als Ausleger einen historischen Abstand habe. Diese Texte sind von *Verfassern* in einer bestimmten Situation mit den jeweiligen *Inhalten* in einer bestimmten Absicht für bestimmte *Hörer* oder *Leser* in einer bestimmten Situation geschrieben worden. Wer - Was - Wem? Dieses Gefüge ist für das, was hier Exegese genannt wird, konstitutiv. Exegese ist also der Versuch, in meiner Sprache das nachzusprechen, was ein damaliger Verfasser mit seinem Text seinen damaligen Lesern sagen wollte. Exegese ist daher immer historische Exegese.

Sie geschieht wissenschaftlich. Das heißt: Der Exeget versucht, mit Hilfe geeigneter Methoden zu einem besseren Verstehen der alten Aussage zu kommen, als es ohne Einsatz von Methoden möglich ist.

Bei seiner Arbeit hat sich der Exeget jeder Kritik zu enthalten. Er darf sich nicht davon beeinflussen lassen, ob er das, was der betreffende Verfasser damals gesagt hat, für sinnvoll hält oder nicht, ob es ihm einleuchtet oder nicht, und auf gar keinen Fall, ob das (nach irgendwelchen Maßstäben) richtig ist oder nicht. Jede Kritik stellt sich einem Verstehen dessen in den Weg, was der Verfasser der Schrift sagen wollte. Darum ist eine "historisch-kritische" Exegese keine Exegese mehr. Erst nach der abgeschlossenen Exegese kann man (und wird man auch oft) an ihrem Ergebnis Kritik üben. Dabei muß man Kriterien nennen, nach denen man an der Aussage des Verfassers Kritik übt. Das ist jedoch immer ein zweiter Arbeitsschritt. Darum darf man diesem nicht denselben Namen geben wie dem ersten. Es geht bei der Exegese nur und um nichts anderes als um das verstehbare Nachsprechen einer alten Aussage.

Nach der *abgeschlossenen* Exegese ist jedoch auch noch ein anderer Arbeitsschritt möglich. In der Exegese wird *alles* nachgesprochen, was der Verfasser seinen Lesern sagen wollte. Richtet sich mein Interesse nun aber auf bestimmte Inhalte, zum Beispiel auf die Rede von Gott, kann ich nach der Exegese eine *gezielte Exegese* durchführen. Die Frage lautet dann: Wie redet der Verfasser in seinem Text und durch seinen Text von seinem Gott? Soll diese Frage wissenschaftlich beantwortet werden, geht es wieder darum, durch Anwendung geeigneter Methoden zu einem besseren Verstehen dessen zu kommen, wie der damalige Verfasser von seinem Gott redete.

Der Gegenstand der wissenschaftlichen Arbeit ist also nicht etwa Gott. Das ist unmöglich, weil Gott dann zu einem Objekt würde, das in Distanz betrachtet und untersucht werden könnte. Dabei käme immer nur eine Rede über Gott heraus. Der Gegenstand der wissenschaftlichen Untersuchung ist vielmehr - Theologie: das Reden eines Menschen von seinem Gott. Wo in einer sogenannten wissenschaftlichen Theologie der Mensch, der von seinem Gott redet, ausgeblendet wird, geht es gar nicht mehr um Theologie. Darum sollte der Mensch aber auch immer ausdrücklich genannt werden.

Nun muß man darauf achten, daß man streng bei seiner Frage bleibt. Ermittelt werden soll ja, wie jener Verfasser *von* seinem Gott geredet hat, nicht aber, welche Aussagen *über* Gott in seinem Text begegnen. Diese Unterscheidung ist schon deswegen nötig, weil man damit rechnen muß, daß jener Verfasser auch über Gott geredet hat und dann gerade nicht von der Größe, die ihn unmittelbar selbst bestimmt. Wenn aber ein Verfasser über Gott redet, wird man ihn fragen müssen, woher er die Inhalte kennt, mit denen er die Wort-Hülse Gott füllt. Durch seine eigene Erfahrung sind sie ja nicht gedeckt.

Diese Unterscheidung ist freilich nicht immer ganz leicht durchzuführen, zumal sie im historischen Abstand geschieht. Der Grund liegt vor allem darin, daß man sich gar zu schnell und dann einseitig am Vorkommen der *Vokabel* Gott orientiert, während der Verfasser die Größe, die ihn wirklich bestimmt (also *seinen* Gott), oft genug in ganz anderer Weise ausdrückt oder zu erkennen gibt.

Dieses Problem wird uns später noch mehrfach begegnen. Es soll aber wegen seiner grundsätzlichen Bedeutung wenigstens an zwei Beispielen erläutert werden, wobei bewußt eine gewisse Schematisierung in Kauf genommen wird.

(1) Wenn sich ein (pharisäischer) Jude am Gesetz orientiert und dieses sein Leben bestimmt, dann ist das Gesetz sein Gott. Wenn er vom Gesetz redet, redet er von seinem Gott. - Fragt man nun diesen (pharisäischen) Juden, warum er sich gerade dem Gesetz ausliefert und sich von ihm prägen läßt, wird er antworten: weil Gott das Gesetz gegeben hat. Der Satz aber, daß Gott (vor langer Zeit) das Gesetz gegeben hat, bzw. die Prädikation Gottes als Gesetzgeber ist eine Rede *über* Gott. Ihr Inhalt ist eine durch Tradition vermittelte Information. Diese wird nicht - im präzisen Sinne des Wortes - geglaubt, sondern sie drückt eine Überzeugung aus, die für zutreffend gehalten wird. Die nachfolgende Skizze kann das verdeutlichen:

> Gott/Gesetzgeber .... Gesetz ↔ Mensch

Der Mensch liefert sich dem Gesetz als seinem Gott aus (↔ : Theologie) und begründet das (←) mit einer Rede über Gott. Dabei ist bezeichnend, daß in der theologischen Aussage die Vokabel Gott nicht begegnet, wohl aber in dem Satz über Gott. Das wird später noch weiter auszuführen sein. - Hier kann aber immerhin schon deutlich werden, was es heißt, daß das Gesetz zwischen Gott und dem Menschen steht.

(2) Ganz Entsprechendes begegnet beim Thema Schöpfung. Der Satz "Am Anfang schuf Gott den Himmel und die Erde" ist keine theologische Aussage. Er enthält vielmehr eine Information, die in neutestamentlicher Zeit längst zu einer nicht mehr bezweifelten Überzeugung geworden ist. Es handelt sich beim ersten Satz der Bibel also um eine Rede über, nicht aber um eine Rede von Gott. Was kann man damit anfangen?

26

Meist bringt man jetzt vorschnell den Glauben ins Spiel. Der bezieht sich dann doch aber lediglich auf das Was, das in diesem Satz ausgesprochen wird. Ausgeklammert wird dabei wieder der, der den Satz formuliert hat. Ihn darf man doch aber nicht überspringen, zumal nicht zu bezweifeln ist, daß irgend jemand irgendwann zum erstenmal diesen Satz formuliert hat, der bis heute immer wieder nachgesprochen wird. Woher hat dieser Mensch seine "Information" bezogen?

Wenn man an dieser Stelle, wie es häufig geschieht, die Kategorie Offenbarung ins Spiel bringt, kommt man nicht weiter. Zunächst ist völlig unklar, was das heißt und wie man sich das vorstellen soll. Zur Not könnte man an Visionen oder Auditionen denken, wie sie später in den Apokalypsen begegnen und von den Apokalyptikern behauptet werden. Doch dann wäre zu beachten, daß sich der Glaube in diesem Fall nicht etwa auf den Inhalt der Offenbarung bezieht, sondern auf den Menschen und auf dessen Behauptung, eine Offenbarung empfangen zu haben. Erst wenn man diesem Menschen das glaubt, kann man Zutrauen zum Inhalt seiner Offenbarung haben. Es ist darum falsch, den Satz, daß Gott den Himmel und die Erde geschaffen habe, einen Glaubenssatz zu nennen. Es handelt sich vielmehr um einen Satz, der einen ganz anderen Glauben bereits voraussetzt. Die Richtigkeit des Inhalts des Satzes steht und fällt daher mit der Antwort auf die Frage: Hat dieser Mensch (von Gott?) eine Offenbarung erhalten? Nun bliebe einerseits auch das immer noch eine Rede über Gott; und andererseits ist festzustellen, daß in diesem Zusammenhang eine Offenbarung nicht einmal behauptet wird. Der Gedanke daran ist also eingetragen. So bleibt die Frage offen, woher der Mensch, der sicherlich nicht identisch ist mit dem Verfasser von Gen 1,1, die "Informationen" bekommen hat, die ihn in die Lage versetzten, diesen Satz zu formulieren. - Kann man das auf andere Weise einsichtig machen?

Ein Hinweis darauf läßt sich der älteren Schöpfungserzählung entnehmen, die in der Bibel leider erst an zweiter Stelle steht (Gen 2,4bff.). Sie beginnt mit dem Menschen. Daß dabei an einen Mann gedacht ist, ist vergleichsweise unwichtig, da das einfach der damals als selbstverständlich vorausgesetzten "Rangordnung" entspricht. Wichtig aber ist, daß diese Geschichte mit einem einzelnen Menschen beginnt. Dieser findet sich im Garten vor, der ihm Nahrung und Schutz bietet. Und nun versteht sich dieser Mensch als von (einem) Gott geschaffen. Damit sagt er, daß er sich nicht sich selbst verdankt, sondern ein Geschöpf seines Schöpfers ist. Und das ist nun in der Tat eine Glaubensaussage, eine theologische Aussage. Dieser Mensch redet von der Größe, von der er schlechterdings abhängig ist, und zwar von Anfang an: "Gott hat mich geschaffen."

Das ist deswegen eine Glaubensaussage, weil der Mensch sich zwischen mehreren Möglichkeiten, sich zu verstehen, entscheidet. Er hätte sich ja auch als Produkt des Zufalls oder als Spielball in der Hand launischer Kräfte verstehen können, denen er ausgeliefert ist. Er entscheidet sich aber für das Bekenntnis: Ich bin ein Geschöpf; und Gott hat mich geschaffen. Diese theologische Aussage ist unableitbar. Sie ist darum auch nicht widerlegbar. In seinem Glauben ist dieser Mensch (das Geschöpf) sich des Geglaubten (erschaffen durch seinen Schöpfer) gewiß - und wird doch immer wieder feststellen, daß andere Menschen seinen Glauben nicht teilen.

Dieser Glaubende erlebt nun eine Erweiterung seines Horizonts und bringt dabei seinen Glauben in diese Erweiterung ein. Wenn er sich selbst als Geschöpf seines Schöpfers glaubt, kann er ja gar nicht anders, als seinen Gefährten auch als Geschöpf seines Schöpfers zu verstehen. Dann geht sein Blick über den Garten hinaus. Er sieht Länder, Flüsse, fremde Menschen, später aber auch frühere Menschen, seine Vorfahren, die Natur usw. Aus seinem Glauben folgt: Alles stammt aus der Hand *seines* Schöpfers. Und dann kommt er am Ende wohl auch einmal zu der Aussage: Der Gott, der mich geschaffen hat, hat die ganze Welt geschaffen.

Deutlich ist: Die Glaubensaussage (die theologische Aussage) lautet: Gott hat mich geschaffen. Der Satz aber, daß Gott am Anfang den Himmel und die Erde geschaffen hat, ist keine Glaubensaussage, sondern das ist eine Konsequenz aus der Glaubensaussage.

Problematisch wird alles erst, wenn man die Reihenfolge umkehrt. Dadurch wird ein Satz, der immer nur als letzter Satz möglich ist, zu einem ersten Satz. Orientiert man sich aber unmittelbar an ihm, orientiert man sich an einer Rede über Gott. Aus der Konsequenz aus einer Glaubensaussage wird unter der Hand eine Information. Daß man dann im Gespräch mit Naturwissenschaftlern Schwierigkeiten bekommt, ist nahezu unvermeidbar, zumal man nun auch noch sprachlich nachlässig formuliert: Man spricht statt von einer Schöpfungs*geschichte* vom Schöpfungs*bericht*.

Die Aufgabe, die es zu sehen gilt, besteht also darin, Sätze über Gott in Aussagen von Gott zurückzuführen. Daraus sind sie ja entstanden. Darum müssen sie von dorther verstanden und dürfen auch nur von dorther benutzt werden.

Ein Beispiel: Wenn heute im Rahmen der Ökologie endlich ein verbreitetes Interesse dafür wachgeworden ist, sorgsamer mit der Natur umzugehen, dann kann der Beitrag der Kirche nicht darin bestehen, die Vokabel Natur durch die Vokabel Schöpfung zu ersetzen. Daß das zu kurz geschlossen ist, zeigt sich schon daran: Die konkret zu ergreifenden Maßnahmen unterscheiden sich nicht, ob ich nun von Natur oder ob ich von Schöpfung rede. In diesem Fall erweist sich die Kirche als Trittbrettfahrer.

Von Schöpfung kann theologisch doch nur der reden, der sich selbst als Geschöpf seines Schöpfers glaubt. Diesen Ausgangspunkt darf man (gerade heute) nicht still-schweigend voraussetzen, sondern man muß ihn ausdrücklich nennen. Sonst entsteht gar zu leicht der abenteuerliche Gedanke, man könne (theologisch!) zuerst von der Schöpfung reden, und von dort aus kann und soll sich auch der einzelne Mensch als Geschöpf glauben. Nicht ohne Grund beginnt Luther im Kleinen Katechismus die Erklärung zum ersten Artikel (Überschrift: von der Schöpfung) mit den Worten: "Ich glaube, daß Gott *mich* geschaffen hat"; erst dann folgt: "... samt allen Kreaturen". Luther hat hier also Rede über Gott in Rede von Gott zurückgeführt.

Entsprechendes muß, wie später noch auszuführen sein wird, bei sehr vielen anderen Reden über Gott geschehen, die unmittelbar in neutestamentlichen Schriften oder im Zusammenhang damit begegnen. Sätze wie "Gott wurde Mensch", "Gott hat Jesus von den Toten auferweckt", "Jesus hat sich zur Rechten Gottes gesetzt", aber auch: "Jesus wird am Ende der Tage wiederkommen" enthalten Informationen, sind aber keine Glaubensaussagen. Auch von diesen Sätzen gilt: Sie sind irgendwann von irgendeinem bestimmten Menschen zum erstenmal ausgesprochen worden. Später wurden (bis heute) fast immer nur die Inhalte wiederholt. Um sie zu verstehen und um sie theologisch überhaupt benutzen zu können, muß doch aber der, der diese Sätze zum erstenmal aus-sprach, gefragt werden, wie er dazu kam, diese Sätze gerade so zu formulieren. Er muß also nach seiner Theologie, nach seiner Rede von seinem Gott, gefragt werden. Kann von dort aus das Enstehen der Sätze verständlich gemacht werden, dann kann jemand, der in derselben Weise und mit denselben Inhalten von seinem Gott redet, als Konsequenz aus seinem Glauben diese Sätze (vielleicht) nachsprechen, wobei er möglicherweise auch andere Formulierungen wählen kann.

Nach der abgeschlossenen Exegese kann man also die Verfasser der Schriften nach ihrer jeweiligen Theologie befragen. Da dieses gezielte Fragen noch im Rahmen historischer Exegese geschieht, erreicht man als Ergebnis historischer Theologie: Es wird herausgearbeitet, wie die Verfasser der einzelnen Schriften damals zu ihren Lesern von ihrem Gott geredet haben. Soweit es gelingt, mit Hilfe von Literarkritik Vorlagen oder Quellen zu rekonstruieren, sind auch die Verfasser dieser Vorlagen oder Quellen daraufhin zu befragen, wie sie *von* ihrem Gott geredet haben, nicht aber daraufhin, was dort *über* Gott gesagt wird. Auf allen literarischen Stufen ist darauf zu achten, daß Theologie Theologie bleibt, nicht aber unversehens eine Rede über Gott als Theologie ausgegeben wird.

Beschränken wir uns nun auf das Neue Testament, lautet die Aufgabe: Es gilt, eine Geschichte von Theologien nachzuzeichnen. Diese Geschichte hat vor Abfassung der ältesten erhaltenen neutestamentlichen Schrift, dem 1. Thess., begonnen, also vor 50 n.Chr. Hier sind wir auf Rekonstruktionen angewiesen. Die Geschichte durchläuft sodann die neutestamentliche Zeit, also von 50 n.Chr. bis etwa 130 n.Chr. Sie läuft anschließend weiter bis in unsere jüngste Vergangenheit hinein.

Es ist nun streng darauf zu achten, daß es sich um ein bloßes Nachzeichnen dieser Geschichte handelt, nicht um mehr. Kritik hat dabei noch nichts zu suchen. Bei der Weiterarbeit kann man jedoch nicht auf Kritik an den einzelnen Theologien verzichten. Um sie durchführen zu können, braucht man ein Kriterium als Maßstab. Dieses Kriterium darf nicht einfach gesetzt, sondern es muß erarbeitet und begründet werden.

c) Das Kriterium für eine "christliche" Rede von Gott

1. Die Notwendigkeit eines Kriteriums

Kritik an den Theologien der Verfasser der neutestamentlichen Schriften wäre unnötig, wenn sie alle (und auch die Verfasser der rekonstruierbaren Quellen) in gleicher Weise und mit gleichen Inhalten von je ihrem Gott reden würden. Wäre das der Fall, könnte man sagen, daß immer von demselben Gott die Rede ist, und man könnte (allerdings in einer mißverständlichen Verkürzung) von dem Gott des Neuen Testaments sprechen, der dann eben der "christliche" Gott wäre. Das könnte aber immer nur ein Ergebnis sein. Darum darf man davon nicht als Voraussetzung ausgehen.

Nun läßt jedoch bereits ein erster nur flüchtiger Überblick über die verschiedenen Theologien Zweifel daran aufkommen, daß dieses Ergebnis zu erreichen ist. Man denke an das "klassische" Beispiel. Wenn Paulus (Röm 3,28) von seinem Gott als von einem redet, der ihn ohne Tun der Werke des Gesetzes allein durch den Glauben annimmt, der Verfasser des Jakobus-Briefes (2,24) von seinem Gott dagegen als von einem redet, der zur Annahme des Menschen gerade nicht Glauben allein, sondern auch Werke fordert, dann fällt es schwer, in beiden Fällen von demselben Gott zu reden. Wird die Wort-Hülse Gott nicht recht unterschiedlich gefüllt? Die Beispiele lassen sich (wie später noch zu zeigen sein wird) vermehren, wenn man etwa miteinander vergleicht, wie Markus von seinem Gott redet und wie Matthäus und Lukas es tun, oder wie Johannes von seinem Gott redet und wie die johanneische Schule es tut. Immer werden sich Differenzen herausstellen, die sich einer Harmonisierung widersetzen. Die Behauptung klingt zunächst kühn, sie wird sich aber als richtig erweisen: Die Verfasser der neutestamentlichen Schriften reden nicht nur unterschiedlich von ihrem Gott, sie füllen auch die Wort-Hülse Gott jeweils mit unterschiedlichen Inhalten. Zum Teil ergänzen sich diese. Dann liegt kein schwerwiegendes Problem vor. Zum Teil stehen sie aber in einem kontradiktorischen Gegensatz zueinander. Dann ist es unvermeidbar, daß die Unterscheidung zu einer Scheidung weitergeführt wird. Denn nun stellt sich doch zwangsläufig die Frage, welcher der Verfasser "richtig" von Gott redet. Diese Frage kann nur durch "Kritik" beantwortet werden.

Man muß allerdings genau darauf achten, daß durch das Einführen von Kritik die Darstellung der Theologien nicht nachträglich wieder verändert wird. Historische Theologie muß historische Theologie bleiben. Dennoch muß sie nun beurteilt werden, und dabei kommt man um eine Wertung nicht herum. Es muß also ein Kriterium gesucht werden, das diese Wertung ermöglicht. Gelingen kann das aber nur, wenn man sich zuvor überlegt, welcher Art diese Wertung ist.

2. Die Leistungsfähigkeit eines Kriteriums

Wenn man unterschiedliche Reden von Gott miteinander vergleicht, pflegt man meist die Frage zu stellen, wo vom "wahren Gott" die Rede ist. Man muß indes darauf achten, daß man diese Frage nicht als Rede über Gott stellt. Stellt man sie aber im strengen Sinne theologisch, dann wird sofort klar: Wenn Paulus von seinem Gott redet, dann redet er von dem Gott, der *ihm* der wahre Gott ist. Dieser Gott bestimmt ihn doch. Paulus hat sich von ihm prägen lassen, indem er sich auf ihn einließ. Im Einlassen auf diesen Gott und durch das Einlassen auf ihn (in seinem Glauben) *lebt* er die Wahrheit seines Gottes. Mit seinem Existieren steht er für die Wahrheit dieses Gottes ein.

Dasselbe gilt aber auch für den Verfasser des Jakobus-Briefes; und es gilt sowohl für Markus als auch für Matthäus und Lukas, es gilt sowohl für Johannes als auch für die johanneische Schule. Sie alle lassen sich auf je ihren Gott ein; und mit seinem Existieren steht jeder für die Wahrheit seines Gottes ein.

So ist die Frage nach dem "wahren Gott" objektiv gar nicht zu beantworten, zumal dabei ja auch immer eine Rede über Gott herauskommen würde. Beantwortet werden kann sie nur von dem einzelnen Menschen, der von seinem Gott redet. Er redet dann immer von dem *ihm* wahren Gott. Sein Bekenntnis zu diesem Gott steht nicht zur Diskussion. Es kann darum auch durch irgendein Kriterium weder gestützt noch erschüttert werden.

Diese Spannung zwischen Unverfügbarkeit und Verbindlichkeit der Wahrheit liegt heute ebenso vor. Wenn heute ein Mensch von seinem Gott redet, dann redet er doch von dem Prägenden, der *ihn* geprägt hat. Als einer, der sich vom Prägenden hat prägen lassen (und immer wieder prägen lassen möchte), steht er mit dem Bekenntnis zu diesem Prägenden für die Wahrheit seines Gottes ein. Zugleich erlebt er immer wieder und weiß daher, daß viele Menschen neben ihm sich von einem ganz anderen Gott prägen lassen und nun auch für die Wahrheit dieses anderen Gottes einstehen. Es gibt daher kein (doch stets von außen herangetragenes) Kriterium, das über die Wahrheitsfrage entscheiden könnte - weder damals noch heute.

Etwas völlig anderes ist es, wenn der Mensch, der von seinem (ihm!) wahren Gott redet, nun die Behauptung aufstellt: Mein Gott ist der *christliche* Gott. Genau das geschieht heute sehr oft. Durch Einführung dieses Adjektivs wird für die unverfügbare Wahrheit Verbindlichkeit behauptet. Ist das aber auf diese Weise möglich?

Wir dürfen doch unterstellen, daß Paulus und der Verfasser des Jakobus-Briefes, daß Markus und auch Matthäus und Lukas, daß Johannes und auch die johanneische Schule davon überzeugt waren, daß der Gott, von dem sie reden, der "christliche" Gott ist, und das auch gesagt hätten, wenn es damals diese Vokabel schon gegeben hätte. Die Frage ist jedoch, ob diese Überzeugung stimmt. Wenn sie von unterschiedlichen Göttern reden, können sie doch nicht alle vom "christlichen" Gott reden. Sie mögen die beste Absicht gehabt haben, das zu tun. Damit ist jedoch noch nicht gesagt, daß sie es wirklich tun. So müssen sie sich gefallen lassen, daß das überprüft wird.

Ebenso gilt: Wenn heute ein Mensch von seinem Gott redet und dabei selbstverständlich voraussetzt, daß er vom wahren Gott redet (sonst würde er sich ja gar nicht auf ihn einlassen), und wenn er dann die Behauptung aufstellt, daß sein Gott der christliche Gott sei, dann muß er für diese Behauptung den Nachweis erbringen. Wohlgemerkt: für die Behauptung, nicht aber etwa für seinen Glauben, daß er sich dem (ihm) wahren Gott ausgeliefert hat. Denn wenn der Nachweis nicht gelingt und die Behauptung des Menschen also nicht stimmt, seine Rede von dem (ihm) wahren Gott sei christliche Rede von Gott, dann tangiert das ja nicht seinen Glauben selbst, nicht die "Qualität" seines Glaubens, sondern lediglich die Benennung seines Glaubens, also das Etikett.

Es muß daher bedacht werden, daß weder mit der Zuerkennung, noch mit der Bestreitung der Vokabel "christlich" die Wahrheitsfrage entschieden wird. Christlich ist lediglich ein Adjektiv, das der Beschreibung dient. Beides ist streng zu unterscheiden, zumal es im heutigen Verständnis und Sprachgebrauch oft miteinander vermischt wird. Das kann leicht verhängnisvolle Folgen haben. Da christlich dann sofort als Qualitätsaussage verstanden wird, gilt das Urteil "nicht-christlich" als Mangel. Dann mag man natürlich nicht selbst eingestehen, daß das eigene Reden vom eigenen Gott - das doch Rede vom wahren Gott ist! - nicht Rede vom christlichen Gott sein soll. Darf man denn nicht mehr voraussetzen, daß man Christ ist? Und wenn dann das Reden eines Verfassers einer neutestamentlichen Schrift als nicht-christliches Reden von Gott bezeichnet wird, gilt das als qualitative Abwertung des Verfassers und seiner Schrift. Steht diese nicht im Neuen Testament!? - Solche vorschnellen Disqualifizierungen kann man nur vermeiden, wenn man genau daran festhält: Mit der Vokabel christlich wird nur eine Beschreibung durchgeführt, nicht mehr.

Mit Hilfe einer solchen Beschreibung kann jetzt kritisch zwischen den verschiedenen Theologien unterschieden werden. Kontrolliert werden soll ja die Behauptung, eine bestimmte Theologie sei christliche Theologie. Zur Durchführung dieser Kontrolle bedarf es eines Kriteriums. *Das* wird dann in der Tat von außen herangetragen, und zwar sowohl an die einzelnen Theologien der Verfasser der neutestamentlichen Schriften als auch an das Reden eines heutigen Menschen von seinem Gott. Alle genannten Theologien werden *einer* Theologie konfrontiert, und zwar der, die den Maßstab dafür bildet, ob die anderen Theologien als christlich *bezeichnet* werden dürfen oder nicht.

Damit ist die Aufgabe formuliert: Kann man auf methodisch kontrollierbarem Wege *die* Theologie beschreiben und definieren, der das Adjektiv christlich beizulegen ist? Und kann man begründen, warum das gerade für diese und nicht für eine andere Theologie gilt?

Mit der Lösung dieser Aufgabe ist nun aber die Frage nach der Ethik nicht etwa nur vorentschieden, sondern die Frage nach der Ethik wird bereits zusammen mit der Lösung der Aufgabe entschieden.

3. Christliche Ethik - ein Aspekt christlicher Theologie

Wenn Ethik, wie ich zu zeigen versuchte, ein Aspekt von Theologie ist, dann folgt daraus, daß christliche Ethik ein Aspekt christlicher Theologie ist. Das ergibt sich aus den Definitionen. Der Mensch, der vom "Christen-Gott" redet,

redet ja nur dann wirklich *von* diesem Gott, wenn er sich in seinem Existieren auf ihn einläßt. Dieser Mensch lebt seinen Gott; und dadurch, daß er ihn lebt, erweist er die Wahrheit seines Gottes.

Daraus ergibt sich ein Weiteres. Wenn mit der Vokabel christlich keine höhere Qualität ausgedrückt, sondern lediglich eine Beschreibung durchgeführt wird, darf man nicht auf den Gedanken kommen, die christliche Ethik sei eine "bessere" Ethik als andere Ethiken. Sie ist zunächst einmal lediglich eine andere Ethik. Wenn dann nachfolgend die christliche Ethik herausgearbeitet und andere Ethiken beschrieben werden, geschieht das nicht unter dem Gesichtspunkt eines höheren oder geringeren Wertes.

Darum kann auch heute niemand gedrängt werden, nach Maßstäben christlicher Ethik zu leben. Wohl aber kann von ihm erwartet werden, daß er seine eigene Ethik daraufhin überprüft, von welchem Gott sie bestimmt ist. Ist es der "Christen-Gott", kann er behaupten, seine Ethik sei christliche Ethik. Ist es jedoch nicht der "Christen-Gott", wird er für seine Ethik die Vokabel christlich redlicherweise nicht mehr benutzen. Seine Ethik ist deswegen aber nicht schlechter. Da und wenn sein Gott, von dem er redet, wirklich der ihm wahre Gott ist, wird er selbstverständlich bei seiner Ethik bleiben. Denn *für ihn* ist das dann doch die bessere Ethik.

A. Die Ansätze

Wenn wir nach den Ausführungen in den Prolegomena nun versuchen wollen, christliche Theologie und - im unmittelbaren Zusammenhang damit - christliche Ethik zu definieren, werden wir von diesem Konsensus ausgehen dürfen: Man muß sich für diese Definition am Anfang orientieren. Nun ist aber umstritten, wo dieser Anfang liegt. Daher muß wenigstens kurz auf die damit zusammenhängenden Probleme eingegangen werden.

Wenn man die Schriften des Neuen Testaments in der Reihenfolge ihres Entstehens ordnet, läßt sich ein Nacheinander von Theologien aufzeigen, das in gelegentlich parallelen Entwicklungslinien verläuft. In der Zeit von 50 bis etwa 130 n.Chr. reden Verfasser durch ihre Texte zu anderen Menschen von je ihrem Gott. Dabei setzen sie nicht jedesmal neu ein, sondern sie knüpfen mit ihrem Reden von Gott an die Reden Früherer von Gott an. Sie verstehen sich also als Menschen, die in einer Tradition leben. Wo hat diese Tradition begonnen?

Gelegentlich greifen die Verfasser dabei auf Aussagen von oder über Gott zurück, die sich in Schriften finden, die später zum Alten Testament zusammengefaßt wurden. Dennoch sehen sie dort nicht den zumindest unmittelbaren Anfang ihres Redens von ihrem Gott. Es ist vielmehr so, daß das, was aus jenen alten Schriften stammt, als inzwischen irgendwie modifiziert verstanden worden ist. Die Art der Modifizierung kann unterschiedlich ausgedrückt werden, etwa als Durchkreuzung, aber auch als Überhöhung früherer Reden von Gott. Der Ort aber, wo diese Modifizierung geschah, wird mit dem Namen Jesus Christus bezeichnet.

Den eigentlichen Anfang sehen die Verfasser also bei Jesus Christus, zumindest den Anfang für das, was man christlich nennen kann; denn alle Verfasser neutestamentlicher Schriften berufen und beziehen sich auf Jesus Christus und wissen sich diesem Anfang verpflichtet. In welcher Tradition auch immer sie stehen und ihre Rede von ihrem Gott formulieren, sie sind davon überzeugt, ebendamit den Anfang durchzuhalten.

Für uns ergibt sich daraus freilich ein Problem: Literarisch ist dieser Anfang nirgendwo greifbar, denn literarische Zeugnisse stehen uns erst seit dem Jahre 50 n.Chr. zur Verfügung. Keine der in den neutestamentlichen Schriften vorliegenden Theologien (auch nicht die, die Paulus in seinen Briefen formuliert) kann daher so, wie sie jetzt lautet, als Vorlage zur Definition von christlicher Theologie dienen, denn sie bilden ja nicht den Anfang. Wollen wir an den Anfang zurück, sind wir auf Rekonstruktionen angewiesen.

Nun liegt es auf der Hand, daß solche Rekonstruktionen nicht immer ganz leicht durchzuführen sind. Gelegentlich muß man sogar mit Hypothesen arbeiten; und daher bleiben die Ergebnisse (manchmal) umstritten. So scheint es dann "einfacher" zu sein, wenn man bei den vorhandenen Texten bleibt, sich an ihnen orientiert und sich, wie die Dinge nun einmal liegen, dabei an die Paulus-Briefe als die ältesten erhaltenen Dokumente hält. Die Berufung auf sie ist eine fast selbstverständliche Praxis.

Hat man jedoch eingesehen (was ernsthaft doch auch gar nicht zu bestreiten ist), daß der Anfang vor dem Jahre 50 n.Chr. liegt, muß man zugleich zugeben, daß die scheinbar einfachere Lösung eine unzulängliche und darum eine schlechte Lösung ist. Man darf sich doch nicht deswegen von einer als notwendig erkannten Aufgabe dispensieren, weil ihre Durchführung auf Schwierigkeiten stößt. Sie muß in Angriff genommen werden. Man wird allerdings darauf achten müssen, bei den Rekonstruktionen so umsichtig wie möglich vorzugehen. Die Arbeitsschritte müssen überprüfbar bleiben.

Auf eine weitere Schwierigkeit sei hingewiesen, zumal deren Überwindung ganz offensichtlich erheblich komplizierter ist. Bis heute konnte kein Konsensus darüber erreicht werden, ob man den Anfang des "Christlichen" im Leben und Wirken des irdischen Jesus sehen soll oder ob der eigentliche Anfang erst bei "Ostern" liegt. Die Vokabel Ostern lasse ich zunächst als das stehen, was sie ist: eine leere Wort-Hülse. Die inhaltliche Füllung kann erst später geschehen.

Die Alternative nämlich, ob der Anfang schon bei Jesus oder erst bei Ostern liegt, läßt sich nicht einfach durch Rekonstruktionen entscheiden. Das hängt mit einem eigentümlichen Befund zusammen: Zeitlich Früheres begegnet literarisch erst in relativ späten Dokumenten, während literarisch ältere Dokumente das zeitlich Frühere so gut wie gar nicht erwähnen. Erst aus den ab 70 n.Chr. geschriebenen Evangelien erfahren wir etwas über Leben und Wirken Jesu. Paulus dagegen erwähnt in seinen zwischen 50 und etwa 56 n.Chr. geschriebenen Briefen davon nahezu nichts. Wenn man also von den Paulus-Briefen aus rekonstruiert, kommt man nur bis Ostern zurück (und davor bis zum Tode Jesu). Rekonstruiert man dagegen von den Evangelien aus, kommt man bis in das Leben und Wirken Jesu zurück. Nimmt man nun eine gradlinige Entwicklung an (Wirken Jesu, Tod Jesu, Ostern, Urgemeinde, Paulus, Evangelien), entsteht nach den erhaltenen literarischen Dokumenten der Eindruck: In der Zeit nach Ostern hat man sich zunächst nicht für Leben und Wirken Jesu interessiert. Hier scheint Ostern der Ausgangspunkt gewesen zu sein. Erst später kam ein Interesse für Leben und Wirken Jesu (wieder?) auf. Dadurch *wurde* - aber erst lange nach Ostern! - das Leben und Wirken Jesu zum Anfang. Das ist zumindest seltsam und muß erklärt werden.

Es scheint naheliegend, den "Anfang" zeitlich zu verstehen. Man rekonstruiert ihn aus den Evangelien und überspringt dabei sozusagen die Paulus-Briefe. Der

36

Anfang des Christlichen wäre dann so zu bestimmen: Er liegt im Leben und Wirken Jesu.

Doch gerade dagegen hat man Bedenken angemeldet. Es ist ja nicht zu bestreiten, daß die Evangelisten (!) den Ausgang des Lebens Jesu kannten und auch von Ostern wußten. Man darf darum unterstellen, daß sie bei der Darstellung der Jesus-Vergangenheit von Anfang an (zumindest auch) von diesem Wissen bestimmt waren und dieses auf ihre Darstellung einwirkte. Daraus zog man nun den Schluß: Die Urgemeinde (!) hat den irdischen Jesus immer "durch die Brille" von Ostern gesehen und dargestellt. Anders ausgedrückt: Der Glaube an den Auferstandenen bestimmte die Darstellung des Irdischen, und zwar von Anfang an. Wenn das stimmt, war es nun wirklich begründet, Ostern als den eigentlichen Anfang des Christlichen zu verstehen. Jetzt konnte man als weiteres Argument auch auf die literarisch ältesten Dokumente verweisen, eben auf die Paulus-Briefe, die dieses Ergebnis zu stützen schienen.

Nun kann man freilich wieder die Frage stellen, ob es zulässig ist, von dem, was für die Evangelisten ziemlich sicher gilt, unmittelbar auf die frühere (!) Urgemeinde zurückzuschließen; und ich denke, es läßt sich zeigen, daß das ein Kurzschluß ist. Das bedarf aber noch genauerer Erörterungen. Einstweilen lasse ich die Frage offen, wo man den Anfang des Christlichen sehen muß: im Leben und Wirken Jesu oder erst zu Ostern. Doch soll auf einige Konsequenzen aus den unterschiedlichen Entscheidungen hingewiesen werden, zumal sich von dort aus Fragen ergeben, die beantwortet werden müssen.

Wer Ostern für den Anfang des Christlichen hält, muß die Frage nach der Bedeutung des Lebens und Wirkens Jesu für den christlichen Glauben beantworten. War der irdische Jesus dann nicht nur so etwas wie ein Vorläufer des Auferstandenen? Mehrfach wird erzählt, daß Jesus Menschen seiner Umgebung in den Glauben geführt hat, niemals allerdings in den Glauben an seine Person. (Davon spricht erst später das Johannes-Evangelium). Was war das nun für ein Glaube, in den Jesus hineingeführt hat? Glaube an Gott? Sicher, aber an was für einen Gott? Christlicher Glaube kann das noch nicht gewesen sein, *wenn* es den erst seit Ostern gibt.

Wer den Anfang dagegen beim Leben und Wirken des irdischen Jesus sieht, hat es nur scheinbar einfacher. Er muß nämlich nun dazu Stellung nehmen, welche Bedeutung Ostern für den christlichen Glauben hat. Handelt es sich um eine (wie auch immer gedachte oder zustandegekommene) Neuaufnahme von etwas schon Dagewesenem? Dann hätte Ostern keinen anderen Inhalt als die Beschreibung der Neuauslösung des alten Glaubens, denn der Glaube war nachher inhaltlich derselbe wie vorher. Das stößt sich aber mit der verbreiteten Auffassung, nach der die Auferstehung Jesu (zusammen mit dem Kreuz) als das schlechthin zentrale, weil alles entscheidende Geschehen gewesen sein soll. Wenn das wirklich stimmt, erscheint die Zeit vor Ostern nun doch wieder unter dem Zeichen eines Minus. Kann man dann aber (ohne die nachträgliche Erhöhung) beim Leben und Wirken des irdischen Jesus den Anfang für das Christliche sehen?

Auf zwei kurze Formeln gebracht: Wer Ostern für den Anfang hält, muß zum vorösterlichen Jesus Stellung nehmen. Wer den Anfang beim vorösterlichen Jesus sieht, muß zum Problem Ostern Stellung nehmen.

Nicht unerwähnt bleiben darf eine dritte Möglichkeit, bei der sich die Alternative dadurch erledigt, daß man das Problem Ostern entweder vom Tisch fegt oder ignoriert. Der Vater dieses Gedankens war Hermann Samuel Reimarus, auf den alsbald noch näher einzugehen sein wird. Da Reimarus Ostern für einen Betrug der Jünger hielt, verstand er das Entstehen von Christologie als eine Folge dieses Betruges. Sein Interesse richtete sich daher allein auf den historischen Jesus, den er zu rekonstruieren versuchte. Allein an ihm dürfe sich die Kirche orientieren. Durch die Erfindung der Christologie sei sie auf einen Irrweg geraten.

Dieser von Reimarus geforderte Verzicht auf Christologie wirkt bis heute nach, und zwar bemerkenswerterweise gerade dort, wo man sich um christliche Ethik bemüht. Sehr oft kann man hier eine große Reserve gegenüber jeder Christologie beobachten. Man fragt, ob durch sie aus Jesus nicht etwas ganz anderes gemacht wurde, als er war und sein wollte. Und so eliminiert man die Christologie, indem man sie ignoriert. Wenn man im Raum der Kirche nach ethischen Weisungen sucht, fragt man, was Jesus zu diesem Problem gesagt hat. Bei ihm sieht man den noch unverfälschten Anfang und darum die Norm. Will man eine Auskunft über das Christliche haben, beruft man sich auf den "historischen Jesus". Eine Reflexion über Ostern kann dann entfallen - und entfällt. Daher kann man, wie man meint (und praktiziert), auf "Christologie" verzichten. - Reimarus ist in der Tat modern geblieben!

Wie soll man angesichts dieser ziemlich diffus anmutenden Situation vorgehen? Ich möchte hier noch einmal daran erinnern, daß durch die Definition einer christlichen Rede von Gott und auch durch die einer christlichen Ethik eine *Wertung* weder erreicht werden kann noch überhaupt angestrebt werden darf. Da über *den* Anfang kein Konsensus besteht, lege ich mich im voraus nicht fest und nehme *zwei* Beschreibungen vor, eine, die von der Vermutung ausgeht, der Anfang liegt im Leben und Wirken Jesu, die andere, die von der Vermutung ausgeht, der Anfang liegt bei Ostern.

Damit ist zunächst die Richtung angegeben, die nachfolgend eingeschlagen werden soll. Da wir von den Evangelien aus in eine frühere Zeit zurückkommen als von den Paulus-Briefen aus, soll mit ihnen begonnen werden. Unsere Frage lautet: Was läßt sich durch Rekonstruktion darüber ermitteln, wo und wie die christliche Rede von Menschen von ihrem Gott begonnen hat, und was läßt sich im Zusammenhang damit über ihre Ethik sagen? Danach ist dieselbe Frage an die Paulus-Briefe zu stellen. Insofern steuern wir also zwei mögliche Anfänge an.

I. Die an Jesus orientierte Ethik

Die Überschrift ist mit Bedacht so gewählt, weil die herkömmliche Formulierung (nämlich: Die Ethik Jesu) unpräzise ist. Ich bin nämlich der Überzeugung, daß es keine Methode gibt, mit deren Hilfe man die Ethik Jesu erheben kann. Das hängt mit der "Frage nach dem historischen Jesus" zusammen, auf die alsbald eingegangen wird. Außerdem darf man, wenn man christliche Ethik definieren will, die Christologie nicht nur nicht ausklammern, man kann sie gar nicht ausklammern. Beides hängt ganz unmittelbar zusammen. Man kann geradezu formulieren: Durch die Einsicht, daß die Frage nach dem historischen Jesus gescheitert ist, stößt man unmittelbar auf Christologie, und zwar bereits vor Ostern. Dadurch erweist sich die Christologie nicht etwa nur als unverzichtbar (das könnte ein Postulat sein), sondern bei methodisch reflektiertem Vorgehen als unvermeidbar.

a) Das Grundproblem: Christliche Ethik - ein Aspekt von Christologie

Die Überschrift ist eine Modifizierung der Überschrift über die Prolegomena. Für einen Christen ist die Christologie die spezifische Gestalt der Theologie. Ein Christ, der von Jesus als von dem redet, der ihn prägt, redet eben damit von *seinem* Gott.

Damit wird zugleich behauptet, daß der Zugang zum ersten Artikel nur vom zweiten Artikel aus möglich ist. Wer vom ersten Artikel zum zweiten weitergehen will, verfällt fast immer in eine Rede über Gott.

Was heißt nun aber inhaltlich, daß ein Mensch von (nicht über!) Jesus redet?

1. Zur Frage nach dem historischen Jesus

In Diskussionen (und darum auch in der Literatur) werden zwei Ausdrücke sehr oft synonym benutzt: irdischer Jesus und historischer Jesus. Da das leicht zu Mißverständnissen führt, sollte man unterscheiden.

Mit dem *irdischen Jesus* wird, im Unterschied zum auferstandenen Jesus, Jesus als der von seiner Geburt bis zu seinem Tode auf Erden Wirkende bezeichnet. Dabei ist es gleichgültig, ob das, was erzählt wird, historisch genau ist oder nicht. Anders beim *historischen Jesus*. Hier geht es um eine Darstellung des auf Erden wirkenden Jesus *vor aller Deutung durch Menschen*. Es geht also darum, wie Jesus sich selbst verstanden hat (nicht aber, wie andere ihn verstanden haben).

Bei den Taten, die er getan hat, geht es um die Faktizität; bei der Verkündigung Jesu geht es um die *ipsissima verba* (die ureigensten Worte). Nur in diesem ganz präzisen Sinn sollte man den Ausdruck historischer Jesus benutzen; sonst sollte man immer vom irdischen Jesus sprechen.

Diese Differenzierung in der Terminologie ist nicht etwa Willkür, sondern sie ist vorgegeben, und zwar durch das Anliegen von Hermann Samuel Reimarus (1694-1768), mit dem die Frage nach dem historischen Jesus begann.

Ohne den Verfassernamen zu nennen, hat Lessing zwischen 1774 und 1778 in Wolfenbüttel Teile aus dem Werk des Reimarus als Fragmente eines Ungenannten herausgegeben, eines davon mit der Überschrift: Vom Zwecke Jesu und seiner Jünger.

Zwischen beiden ist nach Reimarus scharf zu unterscheiden. Der "Zweck Jesu" war: Er wollte der *politische* Messias seines Volkes sein und dieses aus der Römerherrschaft befreien. Bei seinem Zug nach Jerusalem rechnete er dort mit einer Volkserhebung, zu der es aber nicht kam. Jesus ist also mit seinem Zweck gescheitert. Am Kreuz gestand er seine Niederlage mit den Worten ein: "Mein Gott, mein Gott, warum hast du mich verlassen?"

Die Jünger, die gehofft hatten, im Reiche des Messias Minister zu werden, hatten am Umherziehen mit Jesus Gefallen gefunden und keine Lust, die Arbeit wiederaufzunehmen. So verfolgten sie nun ihren eigenen "Zweck": Sie wollten als Prediger ein bequemes Leben führen.

Um diesen Zweck erreichen zu können, erfanden sie "Ostern". Sie stahlen den Leichnam Jesu und behaupteten, freilich erst nach 50 Tagen, er sei auferstanden. Von diesem "Ostern" aus gestalteten sie sodann die Darstellung der Vergangenheit. Dabei wurde das Bild des *historischen* Jesus verfälscht. Wollte dieser der Messias seines Volkes sein und verstand er sich damit als eine irdisch-menschliche Gestalt, schufen nun die Jünger ein Bild des *irdischen* Jesus, indem sie ihn als Menschensohn zeichneten, ihm also Züge eines göttlichen Himmelswesens gaben, der schon zu seinen Lebzeiten seine demnächstige Wiederkunft angekündigt hatte, die nun nach "Ostern" in Kürze zu erwarten sei.

Da wir es in den Evangelien immer mit dem irdischen Jesus zu tun haben, also mit einem von "Ostern" her übermalten Jesus-Bild, bestand nach Reimarus die Aufgabe darin, die nachträgliche Übermalung abzutragen. Erst wenn das geschehen sei, komme hinter dem irdischen Jesus wieder der historische Jesus zum Vorschein. Den wollte Reimarus erreichen.

Nun ist es zwar richtig, daß Reimarus von einem tiefen Haß gegen die Kirche getrieben war. Er führte den kritischen Nachweis, daß sie sich, wenn sie sich auf Jesus beruft, nicht auf den *historischen* Jesus beruft, sondern auf ein Jesus-*Bild*, das, wie er meinte zeigen zu können, erst durch Betrug entstanden sei. Die Kirche sei also, bis in die Gegenwart hinein, ein Produkt dieses Betruges. Mit diesem Ergebnis mußte Reimarus auf Widerstand stoßen, was aber nicht seine methodischen Einsichten tangiert.

Diese scheinen vielmehr, zumindest auf Anhieb, einleuchtend. Die Kirche darf sich doch wirklich nicht, wenn sie sich auf Jesus beruft, auf ein Jesus-*Bild* berufen, das sie selbst erst geschaffen hat. Und so nahm man dann nach einigem Zögern die Frage nach dem historischen Jesus auf, da sie nicht nur sinnvoll schien, sondern geradezu notwendig. Fast eineinhalb Jahrhunderte lang (bis nach dem Ersten Weltkrieg) galt ihr das Interesse, zum Teil sogar noch bis heute. Ein Beleg dafür sind die meisten der in den letzten etwa drei Jahrzehnten erschienenen Jesus-Bücher. Diese zeigen aber zugleich, daß ein Konsensus über das Bild des historischen Jesus bisher nicht erreicht werden konnte.

Vielleicht ist das Problem wirklich unlösbar. Das müßte man zeigen und die Gründe dafür angeben. Solange das nicht geschehen ist, bleibt die Frage als Frage bestehen - es sei denn, man könnte zeigen, daß die Frage nach dem historischen Jesus als solche schon falsch gestellt ist. Auf falsch gestellte Fragen kann es natürlich keine richtigen Antworten geben. Und tatsächlich hat sich inzwischen herausgestellt, daß die Frage falsch gestellt war.

Die lange Forschungsgeschichte kann hier nicht dargestellt werden. Auf zwei Einsichten, die man gewann, möchte ich aber wenigstens hinweisen.

(1) Wer nach dem historischen Jesus fragt und dabei von den Evangelien ausgeht, entdeckt viele Züge und Motive, die unvereinbar miteinander sind oder zu sein scheinen. Er braucht also *Auswahlkriterien,* um entscheiden zu können, was als authentisch (historisch "echt") gelten kann und was nicht. Wo findet er die? Albert Schweitzer hat in seiner Geschichte der Leben-Jesu-Forschung festgestellt (die 1. Aufl. erschien 1906 unter dem Titel: Von Reimarus bis Wrede), daß jede Generation ihr eigenes Jesus-Bild entworfen hat. Aus der Fülle der divergierenden Züge, Motive und Aussprüche suchte man die aus, die dem eigenen Interesse und Anliegen entgegenkamen - und hielt gerade die für historisch. Man bestimmte also selbst die Kriterien, wie Reimarus es auch schon getan hatte. Doch auf diesem Wege ist der historische Jesus nun gerade nicht zu erreichen. - Kann man aber überhaupt ohne eigenes Interesse fragen?

Wenn das nicht möglich ist, muß der historische Jesus im Dunkel der Vergangenheit verborgen bleiben. So hat man Albert Schweitzers Buch dann den "Grabgesang der Leben-Jesu-Forschung" genannt. Zu Recht? Die meisten der neueren Leben-Jesu-Bücher ignorieren Schweitzers Beobachtungen. Nur deswegen konnten sie geschrieben werden. Außerdem ignorierten sie fast immer eine weitere Einsicht.

(2) Wer nach dem historischen Jesus fragt, darf sich nicht unmittelbar an die Evangelien wenden, sondern muß das *Problem der Quellen* kennen und berücksichtigen. Das aufzuhellen, hat insbesondere die deutsche protestantische Forschung mehr als ein Jahrhundert lang hervorragende Arbeit geleistet. Sie hat dabei ein Instrumentarium erstellt, mit dessen Hilfe zumindest die Hoffnung bestehen konnte, ein methodisch besser begründetes Ergebnis zu erreichen, als es Reimarus möglich war.

Bei der Frage nach dem historischen Jesus schied das Johannes-Evangelium aus. Das Verhältnis der synoptischen Evangelien zueinander konnte mit der Zwei-Quellen-Theorie erklärt werden. Die Literarkritik half, kleine Einheiten zu rekonstruieren, und führte zu der Einsicht: Am Anfang der Jesus-Tradition standen Einzelüberlieferungen. Man sah nun, daß es ein sehr weiter Weg war, von diesen Anfängen über die Sammlung und Zusammenfassung der Einzelüberlieferungen zu frühen Quellen bis hin zum Markus-

Evangelium, das dann (zusammen mit der Logienquelle) den Evangelisten Matthäus und Lukas vorgelegen hat.

Schon 1847 stellte Adolf (von) Harnack bei seiner Habilitation die These auf: Vita Jesu scribi nequit. Und in der Tat zeigte die ganz unterschiedliche Ordnung der Einzeltraditionen, daß es unmöglich ist, ein *Leben* Jesu zu schreiben. Die Frage nach dem historischen Jesus konnte also nur noch an die Einzelüberlieferungen gerichtet und nur von Fall zu Fall entschieden werden.

Aber nun brauchte man wieder Kriterien, um zwischen historisch echt und historisch unecht zu unterscheiden. Eine Einigung darüber, wie man sie finden könnte und welche es waren, war nicht zu erreichen. Das Problem schien wirklich unlösbar.

Nach dem Ersten Weltkrieg begann mit der Formgeschichte die Einsicht zu dämmern, daß die Frage nach dem historischen Jesus falsch gestellt war. Das geschah indes sehr langsam; denn zunächst empfand man die Formgeschichte nur als ein Hemmnis, das es erschwerte, zu schnell und zu direkt den historischen Jesus zu erreichen. Und als solches erwies sie sich wirklich.

Es ist zwar problematisch, von "der" Formgeschichte zu sprechen, denn die einzelnen Entwürfe unterscheiden sich zum Teil nicht unbeträchtlich. Doch wenn sich die Kritik an der Formgeschichte *daran* orientiert, übersieht sie leicht das Entscheidende: Allen Entwürfen gemeinsam war die Einsicht, daß die Verfasser, denen wir die Einzeltraditionen verdanken, selbst kein historisches Interesse hatten. Wer darum ihre Texte nach der Historizität des in ihnen Erzählten befragt, befragt sie mit einem Interesse, das er selbst an die Texte heranträgt, das in ihnen aber nicht angelegt ist. Eine unmittelbare Antwort kann er daher gar nicht erwarten. Darüber hinaus bringt er sich durch seine falsche Fragestellung um das Verstehen der Texte.

Verdeutlichen kann man das durch einen Vergleich mit Schauspielen, die vergangene Geschichte zum Inhalt haben. Wer etwa die Hermannsschlacht von Heinrich von Kleist nach der Historie der Hermannsschlacht befragt, wird keine brauchbare Antwort bekommen und bringt sich zugleich um das Verstehen dessen, was Kleist mit seinem Werk aussagen wollte.

Nun drückte man die Einsicht, die man gewonnen hatte, meist in einer Terminologie aus, die man bei der Frage nach dem historischen Jesus benutzt hatte; und eben das verhinderte, daß man das Problem wirklich durchschaute. Man hatte bisher unterschieden zwischen "historisch echt" und "Gemeindebildung". Jetzt sprach man davon, daß alle Texte, die man durch Rekonstruktion mit Hilfe von Literarkritik erreichen konnte, Bildungen der Gemeinde sind. Die Urgemeinde wollte mit den Texten nicht *über Jesus berichten,* sondern sie wollte mit den Texten - wie man zusammenfassend formulierte - *Jesus verkündigen.* Man postulierte verschiedene "Sitze im Leben" der Urgemeinde: Kultus, Apologie, Paränese, Paraklese usw. Der Sitz im Leben gab den Zweck an, dem die Texte dienen sollten; und der jeweilige Zweck bestimmte die literarische Gestalt, in der die Jesus-Vergangenheit erzählt wurde. Wir haben es also nicht mit historischen Berichten, sondern (wie man es nannte) mit *Kerygma* zu tun.

Für die, die am historischen Jesus interessiert waren, brachte die Formgeschichte also eine enttäuschende Überraschung. Seit Reimarus hatte man versucht, hinter die Urgemeinde zurück zum historischen Jesus zu gelangen. Nun mußte man nach intensiver Arbeit von mehr als einem Jahrhundert feststellen, daß man auch bei den ältesten Jesus-Überlieferungen wieder auf die Urgemeinde stieß. Hatte man sich im Kreise gedreht? War es jetzt überhaupt noch möglich, den historischen Jesus zu erreichen?

Manche waren bereit, die Frage nach dem historischen Jesus ganz aufzugeben. Hier ist insbesondere Rudolf Bultmann und später auch seine Schule zu nennen. Bultmann sah keinen Sinn darin, die Frage weiterzuverfolgen, und behauptete: Wenn man das Kerygma in Richtung auf den historischen Jesus hinterfragen will, setzt man sich dem Verdacht aus, den Glauben historisch absichern zu wollen. Glaube, der Sicherung braucht, ist aber kein Glaube mehr, völlig abgesehen davon, daß historische Ergebnisse wechseln und darum selbst immer unsicher sind. Der Orientierungspunkt für den Glauben konnte daher nur das Kerygma der Urgemeinde sein. Da man postulierte, daß die Urgemeinde durch "Ostern" entstanden war, wurde Ostern zum eigentlichen Anfang; und nun entstand das "wissenschaftliche Dogma", daß alle Darstellungen des irdischen Jesus vom Glauben an den Auferstandenen bestimmt sind.

Andere (vor allem Joachim Jeremias) hielten an der Frage nach dem historischen Jesus fest, weil sie meinten, daß nur das Wort des historischen Jesus der Verkündigung der Kirche Vollmacht geben könne. Wenn das richtig sein sollte, mußte man aber die Frage stellen, ob die Verkündigung der Urgemeinde, die doch ganz offenkundig kein historisches Interesse hatte, ohne Vollmacht geschehen war, völlig abgesehen davon, daß nun erneut die Suche nach Kriterien für die Echtheit einsetzen mußte und erneut Streit darüber entstand, welche geeignet waren, welche nicht.

Auch in Zweigen der Bultmann-Schule setzte wieder die (jetzt so genannte "neue") Frage nach dem historischen Jesus ein. Man forderte, daß das Kerygma doch zumindest "Anhalt am historischen Jesus" haben müsse, weil es sonst den Grund verliere, auf den es sich beruft (Gerhard Ebeling). Oder man behauptete, daß das Kerygma seine *Entstehung* zwar "Ostern" verdanke, nicht aber seinen *Inhalt*, der aus vorösterlicher Zeit stamme (Ernst Käsemann). So mußte man nun doch weiter nach dem historischen Jesus fragen und die Schwierigkeiten überwinden, die durch die Einsichten der Formgeschichte entstanden waren. Es schien nicht möglich, diese Frage aufzugeben. Sie hatte sich zu sehr dem allgemeinen Bewußtsein eingeprägt, zumal sie auch in der kirchlichen Praxis fast nie aufgegeben worden war. Die Schwierigkeiten, die die wissenschaftliche Forschung gezeigt hatte, wurden vielfach einfach überspielt.

Und tatsächlich konnte man die Frage nach dem historischen Jesus nicht einfach verbieten. Wollte man sie aber beantworten, mußte man nun in zwei Richtungen argumentieren. Man mußte nicht nur (wie es bisher meist geschehen war) zeigen, warum etwas historisch "unecht" war, sondern man mußte nun ebenfalls zeigen, warum man etwas als historisch "echt" bezeichnen konnte. Denn ausgehen mußte man nun doch davon, daß *alle* Texte, die man rekonstruieren konnte, in der Urgemeinde *entstanden* sind. Damit war beides möglich: Sie konnten echt oder auch unecht sein. Immer redete die Urgemeinde, nicht aber Jesus. Gab es aber Kriterien, mit deren Hilfe man beides unterscheiden konnte?

Ich meine, daß man keine finden wird, weil es gar keine geben kann. Um das zu erkennen, muß man zunächst einmal fragen, ob man nicht vorschnell den Terminus *Urgemeinde* eingeführt hat, mit dem man den Kreis derer bezeichnet, dem wir alle Jesus-Traditionen verdanken. Der Terminus ist gefährlich, weil er sofort ein Datum suggeriert: Im Anschluß an die Konzeption des Lukas (und im Anschluß an die immer noch nachwirkende Konstruktion des Reimarus!) gibt es die Urgemeinde erst seit Ostern (Pfingsten). Schon ob das historisch stimmt, müßte erst einmal überprüft werden. Vor allem aber: Ist, von den Einsichten der Formgeschichte aus geurteilt, eine solche mit dem Terminus Urgemeinde gegebene implizite Datierung überhaupt zu begründen?

Die Formgeschichte hat zwar "Sitze im Leben" postuliert, die es erst in dieser späteren Zeit gegeben hat. Doch sind nicht nur manche dieser Sitze im Leben problematisch, sondern die Fixierung des Interesses auf Sitze im Leben in der Urgemeinde versperrt zugleich den Blick dafür, was die Formgeschichte wirklich (und doch wohl unwiderlegbar) gezeigt hat: Alle Jesus-Traditionen sind von *Menschen* gestaltet worden. Zu welcher Zeit das geschah, läßt sich nur von Fall zu Fall entscheiden. Wie weit man aber auch zurückkommt, immer waren es Menschen, die von Jesus erzählten. Daß ein solches Erzählen erst seit "Ostern" möglich war und darum auch erst in der "nachösterlichen Urgemeinde" begonnen hat, ist schlechterdings nicht einzusehen. Es gibt keinen vernünftigen Grund gegen die Annahme, daß das Erzählen von Jesus bereits zur Zeit seines Wirkens geschehen ist. Der Anfang der Jesus-Traditionen mußte also in dieser Zeit gelegen haben, was immer Spätere an Änderungen und Ausgestaltungen daran vorgenommen haben. Von Jesus selbst ist keine Zeile überliefert. Immer waren es Menschen, die von ihm erzählten, und zwar von Anfang der Überlieferungen an. - Was für Menschen waren das?

Unterschiedliche Menschen und Gruppen konnten von Jesus erzählen: Anhänger, Gegner und einfach neutrale Beobachter. Unsere Überlieferungen lassen erkennen, daß sie ausschließlich aus der erstgenannten Gruppe stammen. Erzählungen von Gegnern (die es bestimmt auch gegeben hat) oder von neutralen Beobachtern (die es sehr wahrscheinlich auch gegeben hat) finden sich nicht im synoptischen Traditionsgut. Das heißt aber, daß die gesamte Jesus-Überlieferung, die wir rekonstruieren können, von Anfang an "tendenziös" war. (Das ist kein negatives Urteil, sondern lediglich eine Beschreibung.) Was aber tendendiös ist, kann keinen Anspruch darauf erheben, historischer Bericht zu sein. Umgekehrt gilt, daß, wer aus seinem Engagement heraus einen historischen Bericht liefern wollte, gar nicht den Zweck erreichen konnte, den er verfolgte, nämlich: anderen von diesem Engagement entweder zu erzählen oder sie in ein gleiches Engagement hineinzuführen. Die Darstellung mußte also tendenziös sein; und insofern ist eine Rückfrage nach der bloßen Historie in der Tat sinnlos. Doch selbst wenn man sie jetzt noch stellen wollte, weil man, aus welchen Gründen auch immer, den historischen Jesus erreichen will, würde man keine Antwort bekommen, wie zwei Überlegungen zeigen.

Zunächst ist zu bedenken, daß (der historische) Jesus ohne Zweifel sehr viel mehr gesagt und getan hat, als überliefert worden ist. Und auch die Menschen, denen wir die ältesten Traditionen verdanken, haben mit Jesus mehr erlebt und von ihm mehr gehört, als sie dann erzählt haben. Erhalten ist also nur eine relativ kleine Auswahl. Das löst dann die Frage aus, nach welchen Kriterien diese Menschen die Auswahl getroffen haben. Die Antwort liegt nahe und klingt fast banal: Die Menschen, die von Jesus erzählten, haben *nur* das erzählt, was *sie* für erzählenswert hielten, weil *sie* es für wichtig oder entscheidend hielten. Was sie dagegen für selbstverständlich hielten, weil ihnen das nicht so wichtig war, das haben sie nicht weitererzählt.

Nun stellt sich die weitere Frage: Hätte der historische Jesus die Auswahl ebenso getroffen wie die Erzähler? Oder hätte seine Auswahl anders ausgesehen, weil nach seiner Meinung die Schwerpunkte (wichtig/unwichtig) anders gesetzt werden mußten? Auf diese Frage gibt es keine Antwort, weil es keine Methode gibt, mit deren Hilfe man eine Antwort finden könnte. So kommen wir schon wegen der Auswahl des Erzählten nie an den Menschen vorbei und zum historischen Jesus zurück.

Noch wichtiger ist eine zweite Überlegung. Die Menschen, die von Jesus erzählten, haben immer so erzählt, *wie sie es verstanden haben.* Anders ist ein Erzählen überhaupt nicht möglich.

Das löst wieder die Frage aus: Hat der historische Jesus sein Handeln und seine Verkündigung ebenso verstanden, wie diese Menschen nun erzählen? Und mehr noch: Hat der historische Jesus *sich selbst* ebenso verstanden, wie die Menschen erzählen, daß er sich verstanden habe? Auch auf diese Frage gibt es keine Antwort, weil es keine Methode gibt, mit deren Hilfe man eine Antwort finden könnte.

Daraus folgt als unausweichliche Konsequenz: *Der historische Jesus ist nicht zu erreichen.* Aus den Überlieferungen erfahren wir lediglich, wie die Erzähler Jesu Tun, sein Reden und damit ihn selbst verstanden haben. Es gibt keine Methode, an diesen *Menschen* vorbeizukommen.

Darum sollte man die alte Fragestellung aufgeben und die neue Frage (wie schon gelegentlich vorgeschlagen) präziser formulieren. *Die Frage nach dem historischen Jesus* ist zu ersetzen durch *die historische Frage nach Jesus.*

Fragt man nach dem historischen Jesus, wird mit der Zielangabe (historischer Jesus) zugleich bestimmt, wie dieses Ziel auszusehen hat: Jesus vor aller Deutung durch Menschen. Fragt man dagegen historisch nach Jesus, gibt man lediglich die Richtung an, in der man fragt. Offen bleibt, wie weit man in dieser Richtung kommt.

Wenn wir historisch nach Jesus fragen, kommen wir nie weiter als bis zu den *Menschen,* die von Jesus erzählen, und erreichen Jesus immer nur zusammen mit diesen Menschen. Das ist aber (hält man sich an die vorgegebene Definition) nicht der historische Jesus.

Das Scheitern der Leben-Jesu-Forschung mag nun zwar für die enttäuschend sein, die immer noch meinen, daß es auf den historischen Jesus ankomme, und die (was ja nicht selten in der Dogmatik geschieht) mit seinem Selbstverständnis argumentieren wollen. Tatsächlich aber enthält dieses Scheitern gerade eine Chance: Es kommt endlich wieder die Möglichkeit in den Blick - Theologie zu erreichen. Bei der Frage nach dem historischen Jesus landet man doch unvermeidbar bei einem "Reden über". Bei der historischen Frage nach Jesus aber kommen die Menschen in den Blick, weil man sie gar nicht überspringen kann. Diese Menschen kann man nun nach *ihrem* Gott fragen. Ihr Gott ist aber (wenigstens zunächst einmal) Jesus. Das wird später noch auszuführen sein.

Auch von der "Ethik Jesu" kann man jetzt nicht mehr reden. Diese Formulierung suggeriert, daß der historische Jesus gemeint ist und es nun darauf ankommt, das authentische (das historisch echte) Jesusgut zu rekonstruieren. Da das jedoch nicht erreichbar ist, muß man von einer *an Jesus orientierten Ethik* reden. Es geht um die Ethik, die Menschen in ihrer Orientierung an Jesus formuliert haben.

Oft pflegt man Jesus und Paulus einander gegenüberzustellen und miteinander zu vergleichen. Die Differenz drückt man dann häufig so aus: Was Jesus als nahe bevorstehend erwartete, den Einbruch der Gottesherrschaft, darauf blickt Paulus zurück.

Hier liegt jedoch ein Kurzschluß vor. Wirklich vergleichen kann man nur die *Menschen,* die von Jesus reden, mit *Paulus,* der auch (wenn auch sehr anders) von Jesus redet. Zu klären wäre darum, ob die *Menschen,* die Jesus begegnet sind, sich darin von Paulus unterscheiden, daß aus Erwartung Erfüllung geworden ist. Es wird sich zeigen, daß genau das nicht der Fall ist. Ein präziser Sprachgebrauch kann verhindern, daß man unsachgemäß an ein Problem herangeht und dann zu einer falschen Lösung kommt. Daher gilt grundsätzlich, daß man nicht mehr formulieren sollte: "Jesus hat gesagt", sondern statt dessen: "Nach Auskunft von ... hat Jesus gesagt." Auf diese Weise vermeidet man Kurzschlüsse und Mißverständnisse.

Aus dem Gesagten ergibt sich: Die Frage nach dem historischen Jesus muß ersetzt werden durch die historische Frage nach Jesus, und das heißt, durch die Frage nach den Zeugen, die, von Jesus beeindruckt, Ethik als einen Aspekt ihrer Christologie formulieren.

2. Der Anfang der Christologie

(a) Die Struktur: Der verkündigte Wirkende. Im allgemeinen sieht man (im Anschluß an eine Formulierung Rudolf Bultmanns) den Anfang der Christologie dort, wo "der Verkündiger zum Verkündigten" wird. Denn das eben meint ja Christologie: Jesus ist *Gegenstand* des Glaubens; und in der Christologie wird gesagt, als wer oder inwiefern er das ist.

Der Terminus Christologie ist unglücklich, weil "Christus" bereits ein christologischer Hoheitstitel ist. Wo Jesus als Christus bezeichnet wird, liegt *eine* von vielen möglichen Gestalten von Christologie vor. Der Terminus Christologie setzt dagegen voraus, daß Christus bereits als Eigenname verstanden worden ist. Präziser müßte man daher eigentlich von "Jesulogie" reden. Denn von *Jesus* werden unterschiedliche Aussagen gemacht. Das kann titular geschehen: Jesus ist der Christus, der Gottessohn, der Heiland, der Erlöser usw. Das kann aber auch so geschehen, daß das "Werk" Jesu in den Blick genommen wird: für uns gestorben, uns mit Gott versöhnt usw. Faßt man das zusammen, kann man sagen: Es geht immer um ein *Jesus-Bild,* in dem irgendwie eine Qualifizierung Jesu zum Ausdruck kommt. - In diesem Sinne soll der traditionelle Terminus Christologie verstanden werden.

Christologie beginnt also dort, wo Jesus zum Verkündigten (zum Gegenstand des Glaubens) wird. Eben das soll - nach traditioneller Auffassung - *zu* Ostern und *durch* Ostern geschehen sein. Darum setzt man durchweg hier den Anfang der Christologie an, wie schon Reimarus es tat.

Die damit gegebene Zeichnung eines historischen Ablaufs scheint auf den ersten Blick einleuchtend: Während seines Wirkens hat Jesus verkündigt; erst später ist er verkündigt worden. Doch ist das wirklich erst *seit* Ostern der Fall? Und (diese Frage muß man gesondert stellen): Ist das *durch* Ostern geschehen?

Wenn man "historisch nach Jesus fragt", leuchtet diese Auffassung so ohne weiteres nicht mehr ein. Es kann zwar nicht bezweifelt werden, daß Jesus verkündigt hat. Nur erreichen wir diese Verkündigung selbst nicht, weil wir zuletzt immer auf Menschen stoßen, die Jesus in ihren Erzählungen so darstellen, wie sie ihn verstanden haben. Diese Menschen zeichnen also Jesus-Bilder. Sofern Jesus in diesen Bildern direkt oder indirekt qualifiziert gezeichnet wird, liegen damit (mindestens implizite) Christologien vor. Die letzterreichbaren Größen bei der historischen Frage nach Jesus sind also Christologien.

Die Menschen teilen diese Jesus-Bilder nun anderen Menschen mit. Warum sie das tun, liegt auf der Hand. Sie wollen diesen anderen Menschen sagen, was dieser Jesus ihnen selbst bedeutet, damit er für andere dieselbe Bedeutung bekommt. Sie wollen also ein Interesse für Jesus wecken. Mit anderen Worten: Die Menschen verkündigen ihre Jesus-Bilder. Was wir also bei der historischen Frage nach Jesus erreichen, ist von Anfang an der verkündigte Jesus. Anders als als Gegenstand des Glaubens ist Jesus gar nicht erreichbar!

Man muß nun aber etwas genauer, als es meist geschieht, auf den Inhalt dieser verkündigten Jesus-Bilder blicken. Sie zeichnen keineswegs nur einen Verkündiger. Neben dem Redengut begegnet Erzählgut. Hier wird Jesus verkündigt als Heilender, als Disputierender, als einer, der sich in bestimmten Situationen in einer besonderen Weise verhält usw. Fragt man nun, wer (historisch) hinter diesen Traditionen steht, ist es eine Engführung, wenn man antwortet: Sie setzen einen *Verkündiger* voraus.

Daß man sich gerade darauf fixiert, ist ein Erbe aus der Frage nach dem historischen Jesus. Hier lag das Schwergewicht meist bei der Suche nach der Verkündigung Jesu. Die Verkündigung Jesu faßte man dann zu einer Lehre Jesu zusammen; und ein Teil dieser Lehre war die Ethik Jesu.

Dieser Engführung entgeht man nur, wenn man nicht einseitig den Verkündiger voraussetzt, der zum Verkündigten wurde, sondern man muß vom *wirkenden* Jesus reden, den alle Traditionen voraussetzen. Die Verkündigung Jesu war nur ein Teil seines Wirkens.

Faßt man die ältesten Traditionen zusammen, muß man also formulieren: *Ein Wirkender wird verkündigt.* Das ist die Grundstruktur jeder Christologie.

Bei der Qualifizierung Jesu in den Jesus-Bildern konnten die Akzente unterschiedlich gesetzt werden. Man konnte das Wirken qualifizieren. Man konnte den Wirkenden qualifizieren. Es konnte auch beides gleichzeitig geschehen.

Fragt man hier nach der Reihenfolge, legt sich zunächst eine Vermutung nahe, die sich später - wenn diese Skizze mit Inhalten gefüllt wird - bestätigen wird. Begonnen hat die Christologie damit, daß Menschen das Wirken Jesu als ein qualifiziertes Wirken verstanden haben und darstellten. Hier liegt das vor, was man *implizite Christologie* nennen kann. Implizit ist diese Christologie, weil es zunächst der *Mensch* Jesus ist, von dem ein qualifiziertes Wirken ausgesagt wird. Gleichwohl kann man auch hier schon von Christologie reden, weil dieses - wenn auch unterschiedlich qualifizierte - Wirken immer und nur von *Jesus* ausgesagt wird. Explizite Christologie ist dann später dadurch entstanden, daß man vom Wirken aus den Wirkenden qualifizierte.

Die Überwindung der Engführung (statt vom Verkündiger ist vom Wirkenden zu reden) läßt auch schon ein für die Ethik wichtiges Problem zumindest in den Blick kommen, das jetzt nur angedeutet und erst später ausgeführt werden kann.

Wenn man versucht, die "Ethik Jesu" darzustellen, greift man nahezu ausschließlich auf den Redenstoff zurück. Ergebnis ist dann: Jesus hat eine neue Ethik verkündigt. Muß das nicht zwangsläufig in ein "gesetzliches" Verständnis von Ethik führen und Jesus dann als einen "neuen Mose" erscheinen lassen? Den Imperativen fehlt der Indikativ.

Die Ausklammerung des Erzählstoffes hat zur Folge, daß die Beziehung zwischen Reden- und Erzählstoff ausgeblendet wird. Nun wird der wirkende Jesus in den Jesus-Bildern aber als einer verkündigt, der seine Verkündigung selbst lebt. Die Verkündigung Jesu auf der einen Seite, sein Tun und Verhalten auf der anderen Seite sind von den

Menschen als sich gegenseitig interpretierend erfahren worden. Pointiert formuliert: Durch das Handeln Jesu an Menschen haben diese den Indikativ erfahren, aufgrund dessen ihnen das Tun ermöglicht wurde, zu dem in der Verkündigung eingeladen wird.

Nach dem Ausgeführten ist die verbreitete Auffassung zumindest fragwürdig geworden, nach der die Christologie zu Ostern und durch Ostern entstanden ist. Beides muß man ja streng unterscheiden. Einmal handelt es sich lediglich um die Bezeichnung eines Datums. Das andere Mal handelt es sich um irgendwelche "Ereignisse", die sich an diesem Datum zugetragen haben und die es ermöglichten, daß jetzt (erst jetzt!) Christologie entstehen konnte. Wenn man das zeigen will, muß man die Wort-Hülse Ostern füllen. Darauf soll aber erst später eingegangen werden. - Zunächst beschränken wir uns auf Ostern als Angabe eines Datums: einige Zeit nach der Kreuzigung Jesu. Diese Beschränkung ist möglich, weil wir vorläufig ohne Füllung der Wort-Hülse auskommen.

Die Frage nach dem Anfang der Christologie ist dann die Frage, seit wann Jesus als Gegenstand oder Inhalt der Verkündigte wurde. Die Antwort dürfte jetzt einleuchten: Jesus wurde Gegenstand der Verkündigung von dem Augenblick an, von dem an Menschen *von* ihm erzählten. Auch wenn es nicht gelingen sollte, Traditionen zu rekonstruieren, die in der Zeit des Wirkens Jesu entstanden sind, weil eine genaue Datierung stets unsicher bleibt, darf als sicher gelten, daß es schon zu Lebzeiten Jesu solche Traditionen gegeben hat. Menschen haben Menschen von Jesus erzählt, denn die spätere Feststellung des Markus, daß die Kunde von ihm im ganzen galiläischen Lande erscholl (Mk. 1,28), dürfte historisch nicht zu bezweifeln sein. Diese Erzählungen bilden dann den Grundstock für das synoptische Traditionsgut. Das aber war von Anfang an "christologisch".

Man kann zwar fragen (und wird auch zu prüfen haben), ob durch (den Inhalt von) Ostern eine Veränderung oder Umgestaltung oder sogar eine Neuqualifizierung der Jesus-Bilder erfolgt ist. Der Anfang der Jesus-Bilder und damit der Anfang der Christologie liegen aber vor dem Datum Ostern, eben weil Jesus von Anfang an der Verkündigte war. Damit stellt sich die Frage nach den Trägern dieser frühesten Traditionen.

(b) Der Ort: Die galiläischen Gemeinden. Bei der Frage nach dem historischen Jesus pflegte man zu unterscheiden zwischen "historisch echt" und "Gemeindebildung". Orientiert an dieser Unterscheidung, stellte die Formgeschichte fest, daß wir es bei allen Traditionen mit (von bestimmten "Sitzen im Leben" aus gestalteten) Bildungen der Urgemeinde zu tun haben. Da man meinte, voraussetzen zu können, daß es die Urgemeinde erst seit Ostern (Pfingsten) gab, entstand das schon erwähnte "wissenschaftliche Dogma": Alle Erzählungen vom irdischen Jesus setzen den Glauben an den Auferstandenen voraus. Damit war man - zumindest grundsätzlich - immer noch bei der Konzeption des Reimarus. Als

Träger der Traditionen galt der Kreis, den Jesus gesammelt hatte und der mit ihm durch Galiläa und dann nach Jerusalem gezogen war. Als nach dem Tode Jesu in diesem Kreis das Erzählen von Jesus begann, konnte man die Vergangenheit aber nicht mehr einfach so erzählen, wie man sie damals erlebt hatte, sondern immer nur (zumindest: mit-) bestimmt durch die "Ostererfahrungen", die man inzwischen gemacht (Reimarus: erfunden) hatte.

Man geht also von einer einlinigen Entwicklung aus, die in etwa der Vorstellung entspricht, die Lukas (freilich erst in den 80er/90er Jahren) vom Ablauf der Vergangenheit hatte.

Wirken in Galiläa

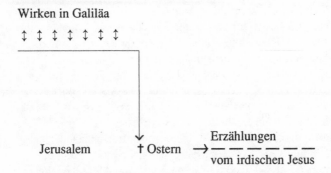

Mit dieser Konstruktion stößt man nun aber auf Schwierigkeiten, wenn man von ihr aus den literarischen Befund erklären will.

Zunächst ist die Tatsache zumindest erstaunlich, daß das synoptische Traditionsgut mit Einzelerzählungen begann; denn nach Ostern hatten *die Jünger* doch das abgeschlossene Wirken Jesu als relative Einheit vor Augen. Hätte es dann nicht viel näher gelegen, daß sie eine zusammenhängende Skizze des Wirkens Jesu entwarfen, die später ergänzt werden konnte? So ist es dann bezeichnenderweise gerade Lukas, der in dieser Richtung denkt. Er nennt als Bedingung für die Nachwahl des zwölften Apostels, daß dieser als Teilnehmer des Weges Jesu ("von der Taufe des Johannes an bis zu dem Tage, an dem er von uns genommen wurde") Kenntnis von diesem Wege haben müsse (Apg. 1,21f.). - Literarisch verlief die Entwicklung aber gerade umgekehrt. Erst sehr viel später werden die Einzelgeschichten zu einem Ablauf zusammengestellt.

Von Lukas stammt sodann der Gedanke, daß die Zwölf die Träger der Jesus-Traditionen waren. Im Rahmen der Konzeption des Evangelisten ist das verständlich. Daß es sich aber wirklich so verhielt, ist nicht gerade wahrscheinlich. *Während* die Begleiter Jesu mit ihm zogen, dürften sie kaum die Einzelerlebnisse besprochen und "aufbewahrt" haben, um sie nach Ostern dann als Einzelgeschichten zu erzählen. - Der literarische Befund spricht eher für einen sehr viel größeren und differenzierteren Trägerkreis.

50

Freilich, für das "wissenschaftliche Dogma" waren die Jünger unverzichtbar. Nur sie hatten die "Ostererfahrungen" gemacht. Darum konnten auch nur sie vom Glauben an den Auferstandenen aus Geschichten vom irdischen Jesus erzählen. Taten sie das in Jerusalem? Wie will man dann den literarischen Befund erklären? Oder sind sie nach Galiläa gezogen, damit man dort dann vom Glauben an den Auferstandenen aus vom irdischen Jesus erzählen konnte? Wie soll man sich das aber vorstellen?

Bei näherem Hinsehen erweist sich das "wissenschaftliche Dogma" ohnehin als reines Postulat. Wo ist denn in den rekonstruierten Texten des synoptischen Traditionsgutes "Oster-Einfluß" wirklich erkennbar? Sicherlich in einigen späten Traditionen; in der Masse des synoptischen Traditionsgutes wird doch aber so von Jesus erzählt, wie man von ihm zu seinen Lebzeiten erzählen konnte und erzählt hat. Und lange nach dem Datum Ostern erzählt man immer noch so, sogar bis in die Logienquelle hinein, die ja, nach übereinstimmender Meinung der Forschung, kein Passions- und Osterkerygma enthielt.

Sehr oft setzt man voraus: Texte, die nach dem Datum Ostern entstanden sind, müssen auch inhaltlich von Ostern bestimmt sein. Diese Voraussetzung kann sich aber als Kurzschluß erweisen, wenn sie sich nicht an den Texten verifizieren läßt.

Denn ob Verfasser von Texten etwas über Ostern wußten oder nicht, kann im voraus nicht dekretiert werden. Nur aus ihren Texten läßt sich entnehmen, was sie wußten. Gedanken darüber, was sie sonst noch gewußt haben könnten oder (aus Datierungsgründen) gewußt haben müssen, bleiben reine Spekulationen.

Ein Blick auf die Texte zeigt nun aber auch: Selbst wenn ihre Verfasser um Ostern gewußt haben sollten, hat sie das bei der Gestaltung ihrer Texte vom frühesten synoptischen Traditionsgut an bis in frühe Sammlungen hinein und noch bis zur Logienquelle hin nicht beeinflußt. Warum haben sie dann aber von ihrem Wissen keinen erkennbaren Gebrauch gemacht?

Die Schwierigkeiten, vor denen wir hier stehen, sind dadurch entstanden, daß man die lukanische Vorstellung vom Ablauf der Ereignisse als historisch zutreffend voraussetzte. Innerhalb dieses Rahmens wollte man dann die Ergebnisse erklären, die man durch Literarkritik und Formgeschichte erzielt hatte. Methodisch ist dies aber ein mehr als fragwürdiges Unternehmen.

Ausgangspunkt darf nicht eine historische Konstruktion sein, in die man den literarischen Befund einordnet, sondern Ausgangspunkt muß der literarische Befund selber sein. Versucht man, von ihm aus den Ablauf des Geschehens zu rekonstruieren, entfallen solche Schwierigkeiten. - Es entsteht freilich eine andere: Man muß von manchen vertrauten Vorstellungen Abschied nehmen, die man für so sicher hielt, daß sie sogar "dogmatischen Rang" bekommen haben.

Träger der frühesten Traditionen zur Zeit des Wirkens Jesu und dann auch des synoptischen Traditionsgutes (bis etwa zur Logienquelle) kann nicht die Jerusalemer Urgemeinde, sondern das müssen "Gemeinden" in Galiläa gewesen sein.

Und wenn man versucht, sich das Wirken Jesu vorzustellen (und zwar vom literarischen Befund aus), dann ist das eigentlich auch die nächstliegende Annahme. Die Skizze auf S. 53 mag das verdeutlichen. Jesus wirkt, durch Galiläa ziehend, an vielen verschiedenen Orten. Einige Menschen schließen sich ihm an und folgen ihm nach. Die meisten bleiben zurück, auch die, die er durch sein Wirken ganz unterschiedlich be-eindruckt hat. Diese aber erzählen nun von ihm: Begegnungen, Worte, Taten, Begebenheiten. Gemessen an unserem herkömmlichen Verständnis von Urgemeinde, ist es natürlich problematisch, jetzt von galiläischen "Gemeinden" zu reden. Es ist auch nicht möglich, ein präzises Bild dieser "Jesus-Gruppen" zu zeichnen. Nur daß sie "Träger" der ganz unterschiedlichen Einzeltraditionen gewesen sein müssen, können wir sagen, und daß sich durch sie die Kunde von Jesus ausbreitete, und zwar in dessen Abwesenheit. Jesu Zug nach Jerusalem ließ diesen Prozeß nicht abbrechen: Man erzählte weiter von ihm.

Und man erzählte immer noch *so* von ihm, *wie* man von ihm zur Zeit seines Wirkens erzählt hatte. Ein "Bruch" ist nicht erkennbar. Ob man in Galilä vom Zug Jesu nach Jerusalem, vor allem ob man von den Ereignissen dort erfahren hat, wissen wir nicht. Weder dürfen wir vorschnell moderne Kommunikationsmittel voraussetzen, noch einen frühen institutionellen Zusammenschluß dieser Jesus-Gruppen, die die Weitergabe von Informationen erleichtert hätten. Wir müssen uns an das halten, was literarisch erkennbar ist: Noch lange nach dem Datum (!) Ostern hat sich im synoptischen Traditionsgut weder eine Kenntnis vom Tode Jesu noch eine Kenntnis vom Inhalt (!) Ostern niedergeschlagen. Das geschieht erst sehr viel später, und auch dann nur sporadisch.

Man muß daher mit einer ganz eigenständigen galiläischen Traditionslinie rechnen. Sie beginnt mit den Einzeltraditionen in der Zeit des Wirkens Jesu, durchläuft dann die Geschichte des synoptischen Traditionsgutes und führt über anfängliche Sammlungen schließlich hin zur Entstehung des Markus-Evangeliums.

Aufgrund der Jerusalemer Ereignisse entstand eine zweite, ganz andersartige Traditionslinie. Erschlossen werden kann sie aus einigen vorpaulinischen Traditionen. Literarisch greifbar wird sie in den Paulus-Briefen, die später selbst wieder traditionsbildend wirkten. Charakteristisch ist hier, daß man von Anfang an das abgeschlossene Wirken Jesu vor Augen hat, und zwar als eine Einheit. Von dieser Einheit aus gestaltet man die Verkündigung. Inhalte können Teilaspekte dieser Einheit sein, anfangs vor allem das Verständnis des Todes Jesu, dessen Rätsel ja einfach erklärt werden mußte, später auch das Verständnis seines Kommens (vgl. Gal. 4,4). Inhalt konnte aber ebenso eine zusammenfassende Aussage über die "Person" Jesu sein: der von Gott Auferweckte, oder über sein "Wirken": der, mit dem der Glaube gekommen ist (vgl. Gal. 3,25); der, in dem Gott die Welt mit sich selbst versöhnt hat (vgl. 2. Kor. 5,19) usw.

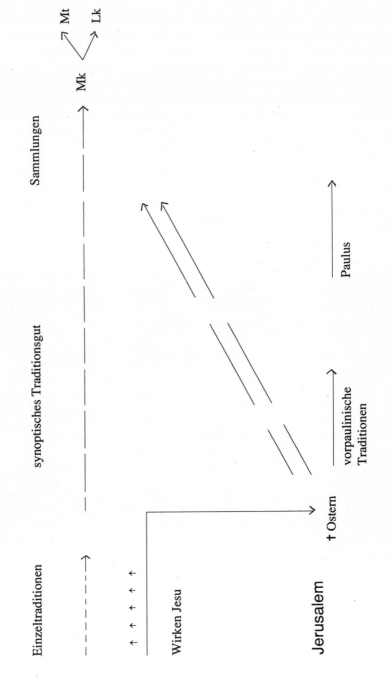

Nimmt man diese vom literarischen Befund aus erschlossene Parallele von zwei relativ lange Zeit voneinander unabhängigen Traditionslinien an, kann man einige Eigentümlichkeiten erklären, die sonst Schwierigkeiten bereiten.

(1) Die Verteilung des Stoffes: Man hat oft die Frage gestellt, warum Paulus sich über das Leben des irdischen Jesus nahezu vollständig ausschweigt. Das ist schwer erklärbar, wenn man die Zwölf als Träger der Jesus-Traditionen postuliert und Paulus drei Jahre nach seiner Bekehrung dem Petrus begegnet ist. In der Jerusalemer Traditionslinie wurden die Jesus-Geschichten aber nicht tradiert, weil von Anfang an ein anderes Interesse vorlag. Umgekehrt finden sich in der galiläischen Traditionslinie keine der vielen schon sehr früh entstandenen Glaubensformeln (mit wenigen Ausnahmen).

(2) Die Formulierung des Glaubens: Auf Bultmann geht eine Wendung zurück, die in etwa der schon genannten (der Verkündiger wurde zum Verkündigten) entspricht: Der, der zum Glauben rief, wurde (durch Ostern) der, *an* den man glaubte. - Nach dem bisher Ausgeführten muß man wohl vorsichtiger formulieren. Zwar wird man unterstellen dürfen, daß der "historische Jesus" (der in dieser Wendung gemeint ist) zum *Glauben* rief (und nicht zum Glauben an seine Person). In den Jesus-Traditionen ist es jedoch so, daß Jesus als einer *verkündigt* wird, der zum Glauben ruft. Insofern ist Jesus von Anfang an, keineswegs erst seit Ostern, "Gegenstand" des Glaubens. Nur wird das in beiden Traditionslinien unterschiedlich formuliert, und zwar mit bemerkenswerter Konsequenz. Im galiläischen Traditionszweig markiert (das Datum!) Ostern keinen Bruch. In der Geschichte des synoptischen Traditionsgutes wird Jesus bis in die synoptischen Evangelien hinein immer als der verkündigt, der zum Glauben ruft, nie aber (wie im Johannes-Evangelium) zum Glauben an sich selbst. (Die beiden Ausnahmen Mt. 18,6; 27,42 sind ganz späte Veränderungen von Mk. 9,42; 15,32.) - Glauben *an* Jesus (Christus), *an* den Kyrios usw. gibt es nur in der Jerusalemer Traditionslinie, und hier von Anfang an. Hier liegt ja auch wirklich Einfluß von "Ostern" vor. Auf die Gestaltung der Jesus-Traditionen bis ins synoptische Traditionsgut hinein hat "Ostern" keinen Einfluß gehabt. Die mit Ostern gemeinte "Sache" wird dort, wie noch zu zeigen sein wird, mit Hilfe des Menschensohn-Titels ausgedrückt, der wiederum in der Jerusalemer Traditionslinie nie begegnet.

(3) Das Verständnis des Todes Jesu: In der Jerusalemer Traditionslinie begegnet von Anfang an das Verständnis des Todes Jesu als stellvertretendes Leiden bzw. als Sühnopfer, im allgemeinen durch die Wendung "für uns" (gestorben, gekreuzigt, dahingegeben usw.) ausgedrückt. Jesu Tod wird also als ein Geschehen verstanden, in dem Gott zum Heil der Menschen gehandelt hat. Dieses Verständnis des Todes, das später das fast allein herrschende wurde, begegnet in der galiläischen Traditionslinie nicht. Die beiden Ausnahmen (Mk. 10,45; 14,24) lassen sich leicht als singuläre Einschleusungen aus der Jerusalemer Linie erklären. In der galiläischen Linie bleiben sie Fremdkörper. In der Masse der Einzeltraditionen des synoptischen Traditionsgutes kommt der Tod Jesu gar nicht in den Blick. Auch Jesu Wirken wird nicht so verstanden, daß Jesus seinen Tod *gewollt* hätte, um dadurch (gemessen an den Aussagen der Jerusalemer Linie: *erst* dadurch) Heil für die Menschen zu erreichen. Hier hat vielmehr das Wirken des Irdischen seine Bedeutung in sich selbst. Bei diesem Wirken *riskiert* Jesus Nachstellungen, Verfolgungen, möglicherweise auch den Tod (vgl. Mk. 3,6). Später konnte man, nachdem der

Tod eingetreten (und die Kunde davon nach Galiläa gedrungen) war, vom *Weg* Jesu sagen, daß er trotz der scheinbaren Niederlage ein Weg mit und unter Gott war (z.B. Mk. 8,31); oder aber man konnte Jesu Tod in Analogie zum Geschick der Propheten verstehen (z.B. Lk. 13,34f.). Ein soteriologisches Verständnis des Todes fehlt.

Dieser skizzierte literarische Befund läßt erkennen, daß es zwei eigenständige Traditionslinien gab, die sich eine längere Zeit hindurch gegenseitig nicht beeinflußt haben. Die Frage, ob die Träger beider Traditionslinien voneinander gewußt, sich gegenseitig gekannt und Verbindungen untereinander gehabt haben, ist müßig, da es keine Antwort darauf gibt. Auffällig bleibt, daß (selbst einmal engere Beziehungen unterstellt) beide ihre Eigenständigkeit bewahrt haben. Denn jede Traditionslinie blieb an der eigenen Sprache und den eigenen Vorstellungen orientiert. Erst relativ spät - und auch dann nur zögernd - lassen sich gegenseitige Beeinflussungen erkennen.

Da die Jerusalemer Traditionslinie in der Zukunft (vor allem durch den Einfluß des Paulus) die bestimmende wurde, fiel es meist schwer, die Eigenständigkeit der "galiläischen Gemeinden" zu erkennen. Ist von "der" Urgemeinde die Rede, wird ganz selbstverständlich vorausgesetzt, daß es die erst nach Jesu Tod gegeben hat und daß sie ihr Entstehen den "Osterereignissen" verdankt. Dementsprechend postuliert man, daß das synoptische Traditionsgut, das ja "in der Urgemeinde" entstanden ist, von "Ostern" aus gestaltet wurde; und in die Exegese der sogenannten Leidensankündigungen (Mk. 8,31) trägt man das soteriologische Verständnis des Todes Jesu ein. - Wenn dann aber schon einmal von Jesus-Anhängern in Galiläa die Rede ist, wählt man nicht die Bezeichnung Gemeinde, sondern spricht von einer "Jesus-Sekte" (W. Schmithals). Es hat sich eben (seit Reimarus) die Meinung durchgesetzt: Erst seit und durch Ostern ist das entstanden, was das "eigentlich" Christliche ausmacht. Was von Ostern noch nicht beeinflußt ist, darf darum auch nicht als christlich bezeichnet werden. Das gilt dann bestimmt vom "historischen Jesus". Das gilt aber auch von den galiläischen Jesus-Anhängern, die sich immer noch am (nur) irdischen Jesus orientieren, das Oster-Kerygma aber noch nicht in ihre Tradition integriert haben. Es wird sich zeigen, daß diese verbreitete Meinung so nicht haltbar ist.

(c) Christologie und Ethik. Da in den galiläischen Gemeinden keine Berichte *über* den historischen Jesus aufbewahrt wurden, sondern Jesus-Bilder, in denen Jesus immer schon der Verkündigte war, liegt hier von Anfang an Christologie vor. Frühe Traditionen von Gegnern Jesu sind nicht erhalten, neutrale Darstellungen ebenfalls nicht. Vielmehr kommen in den Traditionen Menschen zu Wort, die sich auf Jesus eingelassen haben, die von ihm geprägt worden sind und die nun aus dieser Prägung heraus und im Zusammenhang mit dieser Prägung *von* Jesus reden. Das geschieht sehr unterschiedlich und anfangs auch immer nur fragmentarisch. Da Jesus im Lande umherzog, also keine stabilitas loci übte,

konnte sein Wirken auch immer nur fragmentarisch erfahren werden. So konnte auch nicht schnell so etwas wie eine "Schule" entstehen, in der früh eine Zusammenfassung und systematische Darstellung des Wirkens Jesu möglich gewesen wäre. Die Voraussetzungen waren hier also völlig andere als im Jerusalemer Traditionszweig. Für den galiläischen Traditionszweig ergibt sich daher die Frage: Kann man in und hinter den unterschiedlichen Einzelaussagen eine Gemeinsamkeit erkennen und christologisch formulieren, die das erfahrene Wirken Jesu als einheitlich erkennen läßt? Eine Antwort darauf soll in den nächsten Abschnitten versucht werden.

Erst in dem Zusammenhang kann dann auch geklärt werden, wie die Christologie mit Ethik zusammenhängt. Wenigstens andeuten möchte ich das dadurch im voraus, daß ich einen Terminus einführe, der nicht gerade üblich ist, aber das Problem erkennen läßt: Das Wirken Jesu bestand darin, daß er Menschen "umkrempelte". Diese umgekrempelten Menschen redeten nun von ihm. Dabei konnten sie die Akzente verschieden setzen.

Einerseits konnten sie vom Umkrempler reden. Dadurch kam das zum Zuge, was die Christologie ausmacht. Das konnte mit Hilfe von Titeln geschehen (und "Umkrempler" wäre auch ein solcher Titel). Doch das bleibt relativ selten. Häufiger ist, daß von Jesus als von einem geredet wird, der mit Vollmacht handelt (z.B. der mit dem Finger Gottes Dämonen austreibt). Andererseits konnten sie aber auch den Akzent auf das Umkrempeln selbst legen. Damit kommt dann Ethik in den Blick.

Wenn man sich jetzt ausschließlich für den Umkrempler interessiert, verliert die Christologie leicht den Charakter einer theologischen Aussage: Statt *von* Jesus wird *über* Jesus geredet. Wenn man sich dagegen (wie es in ethischen Diskussionen leider häufig geschieht) ausschließlich für das Umkrempeln interessiert, wird übersehen, daß es umgekrempelte Menschen sind, die vom Umkrempler reden. Diese umgekrempelten Menschen stellen Jesus aber als einen dar, der sich selbst hat umkrempeln lassen, und zwar von dem, den er seinen Gott nennt. Jesus ist also als einer erfahren worden, der - als selbst von seinem Gott Umgekrempelter - den Menschen seiner Umgebung seinen Gott ansagte und zulebte. Beides, das Ansagen und Zuleben, die Verkündigung und das Tun Jesu, gehört untrennbar zusammen, auch wenn in vielen Traditionen nur eines von beiden begegnet.

Deutlich wird hier, wie von der Christologie aus Theologie in den Blick kommt. Aus der Erfahrung von Menschen, daß Jesus ihnen seinen Gott ansagte und zulebte, konnte im griechischen Sprachraum der Satz entstehen: Gott wurde Mensch. Man muß indes genau darauf achten, wie er entstanden ist, weil sonst die Gefahr droht, daß dieser Satz mißbraucht wird. Im hebräisch-aramäischen Sprachraum wäre er unmöglich gewesen, denn dort hätte man etwa formulieren müssen: Jahwe wurde Mensch. Das hätte kein Jude sagen können; und Christen haben *das* später auch nicht gesagt.

56

Der Grund liegt auf der Hand: Der Name Jahwe war inhaltlich besetzt. Was die Ethik betrifft, war er mit der Vorstellung vom Gesetzgeber besetzt. Die Menschen haben Jesus aber nicht als einen erfahren, der ihnen den Gesetzgeber zugelebt hat, sondern *seinen* Gott als den Vater. Jesu Umkrempeln ist also so verstanden worden, daß er Jahwe neu definierte. Diesen "neu definierten Jahwe" lebte Jesus den Menschen seiner Umgebung zu. Doch *wurde* Jesus dadurch nicht Jahwe, auch nicht ein neu definierter Jahwe, sondern Jahwe blieb - Jahwe. Jesus dagegen ist (und nun eben im präzisen Sinn des Wortes) als Theologe erfahren worden, als ein Mensch also, der - von seinem Vater umgekrempelt - von seinem Vater geredet und diesen seinen Vater Menschen zugelebt hat.

Ein Problem entsteht erst dadurch, daß im griechischen Sprachraum (und auch bei uns!) die Vokabel Gott nicht eindeutig besetzt, sondern eine Wort-Hülse ist. Wer diese Wort-Hülse mit "Vater" füllen kann (aber nur der!), kann sagen, daß in Jesu Wirken "Gott" am Werke war. Diese Wort-Hülse Gott konnte damals (und kann heute) aber nur der mit "Vater" füllen, der im Wirken Jesu *seinen* Gott erfahren hat. Anders ausgedrückt: Nur ein von Jesus Umgekrempelter kann sagen, daß ihm im Umkrempler Jesus der begegnet ist, der Jesus umgekrempelt hat, nämlich *Jesu* Gott.

Erst durch Umkehrung dieses Zusammenhangs konnte der Satz entstehen: Gott wurde Mensch. Sinn gibt dieser Satz aber nur, wenn *vorher* die Wort-Hülse Gott gefüllt worden ist, ähnlich wie bei Gen. 1,1 (vgl. oben S. 26f.). Der Satz wird mißbraucht, wenn man ihn, wie er lautet, als Ausgangspunkt nimmt, von dem aus argumentiert wird.

Deutlich ist nun: Man darf nie die redenden Menschen ausblenden. Diese umgekrempelten Menschen sind Menschen, *an* denen durch Jesu Wirken etwas geschehen ist. Und das wiederum ist nichts anderes als das, was *durch* sie geschehen soll. Christliche Ethik ist eben ein Aspekt von Christologie.

b) Unterschiedliche Jesus Bilder - unterschiedliche Ethiken

Christologie ist, so habe ich zu zeigen versucht, ein von Menschen gezeichnetes Jesus-Bild. Wenn es nun richtig ist, daß christliche Ethik ein Aspekt von Christologie ist, dann muß man das von Menschen gezeichnete Jesus-Bild in den Blick nehmen, um die Ethik zu formulieren, die *diese Menschen* als christliche Ethik verstanden wissen wollten.

Nun besteht jedoch ein Konsensus darüber, daß im Neuen Testament (aber auch schon in vorneutestamentlicher Zeit) unterschiedliche Christologien begegnen. Menschen haben also unterschiedliche Jesus-Bilder gezeichnet. Das wirft einige Fragen auf.

Wenn Menschen unterschiedliche Jesus-Bilder entworfen haben, haben sie dann auch unterschiedliche Ethiken vertreten? Eigentlich wäre das doch eine naheliegende Konsequenz. Ist das der Fall, ergibt sich die Frage: Wie verhalten sich diese Ethiken zueinander? Möglich wäre, daß sie sich ergänzen. Eine spätere Ethik könnte als Entfaltung einer früheren Ethik verstanden werden. Das müßte man indes zeigen, denn voraussetzen darf man das nicht. Man muß vielmehr damit rechnen (und darf sich dem nicht von vornherein verschließen), daß die Ethiken in Spannung zueinander stehen, sich möglicherweise sogar gegenseitig ausschließen. Die Exegesen könnten also ergeben, daß Menschen, die unterschiedliche Jesus-Bilder entwerfen, damit zugleich unterschiedliche Ethiken vertreten. Dann entsteht aber ein systematisches Problem. Da alle diese Menschen *Jesus*-Bilder entwerfen, impliziert das die Behauptung, daß die jeweilige Ethik, die ein Aspekt dieser Jesus-Bilder ist, *christliche* Ethik sein will. Diese Behauptung unterliegt der Überprüfung. Die Behauptung! Nicht aber die Überzeugung dieser Menschen, daß sie von ihrem Jesus-Bild aus die richtigen ethischen Konsequenzen ziehen. Um die Überprüfung durchführen zu können, bedarf es eines Kriteriums.

Nach dem früher Ausgeführten dürfte einleuchten: Der Maßstab für christliche Ethik kann nur im Zusammenhang mit *dem* Jesus-Bild gewonnen werden, das Menschen bei oder nach der Begegnung mit dem wirkenden Jesus gezeichnet haben. Doch genau dieses Jesus-Bild liegt nirgendwo im neuen Testament unmittelbar vor. Es muß daher rekonstruiert werden.

Damit ist die Aufgabe formuliert, der wir uns jetzt zuwenden. Wir haben es dabei mit dem Einstieg in einen Zirkel zu tun. Ausgangspunkt sind die literarisch vorhandenen Jesus-Bilder. Würden diese übereinstimmen, könnte sich vielleicht eine Rückfrage erübrigen. Da das jedoch nicht der Fall ist, muß von diesen Jesus-Bildern aus in Richtung auf das Jesus-Bild zurückgefragt werden, das möglichst nahe am Wirken Jesu entstanden ist. Gelingt dessen Rekonstruktion, muß von dort aus (und nun eben in umgekehrter Richtung) die Entwicklung nachgezeichnet werden, die zu den vorhandenen Jesus-Bildern hingeführt hat.

Im Zusammenhang mit diesem Nachzeichnen kann und muß dann die Frage gestellt werden, ob in den späteren Jesus-Bildern (und damit in den späteren Ethiken) der Anfang durchgehalten oder verfehlt worden ist. Wo er durchgehalten worden ist, kann man auch die spätere Ethik eine christliche Ethik nennen, nicht aber, wo der Anfang verfehlt worden ist.

Zur Lösung dieser Aufgabe wäre es eigentlich nötig, die Geschichte des synoptischen Traditionsgutes umfassend zu entfalten. Das müßte sowohl analytisch geschehen (von den synoptischen Evangelien aus zum Anfang zurück) als auch konstruktiv (vom Anfang bis hin zu den synoptischen Evangelien). Das ist jedoch in dieser Arbeit nicht zu leisten. Ich gehe daher exemplarisch vor und beschränke mich auf wenige Hinweise. Die Beispiele sind so ausgewählt, daß der Zusammenhang zwischen Jesus-Bild und Ethik möglichst einfach zu erkennen ist.

1. Literarisch vorliegende Jesus-Bilder

Im Neuen Testament liegen vier ausführliche Jesus-Bilder vor. Jeder der Evangelisten zeichnet ein eigenes und sagt damit, wie *er* Jesus sieht und was Jesus *ihm* bedeutet.

Daß ich in diesem Zusammenhang auf das des Johannes verzichte, braucht nicht eigens begründet zu werden. Auf das Johannes-Evangelium wird später gesondert einzugehen sein. Für die synoptischen Evangelien setze ich die Zwei-Quellen-Theorie voraus: Matthäus und Lukas benutzten als Vorlage das Jesus-Bild des Markus, setzten dabei aber eigene Akzente. Daraus erklären sich einerseits die Ähnlichkeit der drei Jesus-Bilder, andererseits aber auch ihre Unterschiede.

Ich beschränke mich hier auf einen Vergleich von Markus und Matthäus und nehme vorläufig auch nur einen Punkt in den Blick, der ethisch relevant ist - oder sein könnte.

Markus zeichnet sein Jesus-Bild als Darstellung eines Weges, und zwar vom Beginn der öffentlichen Wirksamkeit Jesu an über das Petrus-Bekenntnis bei Cäsarea Philippi bis in die Jerusalemer Tage hinein. Charakteristisch für diesen Weg ist, daß er keinen kontinuierlichen Ablauf darstellt. In der ersten, der galiläischen Epoche wird die Kontinuität immer wieder durch das unterbrochen, was man (seit William Wrede) das Messiasgeheimnis nennt. Wenn Jesu Herrlichkeit erkannt wird, verhindern Schweigegebote, daß sie dauernd erkennbar bleibt. Wer (der Mensch) Jesus ist, kann nur immer wieder neu erfahren werden. Dem entspricht die Reaktion der Jünger. Sie erfahren in der Gegenwart Jesu Außerordentliches, scheinen das jedoch alsbald wieder zu vergessen. In entsprechenden späteren Situationen zeigen sie Unverständnis. Sie sehen nicht, daß das, was durch Jesus einmal möglich war, erneut möglich werden könnte. Wird dann aber beim Petrus-Bekenntnis Jesu Gottessohnschaft durch die Jünger wirklich erkannt, werden sie darauf hingewiesen, daß Jesu Weg ins Leiden führt. Die Herrlichkeit Jesu blitzt also immer nur für kurze Zeit auf; sonst bleibt sie unsichtbar. Sichtbar ist jedoch das Leiden.

Wie sieht nun der ethische Aspekt aus, den diese Christologie impliziert?

Die Leser des Evangeliums werden eingeladen, den Weg mitzugehen, den Jesus mit seinen Jüngern geht. Die Leser sollen auch Jünger werden. Sie haben es aber bei dem, der sie ruft, nicht unmittelbar mit dem Gottessohn zu tun, sondern mit einem "Menschen". Erst und nur, wenn sie sich auf diesen Menschen einlassen, erkennen sie, daß sie es mit einem zu tun haben, der das Mensch-Sein auf Gott hin transzendiert. Doch bleibt diese Erkenntnis kein "Besitz" der Jünger, sondern sie kann immer nur neu gewonnen werden. Daher mußte Jesus mit seinem Wirken immer neu anfangen; und die Jünger mußten die Nachfolge immer neu wagen. Die sie umgebende alte Welt, in der sich die Jünger gewordenen Menschen vorfinden und in der sie ja wirklich leben, stellt sich einem kontinuierlichen Durchhalten von Jüngerschaft entgegen. Gelebt werden kann Jüngerschaft aber nur so, daß Leiden sichtbar wird. Der Nachfolger ist mit Jesus auf dem Weg zum Kreuz.

Man kann das nun auch so ausdrücken: Die, die einmal Christen geworden sind, fallen alsbald ins Mensch-Sein zurück. Sie müssen darauf warten, erneut Christen zu werden; und auch wenn sie erneut Christen geworden sind, können sie das nicht durchhalten. Nach Markus ist es also nicht möglich, davon zu reden, daß jemand Christ *ist*. Dauer hat allein das Mensch-Sein. Das ist deswegen so, weil Jesus nicht permanent als Gottessohn erkannt werden kann.

Nach Markus lebt der Mensch in der alten Welt. Er ist dieser alten Welt verfallen, lebt nach ihren Gesetzen. Normal für ihn ist der Unglaube. Von Zeit zu Zeit gelingt es ihm aber, aus der alten Welt herauszukommen. In diesem *kairos* erkennt er in dem Menschen Jesus den Gottessohn. Dann *wird* er Christ und ist als Christ dem Leiden konfrontiert. Er fällt jedoch alsbald wieder in den *Unglauben* zurück und muß darauf warten, erneut in den *Glauben* gerufen zu werden.

Matthäus sieht das sehr anders. Christologisch wird das bereits daran deutlich, daß der Weg Jesu nicht mit seinem öffentlichen Auftreten beginnt, sondern mit der davorgestellten Geburtsgeschichte. Jetzt ist es nicht mehr so, wie bei Markus, daß der Mensch Jesus von Nazareth immer wieder von Jüngern als Gottessohn *qualifiziert* werden muß, sondern bei Matthäus sind an die Stelle von zu wiederholenden Qualifizierungen Aussagen über die *Qualität* Jesu getreten. Das geschieht mit Hilfe des Stammbaums (Jesus *ist* der Abrahamssohn), der Reflexionszitate (im Leben Jesu *haben* sich von Anfang an Weissagungen erfüllt) und des Motivs der wirklich geschehenen Geburt aus einer Jungfrau. Jesus wird so als einer dargestellt, der einen character indelebilis (einen unverlierbaren Charakter) besitzt, und zwar von seiner Geburt an.

Dieser Christologie entspricht das Menschenbild des Matthäus. Die Alternative lautet nicht mehr Glaube/Unglaube, sondern Glaube/Kleinglaube. Auch Kleingläubige sind immer noch Gläubige, denn sie sind nicht aus dem Glauben heraus-, sondern lediglich in einen Kleinglauben zurückgefallen. Sie werden jetzt aufgerufen, vom Kleinglauben aus erneut den (vollen) Glauben zu erreichen. Sie können das, wenn sie das tun (wenn sie *alles* das tun), was Jesus während seines Erdenlebens zu tun befohlen hat.

Bei Markus werden Menschen eingeladen, Christen zu *werden* und, in das Mensch-Sein zurückgefallen, *immer wieder* Christen zu werden. Bei Matthäus dagegen kann man Menschen darauf ansprechen, daß sie (durch die Taufe) *Christen geworden* sind. Die Konsequenz ist: Man muß zwischen "guten" und "weniger guten" Christen unterscheiden. Die weniger guten müssen sich jetzt anstrengen, wieder gute Christen zu werden.

Dieser vorläufig nur relativ einfach skizzierte Vergleich macht bereits deutlich, daß und wie unterschiedliche Jesus-Bilder unterschiedliche Ethiken zur Folge haben, und umgekehrt, daß und wie unterschiedliche Ethiken mit unterschiedlichen Jesus-Bildern begründet werden. Was kann man nun mit diesem zunächst lediglich exegetischen Befund systematisch anfangen?

Da beide Jesus-Bilder (und dementsprechend beide Ethiken) im Neuen Testament begegnen, kann das Problem, um das es geht, leicht verdunkelt werden. Man kann sich auf beide berufen, und darum kann man beide christlich nennen. Sind aber *beide* christlich?

Deutlicher als vielleicht die Jesus-Bilder selbst zeigen ihre ethischen Aspekte, daß eine Harmonisierung nicht gelingt, denn im Grunde schließen sie sich gegenseitig aus. Wir kommen also nicht darum herum, Urteile zu fällen. Das ist jedoch nur mit Hilfe von Definitionen möglich. Hier stoßen wir aber auf Schwierigkeiten, wenn wir auf die Gegenwart blicken. Kann man definieren, wen man heute als Christen bezeichnen darf?

Unser unpräziser Sprachgebrauch stellt sich dem in den Weg, wie sich vielfältig zeigen läßt.

Wenn man die "Volkskirche" voraussetzt, kann man alle ihre Glieder Christen nennen. Man grenzt sie dann etwa von Muslimen ab (ähnlich wie man im Libanon zwischen "christlichen Milizen" und Schiiten unterscheidet). Nun gehören aber nicht alle Glieder der Volkskirche zu dem Kreis, den man etwa Kerngemeinde nennt. Nach der matthäischen Konzeption könnte man zwischen (bloßen) "Namens-Christen" und solchen unterscheiden, "die mit Ernst Christen sein wollen". Nach der markinischen Konzeption dagegen könnte man die Glieder der Volkskirche (fast) nie, doch selbst die Glieder der Kerngemeinde auch nicht immer Christen nennen.

Ohne präzise Definition ist die Vokabel Christ nahezu unbrauchbar. Wird aber bedacht, daß es bei einer solchen Definition nicht ausreicht, bestimmte Adjektive zu benutzen? Gelingen kann sie doch nur, wenn man das jeweilige Jesus-Bild, also die Christologie, in den Blick nimmt.

Dem korrespondiert dann auch das unter Christen keineswegs einheitliche Verständnis von Taufe. Daß überall derselbe Brauch geübt wird (und man sich, etwa im ökumenischen Gespräch, mit der Feststellung des gemeinsamen Brauches als Zeichen der Einheit begnügt), bleibt so lange nichtssagend, wie man nicht angibt, welchen Inhalt dieser Brauch hat. Verleiht die Taufe dem Getauften ein anderes Sein als Character indelebilis, oder aber muß man bei der Taufe von einem Angebot reden, das dann, weil es wirklich ergangen ist, ein unverlierbares Angebot bleibt? Das hat doch für den Entwurf einer christlichen Ethik erhebliche Konsequenzen.

Wie findet sich ein Getaufter vor? Als einer, der Christ geworden ist und sich nun bemühen muß, ein möglichst guter Christ zu sein? Oder als einer, dem ein Angebot gemacht worden ist und der deswegen die Chance hat, immer wieder neu Christ zu werden?

Man kann nun natürlich versuchen, aus der Alternative harmonisierend ein System zu machen. Bei der Definition geht man dann so vor: Man setzt die Vokabel Christ voraus und bemüht sich, sie inhaltlich zu füllen. Dabei nimmt man Elemente aus der markinischen und aus der matthäischen Konzeption auf und behauptet: Beides gehört zum Christen. Dabei wird dann jedoch vorschnell zweierlei übersehen. Zunächst: Im Neuen Testament liegen beide Konzeptionen (jeweils in sich geschlossen) *nebeneinander* vor. Sodann: Beide Konzeptionen sind *nacheinander* entstanden. Das zwingt zur Frage, ob eine folgerichtige oder ob eine Fehlentwicklung vorliegt. Erst wenn diese Frage beantwortet ist, kann man entscheiden, ob eine systematische Harmonisierung überhaupt möglich ist.

Bei der Definition kann man daher nicht von der Vokabel ausgehen, sondern man muß zuerst das Phänomen in den Blick nehmen, es beschreiben und es dann mit einem Namen benennen. Orientiert man sich jetzt an der markinischen Konzeption und bezeichnet diese mit dem Adjektiv christlich, ist diese Vokabel "verbraucht". An die matthäische Konzeption aber ist dann die Frage zu stellen, ob in ihr das vorher definierte "Christliche" durchgehalten ist.

Wenn es richtig ist, daß sich die Definition von christlich am Anfang orientieren muß, könnte man geneigt sein, diesen Anfang in der Konzeption des Markus zu sehen. Soweit man sich an die literarisch vorhandenen Jesus-Bilder hält, darf man davon ausgehen, daß das des Markus dem Anfang näher liegt als das des Matthäus. Gleichwohl ist hier Vorsicht geboten, denn die Konzeption des Markus ist selbst eine (zumindest relativ) späte. Sie stammt etwa aus dem Jahre 70 n.Chr. Daher muß auch an sie die Frage gestellt werden, ob mit ihr der Anfang durchgehalten worden ist. Diese Frage läßt sich aber nur beantworten, wenn wir zunächst von den vorhandenen Jesus-Bildern aus frühere Jesus-Bilder rekonstruieren.

2. Durch Literarkritik rekonstruierte Jesus-Bilder

Wenn die oben (S. 52) vorgetragene Vermutung stimmt, daß der Anfang der Geschichte des synoptischen Traditionsgutes in der Zeit des Lebens Jesu liegt, folgt daraus: Damals konnten nur Einzeltraditionen entstehen. Verschiedene Menschen an verschiedenen Orten in Galiläa erzählten, was sie bei ihrer Begegnung mit dem wirkenden Jesus gehört, erlebt und erfahren hatten. Es muß uns jetzt also darauf ankommen, diese ältesten Jesus-Bilder zu erreichen. Ich stelle kurz die dabei entstehenden Schwierigkeiten zusammen.

(a) Die synoptischen Evangelien lassen auch in ihrer vorliegenden Gestalt immer noch erkennen, daß ihre Verfasser bei der Herstellung ihres Jesus-Bildes Einzeltraditionen benutzt haben, die ihnen zur Verfügung standen. Das gilt selbst für Matthäus und Lukas, die auf das Werk des Markus (in diesem Fall also auf einen längeren zusammenhängenden Text) zurückgreifen. Bei der Rekonstruktion der Einzeltraditionen muß man jedoch behutsamer vorgehen, als es meist geschieht. Man macht einen verhängnisvollen Fehler, wenn man einfach die Schere benutzt, denn die Evangelisten haben bei ihrer Redaktionsarbeit ihre Vorlagen nicht unverändert und bloß addierend zusammengestellt, sondern sie

62

haben einerseits Übergänge geschaffen, wodurch häufig Anfang und Ende der Vorlagen umgestaltet wurden; und andererseits haben sie nicht selten in die Vorlagen selbst eingegriffen, weil sie besondere Akzente setzen wollten.

Benutzt man jetzt die Schere (wie es bei der Perikopen-Praxis zur Gewinnung von Predigttexten üblich ist), erreicht man in Wahrheit keine Texte, sondern immer nur Trümmerstücke eines Textes, nämlich Trümmerstücke aus den vorhandenen Evangelien. Perikopen sind jedoch, da sie keine Texte sind, als solche gar nicht exegesierbar, sondern stets nur im Zusammenhang des jeweiligen ganzen Evangeliums. Durch Literarkritik sollen aber *Texte* erreicht werden, und das heißt: solche Einheiten, die früher einmal als selbständige Einheiten bestanden haben. Nur die lassen sich exegesieren, weil man nur hier fragen kann, was die (früheren) Verfasser mit dem von ihnen formulierten Text ihren Lesern oder Hörern sagen wollten. Beim Durchführen der Literarkritik müssen daher die Eingriffe rückgängig gemacht werden, die die Evangelisten an ihren Vorlagen vorgenommen haben.

(b) Ist die Literarkritik durchgeführt, liegen als Ergebnis eine Fülle von Einzeltraditionen vor, die so (oder mindestens annähernd so) von den Evangelisten als Vorlagen benutzt worden sind. Betrachtet man diese nun insgesamt, entsteht ein verwirrender Eindruck. Die rekonstruierten Jesus-Bilder weisen nicht nur hinsichtlich der Formen und Gattungen, sondern vor allem auch hinsichtlich der Inhalte erhebliche Differenzen auf. Die unterschiedlichen Formen und Gattungen gehen auf die Verfasser der Einzeltraditionen zurück. Die unterschiedlichen Inhalte lassen aber die Frage stellen, ob man aus den so divergierenden Jesus-Bildern überhaupt ein leidlich einheitliches Jesus-Bild gewinnen kann. Möglich ist das nur, wenn irgendwie eine Ordnung gelingt.

(c) Nach der Literarkritik kommt bereits ein Kriterium in den Blick, das zumindest eine erste Ordnung ermöglicht: das Alter der Traditionen. Abschnitte bei Matthäus und Lukas, die eine Parallele im Markus-Evangelium haben, haben sich als Perikopen erwiesen, die einen weitergebildeten Markus-Text bieten. Die ursprünglich selbständige Einheit kann daher nur vom Markus-Evangelium aus rekonstruiert werden. Hier hilft der literarische Befund zur Bestimmung des Alters. Dabei kommt eine Geschichte des synoptischen Traditionsgutes ziemlich unmittelbar in den Blick.

Schwieriger ist es jedoch, wenn der literarische Befund keine solchen Hinweise bietet. Jetzt müssen andere Kriterien zur Bestimmung des Alters herangezogen werden, etwa die Frage nach dem Entstehungsort der Traditionen. Wenn zum Beispiel rekonstruierte Einzeltraditionen erkennen lassen, daß sie im griechisch-hellenistischen Raum entstanden sind, können sie (zumindest in der vorliegenden Gestalt) nicht alt sein. Bei der Suche nach dem Anfang scheiden sie daher aus. Auf diese Weise ist mit leidlicher Sicherheit eine negative Auslese möglich. Umgekehrt aber können Traditionen, die im jüdischen Raum entstanden sind, nicht allein deswegen schon als alt gelten, auch dann nicht, wenn sie sich ins Aramäische zurückübersetzen lassen. Griechisch liegen sie allemal vor; und die Übersetzung kann früh oder spät geschehen sein. Sehr oft gehen die Urteile darüber auseinander. Die Übergänge zwischen alt und jünger bleiben fließend.

Wir müssen uns mit der Feststellung begnügen, daß die Literarkritik und die anschließende Sichtung der Einzeltraditionen nur zu einem sehr begrenzt verwendbaren Ergebnis führen. Man kann allenfalls sagen, daß sich ein gewisser Bestand an sehr wahrscheinlich älteren Jesus-Bildern aussondern läßt, der aber auch dann, von seinen Inhalten her, immer noch durchaus uneinheitliche Jesus-Bilder bietet. "Das" Jesus-Bild ist auf diese Weise offenbar nicht zu erreichen.

Es stellt sich jetzt aber eine ganz andere Frage. Wie ist es denkbar, daß der wirkende Jesus auf die Menschen, die von ihm erzählen, einen ganz unterschiedlichen Eindruck gemacht hat? Einmal konnte er als einer verstanden werden, der das Gottes-Gesetz souverän übertrat und am Sabbat heilte, ein anderes Mal als einer, der das Gesetz geradezu radikalisierte, indem er mehr verlangte (nicht töten / nicht zürnen; nicht ehebrechen / nicht begehrlich blicken), als durch die Gebote des Gesetzes gefordert wurde. Einmal konnte er als einer verstanden werden, der sich den Unterdrückten und den Sündern zuwandte (ausschließlich den verlorenen Schafen des Hauses Israel), ein anderes Mal als einer, der die Gemeinschaft mit den Schriftgelehrten keineswegs aufgab, sondern sich sogar von ihnen einladen ließ. Man kann die Beispiele unschwer vermehren. Ebendadurch entsteht der Eindruck, daß man sich für vieles und oft für sehr Gegensätzliches auf Jesus berufen kann. Der Eindruck, den er auf Menschen gemacht hat, war offenbar nicht einheitlich. Daher sind die rekonstruierten alten Jesus-Bilder für eine unmittelbare Berufung auf Jesus ungeeignet. - Aber ein anderer Weg bietet sich an.

c) "Das" Jesus-Bild - die christliche Ethik

Wir gehen von der Hypothese aus, daß Jesus mit seinem Wirken ein einheitliches Anliegen verfolgt hat.

Auch wenn diese Hypothese eine hohe Wahrscheinlichkeit für sich hat, muß man sich darüber klar bleiben, daß es sich nur um eine Hypothese handelt, da es keine Methode gibt, den "historischen Jesus" zu erreichen (vgl. oben, S. 45). Weder können wir feststellen, wie Jesus sich selbst verstanden hat, noch, was er mit seinem Wirken erreichen wollte. Wir haben es immer mit Aussagen von Menschen zu tun.

1. Methodisches

Einsetzen muß man mit den unmittelbaren Augen- und Ohrenzeugen, gleichgültig, ob wir deren Erzählungen genau rekonstruieren können oder nicht. Diese haben immer nur einen Ausschnitt des Wirkens Jesu erfahren, und zwar immer in bestimmten konkreten Situationen. Sie haben erlebt, wie Jesus sich provozierend verhielt. Aus seinem Munde haben sie einmal helfende oder ermunternde Worte gehört, ein anderes Mal scharfe Worte der Zurechtweisung. Menschen haben gehört, daß Jesus mit Gleichnissen die Situation bestimmter Menschen vor Gott aufdeckte, zur Veranschaulichung für rechtes Verhalten Beispielgeschichten erzählte usw. Viele verschiedene Menschen haben das alles weitererzählt, manchmal mit Angabe des Hörerkreises, des Kreises der Beteiligten und der Situation, oft aber auch ohne diese Angaben. Das anfangs immer Konkrete bekam den Charakter genereller Aussagen.

Hält man sich das Entstehen und frühe Tradieren dieser Einzelgeschichten vor Augen, versteht man, daß eine Fülle von inhaltlich divergierenden Einzelaussagen herauskam. Ein einheitliches Jesus-Bild *konnte* daher zunächst nicht entstehen.

Wie ließ sich das Auseinanderstrebende aber nun zusammenhalten? Man versuchte, eine "Mitte" zu finden. Das konnte einerseits so geschehen, daß man unter dem Überlieferten eine Auswahl traf. Dabei konnte man Gleiches oder Verwandtes zusammenstellen zu anfänglichen Sammlungen, die nun einen typischen Zug des Jesus-Bildes zum Ausdruck brachten. Es konnte aber auch so geschehen, daß man Summarien schuf und mit ihrer Hilfe eine solche Mitte ausdrücklich formulierte.

Hier liegt ein Zirkel vor. Ausgangspunkt waren die vielfältigen Einzeltraditionen, die man inzwischen zur Verfügung hatte. Auch wenn diese inhaltlich auseinanderzulaufen schienen, hatten sie doch immer den gemeinsamen Bezugspunkt: Jesus von Nazareth. Damit war der Name für die Mitte vorgegeben, aber eben nur der Name. Jetzt ging es darum, diesen Namen inhaltlich zu füllen, und zwar möglichst eindeutig. Auch wenn diese inhaltliche Füllung des Namens und mit ihr zusammen die Formulierung der Mitte erst im nachhinein geschah, setzten die, die das taten, gleichwohl voraus, daß von dieser Mitte aus die inhaltlich scheinbar divergierenden Einzeltraditionen nicht nur verstanden werden konnten, sondern nach ihrer Meinung auch verstanden werden mußten. Die Mitte war nun, um es einmal so auszudrücken, der neue Text. Die literarisch älteren Einzeltraditionen aber waren auslegende Entfaltungen dieses Textes.

Dieser Zirkel ist sowohl sachgemäß als auch unvermeidbar. Ein einfaches Beispiel mag das zeigen. Wenn ich *ein* Bild meines Vaters zeichnen will, bin ich zunächst auf die vielen Einzelbilder angewiesen, die den Begegnungen mit meinem Vater entstammen. Auf den ersten Blick (und besonders für einen Außenstehenden) können diese ganz uneinheitlich sein. Sie können sich sogar, wenn man sie isoliert betrachtet, in Einzelheiten widersprechen. Dennoch kann ich im nachhinein "das" Bild meines Vaters zeichnen. Auch wenn ich es erst später formuliert habe, weil ich es überhaupt erst später formulieren konnte, bin ich dennoch davon überzeugt, daß "das" Bild meines Vaters sachlich vor allen Einzelbildern liegt. Von ihm aus erweist sich Widersprüchliches als nur scheinbar widersprüchlich.

Man kann das Ganze jetzt auch so ausdrücken: Als Menschen versuchten, aus den Jesus-Bildern "das" Jesus-Bild zu gewinnen, drückten sie damit aus, was *sie* als "christlich" definieren wollten.

In den beiden nächsten Abschnitten wird das (unter Rückgriff auf Mk. 1,14f. und Mt. 11,2-6) inhaltlich gefüllt werden. Doch soll im voraus schon bedacht werden, was solche Definitionen leisten können. Sie sind ja gar nicht am Anfang entstanden, zumindest was ihre Formulierung betrifft, und dennoch meinen sie den Anfang. Es handelt sich also immer um Behauptungen Späterer. Was haben diese Menschen damit ausgedrückt? Und was konnten diese Menschen damit (nur) ausdrücken?

Zunächst dürfen wir unterstellen: Wenn mehrere Menschen (ältere Traditionen zusammenfassend) je ein Jesus-Bild zeichneten, das sie als "das" Jesus-Bild ausgaben, dann war das Ausdruck ihres Glaubens. *Diesem* Jesus wollten sie sich ausliefern; und das Ausliefern an eben diesen Jesus definierten sie als christlichen Glauben (auch wenn ihnen der Terminus selbst noch unbekannt war).

Nun haben wir bereits beim Vergleich des Jesus-Bildes des Markus mit dem des Matthäus gesehen, daß das nicht nur unterschiedlich geschehen konnte, sondern auch unterschiedlich geschehen ist. Dasselbe könnte aber auch früher schon geschehen sein. Einleuchten muß jedenfalls, daß es nicht möglich ist, gleichsam objektiv zu formulieren, was man (systematisch) unter christlich zu verstehen hat. An den Menschen, die je ihr Jesus-Bild formuliert haben, kommen wir niemals vorbei.

Wenn wir dann aber heute (und nun eben: systematisch) definieren, was wir unter "christlich" verstehen wollen, kann das nur durch Übereinkunft geschehen. Am nächsten liegt dann doch aber, der ältesten erreichbaren Formulierung einer Mitte die Bezeichnung "christlich" zu geben. Ich wüßte jedenfalls nicht, welches andere Kriterium man ins Spiel bringen wollte und begründen könnte. Daß das Christliche nicht beliebig ist, sondern Anhalt am Anfang haben muß, dürfte eine konsensfähige Voraussetzung sein.

Das heißt dann jedoch: Die Definition wird auf historischem Wege gefunden. Nun sind aber historische Ergebnisse immer unsicher und unterliegen der Überprüfung. Das kann zur Folge haben, daß es bei der Definition des Christlichen zu einem Dissensus kommt. Dieser Gedanke könnte Unbehagen bereiten, denn soll jetzt wirklich der Historiker darüber bestimmen, was als christlich bezeichnet werden darf und was nicht?

Ein solches Unbehagen wäre jedoch nur dann berechtigt, wenn mit der Benutzung der Vokabel christlich mehr erfolgen soll als eine Beschreibung, wenn man damit also ein Werturteil verbinden will (vgl. oben S. 32f.). Doch genau das ist nicht der Fall und darf darum auch nicht geschehen.

Das Jesus-Bild des Markus war *für ihn* das wahre Jesus-Bild. Dasselbe gilt aber auch für Matthäus, der sein (ganz anderes) Jesus-Bild entwarf. Jeder von beiden drückte mit je seinem Jesus-Bild seinen Glauben aus, in dem er gewiß war. Sie haben sich auf je ihr Jesus-Bild eingelassen. Es bestimmte ihre Ethik.

Strittig sind daher nicht die Werte der Jesus-Bilder für die, die sich in ihrem gelebten Leben davon bestimmen ließen. Strittig ist lediglich das Etikett.

Wenn man nun das auf historischem Wege erhobene älteste Jesus-Bild mit der Bezeichnung christlich versieht, ist die Vokabel "verbraucht". Andere, davon abweichende Jesus-Bilder darf man nicht mehr mit derselben Bezeichnung versehen. Nur sagt man damit ja nichts über den Wert aus, den diese anderen Jesus-Bilder für die haben, die sich darauf einlassen und bei diesem Einlassen in ihrem Glauben gewiß sind.

Wir wenden uns nun zwei frühen Jesus-Bildern zu, in denen ihre Verfasser "das" Jesus-Bild sahen. Sie gehören m.E. zu den ältesten, und deswegen möchte ich im Zusammenhang damit die Vokabel christlich definieren. Ich bin mir aber, wie gesagt, klar darüber, daß es sich um ein historisches Urteil handelt, das korrigiert werden kann. Wer ein anderes Jesus-Bild für älter hält, wird die Vokabel christlich dann anders definieren.

Zur Stützung des Urteils möchte ich zwei Hinweise geben. Zunächst: Beide Jesus-Bilder begegnen in unterschiedlichen Traditionslinien (Markus-Evangelium und Logienquelle). Gelingt es, hier eine Gemeinsamkeit aufzuzeigen, ist das ein Indiz dafür, daß dieses Jesus-Bild schon sehr früh verbreitet war und darum wahrscheinlich auf einem Konsensus beruht. Sodann spielt hier wieder der Zirkel eine Rolle. Wenn von diesen Jesus-Bildern aus die Einzeltraditionen (oder jedenfalls die Mehrzahl von ihnen) als auslegende Entfaltungen verstanden werden können, ist auch das ein Indiz dafür, daß die frühen Zusammenfassungen als sachgemäß gelungen bezeichnet werden können.

2. Markus 1,14-15

Auf dieses Summarium soll etwas ausführlicher eingegangen werden, weil im Zusammenhang damit einige weiterführende Fragen erörtert werden müssen.

In der Forschung ist zwar umstritten, ob Markus für die Gestaltung insbesondere von V.15 auf ältere Motive oder gar Vorlagen, die ihm zur Verfügung standen, zurückgegriffen hat (und wenn ja, wie die lauteten). Ein Konsensus besteht jedoch darüber, daß der Evangelist mit diesem Summarium eine Zusammenfassung des Wirkens Jesu bieten will, und zwar, wie man hinzufügen muß, wie *er* es versteht. Diese (nachträglich formulierte) Zusammenfassung stellt er in seinem Werk der Darstellung des öffentlichen Wirkens Jesu voran. Für Markus haben diese Verse also programmatischen Charakter. Für ihn bilden sie "das" Jesus-Bild.

Zum leichteren Verstehen übersetze ich gegliedert und paraphrasierend, muß jedoch zunächst einige griechische Worte noch unübersetzt lassen:

Nachdem Johannes übergeben worden war, kam Jesus nach Galiläa;
er verkündigte das Evangelium Gottes ("sagend, daß" ersetzt einen Doppelpunkt):

> *voll geworden ist der kairos*
> *und*
> *nahe herbeigekommen ist die basileia Gottes;*

kehrt (daher) um ("und glaubt dem Evangelium" =), *indem ihr euch vertrauend auf dieses Evangelium einlaßt.*

In diesem Satz liegt eine Kreisbewegung vor. Ausgangspunkt ist: Jesus verkündigt das Evangelium Gottes. Danach wird in zwei Zeilen der Inhalt dieses Evangeliums angegeben. Anschließend ergeht die Aufforderung zur Umkehr. Das Umkehren wird als Einladung charakterisiert, sich vertrauend auf das Evangelium (Gottes) einzulassen, das Jesus, nach Galiläa kommend, verkündigt (hat).

Das Verbum "glauben" habe ich wiedergegeben mit "vertrauendes Einlassen auf (das Evangelium)". Damit kommt von Anfang an der ethische Aspekt in den Blick: Wer sich auf dieses Evangelium einläßt, läßt sich von diesem Evangelium bestimmen, und zwar in dem Leben, das er lebt.

Nun kommt viel darauf an, daß man die Vokabel Evangelium nicht als Chiffre stehenläßt. Im kirchlichen (aber auch schon im neutestamentlichen) Sprachgebrauch wird sie mit unterschiedlicher Bedeutung benutzt. Man weiß darum oft gar nicht, was der, der heute vom Evangelium spricht, darunter versteht, und kann das bestenfalls aus dem Kontext ermitteln. Mit Mk. 1,15 liegt so etwas wie ein Glücksfall vor: Die Vokabel wird definiert (und eine solche ausdrückliche Definition von Evangelium begegnet im Neuen Testament nur an dieser Stelle).

Nach Markus (!) ist der Inhalt des Evangeliums eine Zeitansage. Genauer muß man zunächst freilich sagen, daß es sich um zwei Zeitansagen handelt, die (mindestens auf den ersten Blick) in Spannung miteinander stehen. In der ersten Zeile handelt es sich um ein Perfekt: Ein Zeitraum *ist* abgeschlossen, weil der kairos da ist. In der zweiten Zeile wird dagegen das Perfekt scheinbar wieder zurückgenommen, denn das, was nahe herbeigekommen ist, steht zwar unmittelbar vor der Tür, ist aber gerade deswegen noch nicht da. Vielfach bezeichnet man diese Spannung mit den Worten "schon" und "noch nicht". Indem man beide Worte aufeinander bezieht, will man damit ausdrücken, daß etwas, was scheinbar widersprüchlich ist, dennoch zusammengedacht werden muß.

Wenn man das verstehen will, muß man zur Erklärung die benutzten Vorstellungen erläutern, die vorgegeben waren. Damit hängt dann sofort ein Weiteres zusammen. Wenn man davon ausgeht, daß Jesus in jüdischer Umgebung gewirkt hat, mußte man, um dieses Wirken zu beschreiben, auf vertraute Vorstellungen zurückgreifen. Nur so konnte man das, was man erfahren hatte, anderen verstehbar mitteilen. Nun ist Jesu Wirken aber zugleich als etwas verstanden worden, was sich (um es vorläufig ganz neutral auszudrücken) in irgendeiner Weise von dem bisher Vertrauten unterschied. Auch das mußte man verstehbar ausdrücken.

Zum Verständnis des Summariums reicht es also nicht aus, wenn man sich nur an dem von Markus formulierten Wortlaut selbst orientiert, sondern man muß von vornherein beachten, daß mit diesem Wortlaut auch eine Modifizierung der vorgefundenen und darum vertrauten Vorstellung vorgenommen wurde. Will man diese Modifizierung erkennen, muß man zunächst den Hintergrund zeichnen, vor dem und von dem aus die Modifizierung erfolgte.

(a) Der zeitgenössische Hintergrund. Oft sagt man, daß das Alte Testament den Hintergrund bilde, vor dem man das Wirken Jesu sehen müsse. Das ist aber sehr ungenau und kann leicht in die Irre führen. Wenn man sich in diesem Zusammenhang auf das Alte Testament beruft, muß man immer hinzufügen: wie man es zur Zeit Jesu verstand.

Nun finden sich in den beiden Zeitansagen des Summariums Vorstellungen, die nicht unmittelbar dem Alten Testament, sondern der sogenannten spätjüdischen Apokalyptik entstammen.

Bei der Apokalypik handelt es sich um eine religiöse Bewegung, die sich seit etwa Ende des dritten, Anfang des zweiten vorchristlichen Jahrhunderts im palästinensischen Judentum langsam herausgebildet hat, und zwar in Anknüpfung an die Prophetie und damit zugleich als deren Ablösung. Ihren Namen hat die Bewegung, allerdings erst sehr viel später, von der in ihrer Mitte entstandenen Literatur bekommen, den Apokalypsen ("Offenbarungen"). In ihnen wird der noch verborgene Ablauf des kommenden Weltgeschehens enthüllt, um die Eingeweihten darüber zu informieren, was in Kürze geschehen wird.

Die Geschichtskonzeption der Apokalyptik ist dualistisch. Zwei Äonen (Weltzeiten) stehen sich gegenüber: der gegenwärtige und der kommende Äon. Der gegenwärtige Äon ist eine böse Zeit und bleibt das auch bis zu seinem Ende. Gutes ist daher von ihm nicht mehr zu erwarten. Wenn aber Gott (an "seinem Tage") kommen wird, wird er eine neue Welt in einer Zeit heraufführen, die ewigen (und das heißt: zeitlich unbegrenzten) Bestand haben wird. Der durchweg pessimistische Zug, der die Apokalyptik charakterisiert, wird durchkreuzt von einer optimistischen Zukunftsschau: der Herrlichkeit im Reiche Gottes. So richtet sich die Hoffnung auf die Äonenwende, die in manchen Apokalypsen als nahe bevorstehend angekündigt wird. Allerdings ist diese Hoffnung nicht einfach und nur frohe, sondern zugleich immer auch bange Erwartung; und an dieser Stelle kommt jetzt das Problem der Ethik in den Blick.

Bei der Äonenwende werden die Toten auferweckt und müssen zusammen mit den noch Lebenden vor dem Richterstuhl Gottes erscheinen.

Hier spielt manchmal die Gestalt des Menschensohnes eine Rolle. Dieser, ein transzendentes Himmelswesen, existiert zwar jetzt schon, ist aber noch verborgen. Die Äonenwende wird seine Parusie bringen: Er tritt sichtbar in Erscheinung und wird (die Vorstellungen gehen etwas auseinander) entweder selbst im Namen Gottes das Gericht halten, oder er wird als Ankläger oder als Anwalt beim Gericht beteiligt sein.

Die Bücher werden aufgeschlagen werden, und dann wird überprüft werden, ob die Einlaßbedingungen für den Eingang in das Reich erfüllt sind.

Für die Menschen kommt es also darauf an, sich während der Zeit ihres Lebens in diesem alten Äon die Voraussetzungen dafür zu schaffen, dermaleinst in das Reich einzugehen. Sie können das, indem sie sich an das Gesetz halten und die Gebote des Gesetzes erfüllen.

Nun muß, wer das Gesetz halten will, dieses zunächst einmal kennen. Diese an sich selbstverständliche Voraussetzung macht auf ein besonderes Problem aufmerksam: auf die Vorzugsstellung Israels. Zur Zeit Jesu herrschte die Überzeugung, daß Gott sein Gesetz (durch Mose) *nur* Israel gegeben hat, also auch nur Israel in der Lage ist, mit dem Halten des Gesetzes den Eingang ins Reich zu erlangen. Israel hatte also allen Grund, "Freude am Gesetz" zu haben (vgl. Ps. 1,2). Diese Freude hob jedoch keineswegs den Ernst auf, den die Verpflichtung zum angestrengten Halten des Gesetzes mit sich brachte. Hier tat man, gerade zur Zeit Jesu, noch ein übriges. Man wollte ganz genau sein. So war es Aufgabe der Schriftgelehrten, das alte Gesetz "auszulegen". Die Einzelbestimmungen wurden kasuistisch entfaltet und dadurch das Leben der Juden bis in kleinste Einzelheiten hinein geregelt.

Mögen viele dieser Bestimmungen oft seltsam erscheinen, sollte man dennoch nicht das Anliegen übersehen, das dahinterstand. Man wollte den Gott, der das Gesetz gegeben hatte, ganz ernst nehmen. Sein Wille sollte, soweit man ihn irgend erkennen konnte, peinlich genau befolgt werden.

Dabei taten sich besonders die Pharisäer hervor. Man darf sich die Vorstellung von ihnen nicht durch das Zerrbild trügen lassen (Pharisäer = Heuchler), das erst durch Matthäus entstanden ist (vgl. Mt. 23) und bis in unsere Gegenwart hinein nachwirkt. Tatsächlich wird man die Pharisäer als damals ethische Vorbilder ansehen müssen. Ein Beispiel dafür war der Pharisäer Paulus.

Die Erfüllung des Gesetzes erforderte von jedem einzelnen Juden erhebliches Bemühen, und zwar in zweifacher Hinsicht. Einerseits mußten sie sich eine genaue Kenntnis verschaffen über die vielen Einzelbestimmungen. Das war der "Unterschicht" kaum möglich. Die Pharisäer sprachen daher verächtlich von ihnen als dem "Volk des Landes". Andererseits mußten erhebliche Anstrengungen aufgewandt werden, um das im konkreten Fall jeweils Gebotene dann auch zu tun. Denn gefordert war, *alles* zu tun und alles *immer* zu tun.

Da Gott ein gerechter Gott war, würde er beim Gericht Gerechtigkeit walten lassen. Mit der Gerechtigkeit Gottes hing es zusammen, daß (wenigstens grundsätzlich) galt: Wer auch nur ein Gebot übertreten hatte, hatte damit eine Sünde begangen. Sünde war hier verstanden als einzelne Tat gegen ein Gebot. Schon das war eine Mißachtung Gottes. Darum würde der Sünder nicht im Gericht bestehen und dem ewigen Tod verfallen.

Nun wußte man freilich auch von der Gnade Gottes und davon, daß er Sünden vergeben würde. Diese Gnade bestand aber nicht darin, daß beim Gericht *alle* Sünden vergeben werden würden. Die Gnade bestand vielmehr darin, daß Gott seine Gerechtigkeit begrenzen konnte. Waren die Erfüllungen der Gebote zahlreicher als die Gebotsübertretungen, dann konnte Gott über diese Übertretungen (die Sünden) hinwegsehen, aber nur dann. So handelte es sich bei Gottes Gnade zwar wirklich um Gnade; sie mußte aber verdient werden.

Die Juden zur Zeit Jesu waren also in banger Erwartung auf dem Wege zur Äonenwende, weil sich erst dann entscheiden würde, ob sie das Ziel erreichen: den Eingang in das Reich Gottes. Um dieses großen Zieles willen lohnten sich die Anstrengungen.

Wenn dann von den Apokalyptikern (was von Zeit zu Zeit immer wieder einmal geschah) das Ende dieses Äons als nahe bevorstehend angesagt wurde (als Naherwartung der Parusie Gottes oder der Parusie des Menschensohnes), dann war das eine zusätzliche Motivation für besondere Anstrengungen beim Halten des Gesetzes, denn die dem Menschen verbleibende Zeit war jetzt nur noch sehr kurz.

In diesem Zusammenhang muß auch das Wirken Johannes des Täufers verstanden werden - trotz mancher Besonderheiten, die für sein Auftreten charakteristisch waren. Hier ist manches dunkel, weil die Darstellung des Täufers christlich "übermalt" worden ist. Daher gehen auch in der Forschung die Meinungen teilweise auseinander. Wenn aber überliefert wird, daß die Verkündigung des Täufers lautete: Tut Buße, denn das Reich der Himmel ist nahe herbeigekommen (Mt. 3,2), dann heißt das: Weil die Äonenwende mit dem Gericht unmittelbar bevorsteht, kommt es jetzt darauf an, daß die Menschen sich noch angestrengter um das Halten des Gesetzes bemühen.

Um die Nähe des Endes dieser Weltzeit auszudrücken, konnte das Bild eines Meßbechers benutzt werden, der sich mit Zeit (mit Stunden und Tagen) füllte. War er voll, dann war (wie meist übersetzt wird) "die Zeit erfüllt" und damit der alte Äon an sein Ende gekommen. Dann würde Gott kommen (oder der Menschensohn) und (nach Auferstehung der Toten und Gericht) mit dem neuen, dem ewig dauernden Äon sein Reich heraufführen. In diesem Reich würden (nach einem weitverbreiteten Bild) alle die, die durch das Gericht hindurchgekommen waren, mit Gott zusammen am Tische sitzen beim "Mahl der Endzeit".

Theologisch heißt das, daß das Gesetz der Gott der Juden war. Denn *un*mittelbar waren sie dem Gesetz konfrontiert. An das Gesetz hängten sie ihr Herz (um es mit Luther zu formulieren); das Gesetz "prägte" sie. Man konnte damals das Gesetz geradezu mit Gott identifizieren und sagen, daß Gott in seinem Gesetz gegenwärtig ist.

Man muß die "theologische Verschiebung" erkennen, die hier eingetreten ist. Der Wortlaut des Gesetzes war zur Zeit Jesu kein anderer als zur Zeit des alten Israel (sieht man einmal von den "Auslegungen" der Schriftgelehrten ab). Das Gesetz hatte aber eine andere Funktion bekommen, weil Gott und Gesetz anders zusammengesehen wurden. Im alten Israel war das Gesetz als ein Angebot Gottes verstanden worden. Hielten die Menschen sich an dieses Angebot, konnten sie damit das Leben "lebenswerter" machen und das Miteinander besser gelingen lassen. Inzwischen verstand man aber das Gesetz als eine Verpflichtung, der der Mensch unbedingt nachkommen mußte, und damit verstand man Gott nicht mehr als den, der mit seinem Angebot helfend den Menschen zur Seite stehen wollte, sondern als den Gesetzgeber, der die Menschen zur Befolgung des Gesetzes verpflichtete. Was die Menschen unmittelbar bei sich hatten, war eben das Gesetz.

Doch auch wenn im Gesetz Gott gegenwärtig war, waren die Menschen in Wahrheit allein mit dem Gesetz. Denn das sichtbare, das wirkliche Kommen Gottes stand noch aus. Dennoch war man nicht hilflos und nicht ohne Hoffnung. Man hatte ja das Gesetz und wußte darum, was man zu tun hatte. Den Juden (und da nur sie das Gesetz hatten: *nur* ihnen) war die große Chance gegeben, durch angestrengtes Bemühen die Einlaßbedingungen zu erfüllen, die Gott für sein Reich erlassen hatte.

(b) Modifizierungen im Summarium. Im Blick auf die Ethik war für apokalyptisches Denken bezeichnend: Der Mensch hat noch Zeit, für sein zukünftiges Geschick aktiv tätig zu sein. Das gilt selbst dann, wenn Naherwartung herrscht. Zwar ist in diesem Fall die dem Menschen verbleibende Spanne nur noch kurz, doch hat der Mensch immer noch die Chance, diese kurze Zeit zu füllen und, im Blick auf das Ziel, gerade besonders intensiv zu füllen. - Demgegenüber lautet der Inhalt des Evangeliums: Es ist keine Zeit mehr. Damit wird dem Menschen zwar die Chance genommen, selbst für seine Zukunft tätig zu werden. Doch wird ihm das nicht als Bedrohung gesagt, sondern als Evangelium. Der Mensch soll einsehen lernen, daß er eine solche Chance gar nicht braucht.

Ausgedrückt wird das durch die *beiden* Zeilen der *einen* Zeitansage. In ihnen wird an das apokalyptische Denken angeknüpft, und insofern wird es aufgenommen. Zugleich aber wird es durchkreuzt. Schon die Reihenfolge ist bezeichnend.

Nimmt man beide Zeilen je für sich, könnte man sie durchaus apokalyptisch verstehen. Man müßte dann wohl mit der zweiten Zeile beginnen: Nahe herbeigekommen ist die *basileia* Gottes. Damit wäre die Naherwartung angesagt. Jetzt könnte die erste Zeile folgen: Voll geworden ist der *kairos*. Damit wird das Bild vom Meßbecher aufgenommen; und die Aussage würde dann lauten: Jetzt ist Äonenwende.

Tatsächlich liegt indes die umgekehrte Reihenfolge vor. Dadurch kommt es zu einer Aussage, die auf den ersten Blick unlogisch, dann aber auch unsinnig erscheint. Denn welchen Sinn kann es haben, wenn zuerst von der *schon* eingetretenen Äonenwende die Rede ist, im Anschluß daran jedoch wieder und nur von der *Nähe* der *basileia* Gottes. Die Äonenwende steht dann doch gerade noch aus. Gibt es aber überhaupt einen Sinn, im Rahmen apokalyptischen Denkens von der schon eingetretenen Äonenwende zu reden? Sichtbar und erfahrbar läuft die Zeit des alten Äons doch weiter. Präzise (und das heißt: apokalyptisch) kann daher nicht behauptet werden, daß jetzt Äonenwende ist.

Tatsächlich wird das auch so nicht behauptet. Die apokalyptische Vorstellung wird dadurch durchkreuzt, daß statt des eigentlich hier zu erwartenden Terminus *chronos* der Terminus *kairos* benutzt wird.

Die beiden Termini (im Deutschen meist mit "Zeit" übersetzt) unterscheiden sich dadurch, daß *chronos* die Zeit als Linie meint, also ablaufende Zeit, *kairos* dagegen den Zeitpunkt als einen (positiv oder negativ) gefüllten Augenblick, der als solcher keine Dauer hat. - Wenn Paulus zum Beispiel Gal. 4,4 von der "Fülle des chronos (!)" redet, drückt er damit (im Zusammenhang seiner Gedankenführung im Galaterbrief) aus, daß Gott mit der Sendung seines Sohnes eine Zäsur gesetzt hat: Die bis dahin ablaufende Zeit war zu einem Ende gekommen. Hier wird (im Unterschied zum Summarium) die apokalyptische Vorstellung unmittelbar übernommen.

Die Frage ist nun: Was kann es heißen, daß einerseits der gegenwärtig noch bestehende alte Äon als "voll geworden" bezeichnet wird, obwohl seine Zeit *(chronos)* noch weiterläuft, andererseits aber der noch weiterlaufende alte Äon mit dem Terminus *kairos* als dennoch schon abgelaufen behauptet wird? Man versteht das, wenn man sieht, daß hier nicht gleichsam objektiv ein Datum angegeben wird (wie die Äonenwende ein Datum ist), sondern daß *Menschen* angeredet werden sollen. Man muß also zuerst auf den Menschen blicken und auf seine ethischen Möglichkeiten. Solange er im alten Äon lebt, hat er solche Möglichkeiten: Er versucht, selbst für seine Zukunft zu sorgen. Nun lebt der Mensch zwar vorfindlich noch im alten Äon, und die Äonenwende ist ein Datum in der Zukunft. Dem aber, was der Mensch (im Rahmen apokalyptischen Denkens) in diesem Äon noch besorgen mußte und auch wollte, wird ein Ende gesetzt. Insofern kann *für ihn* der alte Äon wirklich beendet sein, auch wenn dieser um ihn herum noch weiter besteht. Denn inmitten dieser sichtbar weiterlaufenden alten Weltzeit wird dem Menschen *kairos* angesagt, und zwar als eine *für ihn* neue Möglichkeit.

Wie diese Möglichkeit aussieht, wird in der zweiten Zeile inhaltlich entfaltet: Die *basileia* Gottes steht unmittelbar vor der Tür. Sie ist noch nicht da; aber jetzt will sie einbrechen. Gegenüber dem apokalyptischen Denken ist nun aber eines entscheidend anders geworden. Wenn *für den Menschen* der alte Äon zu Ende ist, hat er keine Zeit mehr, in der er etwas tun könnte, um sich den Eingang in die *basileia* zu verdienen. Da er das (aus "Zeitmangel") nicht mehr kann, die *basileia* aber dennoch einbrechen will, heißt das, daß er das auch nicht mehr braucht. Die *basileia* will *als Geschenk* kommen. Die Zeitansage ist also dieses Angebot an den Menschen. Ob sie ihr Ziel - als Geschenk zu kommen - erreicht, liegt am Menschen.

Deutlich wird damit sofort, daß Gott jetzt anders definiert wird. Bisher war Gott der, der von den Menschen die Erfüllung von Bedingungen *fordert,* ohne die er die Menschen nicht in seine *basileia* einlassen und zur Gemeinschaft mit sich an seinem Tisch zulassen will. Und da Gott sich selbst an seine Bedingungen gebunden hatte, konnte er es auch gar nicht. Jetzt aber ist Gott der, der seine *basileia* (und mit seiner *basileia* die Gemeinschaft mit sich selbst) *schenken* will. Was hier vorliegt, ist also nicht weniger als das Angebot eines "Götterwechsels" (vgl. oben S. 21f.).

Die weitere Frage ist nun: Wann und wie kommt die *basileia* (und mit ihr der schenkende Gott selbst) beim Menschen an? Es wird ja nicht die Gegenwart der *basileia* behauptet, sondern nur ihre Nähe, die Nähe jedoch als unmittelbar ergehendes Angebot. Die Antwort auf diese Frage gibt der Imperativ nach der Zeitansage: Kehrt um!

Mit diesem Imperativ wird der Mensch aufgefordert, auf das ergangene Angebot des schenkenden Gottes zu re-agieren. Er *kann* sich jetzt darauf einlassen; und dieses Einlassen besteht in seiner Umkehr.

Sprachlich könnte es hilfreich sein, wenn man bei der Übersetzung des griechischen Wortes *metanoein* unterscheidet. Geht es da um etwas, was der Mensch tun *muß,* sollte man von "Buße" reden. Weil das Gericht vor der Tür steht, ergeht der Aufruf: Tut Buße. - Geht es aber um eine dem Menschen angebotene Möglichkeit, die der Mensch ergreifen *kann,* ist "Umkehr" das geeignetere deutsche Wort.

Der Mensch, der sich aufgrund des Angebots umkehren läßt, geht dann nicht mehr den Weg, auf dem er bisher auf Anordnung des fordernden Gottes durch den alten Äon hindurch unterwegs war. Auf diesem Wege versuchte er, Gott (später einmal) zu erreichen. Er hatte das Gesetz im Rücken, Gott aber, von dem er vorläufig noch im Abstand blieb, immer vor sich.

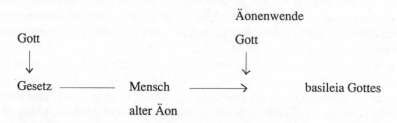

Kehrt der Mensch von diesem Wege um, hat er nicht mehr den fordernden Gott vor sich, sondern er hat den sich ihm schenkenden Gott hinter und mit sich.

74

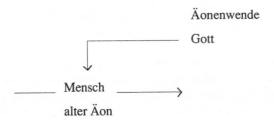

Da dieser Gott "jetzt schon" seine Gemeinschaft anbietet, kann der Mensch jetzt schon mit ihm zusammen unterwegs durch sein Leben sein. Inmitten des alten Äons kann für ihn jetzt schon die *basileia* Gottes Gegenwart sein.

Auch hier ist es zum besseren Verstehen hilfreich, bei der Übersetzung zu differenzieren. Ist bei *basileia* Gottes an den Zustand nach der Äonenwende gedacht, sollte man im Deutschen "Reich Gottes" sagen. Ist dagegen an die Gegenwart der *basileia* gedacht, kommt das besser durch "Herrschaft Gottes" zum Ausdruck.

Beide Übersetzungen sind als Möglichkeiten bereits im hebräisch-aramäischen Sprachgebrauch (den man hinter dem Terminus *basileia* Gottes sehen muß) angelegt. Im Rahmen apokalyptischen Denkens liegt bei der *basileia* Gottes zunächst die Vorstellung vom Zustand nach der Äonenwende vor (also: "Reich Gottes"). Nun konnte man im damaligen Judentum aber auch formulieren, daß ein Mensch "die basileia Gottes auf sich nimmt". Die Übersetzung "Reich" gäbe hier natürlich keinen Sinn, wohl aber "Herrschaft". Dieser Mensch will Gott seinen Herrn sein lassen. Er läßt Gott aber dadurch seinen Herrn sein, daß er sich streng, und zwar strenger als sonst, an das Gesetz hält. Das konnte man damals deswegen als "Übernahme der basileia Gottes" bezeichnen, weil erwartet wurde, daß die Menschen, die dermaleinst ins Reich gelangten, dort nach dem Gesetz leben würden. Das Gesetz ist eben das Gesetz des Reiches.

Wer also die *basileia* Gottes auf sich nimmt, tut jetzt schon inhaltlich dasselbe wie das, was die Menschen im Reich einmal tun würden. In diesem Äon tun sie das freilich, weil das von ihnen gefordert ist und aus eigenem Entschluß. Nach der Äonenwende werden die Menschen das tun, weil sie im Reich leben.

Unterscheidet man nun auch im Summarium zwischen Herrschaft und Reich, kann man formulieren: Das Reich Gottes will als Herrschaft Gottes einbrechen. Dadurch wird das Mißverständnis vermieden, daß an eine Änderung dieses alten Äons gedacht sei. Die Welt um den Menschen herum ist alte Welt und bleibt bis zur Äonenwende alte Welt. Die *basileia* Gottes wird niemals als Reich Gegenwart; und es wäre auch ein völliges Mißverständnis, wenn man annehmen würde, daß gemeint sei, der alte Äon sollte sich langsam, Schritt für Schritt, auf Reich Gottes hin weiterentwickeln. Wenn der Mensch aber umkehrt, dann kommt das, was als Inhalt des Reiches erwartet wird, in Gestalt von Herrschaft Gottes zu ihm und geschieht nun durch ihn. Der Mensch lebt jetzt Herrschaft Gottes; und *er* lebt sie anderen zu.

Wenn man das inhaltlich füllen will, kann man zunächst von diesem Rahmen ausgehen: Erwartet wird nach der Äonenwende am Tische Gottes "heile Welt". Diese heile Welt bietet Gott dem Menschen jetzt schon an; und sie kommt bei ihm an, *wenn er sie lebt.* Daraus ergeben sich sofort Inhalte, die negativ und positiv formuliert werden können. In einer heilen Welt gibt es kein Zürnen, keinen begehrlichen Blick, und jedes Schwören ist überflüssig, denn selbstverständlich spricht der, der am Tische Gottes sitzt, immer die Wahrheit. Die Tischgenossen leben Frieden. Sie leben das, was sie von Gott empfangen haben, einander zu.

Wo Herrschaft Gottes geschieht, wagen Menschen, diese Vollkommenheit zu leben. Ein Wagnis ist das, weil es inmitten des noch weiterlaufenden alten Äons geschieht. Ebendeswegen hat das Leben von Herrschaft Gottes keine Dauer, kann auch keine Dauer haben. Vorfindlich bleibt der alte Äon alter Äon und behält als solcher Macht, auch über den Menschen. Das heißt dann für den Menschen: Er darf nun in Naherwartung leben ("nahe herbeigekommen"). In *dieser* Naherwartung blickt er jedoch nicht (wie in der Apokalyptik) auf einen Termin aus, der zwar in Kürze bevorsteht, dem Menschen aber immer noch Zeit läßt. Es ist eben keine Zeit mehr. Und darum lebt der Mensch in jedem Augenblick, den er auf der Zeitlinie weiterschreitet, in stets neuer Naherwartung. Seine Vorstellung wird zur "Einstellung".

Das macht dann auch die Kreisbewegung verständlich, die im Summarium zum Ausdruck kommt. Jesus wird dargestellt als einer, der Evangelium als Zeitansage anbietet. Für den Menschen bedeutet das Möglichkeit zur Umkehr. Wer umkehrt, läßt sich auf das Evangelium ein und wird zugleich aufgerufen, sich immer wieder auf dieses Evangelium einzulassen, das Jesus angeboten hat und anbietet.

(c) Jesus-Bild und christliche Ethik nach Markus. Mit seinem dem Wirken Jesu vorangestellten Summarium formuliert Markus *sein* Jesus-Bild. Einerseits läßt er damit erkennen, wie *er* die Einzeltraditionen, die er vorfand, verstanden hat. Andererseits bringt er damit zum Ausdruck, wie die Einzelbegebenheiten, die er durch Redaktionsarbeit in seinem Werk zusammengestellt hat, *nach seiner Meinung* verstanden werden sollen.

Das hat zunächst einmal Konsequenzen für die Exegese. Will man eine Perikope (!) aus dem Markus-Evangelium exegesieren, muß das vom Summarium aus geschehen. Dabei kann völlig offenbleiben, ob eine durch Literarkritik (!) rekonstruierte (also vormarkinische) Einzeltradition ebenso oder anders zu exegesieren ist. Bei der Exegese der Perikope kommt es immer nur auf die Aussage des Markus an, nicht jedoch auf die Aussagen, die die Verfasser der Einzeltraditionen früher machen wollten. Was dem Summarium folgt, muß nach Markus als Entfaltungen der programmatischen Ansage in 1,14f. verstanden werden. Sie müssen nicht die Gesamtaussage des Summariums enthalten, oft bieten sie nur einen Aspekt. Deutlich muß nur bleiben, daß es sich um einen Aspekt *des Summariums* handelt.

Beide Exegesen sind also streng zu unterscheiden. Man muß ja eben mit der Möglichkeit rechnen, daß die (oder manche) Verfasser von Einzeltraditionen sich mit ihrer Aussage nicht in der Aussage des markinischen Summariums wiedergefunden hätten. Sie haben dann den wirkenden Jesus anders verstanden, als Markus es tat. Die Frage wäre dann, ob es möglich ist, ein Summarium anders zu formulieren. Da, wie gesagt, die Inhalte der Einzeltraditionen divergieren, kommt man ohne Formulierung eines Summariums nicht aus, wenn man nicht miteinander unvereinbare Jesus-Bilder nebeneinander stehenlassen will und dadurch eine Berufung auf Jesus der Beliebigkeit anheimstellt, wie es die Geschichte der Leben-Jesu-Forschung bei der Frage nach dem historischen Jesus gezeigt hat. Es findet sich jedoch kein früheres Summarium eines anderen Verfassers, das eine Alternative zu dem des Markus darstellen könnte.

Man muß nun freilich genau formulieren: Mit seinem Jesus-Bild zeigt *Markus,* wie *er* "christlich" definieren würde. Dabei ist, blickt man vom Summarium aus auf das ganze Werk, auf beides zu achten: Jesus wird nicht nur als einer dargestellt, der das Evangelium als Angebot seines (also des schenkenden) Gottes ansagt, sondern zugleich als einer, der sich auf dieses Angebot selbst eingelassen hat und das Evangelium lebt. - Als Definition kann man beides so zusammenfassen: Im Christlichen geht es um eschatologisches Existieren, bzw. präziser: Wo eschatologisches Existieren geschieht, kann das mit der Vokabel christlich bezeichnet werden.

Der Terminus "eschatologisch" ist wörtlich zu verstehen. Der Plural *ta eschata* bezeichnet "die letzten Dinge", also das, was mit der Äonenwende zusammenhängt und mit dem, was danach folgt. Dabei geht es im apokalyptischen Denken immer um Zukünftiges. Eschatologisches Existieren geschieht jedoch in der Gegenwart. Der Mensch, der eschatologisch existiert, antizipiert also Zukunft.

Worum es dabei geht, läßt sich zunächst so darstellen:

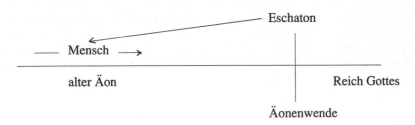

Evangelium heißt also: Dem Menschen wird angeboten, jetzt schon eschatologisch zu existieren. Der aber, der dem Menschen das anbietet, tut das als einer, der selbst eschatologisch existiert. Anders formuliert: Jesus wird von Markus als

77

einer verstanden, der dem Menschen seiner Umgebung seinen Gott zugelebt hat. Das heißt in herkömmlicher Terminologie: Er lebte ihnen den Indikativ zu. Lassen sich Menschen auf diesen Indikativ ein, kehren sie um und leben nun selbst eschatologisch. In der Umkehr glauben Menschen dem Evangelium, und zwar dem Evangelium, das Jesus gebracht und gelebt hat. So ist der wirkende Jesus für sie das Evangelium Gottes. Wer sich darum auf Jesus einläßt (= wer ihm glaubt), lebt nun selbst den Gott Jesu und lebt diesen Gott anderen zu.

Die vorgelegte Skizze bedarf indes noch einer Modifizierung. Da eschatologisches Existieren im alten Äon geschieht, hat es keine Dauer. Es bricht ja nicht um den Menschen herum das Reich Gottes ein, sondern durch den Menschen geschieht Herrschaft Gottes. Das ist kein einmaliges und dann bleibendes Geschehen, sondern Herrschaft Gottes kann sich immer nur neu ereignen, will sich aber auch immer wieder neu ereignen. Auch hier besteht eine enge Beziehung zwischen Christologie und Ethik.

Setzt man das Summarium des Markus voraus, bekommt ein literarischer Befund christologische und damit theologische Bedeutung: die einzelnen Jesus-Bilder und die Zusammenfügung der einzelnen Jesus-Bilder zu einem Jesus-Bild.

Daß die Jesus-Überlieferung in der literarischen Gestalt von Einzeltraditionen begonnen hat, ist von ihrer Entstehung her zunächst einfach naheliegend. Jesus hat an verschiedenen Orten zu verschiedenen Zeiten immer wieder, immer neu und im einzelnen unterschiedlich gewirkt. Darum konnten zunächst (literarisch) nur Einzeltraditionen entstehen. Durch sein Summarium interpretiert Markus die Einzelbegebenheiten nun so: *Jede* Einzelbegebenheit war Einbruch des Reiches Gottes als Herrschaft Gottes in diesen alten Äon. Die einzelnen Jesus-Bilder werden verstanden als *kairoi,* die sich von Zeit zu Zeit auf der Linie des *chronos* ereignet haben.

Über das, was zwischen den einzelnen *kairoi* lag, wird nicht reflektiert. Überlieferungen gab es ja nur von den *kairoi.* Für die Christologie ist eine solche Reflexion nicht unerheblich, auch wenn sie nur so möglich ist, daß man von der späteren Entwicklung aus zurückblickt. Dabei kommt dann ein Gesichtspunkt in den Blick, der in früherer Zeit außerhalb des Bewußtseins lag. Formuliert man ihn, kann die Feststellung daher überraschend und vielleicht sogar provozierend wirken: Zwischen den *kairoi* lag viel "Alltag". Das, was dabei durch Jesus geschah, war ein ganz "normales" menschliches Geschehen. Das heißt aber für die Christologie: Es wird nicht eine besondere Qualität Jesu vorausgesetzt. Wäre das der Fall, dann müßte er unentwegt qualifiziert gehandelt haben. Die Tatsache, daß die Jesus-Überlieferung als Einzeltraditionen begann, ist also der literarische Ausdruck dafür, daß sich Herrschaft Gottes immer nur als *kairos* ereignet, der keine Dauer hat.

Wenn Markus nun aber viele Jesus-Bilder zusammenstellt, besteht die Gefahr, daß ein kairos unmittelbar auf den anderen folgt. Dem steuert Markus entgegen. Das geschieht einerseits durch chronologische und geographische Angaben, die zwar literarisch die Einzeltraditionen miteinander verknüpfen, sie aber zugleich so auseinanderhalten, daß "Zwischenräume" entstehen. Andererseits und vor allem geschieht das durch die Verwendung des Motivs des sogenannten Messiasgeheimnisses (vgl. oben S. 59). Dadurch erreicht der Evangelist, daß in seinem Jesus-Bild Jesus als einer dargestellt wird, der mit seinem Wirken immer neu anfangen mußte.

Für die Ethik folgt daraus: Immer wieder und immer neu sollen (und können!) Menschen sich auf eschatologisches Existieren einlassen. Insofern leben sie *ständig* in Naherwartung: Immer erwarten sie, Herrschaft Gottes zu leben.

Daraus ergibt sich die modifizierte Skizze:

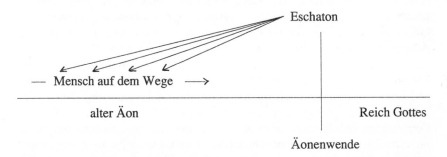

Eschaton

Mensch auf dem Wege →

alter Äon   Reich Gottes

Äonenwende

Nach Markus ist demnach ein Christ ein Mensch, der einmal (oder mehrfach) eschatologisches Existieren erlebt und gestaltet hat und dabei *Christ wurde,* nun aber (zwar mit diesen Erfahrungen im Rücken, dennoch) *als Mensch* darauf wartet, erneut eschatologisch zu existieren, erneut *Christ zu werden.*

3. Matthäus 11,2-6

Die "Täuferanfrage" findet sich neben Mt. 11,2-6 auch Lk. 7,18-23. Beide Evangelisten haben ein Traditionsstück aus der Logienquelle übernommen. Ein Vergleich beider Perikopen ergibt: Die lukanische Fassung ist umfangreicher; die Erweiterungen gehen offensichtlich auf Lukas zurück. Der von Matthäus gebotene kürzere Wortlaut hat also eine größere Nähe zu dem der Logienquelle. Doch auch Matthäus hat wahrscheinlich an einer Stelle in seine Vorlage eingegriffen.

Wenn Johannes im Gefängnis von "den Werken *des Christus*" hört, erübrigt sich die Frage, wer Jesus ist, eben: der Christus. Die Frage ist jedoch nicht überflüssig, wenn vom Wirken *Jesu* die Rede ist. Da "Christus" bereits sehr früh nicht mehr als christologischer Hoheitstitel, sondern als Eigenname verstanden worden ist, legt sich die Vermutung nahe, daß "Christus" für ein ursprüngliches "Jesus" eingesetzt wurde.

Die Vorlage dürfte daher (etwa) gelautet haben:

"Als Johannes im Gefängnis von den Taten Jesu hörte, ließ er ihn durch seine Jünger fragen: Bist du der Kommende? Oder sollen wir auf einen anderen warten? - Jesus antwortete und sprach zu ihnen: Gehet hin und verkündigt dem Johannes, was ihr hört und seht: Blinde sehen, und Lahme gehen, Aussätzige werden rein, und Taube hören, Tote stehen auf und Armen wird das Evangelium angesagt - und heil dem, dem ich nicht zum Skandalon (zum Ärgernis) werde."

Deutlich ist sofort, daß ein Summarium vorliegt. Sein Verfasser faßt Einzelerzählungen von Taten Jesu nachträglich zusammen und gestaltet sie zu einem Anlaß für eine Anfrage des Täufers. Wegen der Ungewöhnlichkeit dieser Taten Jesu möchte der Täufer wissen, wer Jesus *ist*. Er könnte "der Kommende" sein. Unter diesem sehr allgemeinen Ausdruck ist eine Gestalt zu verstehen, die unmittelbar vor der Äonenwende erwartet wird, um die Endzeit einzuleiten. Da Johannes aber unsicher ist, möchte er von Jesus eine ausdrückliche Bestätigung über dessen "Qualität". Eine Antwort auf diese Frage bekommt er jedoch nicht. Stattdessen weist Jesus auf das Tun zurück, das durch ihn geschieht. Das war doch aber gerade der Anlaß für die Frage. So bleibt scheinbar alles in der Schwebe.

Worauf es bei dieser Antwort Jesu ankommt, erkennt man erst, wenn man sieht, daß mit ihr nicht einfach berichtend referiert wird. Es werden vielmehr Formulierungen benutzt, die aus prophetischer Tradition stammen (vgl. Jes. 29,18f.; 35,5f.; 61,1) und deren Inhalte von der Apokalyptik aufgenommen worden sind: Das alles wurde in der Endzeit erwartet.

Im jüdisch-apokalyptischen Denken stellte man sich die Zukunft sehr "massiv" vor: Die auferweckten Toten würden in ihren alten Körpern wieder dasein - nur ohne die Fehler und Gebrechen, mit denen sie während ihres Lebens im alten Äon behaftet waren.

Der Verfasser des Summariums will also mit Hilfe dieser Formulierungen die Taten Jesu interpretieren: Es handelt sich um Antizipationen eschatologischen Geschehens. Drückt man das in der Terminologie aus, die im Zusammenhang der Exegese des markinischen Summariums benutzt und begründet wurde (vgl. oben S. 75), kann man formulieren: Im Wirken Jesu ist jetzt schon und immer wieder einmal das Reich Gottes als Herrschaft Gottes in diesen alten Äon eingebrochen. Es liegt also dieselbe Figur vor wie im Summarium des Markus.

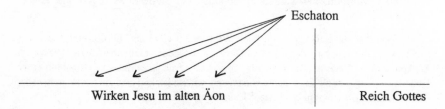

Wirken Jesu im alten Äon | Reich Gottes

Auch andere Eigentümlichkeiten begegnen wieder. Der alte Äon selbst verändert sich nicht. Er bleibt alter Äon. Nicht jeder Kranke wird geheilt. Aber von Zeit zu Zeit geschieht hier und dort und immer durch das Wirken Jesu Einbruch des Eschaton.

Daß das Wirken Jesu mit Hilfe vorgegebener Traditionen dargestellt wird, macht sodann deutlich: Man kann nicht unmittelbar ablesen, was es mit diesem Tun auf sich hat. Zwar ist das Geschehen von Herrschaft Gottes immer ein *sichtbares* Geschehen. Es ist jedoch nicht sichtbar, daß dieses Geschehen ein Geschehen von Herrschaft *Gottes* ist. Das ist ja der Grund, warum der Täufer überhaupt fragt: Das sichtbare Geschehen war offenbar mehrdeutig.

Daß der Täufer Eindeutigkeit erreichen möchte, ist daher verständlich. Nur sucht er sie auf falschem Wege bzw. an der falschen Stelle, wenn er wissen will, wer Jesus *ist*. Dann will er Auskunft über die Qualität Jesu haben. Er will unmittelbar eine christologische Aussage über die "Person" Jesu, um im Anschluß daran das Tun Jesu einordnen zu können. Hier wird er korrigiert. Was es mit Jesus auf sich hat, kann nur erfahren und bekennen, wer das *Tun* Jesu "richtig" versteht. Der kann dann (aber erst dann!) Jesus richtig qualifizieren.

Ebendeswegen gilt: Heil dem, dem *ich* nicht zum Ärgernis werde. Das Ärgernis besteht im "Umweg". Mit der Antwort auf die Anfrage wird dem Johannes (und damit zugleich jedem Hörer des Summariums) zugemutet, bei jedem Tun, das ihm widerfährt, *selbst* zu entscheiden, woher es kommt. Eine vorlaufende Sicherheit (von einer vorgegebenen Christologie aus) gibt es hier nicht. Jeder muß die Entscheidung selbst wagen; und er muß sie immer wieder wagen.

Was der Verfasser des Summariums denen sagen wollte, für die er es verfaßte, kann noch etwas deutlicher werden, wenn man bedenkt, wann und wo er es formuliert hat. Das geschah zu einer Zeit, als man auf das inzwischen abgeschlossene Wirken Jesu zurückblickte; und es geschah in einer "galiläischen" Gemeinde (vgl. oben S. 52). Dieser Gemeinde wird von außen die Frage gestellt: Wer seid ihr? Und die Gemeinde stellt sich diese Frage auch selbst.

Verständlich wird die Frage, weil es damals neben der Jesus-Gemeinde und in Konkurrenz mit ihr eine Täufer-Gemeinde gab. Beide Gemeinden erhoben den Anspruch, Gemeinde der Endzeit zu sein, die eine unter Berufung auf Jesus, die andere unter Berufung auf den Täufer.

Reicht es nun aber aus, wenn sich die Jesus-Gemeinde einfach auf Jesus beruft und daraus ihren Anspruch ableitet? Die Frage: Wer seid ihr?, kann nur beantwortet werden, wenn die Frage: Wer ist Jesus?, beantwortet worden ist. Darum legt nun der Verfasser des Summariums ebendiese Frage dem Täufer in den Mund. Dadurch wird die Antwort Jesu transparent für das gegenwärtige Problem der Gemeinde.

Mit dieser Antwort wird der Jesus-Gemeinde erläutert, warum eine Berufung auf Jesus nicht ausreicht, auch dann nicht, wenn man für ihn einen christologischen Hoheitstitel in Anspruch nimmt. *Das* kann ihre Behauptung nicht legitimieren, Gemeinde der Endzeit zu sein. Die Legitimation ihres Anspruchs kann nur dadurch erbracht und einsichtig gemacht werden, daß auf das verwiesen wird, was in der Gemeinde und durch die Gemeinde geschieht.

Nun ist das, was in der Gemeinde und durch die Gemeinde geschieht, zwar sichtbar gelebtes Leben; aber als solches ist es nicht eindeutig. Auch dann nicht, wenn es vorbildlich und beispielhaft ist, so wie auch das Wirken Jesu nicht eindeutig war. Jesu Wirken wollte aber eine verkündigende Ansage sein. In diesem Wirken geschieht immer wieder Einbruch von Gottesherrschaft. Entsprechend soll nun auch das *Wirken* der Gemeinde verkündigende Ansage sein. Dabei muß die Gemeinde aber wissen: Auch wenn das Wirken in vollkommener Gestalt geschieht und dadurch Aufsehen erregt, kann es verkannt und die Gemeinde zum Ärgernis werden. Wenn jedoch das Wirken als Verkündigung ankommt, *kann* es geschehen, daß einige (zunächst einmal: einige aus der Täufer-Gemeinde), die "hören und sehen", im Tun der Gemeinde den Einbruch von *Gottes* heiler Welt erfahren. Sie erkennen dann, daß hier nicht die Gemeinde mit eigenen Anstrengungen und Leistungen am Werk ist, sondern *Gott,* der durch die Gemeinde handelt. Dann (aber erst dann!) wird man "an den Früchten den Baum erkennen", in der Jesus-Gemeinde die Gemeinde der Endzeit sehen - und in Jesus den, der Leben von Endzeit initiiert hat, den "Kommenden".

In herkömmlicher Terminologie: Von der "Ethik" aus, die die Gemeinde lebt, kommt "Ekklesiologie" in den Blick, von dort aus "Christologie".

Die Gemeinde darf nicht der Versuchung verfallen, diese Reihenfolge umkehren zu wollen. Am Anfang des Wirkens nach außen darf nicht die Proklamation eines Anspruchs stehen, den die Gemeinde unter Berufung auf Jesus erhebt. Dieser Anspruch konkurriert mit anderen Ansprüchen. Die Gemeinde darf ihren Anspruch aber auch nicht dadurch begründen oder gar sichern wollen, daß sie zusammen mit christologischen Qualitätsaussagen ekklesiologische Qualitätsaussagen formuliert und dann von diesen aus argumentiert. Argumentieren kann die Gemeinde nach außen nur mit ihrem eigenen Wirken.

Ebendarin aber erweist sie sich als Jesus-Gemeinde. Denn (und das sagt der Verfasser des Summariums seinen Lesern): Wer sich auf Jesus beruft, beruft sich auf den *wirkenden* Jesus.

4. Zusammenfassung: der Menschensohn

Die Skizzen auf S. 79 und S. 80 zeigen: die Summarien, die beide im Rückblick entstanden sind, setzen dasselbe Jesus-Bild voraus. Da sie in unterschiedlichen Traditionszusammenhängen begegnen (Markus-Evangelium und Logienquelle), darf man davon ausgehen, daß sie an verschiedenen Orten entstanden sind. Es ist daher leicht zu verstehen, daß ihre Verfasser für die Ausgestaltung jeweils unterschiedliches Material benutzt haben. Die gemeinsame Grundstruktur wird dadurch aber nicht tangiert.

Geht man von dieser Grundstruktur aus, ergeben sich verschiedene Ausdrucksmöglichkeiten. Ich nenne einige Beispiele. Man kann etwa formulieren: Jesus ist als Theologe verstanden worden. Das heißt präzise (vgl. oben S. 57): Jesus ist als einer verstanden worden, der *von* seinem Gott geredet hat. Von seinem Gott geprägt, prägte er Menschen seiner Umgebung, indem er ihnen seinen Gott zulebte. - Bleibt man näher bei den benutzten Vorstellungen, kann man formulieren (ohne dadurch etwas anderes zu sagen): Jesus ist als einer verstanden worden, der immer wieder Reich Gottes als Herrschaft Gottes lebte. Das heißt: Er ist als einer verstanden worden, der es immer wieder wagte, inmitten der alten (der bösen, der unerlösten, der von der Sünde beherrschten) Welt die von der Zukunft erwartete heile Welt jetzt schon zu leben. - Faßt man dieses Antizipieren von Zukunft zusammen, kann man formulieren: Jesus ist als einer verstanden worden, der eschatologisch existierte.

Zu demselben Ergebnis kommt man, wenn man auf die Menschensohn-Worte im synoptischen Traditionsgut und in den synoptischen Evangelien blickt. Man kann nämlich (wenngleich der Terminus in diesem Zusammenhang ungewöhnlich ist) auch "Menschensohn" als ein "Summarium" bezeichnen, denn mit Hilfe dieses "Titels" wird im Rückblick ebenfalls *ein* Jesus-Bild gezeichnet.

Nun ist zwar die mit dem Menschensohn zusammenhängende Problematik in der Forschung umstritten. Dennoch läßt sich, wie kurz skizziert werden soll, der Ausgangspunkt der Entwicklung und im Zusammenhang damit die Entstehung und Entfaltung dieses Jesus-Bildes einsichtig machen.

Die *Vorstellung* vom kommenden Menschensohn ist in der Apokalyptik entstanden (vgl. oben S. 70), und zwar in Weiterbildung von Motiven aus Dan. 7. Man muß den Menschensohn unterscheiden von dem erwarteten Messias, der keine für die Apokalyptik charakteristische Gestalt war. Der Messias war nämlich ein *Mensch,* mit dem sich "politische" Erwartungen verbanden: Irgendwann in der Zukunft (die nah oder fern gedacht sein konnte) würde sich ein Mensch als Messias erweisen, das zerstreute Israel sammeln und zum Zion führen, wo dann das Reich Davids neu entstehen würde. Es konnte durchaus sein, daß dieser Mensch jetzt schon lebte. Daß er der Messias ist, würde sich dann herausstellen. - Der Menschensohn dagegen war gerade kein Mensch, sondern eine *jenseitige Gestalt.* Sie existierte zwar schon, war aber noch jenseitig verborgen. Erst bei der Äonenwende würde der Menschensohn aus der Verborgenheit heraustreten, bei seiner Parusie sichtbar und allen Menschen erkennbar erscheinen und dann beim Gericht beteiligt sein.

Die Frage ist nun: Wie wurde diese vorgegebene Vorstellung zunächst mit Jesus in Verbindung gebracht und dann auf ihn unmittelbar übertragen? Das Nacheinander kann man erkennen, wenn man vom Befund ausgeht und ihn ordnet.

Von vier Ausnahmen abgesehen, begegnet die Bezeichnung Menschensohn nur in den Evangelien und dort nur im Munde Jesu. Dabei fällt auf, daß Jesus immer in der dritten Person vom Menschensohn redet, also so, als ob es sich um einen anderen handle.

Läßt also der Befund zunächst offen, ob mit dem Menschensohn Jesus selbst oder ein anderer gemeint ist, kann dennoch an einem Punkt kein Zweifel herrschen: Wenn die *Evangelisten* Jesus vom Menschensohn reden lassen, sind *sie* der Meinung, daß Jesus von sich selbst redet. Die Frage ist nun jedoch, ob das auch schon im synoptischen Traditionsgut der Fall ist.

Mit Hilfe von Literarkritik kann man drei Gruppen von Menschensohn-Worten rekonstruieren. Die in ihnen begegnenden Motive kommen immer getrennt vor. Es gibt keine Überschneidungen.

(a) Die Rede vom *leidenden, sterbenden und auferstehenden Menschensohn.* Diese Gruppe begegnet bei Matthäus und Lukas nur an Stellen, die auf eine Markus-Vorlage zurückgehen (Mk. 8,31; 9,31; 10,33f.). Mit ganz hoher Wahrscheinlichkeit handelt es sich um Bildungen des Evangelisten Markus, und damit um die jüngste Gruppe. Daß in diesen Menschensohn-Worten Jesus selbst gemeint ist, ist sicher. Die vorgegebene Vorstellung kannte nicht den Gedanken eines leidenden, sterbenden und auferstehenden Menschensohnes. Auch wenn Jesus wie von einem anderen redet (und damit die Form der älteren Menschensohn-Worte beibehalten wird), ist deutlich: Zur Ausgestaltung sind Motive aus der Passionsgeschichte herangezogen worden.

Da diese Gruppe einen für christliche Ethik unverzichtbaren Zug akzentuiert, wird später darauf zurückzukommen sein (vgl. unten S. 125ff.).

(b) Die Rede vom *gegenwärtig wirkenden Menschensohn.* Diese Gruppe findet sich, wenn auch nur sporadisch, in allen Traditionsschichten und ist in sich differenziert. Der Menschensohn hat auf Erden Vollmacht, Sünden zu vergeben (Mk. 2,10); er ist Herr (auch) über den Sabbat (Mk. 2,28); er hat keinen Ort, wohin er sein Haupt legen kann (Mt. 8,20); er ist gekommen, ißt und trinkt, und die Menschen sagen, er sei ein Fresser und Weinsäufer, Geselle der Sünder und Zöllner (Mt. 11,19; Lk. 7,34).

In dieser Gruppe werden Motive aus dem *Wirken Jesu* mit dem Menschensohn in Beziehung gebracht. Die vorgegebene Vorstellung kannte aber kein Wirken des Menschensohnes im alten Äon vor der Äonenwende. Daher besteht kein Zweifel, daß auch in diesen Menschensohn-Worten Jesus gemeint ist, der inzwischen mit dem Menschensohn identifiziert wurde.

(c) Die Rede vom *kommenden Menschensohn.* Nur in dieser Gruppe werden die Vorstellungen aus der Apokalyptik unmittelbar aufgenommen. Plötzlich, wie der Blitz aufzuckt, wird der Menschensohn da sein. Es gilt daher, sich jetzt für seine Stunde bereitzumachen, sonst wird man im Gericht nicht bestehen können (vgl. etwa: Mk. 13,26; 14,62; Mt. 24,27.37.39.44; Lk. 12,40; 17,24.26). - Würde nur diese Gruppe bestehen, käme man nicht auf den Gedanken, daß Jesus von sich selber redet und sein eigenes (Wieder-) Kommen ankündigt. Nach dieser Gruppe hätte er vielmehr (ganz im Sinne der Apokalyptik) das Kommen des Menschensohnes angekündigt, der aber von ihm zu unterscheiden ist.

Sieht man jedoch, daß die Evangelisten später bei der Übernahme dieser Gruppe unter dem Menschensohn Jesus verstehen, setzt das voraus, daß inzwischen die erwartete Parusie des Menschensohnes durch die Parusie Jesu ersetzt worden ist.

Will man die Entwicklung der Parusie-Vorstellung (Ersetzung des Menschensohnes durch Jesus) innerhalb der Geschichte der synoptischen Traditionen verstehen, bieten einige Menschensohn-Worte eine Hilfe, die zwar (wie in Gruppe c) vom kommenden Menschensohn reden, in denen aber zwischen Jesus und dem Menschensohn unterschieden wird, und zwar ausdrücklich.

Lk. 12,8f.: Wer *mich* bekennt vor den Menschen, den wird *auch der Menschensohn* bekennen vor den Engeln Gottes. Wer mich aber verleugnet vor den Menschen, der wird verleugnet werden vor den Engeln Gottes.

Mk. 8,38: Wer sich *meiner* und *meiner Worte* schämt in diesem ehebrecherischen und sündigen Geschlecht, dessen wird sich *auch der Menschensohn* schämen, wenn er kommen wird in der Herrlichkeit seines Vaters mit den heiligen Engeln.

Diese Worte (bei Markus und in der Logienquelle nachweisbar) dürften auf eine gemeinsame Grundform zurückgehen. Auch wenn diese nicht exakt rekonstruierbar ist, ist doch die Grundstruktur erkennbar.

Daß diese Worte relativ alt sein müssen, ergibt sich aus einer naheliegenden Überlegung: Nachdem die Identifizierung Jesu mit dem Menschensohn durchgeführt worden ist, können kaum Worte entstanden sein, in denen ausdrücklich zwischen beiden unterschieden wird. - Nun läßt sich aber auch gerade von diesen Worten aus die nachfolgende Entwicklung verständlich machen.

Ausgangspunkt ist das Wirken Jesu, auf das man inzwischen zurückblickt. Die Frage ist und war damals, was dieses Wirken für Menschen bedeutet und wie sie sich dementsprechend dazu stellen. Sie können sich darauf einlassen; sie können sich dem aber auch entziehen. Das ist zwar eine Entscheidung, die sie im alten Äon treffen, aber genau diese Entscheidung wird dermaleinst bei der Äonenwende beim Gericht durch den Menschensohn bestätigt werden. So ergeht das dann zu erwartende Urteil schon jetzt. Wer sich auf Jesus eingelassen hat, braucht vor der Zukunft keine Angst mehr zu haben.

Von hier aus ist dann auch leicht zu verstehen, wie es zur Übertragung der Bezeichnung Menschensohn auf Jesus kam. Jesus wurde als einer verstanden, der mit seinem Wirken anbietet, das Urteil des Menschensohnes zu antizipieren. Darum konnte zunächst sein *Wirken* als Menschensohn-Wirken verstanden werden. Wenn aber Jesu Wirken *Menschensohn*-Wirken war, dann konnte man *Jesus* als Menschensohn qualifizieren.

So entstanden zunächst die Worte vom gegenwärtig wirkenden Menschensohn, später (vermutlich durch Markus) die vom leidenden, sterbenden, auferstehenden Menschensohn. - Bezeichnend ist, daß "Menschensohn" dabei nicht eigentlich ein "Titel" wurde. Nie wird Jesus so angeredet. Durch die Rede in der dritten Person kommt zum Ausdruck, daß das Schwergewicht auf der Funktion liegt.

In den galiläischen Gemeinden wird also vom qualifizierenden Wirken Jesu aus auf den als Wirkenden dagewesenen Menschensohn zurückgeblickt. Nun leben diese Gemeinden aber in einer Umgebung, in der apokalyptisch auf das Kommen des Menschensohnes gewartet wird; und sie selbst haben die vorgegebene Vorstellung von der Parusie auch nicht aufgegeben. Doch können sie die Vorstellung jetzt inhaltlich modifizieren: Sie kennen den Kommenden bereits. Daher erwarten sie nicht mehr (wie ihre Umgebung) einfach und nur das Kommen des Menschensohnes, sondern sie erwarten nun das Kommen des Menschensohnes *Jesus*. Und mit ihm haben sie es, da er ja dagewesen ist, bereits in der Gegenwart zu tun. Der Menschensohn Jesus bestimmt sie heute.

Hier wird eine Parallele deutlich, auf die wenigstens hingewiesen werden soll. Mit Hilfe der Menschensohn-Vorstellung konnte die galiläische Gemeinde die Präsenz dessen zum Ausdruck bringen, der sie in der Vergangenheit auf den Weg gebracht hatte, den sie jetzt ging. Das ist aber sachlich gar nichts anderes als das, was in dem anderen Traditionszweig (in dem Paulus lebt) mit Hilfe der Vorstellung von der Auferweckung Jesu zum Ausdruck kommt.
"Er kommt auch (noch) heute", das konnte man eben mit Hilfe ganz unterschiedlicher (immer: vorgegebener) Vorstellungen zur Sprache bringen, weil man erfahren hatte: "Die Sache Jesu geht weiter."

Wenn der Menschensohn Jesus heute schon Menschen bestimmt, heißt das: Diese Menschen existieren eschatologisch. Wir stoßen also auf dasselbe Gefüge, das in den beiden Summarien begegnet: Jesu Wirken ist verstanden worden als Antizipation von Zukunft.
Genau das ist kennzeichnend für "das" Jesus-Bild, mit dem man schon sehr früh die divergierenden Jesus-Bilder der Einzeltraditionen zusammengefaßt hat. Und da dieses Jesus-Bild nicht erst bei Markus (also etwa um 70 n.Chr.) begegnet, sondern auch schon in der Logienquelle und darüber hinaus in allen Schichten der synoptischen Tradition, wo es mit Hilfe der Menschensohn-Vorstellung ausgedrückt wird, definiere ich: Diejenige Christologie ist die "christliche", bei der eschatologisches Existieren erfahren und gelebt wird. "Christliche Ethik" ist die Ereignung dieses wagenden Handelns.

d) Die "Entfaltung" des Jesus-Bildes

Wenn jetzt von "Entfaltung" gesprochen wird, kommt die Dogmatik in den Blick - und damit zugleich die bis heute andauernde Spannung zwischen den Exegeten und den Dogmatikern. Die Einzelstücke des synoptischen Traditionsgutes sind ja nicht als Entfaltung des (einen) Jesus-Bildes *entstanden*. Das (eine) Jesus-Bild ist vielmehr aus den schon vorhandenen Jesus-Bildern nachträglich rekonstruiert worden. "Entfaltung" heißt daher: Die früher entstandenen (einzelnen und vielfältigen) Jesus-Bilder sollen von dem nachträglich rekonstruierten (einen) Jesus-Bild aus *verstanden* werden. Ist das aber möglich? Und wie ist das möglich?

Wir verdeutlichen uns das zunächst noch einmal am Markus-Evangelium, weil das Problem dort am einfachsten zu erkennen ist. Wenn es stimmt, daß Markus mit dem Summarium, das er seinem Werk voranstellt, angibt, wie *er* das Wirken Jesu versteht, dann heißt das: Nach seiner Meinung sollen alle nachfolgend erzählten Begebenheiten von diesem Summarium aus verstanden werden. Wer darum eine Perikope (im präzisen Sinne dieses Wortes!) aus dem Markus-Evangelium exegesieren will, darf sich bei seiner Exegese nicht auf die Perikope selbst beschränken. Er muß vielmehr die Frage stellen, wie *Markus* diese Perikope verstanden wissen wollte. Um das zu erkennen, muß er von Mk. 1,14f. ausgehen. Denn für Markus sind die einzelnen Perikopen Enfaltungen seines Jesus-Bildes.

Nun ist es sehr häufig möglich, von den vorliegenden Perikopen aus *vormarkinische* Traditionsstücke zu rekonstruieren. Will man *diese* exegesieren, geht es nicht darum, wie Markus sie später verstanden hat, sondern es geht darum, wie *die Verfasser der Einzelstücke* das Wirken Jesu jeweils verstanden haben. Beide Aussagen, die des Markus und die der Verfasser der Einzeltraditionen, können, müssen aber nicht identisch sein, auch dann nicht, wenn es sich um nahezu gleiche Begebenheiten handelt, die erzählt werden. Ob Identität vorliegt, muß geprüft, kann aber nicht vorausgesetzt werden.

Daher muß der Exeget immer zwei Exegesen durchführen: die des vormarkinischen Traditionsstückes und die der Perikope. Beginnt er (was vermutlich meistens geschieht) mit der Exegese des vormarkinischen Traditionsstückes (das aber immer erst rekonstruiert werden muß), darf er das Ergebnis nicht unmittelbar in die Exegese der Perikope eintragen. Bei der Exegese der Perikope *muß* er vielmehr vom Jesus-Bild des Markus ausgehen. Das heißt aber: Die Christologie des Markus ist der "Kanon" für die Auslegung der einzelnen Perikopen (!) aus dem Markus-Evangelium. Damit kommt, freilich zunächst im historischen Abstand, ein dogmatisches Moment in den Blick.

Denn beide Exegesen, die der Exeget durchführt, sind historische Exegesen. Immer geht es darum, was die jeweiligen Verfasser (Markus oder der Verfasser der Einzeltradition) ihren damaligen Lesern sagen wollten. Der Unterschied aber besteht darin: Bei der Exegese des vormarkinischen Traditionsstückes hat der Exeget nur dieses Traditionsstück selbst vor sich. Es kann natürlich ein Jesus-Bild (und insofern "Dogmatik") enthalten. Das wird aber ausschließlich aus dem Traditionsstück selbst erhoben. - Bei der Exegese der Perikope dagegen darf sich der Exeget gerade nicht auf die Perikope selbst beschränken, sondern er muß von der Christologie (und ebendamit von der "Dogmatik") des Markus ausgehen. So bestimmt die Dogmatik des Markus (die in der Perikope selbst gar nicht erkennbar sein muß), wie die Perikope zu verstehen ist. Insofern kann man von einer "dogmatisch gesteuerten" Exegese reden, die dennoch historische Exegese bleibt, weil es sich ja um die Erhebung der damaligen Aussage des Markus handelt.

Ganz Entsprechendes gilt nun auch für das Matthäus- und das Lukas-Evangelium und für das von beiden Evangelisten benutzte Material. Sollen Perikopen aus diesen Werken exegesiert werden, muß zunächst das Jesus-Bild (und damit die "Dogmatik") des jeweiligen Evangelisten erhoben werden, das im allgemeinen am deutlichsten erkannt wird, wenn man den Evangelisten bei seiner Redaktionsarbeit beobachtet und diese auswertet. Man kann dann zwei Jesus-Bilder erheben, die sich (wie noch gezeigt werden wird, vgl. unten S. 204ff.) erheblich von dem des Markus unterscheiden, die aber auch untereinander nicht übereinstimmen. Darum gilt auch hier: Die Perikopen (!) aus dem Matthäus- und aus dem Lukas-Evangelium müssen von dem jeweiligen Jesus-Bild aus "dogmatisch gesteuert" exegesiert werden. Streng davon zu unterscheiden ist wieder die Exegese der Vorlagen, die die Evangelisten benutzt haben. Auch hier muß man den häufig begegnenden Fehler vermeiden, das Ergebnis der Exegese der vormatthäischen und vorlukanischen Traditionsstücke unmittelbar in die Exegese der Perikopen aus den beiden Evangelien einzutragen.

Wenn der Exeget erkennt, daß er nicht nur zwei Exegesen, sondern zwei verschiedenartige Exegesen durchführen muß, trägt er dazu bei, die ärgerliche Spannung zwischen dem Exegeten und dem Dogmatiker bzw. Ethiker abzutragen. Er sieht, daß trotz scheinbar gleichen Materials unterschiedliche und nicht selten sich widersprechende Ergebnisse herauskommen. Weder kann er bestimmen, noch kann er bestimmen wollen, welches Ergebnis der Dogmatiker für seine Arbeit aufnimmt. Denn als Exeget hat er keine Kriterien dafür, welches Ergebnis er als "christlich" bezeichnen soll. Da er dafür keine Kriterien hat, kann es auch nicht seine Aufgabe sein, das festlegen zu wollen.

Man kann sich das Problem auch an der Vorrede Luthers zum Jakobus-Brief verdeutlichen. Luther exegesiert den Brief, und zwar historisch. Er formuliert sein exegetisches Ergebnis: Der Verfasser des Jakobus-Briefes wollte Menschen ermahnen, die sich für die Rechtfertigung vor Gott auf einen Glauben ohne Werke verließen. Er tat es aber so, daß er nun das Tun von Werken zur Voraussetzung für die Rechtfertigung vor Gott machte. Luther läßt dieses Ergebnis seiner Exegese als Ergebnis historischer Exegese stehen. Er denkt aber nicht daran, dieses Ergebnis unmittelbar in die Predigt zu übernehmen, denn das Ergebnis der richtigen (!) Exegese unterliegt zunächst der Sachkritik, und zwar (wie Luther das nennt) durch einen "Prüfestein", den er bei Paulus findet. Erst der "Prüfestein" entscheidet darüber, ob das Ergebnis der Exegese als christliche Aussage bezeichnet werden darf oder nicht.

Wenn der Exeget (als Exeget) darüber bestimmen wollte, was als "christlich" bezeichnet werden kann und was nicht, setzt er seine Freiheit aufs Spiel. Das Wissen darum, daß an das Ergebnis seiner Exegesen immer ein "Prüfestein" angelegt werden muß, bewahrt ihm die für seine Arbeit nötige Freiheit. Darum kann er (noch einmal: als Exeget!) den Dogmatiker bzw. Ethiker bei dessen Arbeit gar nicht stören. Und der Dogmatiker bzw. Ethiker kommt gar nicht in die Situation, vom Exegeten gestört zu werden.

Zunächst einmal muß der Dogmatiker die Exegesen zur Kenntnis nehmen. Wenn er aber sieht (was der Exeget ihm zeigen kann), daß zwei verschiedenartige Exegesen vorliegen (nur am Traditionsstück selbst orientierte und "dogmatisch gesteuerte"), erkennt er, wo mit seiner Arbeit anzusetzen ist.

Denn der Dogmatiker oder Ethiker ist prinzipiell in derselben Situation, in der Markus war, in der Matthäus und Lukas waren. Darum ist er nun nach *seinem* Jesus-Bild gefragt. Er darf es aber nicht nur (und dann meist implizit) benutzen, sondern er muß es ausdrücklich nennen und inhaltlich darstellen. Und er muß begründen, warum es sich hier, nach seiner Meinung, um das (eine) Jesus-Bild handelt. - Wie kann eine solche Begründung geschehen?

Möglich wäre das (und meist wird das der Ausgangspunkt sein) unter Berufung auf die Tradition, in der der Dogmatiker steht. Kann er aber allein damit die Christlichkeit gerade dieses Jesus-Bildes begründen? Er wird die Voraussetzungen klären müssen, die ihrerseits wieder der Begründung bedürfen. Am Ende wird er dann doch auf den Weg geführt, der im vorigen Abschnitt gezeichnet wurde.

Dann steht der Dogmatiker vor der Frage, ob er der dort vorgeschlagenen Definition zustimmt - oder ob er ein anderes Jesus-Bild mit dem Etikett "christlich" versehen will. Sollte das der Fall sein, steht er erneut vor der Notwendigkeit einer Begründung. Eine solche Begründung ist mit Hilfe historischer Exegese nicht möglich. Denn mit Hilfe historischer Exegese kann man nicht nur das Jesus-Bild des Markus, sondern auch das des Matthäus und das des Lukas begründen, und darüber hinaus auch fast jedes andere Jesus-Bild, selbst dann, wenn sich diese Bilder gegenseitig ausschließen. Die historische Exegese ist überfordert, wenn man sie zu dogmatischen Begründungen benutzen will.

Darum darf der Dogmatiker nun auch nicht für seine Begründung auf sie zurückverweisen. Es ist eben unmöglich, sich für christliche Ethik (aber auch für eine christliche Predigt) auf eine richtige Exegese zu berufen. Die Berufung darauf reicht nicht aus, worauf schon Luther hingewiesen hat (siehe oben). In der

Praxis wird das fast nie beachtet. Meinungsverschiedenheiten unter den Exegeten betreffen doch immer nur die Frage, was *die Verfasser* der jeweiligen Texte für christlich gehalten haben, nicht aber die Frage, was wirklich als "christlich" bezeichnet werden darf. Hier kommt man ohne die Formulierung eines Konsensus nicht aus. Wenn man an ihre Entstehung denkt, dürfen daher nicht alle rekonstruierten Jesus-Bilder als Entfaltungen dieses einen Jesus-Bildes verstanden werden.

Die einzelnen Jesus-Bilder waren zunächst einmal Wiedergaben von Eindrükken, die *einzelne* Menschen nach *einzelnen* Begegnungen mit dem wirkenden Jesus formuliert hatten. Das geschah im Nacheinander, an verschiedenen Orten, in unterschiedlichen Situationen und unter unterschiedlichen Bedingungen. Dabei konnte notwendigerweise immer nur ein schmaler und sehr begrenzter Aspekt eines umfassenden Jesus-Bildes in den Blick kommen. Es brauchte Zeit, damit es überhaupt erst entstehen konnte; und es entstand dadurch, daß man viele Aspekte zu einem Jesus-Bild zusammenfügte. Als Beispiel habe ich das Summarium des Markus genannt, die Erzählung von der Anfrage des Täufers und die Menschensohn-Worte.

Unsere Aufgabe kann daher jetzt nur sein, dogmatisch gesteuert herauszuarbeiten, welche Momente eschatologischen Existierens in den einzelnen Traditionsstücken zu erkennen sind. Denn dort (und *nur* dort) haben wir es mit "christlicher" Ethik zu tun.

1. Einzelaspekte eschatologischen Existierens

Eschatologisches Existieren muß verstanden werden auf dem Hintergrund des zeitgenössischen jüdischen bzw. jüdisch-apokalyptischen Denkens. Entsprechend wäre für heute zu formulieren: "Christliches" Existieren muß verstanden werden auf dem Hintergrund "weltlichen" Existierens. Insofern haben die Aussagen über eschatologisches Existieren und die Aussagen über "christliches" Existieren immer einen polemischen Charakter, denn sie setzen das jeweils andere Existieren als eine andere Möglichkeit voraus, von der sie sich aber abheben wollen. Es muß daher die Eigenart dieser Polemik erfaßt werden. Worauf bezieht sie sich? Wie setzt sie an? Wen oder was betrifft sie? Und dann muß diese Eigenart der Polemik als Bestandteil der neuen Aussagen erhalten bleiben. Wenn das nicht geschieht, werden unter der Hand sehr schnell aus polemischen Aussagen positive Aussagen, die als solche wiederholt werden. Dadurch geht das eigentliche Anliegen aber verloren.

Man kann sich das Problem (etwas vereinfacht) an einer Wendung aus der Reformationszeit verdeutlichen. Damals wurde mit dem "sola scriptura" gegen "Schrift *und* Tradition" polemisiert. Daß es sich um Polemik handelte, wird heute kaum noch gesehen. "Allein die Schrift" ist zu einer positiven Aussage geworden: Man befragt die Schrift, wenn man Lehre und Leben der Kirche darstellen will. Beides muß "schriftgemäß" sein, denn die Kirche lebt aus der Schrift. *Sie* ist der verbindliche Orientierungspunkt. Das frühere (polemische) Anliegen ist ausgeblendet. Wüßte man sich nämlich diesem *Anliegen* (und nicht einfach der damaligen *Formulierung* des Anliegens) verpflichtet, müßte man doch sehen, daß eine Berufung auf die Schriften des Neuen Testaments eine Berufung auf Tradition ist, was die Reformatoren so nicht gesehen haben, wohl auch noch gar nicht sehen konnten. So ist das Anliegen der Reformatoren preisgegeben worden, weil man zwar die alten Wortlaute übernommen hat, die polemische Aussage aber als positive Aussage benutzt.

Es muß also darauf ankommen, die Eigenart der Polemik möglichst genau zu erfassen.

(a) Lukas 6,5 (D). Wir setzen dazu mit einem alten Traditionsstück ein, das sich im *Codex D* anstelle von *Lk. 6,5* findet:

An demselben Tage sah er einen Mann am Sabbat eine Arbeit verrichten. Er sagte zu ihm: Mensch! Wenn du weißt, was du tust, bist du selig. Wenn du es aber nicht weißt, bist du verflucht und ein Übertreter des Gesetzes.

Der Hintergrund ist klar: Norm für das Handeln der Menschen ist das Gesetz, denn Gott hat das Gesetz gegeben und verlangt dessen strikte Beachtung. Wer nach dem Willen Gottes fragt, wird auf das Gesetz verwiesen. Das gilt für den einzelnen wie für die Gemeinschaft. Insofern ist das Gesetz zugleich das, was wir etwa Bürgerliches Gesetzbuch nennen. Besonders streng und genau war das Einhalten des Verbots jeglicher Arbeit am Sabbat geregelt. Hier kam es dann gelegentlich auch zu Diskussionen. Sie betrafen die Frage, welche Arbeit unter bestimmten Umständen am Sabbat doch getan werden durfte. Ein vielverhandeltes Beispiel war, ob man ein Kind, das am Sabbat in einen Brunnen gefallen war, auch am Sabbat wieder aus dem Brunnen herausholen dürfe. Die strengere Richtung der Schriftgelehrten hielt selbst das für verboten, andere Schriftgelehrte hielten es dagegen für erlaubt. Und so könnte man dann die Frage stellen, ob Jesus hier als einer dargestellt werden soll, der eine weitherzigere Praxis im Umgang mit dem Gesetz vertrat, oder sogar als einer, der sich ganz über die Sabbatvorschriften hinwegsetzte.

Doch solche Erwägungen mißverstehen die Geschichte. Es geht nicht um die Frage, welche Arbeit unter Umständen doch getan werden darf. Denn die Arbeit, die dieser Mann tut, wird nicht näher bezeichnet. Es geht auch keineswegs darum, daß die Sabbatvorschriften überhaupt aufgehoben werden, denn die Möglichkeit der Verurteilung dieses am Sabbat arbeitenden Menschen bleibt ja durchaus bestehen. Die kritische Frage betrifft also nicht das Sabbatgebot als solches. Insofern liegt keine Handlungsanweisung vor.

Bezeichnend ist vielmehr: Aufgrund desselben konkreten Tuns, das sichtbar ist und vor aller Augen geschieht, sind zwei Urteile möglich, nämlich "selig" und "verflucht". In unserer Terminologie: Man kann dem Tun selbst nicht ansehen, ob sich hier eschatologisches Existieren ereignet oder nicht. Das entscheidet sich vielmehr am Täter, und zwar daran, ob *er* weiß, was er tut, oder ob er das nicht weiß.

Dabei ist sofort klar, daß sich dieses Wissen oder Nichtwissen nicht vordergründig auf das Tun beziehen kann, denn selbstverständlich weiß der Mensch, daß es Sabbat ist und daß er arbeitet und was er arbeitet. Weiß er aber, was *er* "mit dem Tun tut"? Das Wissen oder Nichtwissen muß sich daher auf das ganze Gefüge beziehen, in dem das Tun geschieht, dabei zuerst einmal auf den Menschen selbst und auf *seinen* Gott. Weiß der Mensch um ihn, oder weiß er nicht um ihn?

Weiß er nicht um ihn, dann hat er nur das Gesetz. Daran muß er sich halten. Daran hält sich auch die Gemeinschaft, in der er lebt. Sie ordnet ihr Leben nach dem Gesetz. Sehen beide hinter dem Gesetz auch noch Gott (und das tun sie selbstverständlich), dann ist damit dieser Gott charakterisiert. Es ist ein Gott, der genau einzuhaltende Forderungen aufgestellt hat. Seinen Willen gilt es zu erfüllen. Da sich sein Wille auf das Tun des Menschen richtet, erfüllt der Mensch seinen Willen, wenn er sich genau an das Gesetz hält, und nur dann. Entsprechend kommt das Urteil zustande. Das konkret geschehene Tun wird am Gesetz gemessen. Weicht es vom Gesetz ab, ist der Mensch ein Übertreter des Gesetzes, den die Gemeinschaft mit Recht verurteilt. Zugleich liegt auf ihm wegen seines Tuns der Fluch Gottes.

In diesem Traditionsstück wird nun aber gerade dagegen polemisiert, daß man von dem vor Augen liegenden Tun aus unmittelbar ein Urteil über den Menschen sprechen kann. Das geschieht dadurch, daß der Blick vom Tun weg auf den Täter gelenkt wird. Bei ihm fällt die Entscheidung. Wenn dieser nämlich "weiß", und das heißt: wenn er weiß, was er mit seinem Tun tut, kann er seliggepriesen werden, obwohl das, was er am Sabbat tut, genau dasselbe ist wie das, was, am Gesetz orientiert, der Verurteilung verfällt. Das Wissen kann sich daher, innerhalb des ganzen Gefüges verstanden, nur auf Gott beziehen. Wenn nämlich nicht das Gesetz der Gott des Menschen ist, sondern der Vater, dann ist dieser Mensch ein "Wissender". Er ist einer, der um Jesu Gott weiß und der *darum* weiß, was er mit seinem Tun tut. Ein Tun nämlich, das mit Jesu Gott zusammen getan wird, ist - eschatologisches Existieren.

Man könnte jetzt einen Einwand erheben und die Frage stellen, ob das wirklich für jedes beliebige Tun gilt. Und da man das bestreiten kann, könnte man nun nach Beispielen dafür suchen, bei welcher Arbeit dieser Mensch angetroffen wurde. Denn zum ganzen Gefüge gehören ja nicht nur der Täter und das Tun, sondern ebenso das Ziel des Tuns. Auch dafür gibt es im synoptischen Traditionsgut Beispiele, etwa Heilungen am Sabbat.

Doch genau das kommt in unserer Geschichte nicht in den Blick. Es soll auch nicht in den Blick kommen, weil dann sofort die Gefahr bestünde, doch wieder auf das Tun zu achten und damit der Kasuistik zu verfallen. Denn jetzt würde kurzschlüssig von diesem besonderen Tun aus ein Urteil über den Täter gefällt.

Das Traditionsstück geht von der knapp geschilderten Situation aus: Ein Mensch tut etwas, was Anstoß erregt und für jeden damaligen Betrachter Anstoß erregen mußte. Dieses Selbstverständliche wird keineswegs grundsätzlich in Frage gestellt, wie die zweite Antwort zeigt. Es kann aber in Frage gestellt werden, wenn Jesu Gott ins Spiel kommt und es um das Tun seines Willens geht. Gesagt werden soll also: Wer ein fremdes Tun beobachtet, kann zwar sehr schnell feststellen, ob dieses Tun dem Gesetz entspricht (oder ob es den Regeln entspricht, die in der Gemeinschaft gelten); er kann aber nicht feststellen, ob mit diesem Tun der Wille des Gottes Jesu geschieht.

Genau das läßt sich nämlich überhaupt nicht feststellen, weil eschatologisches Existieren als *eschatologisches* Existieren niemals evident erkennbar ist. Entsprechend kann man sagen: Ob christliches Tun "christliches" Tun ist, bleibt jedem Betrachter verborgen. Denn die Entscheidung über die Frage fällt ausschließlich beim Täter. Auf ihn ist der Wille Gottes gerichtet, nicht aber unmittelbar auf das, was getan wird. Da aber niemand dem Täter ins Herz sehen kann, ist ein theologisches Urteil eines Beobachters nicht nur unmöglich, sondern zugleich verboten. Diese Einsicht kann nur zur Toleranz führen.

Für den Täter gilt das freilich nicht. Denn er bleibt gefragt, und zwar nach seinem Gott und damit nach dem Beweggrund für sein Tun.

In jüngster Zeit erfreut sich wieder einmal die Rede von "anonymen Christen" großer Beliebtheit. Damit werden Menschen bezeichnet, die sich zwar selbst nicht als Christen verstehen, die aber so handeln, wie man christliches Handeln erwartet. Hier kann man nur warnen, weil vom bloßen vorfindlichen Tun auf die Menschen geschlossen wird. - Darüber hinaus kann man aber natürlich auch noch nach dem Sinn eines solchen Urteils fragen. Werden hier nicht Menschen "vereinnahmt", die selbst gar keinen Wert darauf legen?

Das Traditionsstück von dem am Sabbat arbeitenden Menschen blickt von dem bereits geschehenen Tun aus nach rückwärts. Wie sieht das nun in anderer Richtung aus, also dann, wenn das Tun noch aussteht und die Frage gestellt wird, *was* denn zu tun sei?

(b) *Lukas 10,29-37.* Wir verdeutlichen uns das Problem zunächst an der Geschichte vom barmherzigen Samariter *(Lk. 10,29-37),* die bis heute weithin als

Paradigma für christliches Handeln gilt. Auf die Frage, was einen Christen ausmacht, ergeht die Antwort: Er übt Nächstenliebe, wie der Samariter exemplarisch Nächstenliebe geübt hat. Ist damit aber die Aussage des Traditionsstückes richtig erfaßt?

Die Rekonstruktion des (vorlukanischen) Anfangs der Beispielerzählung ist mit letzter Sicherheit nicht möglich, weil V.25 von Lukas selbst gestaltet worden ist. Mit den Worten "der aber wollte sich selbst rechtfertigen" hat der Evangelist einen Anschluß an das vorangehende Gespräch Jesu mit dem Gesetzeslehrer formuliert. Die Frage des Gesetzeslehrers, wer denn sein Nächster sei, setzt jedoch voraus, daß mindestens die Aufforderung zur Liebe des Nächsten ergangen sein muß. Möglicherweise stand davor die einleitende Frage: Was muß ich tun, wenn ich ewiges Leben erwerben will? Denn diese Frage findet sich nicht in dem Lehrgespräch Mk. 12,28-31, das Lukas als Vorlage für V.25-28 benutzt hat. Lukas könnte sie also aus dem Anfang der Beispielgeschichte nach vorn gezogen haben und bringt sie nun bereits in V.25.

Der ursprüngliche Anfang der Traditionsgeschichte muß also etwa gelautet haben: [Ein Gesetzeslehrer fragt: Was muß ich tun, um den Willen Gottes zu erfüllen? Er erhält die] Aufforderung: Liebe deinen Nächsten wie dich selbst.

Mit der Frage: "Wer ist mein Nächster?", weicht der Gesetzeslehrer in Kasuistik aus, denn er möchte zwischen denen unterscheiden, die er lieben soll, und denen, denen gegenüber das Gebot nicht unbedingt Geltung hat. Man sollte das nicht vorschnell tadeln, denn im Grunde ist die Frage nicht nur sinnvoll, sondern auch berechtigt (und wurde im zeitgenössischen Judentum auch diskutiert, wie Mt. 5,43 zeigt; vgl. unten S. 97). Niemand kann alle Menschen lieben, wenn lieben mehr meint als eine bloß wohlwollende Haltung, sondern ein konkretes Tun. So muß der, der lieben will, unterscheiden, weil er sonst überfordert wäre. Durch die Frage, wer denn der Nächste ist, soll das Liebesgebot praktikabel gemacht werden.

Doch genau auf diese Frage hat Jesus sich nicht eingelassen. Er antwortet vielmehr mit der Beispielgeschichte von dem Mann, der unter die Räuber gefallen ist. Der Priester und der Levit gehen an ihm vorbei; und nur der Samaritaner erweist dem Geschundenen die nötige Hilfe. Daß das nun ausgerechnet einer der von den Juden verachteten Samaritaner war, der sich hier vorbildlich verhielt, muß jüdischen Hörern der Geschichte ärgerlich und schockierend gewesen sein. Doch das ist gar nicht die eigentliche Pointe.

Die kommt erst mit der anschließenden Frage Jesu in den Blick: "Wer von diesen dreien ist nach deiner Meinung dem, der unter die Räuber gefallen war, der Nächste gewesen?" Der Gesetzeslehrer läßt sich auf diese Frage ein und gibt die richtige Antwort: Der Nächste war der, der die Barmherzigkeit tat. Zum Abschluß erfolgt nun die Aufforderung Jesu: Gehe hin und handle ebenso.

Diese Aufforderung ist völlig mißverstanden, wenn man sie als Mahnung versteht, in entsprechenden Situationen dasselbe zu tun, was der Samariter tat.

Das würde ja gerade wieder in die Kasuistik hineinführen: Wenn Arme, Schwache, Kranke, Unterdrückte oder unter die Räuber Gefallene begegnen, dann gilt es, Nächstenliebe zu üben. Grundsätzlich ist das zwar nicht falsch. Doch wäre das ein "menschliches" Tun und Verhalten. Das Besondere, um das es hier (und im "Christlichen") geht, kommt damit überhaupt noch nicht in den Blick, weil die Umkehrung der Fragerichtung nicht beachtet worden ist. An die Stelle der Frage: *Wer* ist mein Nächster?, ist die Frage getreten: Wem kann *ich* Nächster sein? *Der Samariter* war der Nächste. Mit der Aufforderung, hinzugehen und ebenso zu handeln, wird also nicht aufgefordert, Nächstenliebe zu üben, sondern zunächst, selbst Nächster zu sein und als einer, der selbst Nächster ist, zu handeln.

Durch die Umkehrung der Fragerichtung wird die vom Gesetzeslehrer gestellte Frage, wer sein Nächster sei, überflüssig. Wenn er selbst Nächster ist, dann ist er immer dem ein Nächster, dem er gerade begegnet. Bevor das Tun reflektiert wird, wird nach dem Täter gefragt: Ist er selbst ein Nächster? Wenn er aber Nächster ist, dann kann er sich denjenigen, dem gegenüber er als Nächster handeln will, nicht mehr aussuchen. Er braucht es aber auch gar nicht mehr. Er hat ihn unmittelbar vor sich.

Es könnte hilfreich sein, wenn wir uns in unseren Überlegungen zur christlichen Ethik einen differenzierteren Sprachgebrauch angewöhnen würden. Im Wort "Nächstenliebe" kann Nächster sowohl Objekt als auch Subjekt sein. Im gängigen Sprachgebrauch ist "Nächster" Objekt. Es geht dann um die Liebe *zum* Nächsten. Wer diese Liebe übt, wird nicht ausdrücklich gesagt. Es ist nur die Rede von einem Tun und von dem, dem dieses Tun gilt. Darum kann das Gebot formuliert werden: Liebe deinen Nächsten. Dieses Gebot kann jedem Menschen gesagt werden; und jeder Mensch kann sich dann vornehmen, das Gebot zu erfüllen. Er kann dabei Erfolge erzielen; und er kann, je nach dem Maß seiner Anstrengung, den Kreis seiner Nächsten oder derer, die er als Nächste ansehen will, ausweiten. Wer dabei viel erreicht, verdient viel Lob. Darf man aber von dem Tun auf den Täter schließen? Und kann man dieses Tun, das der Mensch in *eigene* Regie nimmt, eschatologisches Existieren nennen?

Man sollte daher *diese* Nächstenliebe (die Liebe zum Nächsten) nicht "christlich" nennen, auch dann nicht, wenn diese Nächstenliebe ohne Zweifel im Gefolge der christlichen Tradition in unseren Kulturkreis gelangt ist. Das für das "Christliche" Charakteristische besteht vielmehr darin, daß *ein Nächster* liebt. Hier kann dann auch nicht mehr von einem Liebes*gebot* die Rede sein, da der, der Nächster ist, als Nächster existiert; und das heißt dann eben: Er liebt. Daß dabei dann auch Nächstenliebe im herkömmlichen Sinne geschieht, liegt auf der Hand. Nur befohlen braucht sie nicht zu werden.

Scharf zugespitzt kann man so unterscheiden: Christen gilt das Gebot der Nächstenliebe. "Christen" aber sind Nächste, die lieben.

Das wirft nun aber Fragen auf. Etwa die: Werden nicht auch Jesus-Traditionen überliefert, in denen er nicht nur zur Nächstenliebe, sondern sogar zur Feindesliebe aufruft? Und vor allem: Wie kann ein Mensch Nächster werden? - Wir gehen den Fragen nacheinander nach.

(c) Matthäus 5,43-44. In der (nach matthäischer Zählung) sechsten Antithese heißt es: "Ihr habt gehört, daß gesagt ist: Du sollst deinen Nächsten lieben und deinen Feind hassen. Ich aber sage euch: Liebet eure Feinde ..." *(Mt. 5,43f.).*

Die nicht immer ganz durchsichtige Traditionsgeschichte der Antithesen kann hier nicht dargestellt werden. Sie spielt aber auch, da wir grundsätzlich auf die Rekonstruktion "echter" Jesus-Worte verzichten, eine geringere Rolle, als man ihr oft zumißt. Vorausgesetzt wird hier lediglich, daß die dritte Antithese (Mt. 5,31f.) aus der Feder des Matthäus stammt.

Der Aufbau der Antithesen ist immer gleich. In einer ihnen vorangestellten These steht, was "zu den Alten" gesagt war. Die anschließende Antithese wird mit "Ich aber sage euch" eingeleitet. Der erste Eindruck ist dann stets, daß die alten Forderungen verschärft und manchmal bis zum Äußersten übersteigert werden. Man hat darum vom Rigorismus der Forderungen Jesu gesprochen und liest und versteht nun so: Den Alten war das Töten verboten; Jesus verbietet sogar das Zürnen. Den Alten war der Ehebruch untersagt; Jesus verbietet sogar den begehrlichen Blick usw. In der sechsten Antithese stünden sich dann gegenüber: das Gebot, das den Alten galt: Liebe deinen Nächsten; und das Gebot, das Jesus aufstellt: Liebet eure Feinde.

Nach dem bisher Ausgeführten stellt sich jedoch sofort die Frage: Kann man von einem *Gebot* der Feindesliebe reden? Die grammatische Form des Imperativs spricht ohne Zweifel dafür. Dennoch ist zu klären, ob dem Imperativ ein Indikativ vorausgeht (auch wenn der hier nicht ausdrücklich genannt wird) oder ob der Imperativ ohne solche "Vorgabe" ausgesprochen wird. Die Antwort soll gefunden werden auf dem Hintergrund der These und in Verbindung mit den anderen überlieferten Antithesen.

In unserem Beispiel ist zunächst die These überraschend. Zwar kann man bei dem Gebot der Nächstenliebe auf (etwa) 3. Mos. 19,18 verweisen, doch für die Fortsetzung; "...und deinen Feind hassen" gibt es keinen Beleg in einer alttestamentlichen Schrift. - War das denn wirklich "zu den Alten" gesagt?

Man muß hier zunächst wieder (vgl. oben S. 72) auf die Differenz hinweisen zwischen dem, was früher zu den Alten gesagt worden war (und was durch historische Exegese der alttestamentlichen Schriften erhoben werden kann), und dem, wie man das zur Zeit Jesu verstand. Früher war es so, daß die "Gebote" als Angebot Jahwes an die Menschen verstanden worden sind. Sie sollten Hilfen für das Volk sein. Ließ sich das Volk auf diese Angebote ein, konnte es das führen, was wir heute wohl ein lebenswertes Leben nennen. So war z.B. das Sabbatgebot - wirklich "für den Menschen" gegeben (vgl. Mk. 2,27). Zur

Zeit Jesu aber hat man das entweder nicht mehr gewußt oder nicht mehr gesehen - und deswegen nicht mehr so praktiziert. Den Wortlaut behielt man zwar bei, verstand ihn nun aber als ein von Jahwe erlassenes Gesetz, das unter allen Umständen zu befolgen war. Das hing zusammen mit der inzwischen veränderten Theologie: Man redete anders von seinem Gott. Aus dem Gott, der mit seinem Angebot helfen wollte, war der Gott geworden, der auf strenge Einhaltung seiner Gebote bestand und das zur Voraussetzung für die Gemeinschaft mit sich machte.

Das Gebot der Nächstenliebe (nun wirklich als ein von Gott erlassenes und zu erfüllendes Gebot verstanden) mußte in die Kasuistik führen. Im allgemeinen verstand man jetzt nur die Volksgenossen als Nächste, denen gegenüber das Liebesgebot galt. Dachte man von dort aus konsequent weiter, stellte sich die Frage, wie man sich zu den Nicht-Volksgenossen verhalten sollte. Man konnte davon ausgehen, daß sie das Gesetz nicht hatten. Sie taten daher auch nicht den (im Gesetz festgelegten) Willen Gottes. Sie konnten ihn gar nicht tun. Wer aber nicht den Willen Gottes tat, an dem konnte Gott keinen Gefallen haben. Er erwies sich als Feind Gottes. Tat man dann aber nicht, wenn man die Feinde Gottes haßte, Gottes Willen? Man mußte sie doch hassen, denn wenn man etwas anderes tun würde, dann würde man ja ein anderes Urteil über die Feinde fällen, als Gott es tat. Insofern stimmt es schon: Zu den Alten war (wie man das zur Zeit Jesu verstand!) wirklich gesagt: Ihr soll eure Feinde (die Feinde Gottes) hassen.

Aus den Texten der Qumran-Gruppe wissen wir, daß man dort (also zur Zeit Jesu) diese Konsequenzen ausdrücklich gezogen hat. Die Gruppe bezeichnete sich selbst als "Söhne des Lichtes", die nicht zur Gruppe Gehörenden als "Söhne der Finsternis". Als zu befolgendes Gebot wurde formuliert, daß "alle Söhne des Lichtes zu lieben ... und alle Söhne der Finsternis zu hassen" seien.

Die These kann also nicht nur, sie muß präzise verstanden werden. Der zweite Satz, der zum Hassen auffordert, macht nicht nur deutlich, wie der erste Satz verstanden werden muß: als ein streng zu befolgendes Gebot mit kasuistischer Festlegung des Kreises der Nächsten. Er macht zugleich deutlich, welche Theologie, also welches Gottes-Bild, dahinter steht.

Wenn man nun bei der Antithese *dasselbe* Gottes-Bild wie bei der These voraussetzt, muß man sie so verstehen: An die Stelle des alten Gebotes mit dem alten Inhalt soll ein neues Gebot mit neuem Inhalt treten, das nun ebenso streng zu befolgen ist, wie bisher das alte Gebot zu befolgen war. "Gott" ist ja derselbe geblieben. Er fordert jetzt nur etwas anderes.

Genauso werden heute oft die Antithesen verstanden. Dieses Mißverständnis ist jedoch alt. Es liegt nämlich schon bei Matthäus vor. Das zeigt die dritte Antithese (Mt. 5,31f.), die er selbst gestaltet hat. Das alte Gebot lautet: Wer seine Frau entläßt, soll ihr einen Scheidebrief ausstellen. Dieses Gebot wird durchgestrichen, und an seine Stelle wird als neues Gebot gesetzt: Ehescheidung ist verboten, von einer genau bestimmten Ausnahme abgesehen. Matthäus zeigt durch diese eigene Gestaltung, wie *er* auch die anderen Antithesen verstanden hat, nämlich als Änderung der Gebots*inhalte*.

Daß mit der (vormatthäischen!) sechsten Antithese aber etwas anderes gemeint ist, signalisiert schon ein Vergleich der Inhalte von These und Antithese. Das Gebot, den Feind zu hassen, wird in sein Gegenteil verkehrt. Jetzt ist von Feindesliebe die Rede. Doch das Gebot der Nächstenliebe wird in der Antithese gar nicht mehr erwähnt. Es kann doch aber nicht der Sinn sein, daß Nächstenliebe jetzt nicht mehr geboten wäre und es nur noch auf das Lieben des Feindes ankommt.

Nun zeigt aber vor allem ein Blick auf die anderen Antithesen, daß man zu kurz schließt, wenn man sie als neue Gebote versteht, die *anstelle* der alten jetzt zu halten sind. Bei der vierten Antithese könnte man immerhin noch vermuten, daß ein grundsätzliches Verbot des Schwörens ausgesprochen werden soll (Mt. 5,33f.). Daß aber auch das nicht einfach als ein zu befolgendes Gebot verstanden werden kann, zeigen die Antithesen, die nicht (wie zu erwarten) einen Imperativ, sondern Feststellungen enthalten.

In der ersten Antithese (Mt. 5,21f.) wird zunächst das Gebot zitiert: Du sollst nicht töten. Darauf erfolgt die Androhung des Gerichts für Übertreter. Theologisch heißt das: Wenn man diesen Gott voraussetzt, dann sündigt der, der seine Gebote nicht hält. Dementsprechend muß er von diesem Gott Strafe erwarten. Die Antithese nimmt jetzt diesen Gedanken auf: *Wenn man diesen Gott voraussetzt,* dann wird schon der bestraft, der zürnt, also jeder. In der Antithese wird eben nicht etwa das Zürnen verboten. Es liegt kein Imperativ vor (den man hier immer wieder einliest). Ein solches Gebot wäre auch sinnlos, weil es schlechterdings nicht zu halten ist. Es wird vielmehr konstatiert: Wer zürnt, verfällt dem Gericht. Das heißt aber: *Jeder* verfällt dem Gericht. Zu betonen ist dabei: Wenn man diesen Gott voraussetzt und dann annimmt, man könne durch Einhalten der Gebote vor ihm bestehen. Ein solcher Versuch wird immer scheitern; denn vor *diesem* Gott kann kein Mensch bestehen.

Entsprechendes gilt für die zweite Antithese (Mt. 5,27f.). Das Gebot verbietet den Ehebruch. Wer aber meint (wie etwa der Pharisäer im Gleichnis Lk. 18,9-14), er könne vor Gott bestehen, weil er (neben anderen auch) dieses Gebot gehalten hat, dem wird nun nicht etwa die schwerere Verpflichtung auferlegt, nicht einmal einen begehrlichen Blick zu werfen. Wieder wird kein Imperativ formuliert und damit zu einem ethischen Rigorismus aufgerufen, durch den der Mensch mit noch größerer Anstrengung doch noch sein Ziel erreichen könnte, vor Gott zu bestehen. Sondern es wird konstatiert: Schon wer begehrlich blickt, hat das Gebot übertreten und wird vor *diesem* Gott schuldig. Auch hier ist also zu sagen: *Jeder* wird schuldig.

Worum es in den Antithesen geht, erkennt man nur, wenn man sie präzise theologisch versteht. Sie zwingen dazu, das Gottes-Bild zu bedenken, und leiten dann eine Kritik am Gottes-Bild ein. Wer sich am fordernden Gott orientiert, wird immer schuldig. Das sieht freilich nur der, der *diesen* Gott ganz ernst nimmt. Genau das tun aber die nicht, die sich aus den vielen Geboten einige aussuchen, die sie für besonders wichtig halten, oder die, die Gebote durch Kasuistik praktikabel machen. Sie werden nun aufgefordert, ihren Gott wirklich ernst zu nehmen. Dann müssen sie einsehen, daß sie vor ihm nur scheitern können. Es gibt kein Schlupfloch, durch das man dem Scheitern entrinnen kann.

Darum sind die Antithesen mißverstanden, wenn man in ihnen Verschärfungen der Gebote sieht. Wäre das nämlich der Fall, liefe das erneut auf einen Versuch des Menschen hinaus, sich selbst einen Ausweg aus dem Scheitern vor Gott zu verschaffen. Er müßte sich dann zwar sehr viel mehr anstrengen, als er sich bei den Geboten anstrengen mußte, die "zu den Alten" gesagt waren. Aber bei der nötigen Anstrengung wäre das Scheitern dennoch zu vermeiden. Die Antithesen sind jedoch gerade so formuliert, daß deutlich wird: Wenn man sie als zu erfüllende Gebote versteht, erweisen sie sich als unerfüllbar.

Die Antithesen sind ebenso mißverstanden, wenn man in ihnen Handlungsanweisungen sieht, die zu einer neuen Ethik aufrufen. Eine christliche Ethik kann man so vielleicht entwerfen, aber auf keinen Fall eine "christliche". Die Antithesen zeigen vielmehr, daß *jeder* Versuch des Menschen, mit *diesem* Gott ins reine zu kommen, zum Scheitern verurteilt ist. - Und doch ist das nur die eine Seite.

Die andere Seite kommt in den Blick, wenn man hier das Moment des eschatologischen Existierens einbezieht. Kein Mensch ist in der Lage, von sich aus eschatolgogisches Existieren zu gestalten. Schon deswegen kann es nicht befohlen werden. Eschatologisches Existieren ist vielmehr das Leben, das im erwarteten Reich am Tische Gottes gelebt werden wird.

Man hat sich das damals sehr konkret vorgestellt und kann sich das auch heute sehr konkret vorstellen, gerade wenn man den Inhalt der Antithesen zur Veranschaulichung heranzieht. Denn dann leuchtet unmittelbar ein: Am Tische Gottes wird es kein Zürnen geben und keinen begehrlichen Blick. Man wird dort die Wahrheit sagen, jedes Schwören wird überflüssig. Wenn ehemalige Feinde am Tische Gottes zusammensitzen, begegnen sie sich selbstverständlich nicht mehr als Feinde. Ein solches Leben am Tische Gottes wird aber deswegen möglich sein, weil die Menschen in der Gemeinschaft mit Gott leben werden.

In moderner Terminologie ausgedrückt: Am Tische Gottes wird heile Welt gelebt. Das geschieht aber nicht, weil den Tischgenossen das befohlen worden ist. Sondern sie leben heile Welt, weil sie selbst heil geworden sind. Heil aber sind die, die in Gemeinschaft mit Gott leben.

Hier kommen also wieder zuerst die Täter des Tuns in den Blick. Weil sie andere geworden sind, ist ihnen das neue Tun jetzt möglich. Doch möglich ist ihnen das immer nur, *wenn* sie andere geworden sind.

Von hier aus sollte wieder ein verbreiteter Sprachgebrauch reflektiert und dann präzisiert werden: Sünder, Sünde, sündigen.

Weithin üblich ist es, vom Tun auszugehen und ein bestimmtes Tun als Sünde zu bezeichnen. Vom Tun wird dann auf den Täter geschlossen. Wer Gebote (oder sonstige Regeln) übertritt, sündigt und ist daher ein Sünder. Wer sich jedoch an die Gebote (oder Regeln) hält, sündigt nicht. Ist er deswegen - kein Sünder? Wer vom Tun ausgeht, muß diesen Schluß ziehen.

Geht man dagegen vom Täter aus, ist der ein Sünder, der nicht in der Gemeinschaft mit Gott lebt. *Alles,* was er tut, ist "Sünde". Das heißt jedoch nicht, daß ein Sünder nicht vorbildlich handeln könnte. Er kann es durchaus. Doch selbst wenn ihm das Lieben des Feindes gelingt, bleibt seine Feindesliebe das Tun eines Sünders. Mit keinem Tun und mit keiner noch so großen Anstrengung kann er sich selbst aus seinem Sünder-Sein herausarbeiten.

Man sollte daher nicht (besonders im kirchlichen Sprachgebrauch) ein Tun als Sünde bezeichnen. Das kann nur zu dem Mißverständnis führen, als komme es lediglich auf die Korrektur des Tuns an. Es muß doch aber zuerst und entscheidend darauf ankommen, daß der Täter, der Sünder, sich umkehren läßt.

Wenn die Antithesen *eschatologisches* Tun beschreiben, setzen sie voraus, daß der Täter des Tuns ein anderer geworden ist. Er ist kein Sünder mehr, sondern (in der Terminologie aus dem vorigen Abschnitt) er ist ein "Nächster" geworden, hat sich zum "Nächsten" machen lassen. Von dort aus läßt sich dann interpretieren, wie Feindesliebe gemeint ist.

Zunächst muß man den Feind definieren, der hier nur gemeint sein kann. Ein Feind ist der Mensch, der sich in irgendeiner Weise durch Reden, Verhalten oder Tun *gegen den Täter* gestellt hat und stellt, niemals aber umgekehrt einer, gegen den der Täter selbst etwas hat. Denn "Nächste" können gar keine Feinde haben.

Sodann ist darauf zu achten, daß Lieben ein auf den Feind gerichtetes aktives Tun meint, das wirklich bei ihm ankommen will. Ein untätiges oder passives bloßes Ertragen der Aktivitäten des Feindes darf man nicht Feindesliebe nennen.

Deutlich wird das an einigen Traditionsstücken, die ursprünglich selbständig umliefen, dann aber ihren Platz in der Nähe der Antithesen gefunden haben. So folgt z.B. dem "Liebet eure Feinde" unmittelbar: Bittet für die, die *euch* verfolgen (Mt. 5,44). Lukas bietet darüber hinaus: Tut Gutes denen, die *euch* hassen; segnet die, die *euch* verfluchen; bittet für die, die *euch* beleidigen (Lk. 6,27f.). Ein Beispiel für ein solches konkretes Tun der Feindesliebe bietet auch die fünfte Antithese (Mt. 5,38f.). Den Alten war gesagt: Auge um Auge, Zahn um Zahn.

Mit diesem Wort sollte ursprünglich eine Schranke gegen hemmungslose Vergeltung aufgerichtet werden. Wo "ausgleichende Gerechtigkeit" (ius talionis) geübt wird, kommt es zu einem berechenbaren Miteinander. In dieser Welt (!) läßt sich damit leben. Und wenn man heute auch die Strafen durch humanere Maßnahmen abgelöst hat, so steht doch das Prinzip immer noch hinter unserem Strafgesetzbuch.

100

Als Antithese wird dagegengestellt: Ihr sollt dem Bösen überhaupt nicht widerstehen. Das sieht, für sich genommen, zunächst wie Passivität aus. Angebahnt werden soll damit aber ein "Götterwechsel". Das Böse, das der Feind tut, soll nicht zum "Gott" des Menschen werden, indem es nun durch Re-aktion sein Handeln bestimmt. Als Aktion wird stattdessen empfohlen: Wer dich auf die rechte Backe schlägt, dem biete auch die andere dar (Mt. 5,39).

Das ist selbstverständlich wieder mißverstanden, wenn man darin ein gerade so zu befolgendes Gebot sieht. Vielmehr nimmt der "Nächste" beim Lieben den Feind in den Blick und fragt, wie er diesem aus seiner Feindschaft heraushelfen kann. *Eine* Möglichkeit kann dann durchaus sein, die andere Backe hinzuhalten. Das geschieht natürlich nicht in der Absicht, den Feind zu erneutem Zuschlagen zu provozieren. Dann würde der Feind durch das angebliche "Lieben" gerade in seiner Feindschaft bestärkt. Wer den Feind liebt, kann das nicht wollen. Das Hinhalten der anderen Backe kann nur dann Feindesliebe sein, wenn es in der Hoffnung geschieht, den Feind zur Besinnung zu bringen. Nur dann widerfährt dem Feind Liebe, und zwar eine Liebe, die auf Veränderung des Feindes aus ist. Denn wenn dieser Liebe empfängt, wird er als Geliebter selbst frei zum Lieben.

Ob der "Nächste" bei seiner Feindesliebe mit gerade diesem konkreten Tun zu seinem Ziel kommt, kann er im voraus nicht wissen. Es könnte daher sein, daß ein ganz anderes konkretes Tun nötig ist, um den Feind zu verändern. Wie das aber aussieht, läßt sich im voraus niemals festlegen.

Eschatologisches Existieren hat immer Wagnis-Charakter. Würde man für die Feindesliebe ein konkret zu befolgendes Gebot festlegen, würde der Wagnis-Charakter verlorengehen. Der Täter würde sich an eine Regel halten, deren Befolgung Erfolg verspricht. Sodann könnte der Täter, wenn er sein Ziel jetzt nicht erreicht, die Verantwortung auf den abwälzen, der das konkrete Gebot formuliert hat. Beim eschatologischen Existieren bleibt die Verantwortung für das, was konkret getan wird, immer beim Täter. Es liegt daher immer ein doppeltes Wagnis vor. Zunächst muß der "Nächste" das Wagnis eingehen, sich im konkreten Fall für ein bestimmtes Tun zu entscheiden. Er muß aus vielen Möglichkeiten eine Möglichkeit auswählen. Damit nimmt er zugleich das Wagnis auf sich, die Verantwortung für die Folgen zu tragen, obwohl er die im voraus nicht übersehen kann. Ob ein "Nächster" aber ein solches Wagnis eingehen kann, entscheidet sich an seiner Theologie. In Mt. 5,45b ist die Rede von dem Gott, der seine Sonne aufgehen läßt über Böse und Gute, und der es regnen läßt über Gerechte und Ungerechte. *Dieser* Gott ist es, der, um es modern zu formulieren, nicht parteilich ist. Allen macht er das Angebot, sich auf ihn einzulassen.

Die Antithesen haben deutlich gemacht, daß der Versuch des Menschen, durch Erfüllung von Geboten mit Gott ins reine zu kommen, scheitern muß. In der Mt. 5,45b formulierten Theologie wird dem Menschen angeboten, sich auf den Gott einzulassen, der unterschiedlos und ohne Voraussetzungen alle seine Kinder liebt, den gescheiterten Menschen und seinen Feind.

Das läßt sich nun im Blick auf die Feindesliebe präzisieren. Setzt man (wie in der Umgebung Jesu, nicht weniger aber auch heute) *den* Gott voraus, der das Halten der Gebote zur Bedingung für die Gemeinschaft mit sich macht, dann sind die, die diese Bedingungen nicht erfüllen, nicht einfach nur "Sünder", sondern sie sind zugleich Feinde Gottes. Sein Wille ist ja in bestimmten Geboten festgelegt. Wenn Gott aber seine Sonne auch über Böse (also über alle Menschen) aufgehen läßt und wenn er auch über Ungerechte (also über alle Menschen) regnen läßt, dann liebt er ja seine Feinde. Wo Gott aber als einer erfahren wird, der selbst als "Nächster" handelt, indem er seine Feinde liebt, da werden die Feinde Gottes nun zu von Gott geliebten Feinden. Sein Wille ist, daß seine Feinde als von ihm geliebte Feinde zu "Nächsten" werden, wie er selbst "Nächster" ist. Der "Nächste" ist zur Feindesliebe befreit und sieht, daß sein Feind ja auch ein von Gott geliebter Feind ist. Darum kann er ihm nun "Nächster" sein. Ganz knapp formuliert: In der Feindesliebe lebt der "Nächste" seinem Feind - seinen Gott zu.

Damit kommt nun auch der christologische Aspekt in den Blick. Jesus ist von den Seinen als einer erfahren worden, der ihnen in seinem Wirken seinen Gott zugelebt hat. Das Zuleben dieses Gottes hat Menschen verändert. Feindesliebe ist für sie nicht etwas, was ihnen durch ein Gebot befohlen wird und was sie darum tun müssen. Sondern Feindesliebe ist etwas, was sie tun, weil sie es tun können.

Es bleibt freilich noch die Frage, warum denn in der sechsten Antithese Feindesliebe als Imperativ formuliert worden ist. Dadurch könnte zumindest der Eindruck entstehen, daß es sich hier doch um ein zu befolgendes Gebot handelt. Da man es grammatisch so verstehen kann, hat man es dann auch oft so verstanden. Man muß aber auch diesen Imperativ im Zusammenhang mit eschatologischem Existieren interpretieren.

Auszugehen ist da von der Frage: Wer ist denn überhaupt ein "Nächster"? Die Antwort muß lauten: Vorfindlich ist das kein Mensch.

Das kann im Anschluß an oben Ausgeführtes sofort präzisiert werden. Auch Christen sind vorfindlich keine "Christen". Man muß daher überlegen, ob man eine Ethik für Christen entfalten kann und wie die auszusehen hätte. Das könnte eine Ethik werden, bei der Christen Christen bleiben. Unter dem Aspekt eschatologischen Existierens kommt es aber darauf an, daß Christen "Christen" werden. Genau das aber kann stets nur immer wieder neu geschehen. Christen werden dann wieder als "Christen" solche, die sie früher schon immer wieder einmal gewesen sind.

Dadurch bekommt der Imperativ einen anderen Charakter. Er hat nicht mehr die Gestalt eines zu befolgenden Gebotes, sondern er ist nun eine Einladung zu einem Tun, die mit einer Verheißung verbunden ist. Das Einlassen auf diese Einladung bleibt ein Wagnis. Wer das Wagnis eingeht, kann aber erfahren, daß er befreit worden ist, "Nächster" zu sein. "Nächster" *ist* man eben nicht; "Nächster" kann man nur *werden,* je und je neu. - Das wird in der Fortsetzung der sechsten Antithese so formuliert: Liebet eure Feinde (und bittet für die, die euch verfolgen), damit ihr Söhne eures Vaters im Himmel seid (Mt. 5,45a).

Der Terminus "Sohn" muß semitisch-hebräisch verstanden werden. Er drückt die Zugehörigkeit zu einer Art, zu einer Macht oder zu einem Bereich aus. Wenn ein Mensch z.B. "Sohn der Armut", "Sohn der Treue", "Sohn der Freude" genannt wird, dann wird er damit als einer bezeichnet, der ganz und gar von der betreffenden Größe bestimmt ist. Ein "Sohn Gottes" ist also jemand, den Gott ganz und gar mit Beschlag belegt hat.

Wer sich daher auf die Einladung einläßt, seinen Feind zu lieben, dem wird verheißen, daß er dabei die Erfahrung machen kann, "Sohn Gottes" zu sein. Das heißt: Er kann die Erfahrung machen, daß sein Tun gar nicht *sein* Tun war, sondern daß Gott durch ihn als "Sohn Gottes" gehandelt hat - als "Nächster".

Wenn man das mit Hilfe des üblichen grammatischen Vokabulars ausdrückt, bedeutet das: Man kann Indikativ und Imperativ nicht voneinander trennen. Beim Tun fallen sie zusammen.
Wie der Mensch allerdings in diesen Indikativ-Imperativ Zusammenhang hineinkommt, kann unterschiedlich sein. Möglich ist, daß der Indikativ, also die Theologie des Menschen (sein Einlassen auf den Vater, der alle seine Kinder liebt), ihn zum Tun führt. Ethik ist eben ein Aspekt von Theologie. Es kann aber auch sein, daß die Einladung zum Tun, die der Mensch eingeht, ihn beim Tun innewerden läßt, daß es der Vater war, der dieses Tun vollbracht hat. Dann erfährt der Mensch beim Tun seinen Gott und kann seine Theologie formulieren.
Daß dem Indikativ eine Verheißung folgt, heißt nun aber auch, daß diese Verheißung eintreten kann und nicht eintreten kann. Es kann daher durchaus geschehen, daß das (beachtliche!) Tun des Menschen seine eigene Leistung bleibt. Es gibt überhaupt keinen Grund, diese Leistung nun irgendwie zu disqualifizieren. Nur war das Tun dann kein eschatologisches Existieren.

Daß ein "Nächster" als "Sohn Gottes" nicht sein eigenes Werk tut, sondern wirklich das Werk des Vaters, wird schließlich in äußerster Zuspitzung in dem Traditionsstück Mt. 5,48 formuliert: Seid vollkommen, wie euer Vater im Himmel vollkommen ist. Es versteht sich von selbst, daß mit diesem Imperativ kein zu befolgendes Gebot ausgesprochen wird. Das wäre wieder unerfüllbar, weil mehr als ein Streben nach Vollkommenheit für den Menschen unmöglich ist. Das wäre aber keine Erfüllung des Gebotes. Es geht vielmehr wirklich um Vollkommenheit, um nicht weniger. Darum handelt es sich auch bei diesem Imperativ wieder nur um eine Einladung, an der Vollkommenheit des Vaters zu partizipieren.
Denn eschatologisches Existieren ist immer vollkommenes Existieren. Es geschieht zwar durch Menschen und darum konkret und sichtbar in dieser Welt

(also: im alten Äon). Dieses Existieren ist jedoch nicht "von dieser Welt". Nur, daß es *nicht* von dieser Welt ist, wird in dieser Welt nicht ablesbar. Insofern muß man von Zweideutigkeit reden. Das Tun bleibt Mißverständnissen ausgesetzt: Handelt hier ein Mensch, der sich angestrengt und dadurch Besonderes geleistet hat? Oder handelt hier Gott durch einen Menschen? (Vgl. dazu die Anfrage des Täufers, oben S. 79ff.)

(d) Christologische Zwischenüberlegung: Das Wirken Jesu in Wort und Tat.
Demselben Mißverstehen war auch das *Wirken Jesu* ausgesetzt, und zwar sein Wirken *in Wort und Tat*.

Man konnte es so verstehen, daß Jesus mit seinem Tun ein Beispiel geben wollte, sein Tun also ein indirekter Imperativ war, der andere zum Nachahmen des Tuns auffordern sollte. Dieser Imperativ stand dann neben den direkten Imperativen, die in vielen Einzelworten überliefert worden sind. - Man konnte aber in demselben Wirken auch ein eschatologisches Geschehen sehen, das durch Jesus selbst geschah oder zu dem er einlud.

Es gilt jetzt zu sehen: *Beides* läßt sich christologisch formulieren: Die jeweilige Ethik ist dann ein Aspekt der jeweiligen Christologie.

Versteht man Jesu Verhalten als beispielhaft, kann man ihn (christologisch) als einen "Großen der Menschheit" qualifizieren, wenn man will, auch als den Größten. Darum gilt es, seinem Vorbild nachzueifern, indem man sich bemüht, das zu tun, was er getan hat, oder sich in entsprechenden Situationen entsprechend zu verhalten. Und da Jesus einer der ganz Großen war, konnte er mit seinen Imperativen Anweisungen für das Tun geben, mit dem der Mensch den Willen Gottes erfüllte. Man konnte ihn daher (wieder: christologisch) als den "neuen Gesetzgeber" qualifizieren.

Versteht man dagegen Jesu Wirken als eschatologisches Geschehen, sieht man also in dem *Wirken* eine besondere Qualität, dann qualifizierte man ihn (christologisch) als einen, der sich auf seinen Gott eingelassen hat und der nun das Werk des Vaters tat. Drückt man das titular aus, kann man ihn "Sohn Gottes" nennen. In diesem Fall kommt es aber nicht zuerst darauf an, sich an Jesu *Tun* zu orientieren, um durch das Kopieren dieses Tuns den Willen Gottes zu erfüllen. Sondern jetzt ist der Mensch zuerst gefragt, ob er sich auf diesen Sohn Gottes einlassen will, und das heißt, ob er sich mit Jesus zusammen auf Jesu Gott einlassen will. Er ist gefragt, ob er, der im alten Äon lebende Sünder, sich *selbst* der Veränderung durch den Vater aussetzen will. Denn der Wille Gottes zielt auf den Sünder, will Sünder zu "Söhnen" machen. Hat der Sünder sich aber vom Vater zum "Sohn" machen lassen, muß ihm nicht befohlen werden, zu handeln, sondern dann *kann* er handeln. Darum wollen auch die Imperative keine Befehle, sondern sie wollen Einladungen sein.

Wie man leicht einsehen kann, ist die zweite Möglichkeit, Jesu Wirken zu verstehen, die hintergründigere. Es ist daher verständlich, daß man diese nicht gleich sieht, mehr noch: daß man sie schon als Möglichkeit übersieht und dann gar nicht erst danach fragt. Statt dessen hält man sich, mit der ersten Möglichkeit, an das, was sichtbar vor Augen ist (also an das konkrete Tun Jesu), und an das, was in grammatischer Form vorliegt (also an zu befolgende Imperative). Vom großen menschlichen Vorbild und vom Lehrer des neuen Gottesgesetzes aus wird dann die Ethik entworfen. Das synoptische Traditionsgut bietet dafür Material in Hülle und Fülle. Darum findet man auch immer "Belegstellen", wenn man diese Ethik begründen und als christlich ausgeben will.

Die Frage muß aber gestellt werden: Ist diese (im allgemeinen: sehr anspruchsvolle) Ethik, für die man auf Jesus verweisen kann, deswegen schon "christliche" Ethik? Ist sie nicht nur dann "christlich", wenn man gerade nicht am Vordergründigen orientiert bleibt, sondern nach dem Hintergründigen fragt? Einfach praktikabel ist sie dann zwar nicht mehr. Aber kann das ein Kriterium sein? Versuchen wir daher, beides nebeneinanderzustellen und dabei auch einige besondere Kennzeichen für das Eigentümliche des Hintergründigen (und damit des "Christlichen") in den Blick zu bekommen.

Man kann heute oft hören, daß Jesus sich sozial verhalten habe. Deswegen verlangt man dann von einem christlichen Verhalten, daß es soziales Verhalten sein muß. Denn: Hat Jesus sich nicht gerade den Armen und Kleinen, den Bedrängten und Verfolgten zugewandt? Hat er nicht Sünder und Zöllner an seinen Tisch geladen? Hat er nicht Reiche angeprangert und sich gegen den Besitz gewandt, wenn er etwa den reichen Jüngling aufforderte, alles, was er besitzt, zu verkaufen und den Erlös den Armen zu geben? Hat er nicht gesagt, daß eher ein Kamel durch ein Nadelöhr gehen, als ein Reicher in das Reich Gottes gelangen kann? Hat er nicht Frauen, die damals gesellschaftlich wenig oder nichts galten, in seiner engeren Umgebung gehabt? Hat er nicht Kinder, die die Jünger nicht an ihn herankommen lassen wollten, in die Arme genommen und sie gesegnet? Hat er sich nicht auf die Seite der Frau gestellt, die beim Ehebruch ertappt worden war, und sie gegen ihre Ankläger und Richter in Schutz genommen? Hat er sich nicht von einer Sünderin die Füße waschen lassen? - Man kann die Beispiele unschwer vermehren. Doch was ergibt sich daraus?

Durch eine solche Zusammenstellung läßt sich ein eindrucksvolles Bild vom Wirken Jesu zeichnen, wobei man dann sofort wieder beachten muß, daß es sich um ein nachträglich gezeichnetes Gesamtbild handelt (vgl. oben S. 65). Vielleicht kann dieses Bild dann eine Ahnung davon vermitteln, wie man sich Leben im Reiche Gottes konkreter vorstellen kann. Sagt man, zusammenfassend, nur, daß dort Liebe herrscht, ist das wenig anschaulich. Sagt man aber, daß am Tische Gottes auch die Benachteiligten Platz haben werden und auch Sünder dazu eingeladen sind, weil auch ihnen die Liebe Gottes gilt, wird die Vorstellung sofort viel konkreter. Doch kann man aus einer solchen Zusammenstellung nun auch unmittelbar Anweisungen für eine Ethik ableiten?

Wenn man das versucht, erkennt man schnell die Schwierigkeiten. Man möchte eine konkrete Ethik und sucht dafür Einzelanweisungen. Will man die erreichen, muß man das Gesamtbild zunächst wieder in die Einzelteile zerlegen, aus denen es entstanden ist. Das geschieht in zwei Schritten.

In einem ersten Schritt wird das (allgemeine) Liebes-"Gebot" spezifiziert: Es geht um die Liebe zu den Armen, den Kleinen und Schwachen. Doch schon hier erhebt sich jetzt die Gegenfrage: nur zu ihnen? Will man das nicht ausdrücklich zugeben, weicht man aus. Statt "nur ihnen" formuliert man: "vor allem ihnen". Damit hat man aber schon die Tür zu einer Kasuistik geöffnet. In einem zweiten Schritt geht man dann durch diese Tür hindurch. Denn jetzt zerlegt man auch dieses Gesamtbild wieder in die Einzelteile, setzt bei ihnen ein und nimmt sie als Orientierungspunkte.

Beschäftigt man sich etwas näher mit ihnen und bezieht dabei die jüdische Umwelt mit ein, kommt man zu einer überraschenden Feststellung: Für nahezu jedes Beispiel, das man zur Gewinnung von ethischen Anweisungen benutzt, gibt es Parallelen im zeitgenössischen Judentum. In der Praxis der Kirche wird das damit zusammenhängende Problem kaum reflektiert, obwohl schon oft darauf hingewiesen worden ist, in neuerer Zeit insbesondere auch von jüdischen Gelehrten. So stellt z.B. J. Klausner fest, daß sich in allen Evangelien "auch *nicht eine* ethische Lehre" findet, die ohne Parallele in jüdischer Literatur ist (Jesus von Nazareth, 3. Aufl. 1952, S. 534). Wenn das stimmt, kommt man kaum um die Feststellung herum, daß von den ethischen Forderungen des zeitgenössischen Judentums zu denen Jesu Kontinuität besteht; und Jesus steht, was die Ethik betrifft, ganz im Judentum. Stimmt das aber?

Da das für die überwiegende Mehrzahl der Fälle nicht zu bestreiten ist, macht man sich auf die Suche nach Besonderheiten, um Jesus nicht ganz im Judentum aufgehen zu lassen. Mindestens zwei wird man dann nennen können. Man weist auf das (angebliche) absolute Scheidungsverbot Jesu hin, das in offenkundigem Widerspruch zur jüdischen Ethik steht, in der ja die Ausstellung eines Scheidebriefes ausdrücklich sanktioniert wird. Und man weist auf das Verbot des Schwörens hin, für das es in der zeitgenössischen jüdischen Literatur keinen Beleg gibt. (Zumindest hat man bis heute keinen gefunden.) Abgesehen von der Frage, ob man hier die Traditionsstücke richtig exegesiert (darüber gleich), muß man sich doch überlegen: Reichen diese beiden Gebote aus (zwei unter einer Riesenmenge anderer), um allein mit ihnen für die Ethik Jesu eine grundsätzliche Sonderstellung zu reklamieren? Es liegt dann doch lediglich eine Modifizierung in Einzelheiten vor.

Da das (mit Recht) als zuwenig erscheint, zieht man dann gern das "Ich aber sage euch" heran, mit dem Jesus die Antithesen einleitet. Ein solcher Anspruch gegenüber dem, was "zu den Alten (durch Mose) gesagt war", ist in der Tat ohne Beispiel. Doch muß auch hier gefragt werden, wie der denn zu verstehen ist. Handelt es sich um eine Radikalisierung des durch Mose gegebenen Gesetzes? Oder handelt es sich um Polemik gegen dieses Gesetz überhaupt?

Versteht man den Anspruch Jesu als Radikalisierung des Gesetzes, dann bedeutet das für die Ausgestaltung der *konkreten* Anweisungen sehr viel. *Grundsätzlich* bedeutet das aber gar nichts, weil auch eine Radikalisierung im Rahmen des Gesetzes bleibt. Jesus hätte dann das Gesetz (wie man das nannte) "ausgelegt" und damit grundsätzlich nichts anderes getan, als die Thora-Lehrer seiner Zeit getan haben. Auch sie gingen vom Gesetz aus und interpretierten es kasuistisch. Sie blickten auf die Praxis in ihrer Zeit und wollten die Gebote praktikabel machen. Was dann als "Auslegungen" herauskam, verstanden sie als moderne Formulierungen des Willens Gottes. Der Mensch, der den Willen Gottes tun wollte, war gehalten, sich bei seinem Tun an den "Auslegungen" zu orientieren. Dabei gab es durchaus Meinungsverschiedenheiten. In der Schule des Schammai wurde eine strenge Richtung vertreten; in der Schule des Hillel war man sehr viel milder. Jesus hätte dann mit seinem Rigorismus die strenge oder sogar eine noch strengere Richtung vertreten: Das Gesetz des Mose muß ganz "radikal" ausgelegt werden, denn nur dann wird der Wille Gottes wirklich erfüllt. Beispiele dafür kann man dann in den Einzeltraditionen finden. Ist man damit aber auf der richtigen Spur? Es finden sich ja auch gegenteilige Beispiele.

Doch verfolgen wir zunächst noch den immer wieder behaupteten Rigorismus. Hier muß man doch die Frage stellen, ob mit ihm der Bogen nicht einfach überspannt wird. Was sich an strenger Gesetzesobservanz in jüdischen Traditionen nur vereinzelt und ausnahmsweise findet, findet sich bei Jesus in konzentrierter Ballung. Muß man jetzt nicht J. Klausner zustimmen, wenn er angesichts einer solchen extrem radikalen Ethik davon spricht, daß sie zu einer "Entartung der Moral" führen kann (a.a.O., S. 564)? Oder einem anderen jüdischen Gelehrten, der die Ethik Jesu als "die übermenschliche Ideal-Ethik eines Supermoralisten" bezeichnet (P. Lapide, Er predigte in ihren Synagogen, 1980, S. 51)? Denn wenn der Wille Gottes, den die Menschen zu tun haben, im Gesetz festgelegt ist und wenn die Radikalisierung der Gebote des Gesetzes dahin führt, daß ihre Befolgung das dem Menschen Mögliche übersteigt, dann kann der Mensch den Willen Gottes gar nicht mehr tun. Er sucht sich dann selbst einen Ausweg, mit dem er aber bereits den Willen Gottes verfehlt: Er tut dann sein Bestmögliches; und das ist das, was er selbst unter den gegebenen Umständen für das Bestmögliche hält. Dadurch macht er die radikalen Forderungen durch Kasuistik für sich praktikabel.

Das gelingt ihm durch Orientierung an Einzeltraditionen. Unter den vielen sucht er sich die aus, die ihm in seiner Situation geeignet erscheinen. Es ist dann gar nicht schwer,

Passendes zu finden, da zwischen den Traditionen (was das konkrete Tun angeht) manche Spannungen, gelegentlich auch Widersprüche vorliegen. Ein Beispiel aus dem "Armuts-ideal": War Jesus wirklich *immer* gegen den Besitz; und wandte er sich (parteilich) *immer* gegen die Reichen?

Es findet sich doch auch das Wort, daß man sich sogar mit dem ungerechten Mammon Freunde machen solle (Lk. 16,9). Diese Möglichkeit verpaßt jedoch der, der alle seine Habe verkauft und den Armen gibt (vgl. Mk. 10,21). Und hat Jesus sich nicht auch zu den Reichen gesellt, wenn er Zöllner an seinen Tisch lud, Menschen also, die durch das Pachten des Zolls Macht über andere gewonnen und sich durch Unrecht Reichtum verschafft haben? War Jesus also doch nicht parteilich, weil er *auch* solche Leute akzeptierte?

Der "Rigorismus" Jesu ist mißverstanden, wenn man das "Ich aber sage euch" als Ausdruck des Anspruchs Jesu zur Radikalisierung des Gesetzes durch Verschär-fung der Gebote versteht. Denn dann täte nur der den Willen Gottes, der die rigorosen Bestimmungen wirklich und vollständig erfüllt, und zwar ohne jeden Abstrich und ohne Reduzierung auf das Streben nach bestmöglicher Erfüllung, also kein Mensch. - Man muß statt dessen das "Ich aber sage euch" viel grund-sätzlicher verstehen, nämlich christologisch und damit theologisch. Dann führt es die Ethik wirklich aus der Ethik des zeitgenössischen Judentums (auch in seiner Idealgestalt) heraus; aber eben: *nur* dann.

Jesus ist in diesen Traditionen als einer verstanden worden, der *sich selbst* an die Stelle des mosaischen Gesetzes gesetzt hat, und darum als einer, der sich grundsätzlich gegen die Befolgung des Gesetzes wendet. Damit soll aber nicht das Gesetz selbst kritisiert werden, sondern der *Gott,* der hinter *diesem* Gesetz steht. Die Polemik gegen das Gesetz ist also eine theologische Polemik, und zwar gegen den Gesetzgeber. Sie trifft jedoch nicht den Gott, der *früher* dem Mose das Gesetz gegeben hatte. Der ist zur Zeit Jesu gar nicht im Blick, weil sich inzwi-schen das Bild vom Gesetzgeber gewandelt hat. In der Polemik gegen das Gesetz geht es vielmehr um eine Polemik gegen *den* "Gesetzgeber", der die strikte Einhaltung eines jeden Gebotes von den Menschen als Voraussetzung dafür verlangt, daß er dem Erfüller seine Gemeinschaft gewährt.

Man darf die Diskussion über das Gesetz daher nicht verkürzt führen, wie es fast immer geschieht. Zwar wird bei einer solchen Diskussion Gott immer "mitgedacht", kaum aber ausdrücklich genannt; und schon gar nicht wird die Vokabel Gott inhaltlich gefüllt. Die Frage nach dem jeweiligen Gottes-Bild wird ausgeklammert.

Bezieht man jedoch in diese Diskussion die Gottesfrage ein, wird deutlich: Jesus kann gar nicht als einer verstanden worden sein, der statt eines milde Forderungen stellenden Gottes (Hillel) oder eines strengere Forderungen stellen-den Gottes (Schammai) einen rigorose Forderungen stellenden Gott verkündigt hat. Sondern er ist verstanden worden als einer, der den seine Gemeinschaft schenkenden Gott verkündigt hat, und damit den Gott, der die Menschen einlädt, in der Gemeinschaft mit ihm zu leben.

Auf die Ausgangsfrage dieses Abschnittes bezogen, heißt das: Jesus hat nicht dazu aufgerufen, daß die Menschen sich sozial verhalten. Jesus ist vielmehr als einer verstanden worden, der einlud zu einem Leben in der Gemeinschaft mit seinem Gott. Wo das aber gelebt wurde, da konnte herauskommen, was wir soziales Verhalten nennen.

Bei diesem "Götterwechsel" kann man fast von einer logischen Argumentation reden: Die Voraussetzungen, die das zeitgenössische Judentum mitbrachte, wurden ernster genommen, als die sie nahmen, die mit ihnen lebten. Doch gerade dadurch wurden die Voraussetzungen ad absurdum geführt und erwiesen sich so als nicht haltbar.

Wenn Gott (in einer Rede *über* Gott) als der verstanden wird, der früher einmal das Gesetz gegeben hat, dann hat der Mensch es in der Gegenwart nur mit dem Gesetz, nicht aber unmittelbar mit Gott zu tun. (Das ändert sich auch nicht dadurch, daß gelegentlich von der Gegenwart Gottes im Gesetz gesprochen werden konnte.) Denkt man nun diesen Gott (*über* den man redet, wenn man ihn als Gesetzgeber bezeichnet) konsequent zu Ende, dann muß (um dieses Gottes willen) sein Gesetz für die Menschen unerfüllbar werden. Angesichts eines solchen Gottes kann der Mensch nur dem Gericht verfallen. Darum kann dieser Gott, *über* den man redet (über den man dann aber *konsequent* reden muß), nicht der Gott der Menschen sein. Er ist von ihnen getrennt, und er bleibt von ihnen getrennt. Mit dem, was dem "Ich aber sage euch" folgt, wird *dieser* Gott ad absurdum geführt.
Daher kommt mit dem "Ich aber sage euch" ein theologischer Anspruch zum Ausdruck. Nicht einfach an die Stelle des Gesetzes, sondern an die Stelle des Gesetzgebers zusammen mit seinem Gesetz tritt das "Ich aber sage euch". Schon dadurch wird Unmittelbarkeit hergestellt. Die Unmittelbarkeit zu Jesus ist dann aber sofort und in einem damit Unmittelbarkeit zu Jesu Gott. Jetzt geht es wirklich um Theologie, also um Rede *von* Gott. Diese Theologie wird über die Christologie erreicht. So kann man formulieren: Jesus ist als einer verstanden worden, der die zeitgenössische Rede über Gott in Rede von Gott zurückführen will.

Es geht also wirklich um einen anderen Gott; und das darf nicht übersehen werden, wenn man das Problem des Gesetzes diskutiert. Es geht nicht mehr um den Gott, der Forderungen stellt, sondern es geht um den Gott, der eschatologisches Existieren anbietet und Menschen einlädt, sich darauf einzulassen (= ihm zu glauben). Da der Mensch von sich aus eschatologisches Existieren nicht erzwingen kann, können ihm dazu weder konkrete Gebote verhelfen, die er einhalten muß, noch Verbote, die er nicht übertreten darf.

(e) Markus 10,2-9. Genau das wird meist bei der Diskussion über die Ehescheidung übersehen. Es stimmt schon, das Traditionsstück *Mk. 10,2-9* schließt mit

dem Wort: Was Gott zusammengefügt hat, soll der Mensch nicht scheiden. Dann liegt das Verständnis nahe: Hier wird ein absolutes Scheidungsverbot ausgesprochen.

Dieses Verständnis hat schon ganz früh geherrscht und sich in manchen Traditionsstücken niedergeschlagen. So wollte z.B. der Verfasser von Mk. 10,10-12 das Verbot der Ehescheidung, das er aus Mk. 10,9 herauslas, weiterführen. Hatte im jüdischen Raum (von verschwindenden, verklausulierten Ausnahmen abgesehen) nur der Mann die Möglichkeit, sich von seiner Frau zu scheiden, hatte nach hellenistischem und römischem Recht die Frau durchaus auch dieselbe Möglichkeit. Nun war der Verfasser von Mk. 10,10-12 der Meinung, daß man nicht nur dem Manne die Ehescheidung verbieten dürfe, sondern sie auch der Frau verbieten müsse.

Dasselbe Verständnis (Verbot jeder Ehescheidung) liegt auch bei Matthäus vor. Deutlich wird das an der (vom Evangelisten formulierten) dritten Antithese (Mt. 5,31f.). Matthäus kennt dann aber auch schon die Schwierigkeit, die entsteht, wenn dieses Verbot (als grundsätzlich geltendes Verbot) eingehalten werden soll. Um dieser Schwierigkeit zu begegnen, weicht er in Kasuistik aus, indem er eine Ausnahme formuliert: Wenn "Unzucht" vorliegt, gilt das Verbot nicht (Mt. 5,32; 19,9). Ein Scheidungsverbot ist ohne Kasuistik offenbar nicht praktikabel.

Darf man aber wirklich von einem Scheidungsverbot reden? Gerade das Traditionsstück Mk. 10,2-9 zeigt, daß das nur bei vordergründiger Betrachtung herauskommt. Tatsächlich geht es auch hier um eschatologisches Existieren.

Pharisäer stellen Jesus die Frage, ob ein Mann seine Frau entlassen dürfe. Das geschah, wie ausdrücklich vermerkt wird, um ihn zu versuchen.

Diese Frage kann nicht sozusagen aus heiterem Himmel gestellt worden sein, denn daß der jüdische Mann seine Frau entlassen konnte, entsprach üblicher Praxis und galt als unbestritten. Wenn der Erzähler die Pharisäer diese Frage stellen läßt, setzt das bereits voraus: Irgendwie muß das Problem Ehescheidung vorher diskutiert worden und mit Jesus in Zusammenhang gebracht worden sein. Deswegen konnte man Jesus angreifen. Sollte er nämlich wirklich die Ehescheidung untersagen, konnte man ihm vorwerfen, daß er sich damit gegen eine im Gesetz festgelegte Regelung wandte. Die "Versuchung" bestand also darin: Man wollte prüfen, ob Jesus sich gegen das Gesetz stellte.

Jesus gibt keine unmittelbare Antwort, sondern beginnt eine Gesetzesdiskussion, indem er nach dem *Gebot* des Mose fragt. Das zitieren die Pharisäer nun aber nicht, sondern sie sagen, Mose habe *erlaubt,* einen Scheidebrief zu schreiben und die Frau zu entlassen.

Nach 5. Mose 24,1-4 liegt jedoch keine "Erlaubnis" vor, sondern schon dort wird die bestehende Praxis vorausgesetzt. Befohlen wird nur, einen Scheidebrief auszustellen. Das ist geboten.

Auffällig ist nun, daß Jesus sich in seiner Antwort keineswegs gegen das Gebot des Mose wendet, sondern er sagt, warum und unter welchen Voraussetzungen

110

dieses Gebot gegeben worden ist. Dabei geschieht das, worauf nun schon mehr-fach hingewiesen wurde: Der Blick wird vom konkreten Tun (Ausstellung des Scheidebriefes) auf den Täter gelenkt: die Härte des Herzens der Männer. Sie hat dieses Gebot nötig gemacht. Und in der Tat: Wo solche Herzenshärtigkeit herrscht, ist dieses Gebot für die Frau eine entscheidende Hilfe. Nur wenn der Mann ihr einen Scheidebrief ausstellt, hat die Frau das Recht, eine neue Ehe einzugehen.

Übersetzen wir das! Im alten Äon herrscht Herzenshärtigkeit. Menschen, die im alten Äon leben, sind Sünder; und sie haben es immer mit Sündern zu tun. Dadurch ist das Miteinander permanent gefährdet. Dieser Gefahr kann mit Regeln entgegengesteuert werden. Unter den damaligen gesellschaftlichen Be-dingungen war die Verpflichtung zur Ausstellung eines Scheidebriefes eine gute Regel. Moderne Scheidungsgesetze können bessere Regeln formulieren. Immer aber geht es um Regeln für Herzenshärtigkeit, also für Sünder, also für Men-schen, die in dieser alten Welt leben.

Dadurch nun, daß Jesus den Blick vom Tun weg auf den Täter hin richtet, wird zugleich Kritik am Gesetz geübt. Wer sich an das Gesetz hält, tut immer den Willen *des* Gottes, der das Gesetz gegeben hat. Der Wille des Gottes Jesu zielt dagegen auf den Täter. Die Frage lautet dann aber nicht: Wie ist bei einer gescheiterten Ehe zu verfahren?, sondern die Frage lautet: Wie kann die Herzens-härtigkeit beseitigt werden? Das ist aber nicht durch eine Anweisung zu einem konkreten Handeln möglich. Darum wird die Frage auch gar nicht beantwortet, sondern es wird ein Gegenbild gezeichnet:

Am Anfang der Schöpfung (mythologisch gesprochen: im Paradies) war es noch anders, als es in diesem gefallenen Äon ist. Die Menschen waren andere. Im Paradies lebten (mit Gott zusammen!) Mann und Frau in Gemeinschaft. Wo sie aber in dieser "Dreiergemeinschaft" leben, wo also Mann und Frau keine Sünder sind, da steht eine Scheidung von Mann und Frau völlig außerhalb des Blickfel-des.

Übersetzen wir das wieder! Mit dem Sündenfall ist der gegenwärtige Äon eingebrochen. Die Menschen, die in diesem Äon leben, sind Sünder und werden bis zur Äonenwende Sünder sein. Das danach erwartete Reich Gottes wird (inhaltlich) identisch mit dem Paradies sein: Die Menschen werden wieder in Gemeinschaft mit Gott leben. Das ist der vorauszusetzende Ausgangspunkt. Nicht nur die Gegenwart wird ganz ernst genommen, sondern auch die Men-schen, die in dieser Gegenwart leben, und die Möglichkeiten, die sie in dieser Gegenwart von sich aus haben. Sie können nach (guten) Regeln leben; und man kann ihnen nur empfehlen, das zu tun.

Das Evangelium, das (auch in diesem Traditionsstück) ergeht, ist eine Zeitan-sage: Das Reich Gottes (das Paradies) will als Herrschaft Gottes bei den Men-schen einbrechen. Wo Mann und Frau das bei sich geschehen lassen, kann eine zerrüttete Ehe wieder heil werden. Dann wird kein Mensch das scheiden, was Gott zusammengefügt hat und zusammenhält. So kann das Bild vom Leben im Paradies immer nur als Einladung verstanden werden. Es enthält aber keinen Befehl an herzenshärtige Menschen, im alten Äon nach den Regeln des Paradieses zu leben.

Nur vordergründig enthält das Traditionsstück ein Verbot der Ehescheidung. Versteht man es so, würde das bedeuten: Durch Beachtung dieses Verbotes ist der Mensch in der Lage, selbst Paradies herzustellen. Und er ist dazu in der Lage, weil er sich durch sein Tun (bzw. Nicht-Tun) *selbst* aus seiner Herzenshärtigkeit befreien kann. Das aber wäre der Versuch der Selbsterlösung des Sünders.

(f) Markus 12,13-17. Auf einem völlig anderen Gebiet (und doch mit ganz ähnlicher Argumentation) macht ein anderes Streitgespräch deutlich, daß der vorhandene alte Äon als alter Äon ernst genommen wird, eschatologisches Existieren aber nur als Einbruch in diesen Äon möglich ist: die Geschichte vom Zinsgroschen *(Mk. 12,13-17).* Sie endet mit dem bekannten, vielzitierten, aber oft mißbrauchten Wort: Gebt dem Kaiser, was des Kaisers ist, und Gott, was Gottes ist. Auch wenn das Streitgespräch auf dieses Wort hinzielt, darf man dieses Wort auf keinen Fall isolieren.

Nun hat man gelegentlich vermutet, daß das Logion tatsächlich ursprünglich einmal selbständig umlief. Dann wäre das Streitgespräch eine sogenannte ideale Szene, die nachträglich von diesem Logion aus gebildet worden ist. Hätte man dann nicht doch das Recht, dieses Logion für sich zu nehmen? Das ist indes nur scheinbar der Fall.

Voraussetzen muß man, daß dieses Wort in einer konkreten Situation entstanden ist. (Dasselbe gilt übrigens von einer Fülle anderer Worte, die aus den Evangelien als Einzelworte rekonstruiert werden können.) Da die Situation nicht überliefert worden ist, ist das von der ursprünglichen Situation isolierte Wort vieldeutig geworden, darum überhaupt nicht mehr exegesierbar.

Wir müssen also vom vorliegenden Streitgespräch ausgehen (ob dieses nun sekundär ist oder nicht), um zu erfahren, wie man das Wirken Jesu verstanden hat. - Daraus folgt: Wer (heute) dieses Wort ohne Beachtung des vorangehenden Gesprächs benutzt, kann es beliebig und für unterschiedliche Argumente verwenden. Darum kann er mit diesem Wort nichts wirklich begründen.

Da das abschließende Logion den Gipfel des Streitgesprächs bildet, soll mit ihm das aufgeworfene Problem gelöst werden. Dabei liegt das eigentliche Problem in dem "und". Soll damit eine Nebenordnung ausgedrückt werden? Dann könnte es sich um zwei (getrennte?) Bereiche handeln: Der Mensch hat dem Kaiser (dem Staat) gegenüber (etwa: politische) Verpflichtungen und wird ermahnt, diese zu erfüllen. Daneben hat er (zugleich oder auch noch?) Verpflichtungen gegenüber Gott.

Ohne Zweifel hat man oft so (oder ähnlich) verstehen wollen. Der Staat konnte unter Berufung auf dieses Wort vom Christen Loyalität verlangen. Andererseits konnten aber auch Christen als Staatsbürger mit diesem Wort begründen, warum sie dem vorhandenen Staat (manchmal schweren Herzens, aber dennoch) dienten. Man muß eben dem Kaiser geben, was ihm zusteht.

Wie fügt sich dann aber der zweite Satz zum ersten? Gibt es daneben auch noch eine Verpflichtung Gott gegenüber? Dann lägen tatsächlich zwei Bereiche vor. Oder soll der zweite Satz den ersten begrenzen? Wer legt dann aber die Grenze fest? Daß Gott das zu geben ist, was ihm gebührt, wäre in sich einleuchtend. Nur was ist das?

Auffällig an diesem Logion ist auf jeden Fall: Selbst wenn man eine Nebenordnung zweier getrennter Bereiche annimmt, bleibt ein entscheidender Unterschied. Aus dem Zusammenhang (und erst aus dem Zusammenhang) ist eindeutig zu erkennen, welche konkreten Verpflichtungen dem Kaiser gegenüber zu erfüllen sind: Die Steuer ist zu zahlen. Wie aber sehen die Verpflichtungen gegenüber Gott konkret aus? Das wird nicht gesagt. Insofern hängt der zweite Satz über. Er kann nicht auf den ersten Satz zurückbezogen werden: Man darf Gott nicht dafür in Anspruch nehmen, wenn es um Verpflichtungen gegenüber dem Staat geht.

Genau mit diesem Problem aber beginnt das Streitgespräch. Zu Jesus kommen Leute, die von Pharisäern und Herodes-Anhängern geschickt worden sind, um ihn "durch ein Wort zu fangen". Sie beginnen mit Komplimenten: Jesus sei "wahrhaftig", nehme "auf niemanden Rücksicht", suche "kein Ansehen von Menschen" und lehre "in Wahrheit den Weg Gottes". Dann stellen sie eine Doppelfrage. Die erste ist grundsätzlich: "Ist es erlaubt, dem Kaiser Steuern zu geben oder nicht?" Die zweite Frage ist konkret, denn nun fragen die Fragesteller für sich selbst: "Sollen wir sie (die Steuer) geben oder nicht?"

Man muß die einleitenden Komplimente und beide Fragen zusammen sehen. Dann wird deutlich: Man möchte auf eine "politische" Streitfrage eine "theologische" Antwort. Präzise müssen die Fragen also so verstanden werden: "Erlaubt *Gott* es, dem Kaiser Steuern zu zahlen?", und: "Tun wir *Gottes* Willen, wenn wir Steuern zahlen?"

Man muß auf den Hintergrund achten, vor dem diese Fragen gestellt werden, vor dem sie überhaupt erst möglich sind und auch Sinn geben: die Vorstellung von einer Theokratie. Gottes Gesetz ist zugleich Staatsgesetz. Das ist relativ unproblematisch, wenn "geistliche" und "weltliche" Obrigkeit entweder identisch sind oder so eng zusammenarbeiten, daß "theologische" Entscheidungen (etwa der Schriftgelehrten) auch die "Exekutive" binden und von dieser auch als bindend angesehen werden. Problematisch wird das aber, wenn diese Obrigkeiten (modern formuliert: Staat und Kirche) getrennt sind. Das war zur Zeit Jesu (wenigstens zum Teil) durch die Herrschaft der römischen Besatzungsmacht der Fall. Jetzt stellte sich die Frage: Kann man das theokratische Ideal dennoch verwirklichen? Man wollte das zwar gern. Die Durchführung konnte und mußte zu mannigfachen Konflikten mit den Römern führen.

Bezeichnend ist nun, daß Jesus auf die erste (die grundsätzliche) Frage gar nicht eingeht, sondern bei der konkreten Frage einsetzt. Damit liegt wieder das vor, was wir schon mehrfach beobachtet haben: Der Blick wird vom Tun auf die Täter gerichtet. Sie werden aufgefordert, einen Denar aus der Tasche zu ziehen, und dann nach dem Bild auf der Münze und nach der Aufschrift gefragt.

Der Denar trug zur damaligen Zeit das Bild des Kaisers und die Inschrift: "Tiberius, Kaiser, des göttlichen Augustus Sohn, Oberpriester".

Jetzt wird die Hinterhältigkeit der Frage aufgedeckt. Die Fragesteller besitzen einen Denar und geben selbst an, daß sich darauf das Bild des Kaisers befindet. Sie zeigen damit (und müssen es selbst zugeben), daß sie sich bereits auf den Kaiser und sein Geld eingelassen haben. Daß es sich für sie um ein erst noch zu lösendes theologisches Problem handelt, ist eine unwahrhaftige Behauptung, denn sie haben es für sich bereits gelöst.

Der Theologie der Fragesteller (in einer Theokratie) gemäß hätte die Antwort eigentlich lauten müssen: Steuern dürfen nicht bezahlt werden, schon gar nicht mit dieser Münze, denn die durfte nicht einmal in die Hand genommen werden. Doch wer eine solche Antwort öffentlich gibt, muß damit rechnen, bei den Römern denunziert zu werden. Aufgedeckt wird nun jedoch die "Theologie" der Fragesteller: Sie halten sich nicht an den Gott, von dem sie vorgeben, daß er ihr Gott sei.

Für die Fragesteller handelt es sich also in Wahrheit gar nicht um eine theologische Frage. Das würden sie zwar theoretisch nicht zugeben, faktisch aber müssen sie es. Ihre angebliche Theologie (als Rede von Gott) erweist sich als Rede über Gott. Diesen Gott, über den sie reden, haben sie bereits aus dem Problem herausgenommen.

Genau daran knüpft die Antwort Jesu an. Die Fragesteller leben ohne Gott, also im alten Äon. Dann aber ist es auch nur recht und billig, daß sie sich auch an die Regeln dieses Äons halten. Wer vom Kaiser (vom Staat) Vorteile hat (und das Münzwesen ist *ein* Vorteil), der soll sich dem Kaiser (dem Staat) gegenüber dann auch anständig verhalten.

Man muß beachten: Die Fragesteller werden nicht etwa getadelt, weil sie einen Denar besitzen. Sie werden auch nicht getadelt, weil sie gerade diesen höchst anstößigen Denar besitzen. Umgekehrt wird ihnen auch nicht konzediert, Denare zu besitzen. Ihnen wird also nicht gesagt, daß sie sich in diesem alten Äon bewegen dürfen. Vielmehr wird einfach konstatiert: *So* geht es in dieser Welt zu. In *dieser* Welt! Mit Gott hat das (wie die Fragesteller zwar vorgeben, was sie durch den Besitz des Denars aber selbst widerlegen) gar nichts zu tun.

Wenn die Antwort Jesu dann lautet, dem Kaiser zu geben, was ihm zusteht, heißt das nicht, daß damit der Wille Gottes geschieht. Gott hat nicht befohlen,

114

dem Kaiser Steuern zu zahlen. Das haben vielmehr Menschen untereinander abgemacht; und das darf jetzt nicht plötzlich theologisch überhöht werden.

Doch auch wenn sich die Fragesteller durch den Gebrauch des Denars einer von Menschen geschaffenen Ordnung angeschlossen haben, werden sie deswegen nicht aus der Frage nach Gott entlassen. In der Welt zu leben (*wirklich* in dieser Welt zu leben) muß doch nicht heißen, dieser Welt zu verfallen. Die Gefahr besteht aber; und sie ist dort besonders groß, wo es sich in dieser Welt mit praktikablen Regeln ordentlich leben läßt. Das geschieht dann in Gott-Vergessenheit. Der Mensch merkt nicht mehr, daß Gott mit seiner Herrschaft kommen will. Darum der die eigentliche Argumentation überschießende Satz: Gebt Gott, was Gottes ist.

Dieser Satz begrenzt also nicht etwa den ersten Satz. Im alten Äon behält der erste Satz seine Gültigkeit; und er behält sie, solange der alte Äon dauert. Dem Menschen aber, der nicht nur im alten Äon lebt (das tun alle Menschen), sondern dem, der darum weiß, daß er im *alten* Äon lebt, wird gesagt: "Gib Gott, was Gottes ist!" Genau das tut er, wenn er im alten Äon damit rechnet und darauf wartet, daß durch ihn immer wieder Gottesherrschaft einbrechen will.

Eine Lehre über das Verhältnis der Christen zum Staat (wenn es denn überhaupt eine solche gibt) kann man nicht unter Berufung auf dieses Streitgespräch entwerfen. Schon der Hintergrund ist heute ein ganz anderer: Der Staat ist keine Theokratie (und schon gar nicht eine durch eine Besatzungsmacht gefährdete Theokratie). Möglicherweise aber könnte das Streitgespräch in sozusagen umgekehrter Richtung vor einer Gefahr warnen: Es gilt, der (gar nicht so selten aufkommenden) Versuchung zu widerstehen, theokratisch zu argumentieren. Das geschieht, wenn Christen dem Staat (der nach seinem eigenen Verständnis ein weltlicher Staat sein will) Vorschriften machen, die sie als Gottes Willen bezeichnen, und nun verlangen, der Staat *müsse* sie und dürfe *nur* sie in für *alle* Staatsbürger verbindliche Gesetze bringen. Wenn man das unter "politischer Theologie" versteht, steht man genau neben denen, die Jesus die Frage nach der Steuer gestellt haben. Eine solche "politische Theologie" ist nur in einer Theokratie möglich. Will man die? Mit diesem Streitgespräch kann gegen sie argumentiert werden.

Nun wird, wie gesagt, in der Antwort Jesu nicht entfaltet, wie das konkret aussieht: Gott zu geben, was Gottes ist. Der zweite Satz will nur die Frage nach Gott offenhalten und sagt damit nichts anderes, als was mit der zweiten Bitte des Vaterunsers erbeten wird: Dein Reich komme. Das bitten Menschen, die in dieser alten Welt leben, weil sie wissen, daß sie in dieser *alten* Welt leben. Das bitten also Menschen, die Sünder sind. Sünder können als Sünder gar nicht den Willen Gottes tun, weil sie immer Eigenes tun. Selbst das Beste, was *sie* zu tun in der Lage sind, ist immer das Tun eines Sünders. Darum können sich *Sünder* immer nur darum bemühen, das Miteinander so gut wie möglich zu gestalten.

Daß sie (als Sünder) damit durchaus Erfolg haben können, wird in mehreren Einzeltraditionen konstatiert. Einige Beispiele: Sünder lieben die, von denen sie geliebt werden. Sünder tun denen Gutes, von denen sie Gutes empfangen. Sünder leihen anderen Sündern, damit sie das gleiche zurückerhalten (Lk. 6,32-34; vgl. Mt. 5,46-47). Ihren Kindern gute Gaben geben können auch die, die böse (= die Sünder) sind (Lk. 11,13; Mt. 7,11). - Man verzeichnet den alten Äon, wenn man unterstellt, daß die Menschen, die in ihm leben, immer nur Unrechtes tun.

Wenn Sünder aber *glauben,* daß sie Sünder sind, dann bitten sie: Dein Reich komme.

Was sie damit erbitten, erklärt Luther so: Gottes Reich kommt wohl ohne unser Gebet von sich selbst; aber wir bitten in diesem Gebet, daß es auch *zu uns* komme.

Wo dann aber das Reich Gottes als Herrschaft Gottes beim Sünder einbricht, da wird der Sünder "Sohn Gottes" und gibt Gott, was Gottes ist. Da das aber niemals in der Macht des Menschen steht, kann im voraus nicht festgelegt werden, was der Mensch konkret tun muß, um eschatologisches Existieren zu ereignen. - Wohl aber kommen in mehreren Traditionsstücken (wenn auch unterschiedlich) Eigentümlichkeiten des eschatologischen Existierens zum Ausdruck.

(g) Lukas 16,1-8. Im Gleichnis vom ungerechten Haushalter *(Lk. 16,1-8)* wird von einem Verwalter erzählt, der seinen Arbeitgeber, einen reichen Mann, betrogen hat. Dieser kündigt nun eine Kontrolle der Bücher an. Bevor die stattfindet, fälscht der Verwalter Schuldscheine zugunsten der Schuldner seines Herrn, damit diese ihn aufnehmen, wenn er aus dem Amt gejagt wird. Die Erzählung gipfelt in dem Wort: "Der Herr (gemeint ist hier: Jesus) lobte den ungerechten Haushalter, weil er klug gehandelt habe; denn die Söhne dieses Äons sind in ihrem Geschlecht (= unter ihresgleichen) klüger als die Söhne des Lichtes."
    Man muß genau auf den Vergleichspunkt achten. Selbstverständlich wird der ungerechte Haushalter nicht gelobt, weil er seinen bisherigen Betrügereien eine weitere hinzugefügt hat. Gelobt wird er vielmehr, weil er in einer für ihn schwierigen Situation schnell und entschlossen das Richtige tat. Was er tat, tat er unter seinen Voraussetzungen, eben als "Sohn dieses Äons". Das wirft nun die Frage auf: Tun die "Söhne des Lichtes" in einer schwierigen Situation ebenso schnell und entschlossen das unter ihren Voraussetzungen Richtige? Oder handeln sie dann als Söhne des alten Äons und weichen auf Mittel des alten Äons aus? Diese Inkonsequenz ist bei Söhnen des Lichts häufiger anzutreffen als bei Söhnen dieses Äons.
    Ein Kennzeichen eschatologischen Existierens ist also: sich im konkreten Augenblick schnell und entschlossen auf den seine Gemeinschaft schenkenden Gott einzulassen. Auf das Jetzt kommt es an, und darauf, das Jetzt als das Jetzt Gottes zu erkennen und sich "klug" zu verhalten. Denn wenn dieser Augenblick

da ist, ist es nicht klug, mit dem alten Äon zu paktieren. Widerstehen die Söhne des Lichtes dieser Versuchung?

(h) Markus 12,41-44. Es geht in diesem Augenblick wirklich um alles oder nichts. Veranschaulicht wird das etwa durch die Geschichte vom "Scherflein der Witwe" *(Mk. 12,41-44).* In den Opferstock im Tempelhof legen viele Reiche viel Geld ein, die Witwe dagegen nur zwei Münzen von geringem Wert. Das Jesus-Wort interpretiert den Vorgang mit einem Vergleich: Die Witwe hat mehr gegeben, als alle anderen gegeben haben; denn die anderen gaben von ihrem Überfluß, die Witwe dagegen alles, was sie hatte.

Das könnte zunächst einmal wieder so aussehen: Die Witwe war ein Vorbild im Opfern. Wer ihr nacheifert, wird zwar nicht das erreichen, was sie erreicht hat; aber mindestens ein Annähern ist bei entsprechender Anstrengung möglich. Damit ist die Geschichte aber mißverstanden, denn es geht nicht um "etwas mehr", sondern um "alles". - Man darf nun aber auch nicht die Geschichte sozusagen weiterdenken und fragen, wer anschließend für die völlig mittellose Witwe gesorgt hat. Dann käme, wenn auch versteckt, so etwas wie eine Rückversicherung heraus.

Das Mehr, das die Witwe gegeben hat, darf nicht quantitativ verrechnet werden, sondern damit wird die Qualität ihres Tuns bezeichnet. Das wird sofort unterstrichen: Sie gab ihren "ganzen bios". Das griechische Wort hat die Doppelbedeutung: Leben und Lebensunterhalt. Die Rede ist also von totaler Hingabe. Und ebendarauf kommt es beim eschatologischen Existieren an: Wer sich darauf einläßt, gibt sich selbst ganz auf. Es geht nicht um etwas, was der Mensch hat (und selbst dann nicht, wenn dieses Etwas alles wäre, was der Mensch hat), sondern es geht um nicht weniger als um den Menschen selbst.

Insofern liegt hier durchaus eine (wenn auch indirekte) christologische Aussage vor. Jesus wird hier als einer dargestellt, der zwar auf die Witwe zeigt. Der, der das erzählt, zeigt damit aber auf Jesus. Er ist als einer erfahren worden, der sich selbst immer wieder ganz hingegeben hat.

(i) Markus 11,27-33. Ganz hingeben kann sich nur einer, der sich selbst engagiert. Nur so ist Nachfolge möglich. Ein Beispiel dafür ist das Traditionsstück von der Frage nach der Vollmacht Jesu *(Mk. 11,27-33).* Hohepriester, Schriftgelehrte und Älteste (also Repräsentanten des zeitgenössischen Judentums) fragen Jesus nach seiner Vollmacht und danach, wer sie ihm gegeben habe. Sie erwarten (ähnlich wie der Täufer im Gefängnis; vgl. oben S. 80) eine unmittelbare Antwort. Ist die gegeben, kann man sie betrachten und sich dann (so oder so) entscheiden. Nun wird ihnen aber zunächst eine Gegenfrage gestellt: "Ist die Taufe des Johannes vom Himmel oder ist sie von Menschen?" Diese Alternativ-Frage ist peinlich, weil jede der beiden Antworten Konsequenzen hat, und zwar für die Befragten selbst. Sagen sie "vom Himmel", müssen sie ihr eigenes

Versagen eingestehen, weil sie nicht auf Johannes gehört haben. Sagen sie "von Menschen", müssen sie das Volk fürchten, das Johannes für einen Propheten hält. So ziehen sie sich aus der Affäre, indem sie antworten: "Wir wissen es nicht." - Jesu Reaktion ist überraschend, denn er schlägt nun sozusagen die Tür zu und bricht das Gespräch ab: "Dann sage ich euch auch nicht, in welcher Vollmacht ich handle."

Die Hohenpriester, Schriftgelehrten und Ältesten erfahren also nicht, aus welcher Vollmacht Jesus handelt und von wem er diese Vollmacht hat. Das Gespräch hat sie entlarvt als solche, die sich selbst nicht festlegen und engagieren wollen. Sie möchten auf Abstand bleiben. Wer das aber will, kann gar nicht erfahren, aus welcher Vollmacht Jesus handelt, weil das immer nur beim Einlassen auf Jesus erfahren werden kann. Wer statt dessen zunächst von Jesus eine Legitimation verlangt, um diese überprüfen zu können, ist nicht bereit, sich selbst festzulegen und sich als solcher ohne Rücksicht auf Konsequenzen zu engagieren. Der aber bekommt es nie mit Gottesherrschaft zu tun. Denn daß eschatologisches Existieren *eschatolgogisches* Existieren ist, kann nur der erfahren, der das Wagnis eschatologischen Existierens eingeht.

(k) Zusammenfassung. Die wenigen Beispiele haben diese Gemeinsamkeit gezeigt: Exegesiert man die Einzeltraditionen "dogmatisch gesteuert" (vgl. oben S. 90), also christologisch, nämlich von dem *einen* Jesus-Bild aus, und das heißt für die Ethik: vom eschatologischen Existieren aus, stößt man immer auf dasselbe Muster. Die an sich naheliegende Frage nach dem Tun wird zurückgestellt, stattdessen der Täter in den Blick genommen. Es geht nicht zuerst darum, *was* getan werden soll, sondern zuerst geht es darum, *wer* tut.

Ist es ein Nächster? Ist es einer, der das Kommen der Gottesherrschaft bei sich erwartet? Ist es einer, der sich von Gott hat verändern lassen? Ist es einer, der sich die Härtigkeit des Herzens hat nehmen lassen? Ist es einer, der sich jetzt und jetzt ganz zu engagieren bereit ist? Zusammengefaßt: Ist der Täter ein "Christ"?

Nun kann man ja einsehen, daß es zunächst um die Frage nach dem Menschen gehen muß, bevor man das Tun dieses Menschen erörtert. Aber droht nun nicht umgekehrt (jedenfalls nach den bisherigen Ausführungen), durch die Konzentrierung des Interesses auf den Menschen, das Tun aus dem Blick zu geraten? Da es doch wirklich zum Tun kommen soll, läßt sich die Frage nach dem Was wohl zurückstellen, nicht aber unterschlagen. Nur, läßt sie sich beantworten? Und wie läßt sie sich beantworten?

In einigen systematischen Überlegungen soll versucht werden, diesem Problem nachzugehen.

118

Exkurs: Orientierungsmuster für Sünder

Da es immer um den Zusammenhang von Täter und Tun geht, darf man das Tun nicht isoliert betrachten. Das heißt aber: Kein Handeln kann als solches als "christlich" bezeichnet werden, wenn "christlich" eschatologisches Existieren meint. Wäre es anders, könnte jeder beliebige Mensch dieses Tun kopieren oder zum Kopieren aufgefordert werden. Dann aber läge eschatologisches Existieren in der Verfügungsgewalt des Menschen.

Nun kann es zwar geschehen, daß ein Mensch, der ein Handeln beobachtet oder dem ein Handeln widerfährt, in diesem Handeln ein eschatologisches Geschehen sieht. Das ist dann aber eine Aussage seines Glaubens, die er machen kann, weil er selbst um eschatologisches Geschehen weiß. Er sieht dann "Gott am Werke". Das kann auch dann der Fall sein, wenn der Täter dieses Tuns selbst nicht darum weiß. Da es in unserem Zusammenhang aber um Ethik geht, verfolge ich diesen Gesichtspunkt nicht weiter.

Man kann also nicht von einem "christlichen" Handeln reden, nicht von einer "christlichen" Politik, von einer "christlichen" Erziehung usw., sondern immer nur von "Christen", die handeln, die politisch tätig sind, die erziehen usw. Wenn man das einsieht, sollte man sich auch an diesen Sprachgebrauch halten.

Zugleich muß man dann die Schwierigkeiten sehen, die hier vorliegen. Es stellt sich doch zunächst die Frage, ob man nach allem, was bisher ausgeführt wurde, überhaupt davon reden kann, daß jemand "Christ" *ist*. Der Mensch kann doch vielmehr immer nur neu "Christ" werden, da "Christ-Sein" kein Dauerzustand ist. Wenn es dann aber um das Handeln eines "Christen" geht, ist zu klären, *wann* das denn möglich ist. - Die andere Schwierigkeit ergibt sich, wenn man nicht nur auf den blickt, der handelt, sondern (im Zusammenhang mit ihm) auf sein Handeln. Beliebig kann es doch nicht sein. Es muß daher auch wieder die Was-Frage gestellt werden. Bewegen wir uns damit nicht aber im Kreise? Kann man ihn aufbrechen?

Wir versuchen das durch eine Definition: Ein Christ ist ein Sünder, der darauf wartet, "Christ" zu werden.

Selbstverständlich darf man das nicht im pharisäischen Sinne verstehen, der sich in unserem Sprachgebrauch durchgesetzt hat. Sünder ist dann immer eine negative Qualifikation, denn hier wird der als Sünder bezeichnet, der zu haltende Gebote übertreten hat. Wenn dagegen der Mensch als Sünder bezeichnet wird, der in diesem alten Äon in Gottesferne lebt, dann liegt damit ja *auch* ein durchaus positiver Aspekt vor. Denn jetzt kann nur der von sich sagen, er sei ein Sünder, der darum weiß, daß er schon mehrfach Einbrüche von Gottesherrschaft in sein Leben erfahren hat. Er weiß, was beim Einbrechen dieses Gottes Jesu in sein Leben geschehen ist. Er weiß, daß es ihm *dann* gelang, Nächster zu sein; und er weiß, wie sich das konkret verwirklicht hat in seinem Tun. Er weiß, daß dann die

Härte seines Herzens weggenommen war und wie daraus konkretes Handeln entstand, das er nun (rückblickend!) beschreiben kann. Nur weil er das weiß, kann er überhaupt sagen, er sei ein Sünder. Er konnte den Kairos nicht festhalten. So blieben Kairoi zurück. Sie konnten kein Dauerzustand werden. Seine gegenwärtige Situation muß er also als Mangel verstehen. Aber sie ist eben wieder auch nicht ausschließlich Mangel. Da er in seiner eigenen Vergangenheit Erfahrungen mit dem Einbruch des Gottes Jesu in sein Leben gemacht hat, hat er als Sünder die begründete Hoffnung, daß er auch in Zukunft mit solchen Erfahrungen rechnen kann. Nur als Sünder hat er sie!

Veranschaulicht wird das etwa in dem Traditionsstück von der Verklärung Jesu (Mk. 9,2-8). Die Begleiter Jesu konnten ihm, dem Menschen, nicht ansehen, wer er war. Nun wird einmal vor ihren Augen der Vorhang weggezogen: Sie sehen den Verklärten, also den, durch den Gott zu ihnen kommt. Petrus möchte diesen Augenblick festhalten und Hütten bauen. Der Erzähler notiert: "Petrus wußte nicht, was er antwortete." Er erwartete etwas Unmögliches. Ein solcher Kairos kann in diesem alten Äon nicht bleiben. So wird der Vorhang wieder zugezogen; doch aus dem Himmel kommt die Stimme, die zu neuem Hören einlädt.

Wenn der "frühere Christ" nun also wieder Sünder ist, muß er dennoch handeln, und dazu werden unentwegt Entscheidungen von ihm verlangt. Nach welchen Maßstäben kann er die fällen?

Um die Frage beantworten zu können, führe ich eine Unterscheidung ein, die etwas seltsam wirken mag, auch nicht ganz präzise ist, aber hilfreich sein kann. Ich unterscheide zwischen Sünder und Weltkind. Beiden ist gemeinsam: Sie leben in Gottesferne. Der Unterschied ist: Der Sünder leidet unter der Gottesferne; das Weltkind hat die Gottesferne irgendwie akzeptiert. Beides ist ja keineswegs dasselbe. Doch will diese Unterscheidung nicht werten, sondern nur beschreiben.

Unter dem Weltkind soll nicht ein Mensch verstanden werden, dem Gott sozusagen gleichgültig geworden ist. Nur denkt er im Augenblick nicht an ihn. Ein Mensch kann offenbar nicht unentwegt unter Gottesferne leiden; und darum denkt er auch nicht bei allem, was er tut, daß er es in Gottesferne tut. So ist dann auch nicht alles, was er dann tut, ein "unmoralisches" Handeln. Weltkinder wissen, daß es sinnvoll und zum Miteinander in dieser Welt unumgänglich ist, sich an bestimmte Regeln zu halten, auch an das, was unter ihnen Sitte ist und der Ordnung entspricht. Es handelt sich hier um einen Lebensbereich, der sich in einer oft langen Tradition herausgebildet hat, in dem wir uns vorfinden und in dem wir uns meistens selbstverständlich bewegen. Darum ist es falsch, Entscheidungen in *diesem* Bereich unmittelbar auf Gott beziehen zu wollen. Wenn man das tut, entsteht sofort die Gefahr, ein moralisches Handeln mit dem Tun des Willens Gottes zu identifizieren. Moralisches Handeln ist fast immer ein Handeln nach menschlichen Übereinkünften. Die können sich im Laufe der Zeit ändern, sehr häufig schon von einer Generation zur anderen.

Doch nun kommt von Zeit zu Zeit Gott in den Blick; und dann (erst dann!) entdeckt das Weltkind: Ich bin ein Sünder. Dieser Satz ist immer ein Bekenntnis, das ein Mensch in einem konkreten Augenblick ablegt.

Dieses Bekenntnis ist darum etwas völlig anderes als die gelegentlich formulierte Feststellung: Wir sind alle Sünder. Meist wird der Satz "pharisäisch" verstanden: wir alle übertreten immer wieder die Gebote. Und dann kann er gelegentlich sogar als Ausrede für offenkundiges Versagen benutzt werden: Menschen sind nun einmal nicht vollkommen.

Wenn aber ein Mensch in einem konkreten Augenblick bekennt: Ich bin ein Sünder, dann ist das das Ergebnis eines Vergleiches. Er hat seine jetzige Situation mit der verglichen, in der er war, als er sich auf Gottesherrschaft eingelassen hatte und Jesu Gott in sein Leben gekommen war. Aufgrund der Erfahrungen, die er damals gemacht hat, weiß er zwar, daß dieser immer bereit ist, zu ihm zu kommen. Aber - er kommt nicht; und sein Kommen läßt sich nicht erzwingen.

Darum leidet der Sünder unter der Gottesferne. Man muß das genau formulieren: Er sagt nicht nur, daß er darunter leidet; er leidet wirklich darunter. Er schreit nach Gott.

Das Weltkind, das bekennt: "Ich bin ein Sünder", ist Christ geworden. Es konnte Christ werden, weil es darauf zurückblickt, früher schon mehrfach "Christ" geworden zu sein. Und nun wartet der Christ (der Sünder!) darauf, wieder "Christ" zu werden. Genau das kann er jedoch nicht erzwingen.

Und er muß dennoch handeln. Was aber soll er jetzt tun? Da Jesu Gott ihm nicht zur Verfügung steht, braucht er Orientierungsmuster.

Damit ist nicht das gemeint, was oft in der Frage begegnet: Was soll (oder muß) ein Christ tun? Diese Frage setzt im allgemeinen voraus, daß die Bezeichnung Christ eindeutig ist. Da das jedoch ohne Zweifel ein Irrtum ist, kommt es zu unterschiedlichen Antworten. Sie sind aber nicht deswegen unterschiedlich, weil man sich über das konkrete Tun nicht einigen kann, sondern weil man den Täter nicht genau genug in den Blick genommen hat. Es gilt zu sehen: Ein Christ, der sich zum Tun anschickt, ist ein Sünder, der darauf wartet, "Christ" zu werden.

Es ist also der Sünder, der Orientierungsmuster sucht. Wo kann er sie finden?

Die erste (vorläufige) Antwort lautet: in seiner eigenen Vergangenheit. Denn der Sünder erinnert sich nun an Erfahrungen, die er gemacht hat, als er sich auf Jesu Gott einließ. Diese Erfahrungen wurden bei konkretem Tun gemacht; und dieses Tun kann der Sünder nun beschreiben und darstellen.

Die eigenen Erfahrungen sind jedoch immer begrenzt; jüngere Menschen haben weniger als ältere. Doch ist jetzt auch eine gegenseitige Hilfe möglich, etwa durch das, was man Seelsorge nennt. Bei Seelsorge unter Christen geht es um Mitteilungen von Erfahrungen mit Gott. Der Seelsorger kann solche Erfahrungen bei dem aufdecken, an dem er Seelsorge übt. Er kann aber auch andere Erfahrungen mitteilen. Das müssen nicht immer seine eigenen sein. Es kann zwar hilfreich sein, wenn er eigene verwendet. Aber der Seelsorger ist nun eben auch Vermittler von fremden Erfahrungen. Da kann es sich um Erfahrungen handeln, die Menschen seiner eigenen Zeit beim Einlassen auf Gott gemacht haben, aber auch um solche, die frühere Menschen gemacht haben - bis hin zu den Menschen, die die alten Jesus-Bilder gestaltet haben.

Denn in den Jesus-Bildern, in denen von einem konkreten Tun erzählt wird, drücken sich die Erfahrungen aus, die früher schon Menschen gemacht haben, wenn sich bei ihnen Einbruch von Gottesherrschaft ereignete. Und dann taucht für den Sünder eben die Frage auf, ob er es einmal versuchen soll, sich im Rahmen dieser Jesus-Bilder zu bewegen und sie als Orientierungsmuster zu benutzen.

Dabei ist genau darauf zu achten: Es handelt sich um Orientierungs*muster,* nicht um mehr. Das hat einen doppelten Grund.

Zunächst ist zu bedenken, daß wir es durchweg nur mit der letzten Stufe eines zusammenhängenden Gefüges zu tun haben, das vollständig so aussieht: Angebotene Gottesherrschaft bricht in der Umkehr eines Menschen ein und verwirklicht sich in einem sichtbaren Tun. Vor Augen ist nur die konkret sichtbare Gestalt des Tuns. Die darf man aber nicht isolieren und kopieren wollen.

Orientiert man sich nämlich an dem, was in diesen Jesus-Bildern an konkretem Tun unmittelbar ablesbar ist, wird daraus ein Gesetz. Das bezeichnet man dann als Willen Gottes und die Befolgung dieses Willens als christliches Handeln. Geht man so vor, verändert sich unter der Hand das Gottes-Bild, und aus Unmittelbarkeit wird wieder Mittelbarkeit.

Der von Gott bestimmte Mensch handelt unmittelbar. Wer jetzt aber so handelt, wie ein von Gott bestimmter Mensch im konkreten Fall gehandelt hat, der handelt nicht mehr *Gott*-unmittelbar, sondern der orientiert sich an einem einmal geschehenen *Tun.*

Dieses Tun liegt nun in schriftlicher Formulierung vor. Wir haben es also mit Texten zu tun. Orientierung an einem Text darf aber nicht mit Orientierung an Gott gleichgesetzt werden. Dieser Kurzschluß ist jedoch weit verbreitet. Man überspielt ihn dadurch, daß man das Neue Testament als Gottes Wort bezeichnet. Damit hängt es zusammen, daß man ein Handeln, das sich am Neuen Testament (oder an der Bibel) orientiert, ein christliches Handeln nennt. In Wahrheit ist jetzt aber ein Text an die Stelle Gottes getreten, - wie es im Judentum zur Zeit Jesu der Fall war, wenn man von der Gegenwart Gottes im Gesetz sprach.

Da es beim eschatologischen Existieren aber um Unmittelbarkeit geht, darf man das Handeln, das in den Jesus-Bildern ablesbar ist, nicht als Anweisungen verstehen, sondern immer nur als Orientierungsmuster. Als solche sind sie hilfreich. Aber sie dürfen nicht überfordert werden.

Das hat noch einen zweiten Grund. Wenn sich der Sünder im Rahmen dieser Muster für ein konkretes Handeln entscheidet, heißt das nicht, daß dadurch Einbruch von Gottesherrschaft geschieht. Würde er das behaupten, wäre das der Versuch, über Gott verfügen zu wollen. Es kann daher durch kein Tun Einbruch von Gottesherrschaft erzwungen werden, auch nicht durch ein Tun, das sich im Rahmen der Orientierungsmuster bewegt. Diese sind zwar Hilfen; aber es ist ein Sünder, der sich dieser Hilfen bedient.

Wo das bedacht wird, wird man leichter mit zwei Problemen fertig, die gerade heute so schwer zu bewältigen sind.

Das erste Problem ist die fehlende Eindeutigkeit bei ethischen Entscheidungen. Wer sich bei seinen Überlegungen über sein konkretes Tun im Rahmen der Orientierungsmuster bewegt, muß sich zwar unter mehreren Möglichkeiten entscheiden. Doch einem anderen geht es nicht anders. Darum kann es nicht nur, es wird auch immer wieder geschehen, daß die Entscheidungen unterschiedlich ausfallen. Beide werden nun miteinander reden (und hoffentlich reden sie wirklich miteinander).

Jetzt kommt aber alles darauf an, daß sie sich darüber klar sind, als wer sie miteinander reden. Doch: als Sünder. Als Sünder leiden beide darunter, daß sie von sich aus nicht mit Gott leben können, obwohl sie es möchten. Sie verfügen nicht über ihn. Darum wissen sie, warum eindeutige Entscheidungen nicht möglich sind. Jeder orientiert sich zwar nach besten Kräften innerhalb der vorgegebenen Orientierungsmuster. Beide werden sich aber bei unterschiedlichen Entscheidungen nicht gegenseitig aufgeben. Sie wissen, daß sie Sünder sind.

Würden sie davon ausgehen, daß sie Christen *sind,* droht sofort die Gefahr, daß die Gemeinschaft zerbricht. Denn wenn sich jetzt ein anderer anders entscheidet, stellt sich die Frage, ob er noch als Christ bezeichnet werden darf. Die Behauptung, Christ zu *sein,* erweist sich oft als gemeinschaftszerstörend. (Man denke auch an die Konfessionen.) Sünder dagegen können in der Gemeinschaft bleiben, aber eben in der Gemeinschaft der Sünder.

Darum kann man wohl auch die Frage stellen, ob die Auseinandersetzungen in unserer Kirche (nicht zuletzt bei politischen Entscheidungen) nicht darum oft so unerfreulich und peinlich verlaufen, weil man nahezu immer nur die unterschiedlichen Meinungen über das diskutiert, was getan werden soll (und was man dann als Gottes Willen ausgibt). Daß aber *jede* Entscheidung eine Entscheidung von Sündern ist, wird nicht bedacht.

Die Einsicht in die fehlende Eindeutigkeit bei ethischen Entscheidungen wird Sünder nicht auseinanderbringen. Sie müssen immer mit der Möglichkeit rechnen, daß auch die Entscheidung des jeweils anderen richtig sein könnte. Und dennoch muß jeder seine Entscheidung selbst fällen und verantworten.

Damit kommt das zweite Problem in den Blick, nämlich die Pflichtenkollision. Es taucht insbesondere dann auf, wenn man nicht nur reflektiert, was (im

Rahmen der Orientierungsmuster) getan werden sollte, sondern auch die Folgen bedenkt, die aus diesem Tun erwachsen.

Ausgeklammert werden sollen hier noch die Folgen für den Täter selbst. Darauf wird im nächsten Abschnitt einzugehen sein.

Im allgemeinen bieten die Orientierungsmuster verschiedene Möglichkeiten für konkretes Handeln an. Bei der Auswahl geht der Blick nicht nur in die Vergangenheit, in der die Orientierungsmuster entstanden sind, sondern auch in die Zukunft. So entsteht zwangsläufig die Frage: Welche Folgen bringt die konkrete Entscheidung mit sich? Die Antwort auf diese Frage bestimmt aber auch schon die Entscheidung. Daher kann und muß man verschiedene Erwägungen anstellen. Sind die aber richtig? Wer kann zukünftige Folgen mit der nötigen Sicherheit voraussehen?

Ein sehr einfaches Beispiel: die Wahrheit am Krankenbett. Meist lautet die Frage: Soll man einem Kranken die Wahrheit sagen? Doch in dieser allgemeinen Form (die Frage bezieht sich wieder nur auf das Tun selbst) landet man beim Versuch einer Antwort sehr schnell in Kasuistik. Vor dieser so allgemein formulierten Frage steht ja auch niemand, denn es geht immer um konkrete Menschen, die diesem Problem konfrontiert werden. Die Frage lautet eher so: Soll ich meinem kranken Vater die Wahrheit über seinen Zustand sagen, und zwar jetzt, in diesem Augenblick?

Suche ich nun nach einem Orientierungsmuster, finde ich sehr schnell (mindestens) zwei Möglichkeiten. 1. Da im Reiche Gottes das Ja ein Ja und das Nein ein Nein ist (vgl. Mt. 5,37), kann ich damit rechnen, daß sich Gottesherrschaft (vielleicht) am ehesten ereignen wird, wenn ich in diesem konkreten Fall das Ja ein Ja und das Nein ein Nein sein lasse. Tue ich dann nicht Gottes Willen? 2. Da im Reiche Gottes der Größte der ist, der aller Diener ist (vgl. Mk. 10,43), kann ich damit rechnen, daß sich Gottesherrschaft (vielleicht) am ehesten ereignen wird, wenn ich nun das tue, was meinem kranken Vater dient. Tue ich dann nicht Gottes Willen?

Doch damit sind wir schon mitten im Problem. Diene ich meinem kranken Vater wirklich, wenn ich ihm die Wahrheit sage? Oder diene ich ihm gerade, wenn ich aus dem Ja ein Nein und aus dem Nein ein Ja mache? Dann handle ich aber eindeutig gegen das erste Orientierungsmuster. Entspricht das also doch nicht Gottes Willen, oder nicht immer? Wann aber dann? Entscheiden muß ich mich.

Gilt meine Entscheidung nun aber auch für andere, für Ärzte etwa oder Schwestern? Auch hier muß im konkreten Fall jeder für sich entscheiden.

Es ist also völlig unmöglich, eine bestimmte Entscheidung als Gottes Willen zu bezeichnen. Gottes Wille läßt sich nun einmal nicht konkret festlegen. Nun neigen aber gerade Menschen, die sich als Christen verstehen, dazu, ebendies von ihrer Entscheidung zu behaupten. Sünder dagegen sehen ein, daß sie in diesem alten Äon nicht in der Lage sind, den Willen Gottes eindeutig und konkret zu formulieren. Wie sie sich auch entscheiden, sie entscheiden sich immer als

Sünder. Darum ist alles, was sie tun, ein Tun in Sünde, für deren Folgen sie die Verantwortung übernehmen müssen. Eine aussichtslose Situation?

Für den Sünder nicht! Denn der Sünder kann auf Erfahrungen zurückblicken, die er beim Einlassen auf Jesu Gott gemacht hat; und er blickt auf Erfahrungen, die andere beim Einlassen auf Jesu Gott gemacht haben: Wunderbarerweise ereignete sich Gottesherrschaft. Darum hat der Sünder aus seiner eigenen Vergangenheit und aus den Erfahrungen anderer Orientierungsmuster zur Verfügung. Die können ihm bei der konkreten Entscheidung helfen. Das Finden dieser Entscheidung wird ihm um so leichter gelingen, je mehr er sich in seinem Leben im Rahmen der Orientierungsmuster bewegt hat.

Der Sünder weiß zwar, daß er die Entscheidung, die er mit Hilfe der Orientierungsmuster findet, nicht unmittelbar als Willen Gottes verstehen darf. Darum sind die Orientierungsmuster keine Imperative, die in Gottes Namen zu befolgen sind. Sie sind vielmehr Einladungen. Da sich in diesen konkreten Gestalten früher Gottesherrschaft ereignet hat, kann der Sünder hoffen, daß genau das wieder geschieht.

Das hebt das Wagnis der Entscheidung nicht auf. Das Wagnis ist für den Sünder aber ein Wagnis auf Vertrauen. Der Sünder vertraut auch dann dem Gott Jesu, wenn er das Risiko einer falschen Entscheidung eingeht. Da er sich aber die Entscheidung nicht leichtgemacht hat, kann er hoffen, daß wieder das Wunder geschieht: Beim Tun erfährt er, daß er als "Christ" gehandelt hat.

2. Konsequenzen aus eschatologischem Existieren

Wer handelt, verfolgt ein Ziel. Mit dem, was er konkret tut, möchte er das Ziel erreichen. Erst und nur wenn er das Ziel erreicht, kann (und wird) er von Erfolg reden. Das angestrebte Ziel liegt im allgemeinen in der Zukunft. Ist es zu erreichen?

Wer sein Tun an "Orientierungsmustern für Sünder" ausrichtet, kann unter Umständen mit Erfolg rechnen. Er hat ja immer einen Spielraum innerhalb verschiedener Entscheidungsmöglichkeiten, unter denen er auswählt. Bei der Wahl hat er dann das (Fern-)Ziel im Blick und wählt die Möglichkeit, die am ehesten Erfolg verspricht. - Doch gilt das auch für eschatologisches Existieren?

Die Frage kann nur im Zusammenhang mit der Christologie beantwortet werden; und man kann sie zunächst ganz einfach formulieren: Hat Jesus mit seinem Wirken Erfolg gehabt?

Schon bei der Antwort auf diese Frage fällt man eine christologische Entscheidung. Man erkennt das sofort, wenn man die Problematik mancher gegenwärtiger Reflexionen über christliche Ethik durchschaut. Wenn Jesus zum Beispiel als einer verstanden wird, dem es um Durchsetzung von irdischer Gerechtigkeit ging oder um den Frieden auf Erden, muß man urteilen: Er hat sein Ziel nicht erreicht. Sein Wirken war damals erfolglos und ist es bis heute geblieben. Die Konsequenz wäre dann (wenn man dem Ziel zustimmt): Christen müssen sich bemühen, heute endlich das zu Ende zu bringen, was Jesus schon gewollt, aber leider nicht geschafft hat. Übernehmen sie sich dabei aber nicht? Und wieso bezeichnet man das als eine für Christen spezifische Aufgabe? Alle gutwilligen Menschen streben doch dieses Ziel an.

Daß man sich bei dem Entwurf einer solchen Ethik auf einzelne Jesus-Bilder aus dem synoptischen Traditionsgut berufen kann, ist nicht zu bezweifeln. Das hat sich aber bei den bisherigen Überlegungen als problematisch herausgestellt. Orientieren muß man sich statt dessen an den Summarien bzw. am Gesamtbild: Jesu Weg endete am Kreuz. Im Blick auf das, was sichtbar vor Augen ist, heißt das: Jesus hat keinen Erfolg gehabt. Er ist vielmehr gescheitert.

(a) Das Kreuz Jesu als ethisches Problem. Bezieht man das Kreuz Jesu in die christologischen und damit in die ethischen Überlegungen ein, muß man auf zwei einander entgegenlaufende Richtungen achten, die man nicht ineinandermengen darf. Das geschieht sehr leicht, wenn man pauschal von Kreuzestheologie redet. Dieser Terminus ist zu vieldeutig und, wenn man ihn pauschal benutzt, gefährlich, weil Mißverständnisse dann nahezu unvermeidlich sind. Ich versuche, das hier vorliegende Problem durch Differenzierungen möglichst durchsichtig zu machen.

(1) Wenn man sagt, daß Jesu Weg ein Weg zum Kreuz war, ist das zwar richtig. Man muß indes bedenken, daß diese Aussage erst im nachhinein gemacht werden konnte, denn während seines irdischen Wirkens war Jesu Weg nach vorn durchaus noch offen. Wie er einmal enden würde, ließ sich im voraus nicht sagen. Theoretisch waren viele Möglichkeiten denkbar. Man muß daher diese beiden Aussagen unterscheiden: Jesus war wirkend unterwegs; und: Jesu Weg endete am Kreuz.

(2) Erst als Jesus gekreuzigt worden war, konnte man zurückblicken und nun sagen: Jesu Weg war ein Weg, der mit seinem Tode am Kreuz endete. Doch auch bei diesem Rückblick muß man unterscheiden. Man konnte auf den *ganzen Weg* Jesu zurückblicken, der dann am Kreuz endete. Das geschieht in den Evangelien. Man konnte aber auch *nur* auf das Kreuz blicken und dann die Frage stellen und zu beantworten versuchen: Wieso konnte gerade dieser Jesus am Kreuz enden? Das geschieht in einigen vorpaulinischen Traditionen, dann auch bei Paulus. Hier spielt der Weg Jesu keine Rolle, sondern nur das Kreuz, das jetzt als "Heilsereignis" ausgesagt wird.

Man kann also beides interpretieren: den Weg Jesu und das Kreuz.

(3) Diese Unterscheidung verteilt sich literarisch auf die beiden Traditionslinien. Die Interpretation des Todes Jesu als "Tod für die vielen" findet sich, wie

126

gesagt, nur in der Traditionslinie, in der Paulus steht, und dort durchgängig. (Was das für die Ethik zu bedeuten hat, wird später im Zusammenhang der Ethik des Paulus erörtert werden.) Im synoptischen Traditionsgut (also in der "galiläischen" Traditionslinie) findet sich dieses Motiv aber niemals, mit Ausnahme von Mk. 10,45; 14,24. Man darf daher unterstellen, daß dieses Motiv hier ursprünglich nicht zu Hause war. Es bildet einen Fremdkörper, der aus der von Paulus vertretenen Traditionslinie an den beiden Stellen eingeschleust worden ist.

(4) Die Schwierigkeiten entstanden, als man in der Folgezeit beide Motive miteinander vermengte. Weil man nach dem Tode Jesu den Tod als Heilstod verstand, trug man diese Interpretation in den Weg Jesu ein. Dadurch verstand man nun Jesus als einen, der seinen Weg bewußt auf das Kreuz ausgerichtet hat, der also das Kreuz wollte, denn sein Wirken hatte das eine Ziel: Durch seinen Sühnetod wollte Jesus die Versöhnung der Menschen mit Gott erreichen.

Mindestens im kirchlichen Bewußtsein ist dieses Jesus-Bild weit verbreitet. In vielen Passionsliedern hat es sich niedergeschlagen; und durch das Singen der Passionslieder (und durch oft ungenaue Formulierungen in Predigten) verstärkt es sich noch. Man bedenkt kaum, welche Konsequenz das hat. Wird dadurch Jesu Wirken vor dem Kreuz nicht eigentlich gleichgültig? Bedeutung kann es doch höchstens noch haben, soweit es das Kreuz als den eigentlichen Höhepunkt vorbereitet.

Diese durch Kombination entstandene dogmatische Konstruktion muß indes wieder entwirrt werden.

Blickt man nur auf das synoptische Traditionsgut, muß man feststellen: Jesus ist als einer verstanden worden, dessen Wirken seinen Sinn in sich selbst hatte, aber keiner späteren Ergänzung oder Vollendung bedurfte. Jesus ist also nicht als einer verstanden worden, der seinen Tod gewollt hat und dessen Wirken erst mit diesem Tode am Kreuz seinen eigentlichen und tiefsten Sinn bekam.

Man kann, blickt man auf die die Einzeltraditionen zusammenfassenden Summarien, durchaus formulieren: Jesus ist als einer verstanden worden, der *durch sein Wirken* Menschen mit Gott versöhnen wollte und der darum wollte, daß diese Menschen nun als mit Gott Versöhnte leben und handeln konnten. Auch schon vor seinem Tode (und ohne einen möglichen Tod zu reflektieren) ist er so verstanden worden.

Erst als man Jesu Wirken als Ganzes vor Augen hatte und im Nacheinander als seinen Weg darstellte, wurde auch das Ende dieses Weges in die Darstellung einbezogen. Jetzt erst wurde in diesem Traditionszweig das Kreuz ein christologisches und ebendamit auch ein ethisches Problem. Man konnte dieses Kreuz ja als einen unvorhergesehenen und darum jähen Abbruch des Wirkens verstehen, als ein Mißgeschick oder wie auch immer. Das geschah jedoch nicht. Sondern vom Kreuz aus verstand man nun das Wirken Jesu, das am Ende zum Kreuz hinführte, umfassender. Man sah, daß hier ein charakteristischer Zug des Wirkens Jesu zum Ausdruck kam, den man ohne das Kreuz nicht, zumindest kaum in dieser Deutlichkeit, gesehen hätte.

Ich bringe das zunächst auf eine kurze Formel: Man entdeckte an diesem Jesus-Bild den Wagnis-Charakter eschatologischen Existierens. Jesus war dieses Wagnis eingegangen; darum war Nachfolge ohne Eingehen auf dieses Wagnis nicht möglich.

(b) Die Nachfolge auf dem Wege zum Kreuz. Wenn Jesus (nach dem Summarium des Markus) als einer verstanden worden ist, der inmitten des alten Äons immer wieder Gottesherrschaft lebte, dann heißt das zugleich, daß er sich damit gegen diesen alten Äon stellte und also den Widerstand des alten Äons gegen sein Wirken und damit gegen sich provozierte. Dieser Widerstand hatte eine unterschiedliche Intensität.

Zu nennen sind hier zunächst die *Streitgespräche.* Daß Jesus am Sabbat heilt, muß natürlich die auf den Plan rufen, die es für Gottes Willen halten, daß am Sabbat unter allen Umständen jede Arbeit zu unterbleiben hat. Daß Jesus die Fastenpraxis lasch oder gar nicht gehalten hat, muß natürlich die Menschen aufregen, die meinen, man müsse doch etwas tun, um die Gemeinschaft mit Gott herzustellen, eben etwa durch Fasten oder aber auch durch peinliche Einhaltung der Reinheitsvorschriften. Daß Jesus die reichen Zöllner, die sich mit der Besatzungsmacht arrangiert haben, und zugleich die Sünder, also das Volk des Landes, das sich nicht genug Mühe gibt, ernsthaft alle Gebote zu halten, an seinen Tisch lädt, ist unerhört. Denn wer es mit Gott ernst meint, tut das nicht. Wer es mit Gott ernst meint, muß doch (wie man es heute formuliert) parteilich sein. Daß Jesus gerade das nicht ist, bringt ihn in Gegensatz zu der landläufigen Meinung.

So wenden sich dann die Hüter der "göttlichen Ordnung" gegen ihn. Man muß aber immer bedenken: Von ihrer Voraussetzung aus haben diese Leute recht. Hier stehen also zwei "Konzeptionen" gegeneinander:

Auf der einen Seite stehen die Vertreter einer Ordnung, die sich im Laufe einer langen Geschichte herausgebildet hat. - Auf der anderen Seite geht es nicht um die Orientierung am Gesetz und an einer durch dieses Gesetz bestimmten Ordnung, sondern es geht um eine unmittelbare Orientierung an Gott.

Diese beiden Konzeptionen prallen nun aufeinander. Im allgemeinen erträgt man die Menschen, die sich auf Gott einlassen und den Einbruch seiner Herrschaft leben. Man nennt sie vielleicht Enthusiasten oder Heißsporne oder religiös besonders Engagierte. Schwierig wird es jedoch, wenn diese Menschen den anderen bestreiten, daß eine Orientierung an christlicher Sitte schon Orientierung an Jesus Christus ist; bzw. für die Zeit Jesu: wenn man denen, die sich auf das Gesetz berufen, bestreitet, es deswegen schon mit Gott zu tun zu haben.

Diese Beispiele sollen eine kurzschlüssige Argumentation verhindern. Wenn man nämlich sagt, Jesus sei als einer verstanden worden, der inmitten des alten

Äons immer wieder Gottesherrschaft lebte und dadurch den Widerstand des alten Äons provoziert hat, dann identifiziert man den alten Äon gar zu leicht mit einer (moralisch) durch und durch verdorbenen Welt. Der alte Äon ist aber nicht einfach die Welt, in der alles drüber und drunter geht, in der es nichts anderes gibt als Mord und Totschlag, Diebstahl und Ehebruch, Lüge und Betrug. Es ist ja nicht zu bestreiten, daß es *auch* das gibt. Dennoch ist es eine Karikatur, den alten Äon so zu beschreiben.

Der alte Äon ist vielmehr eine Welt, in der Menschen durchaus ordentlich leben können und leben; und wenn die Ordnung des alten Äons verletzt wird, ist der alte Äon durchaus selbst in der Lage, Mißstände einzudämmen und die Ordnung wiederherzustellen. Gefährlich wird die Sache erst, wenn ordentliche, anständige Menschen in diesem alten Äon behaupten: Das alles ist ein Leben nach dem Willen Gottes, und wenn andere dagegensetzen: Mit *Gott* hat *das* noch gar nichts zu tun. Jetzt kommt es zum Gegeneinander. Man ist sich nicht einig über Gott. Wer definiert Gott richtig?

Die Auseinandersetzungen beginnen verbal und argumentativ. Ein Beispiel dafür sind die Streitgespräche. Hier wird Jesus als einer gezeichnet, der diesen Streit riskiert. Die Fülle der einzelnen Streitgespräche zeigt: Er hat ihn oft und immer wieder riskiert.

Stellt man nun solche Streitgespräche zusammen, kann man darstellen, daß sich dieser Streit steigert und daß es am Ende nicht beim Streit bleibt. Ein Beispiel dafür ist der (wahrscheinlich schon auf eine vormarkinische Sammlung zurückgehende) Abschnitt Mk. 2,1-3,6. Nach Abschluß der Streitgespräche wird in 3,6 erzählt, daß die Pharisäer hinausgingen und mit den Anhängern des Herodes beratschlagten, wie sie Jesus zugrunde richten könnten. Das Kreuz kommt in den Blick.

Da es beim Streit aber um Theologie geht, entsteht die Frage, wer denn Gott richtig definiert. Die Frage wird christologisch beantwortet: Vom Wirken Jesu in diesen Streitgesprächen aus, das als eschatologisches Wirken verstanden wird, wird Jesus als Menschensohn qualifiziert. Der Menschensohn hat Macht, auf Erden Sünden zu vergeben (Mk. 2,10). Der Menschensohn ist Herr auch (!) über den Sabbat (Mk. 2,28). Es ist also der Menschensohn, den die Hüter des Gesetzes und der Ordnung im Namen *ihres* Gottes beseitigen wollen.

Daß aus eschatologischem Existieren Streit entstehen kann, darf man nicht als Gegenargument gegen dieses Tun benutzen. Wer eschatologisch existiert, riskiert diesen Streit, und er kann ihn riskieren, weil der Menschensohn ihn riskiert hat.

Dieser Gedanke wird dann von Markus weitergeführt in den sogenannten Leidensankündigungen: "Jesus begann, sie zu lehren: Der Menschensohn muß viel leiden und von den Ältesten und Hohenpriestern und den Schriftgelehrten verworfen werden und getötet werden und nach drei Tagen auferstehen" (Mk. 8,31; vgl. 9,31; 10,33f.).

Wenn man hier von Leidensankündigungen redet, ist das zumindest mißverständlich, weil dann leicht der Gedanke aufkommt, hier würde Jesu Tod als Heils-Tod angesagt. Davon ist jedoch nicht die Rede. Es geht vielmehr um die Zeichnung des *Weges* Jesu: leiden, verwerfen durch die Autoritäten, sterben, auferstehen.

Der Weg Jesu wird zweimal interpretiert. Es ist ein Weg, der unter dem "Muß" Gottes gegangen wird. Wer inmitten des alten Äons Gottesherrschaft lebt, stellt sich mit Gott gegen den alten Äon. Er muß es darum riskieren, daß sich der alte Äon gegen ihn erhebt. Zugleich wird die Qualität dieses Weges dadurch interpretiert, daß von ihm aus eine Qualifizierung Jesu erfolgt: Es ist der Menschensohn, der diesen Weg geht. Diese Interpretationen ergänzen sich gegenseitig.

Die Christologie ist aber zugleich auf Ethik hin angelegt. Wer sich, wie Jesus, auf diesen Weg begibt, muß es riskieren, daß er äußerlich sichtbar in der Katastrophe endet. Und trotzdem: Auf diesem Wege ist Gott dabei. Es ist ja der Weg, auf dem Menschensohn-Wirken geschieht, eschatologisches Existieren. Darum handelt es sich gegen den Augenschein dennoch um einen Herrlichkeits-Weg. Der Ausblick auf das Ziel signalisiert das: Auferstehung.

Die Komposition des Markus expliziert den ethischen Aspekt der Christologie. Unmittelbar nach der ersten sogenannten Leidensankündigung erfolgt der Widerspruch des Petrus: Er macht Jesus Vorwürfe (Mk. 8,32). Der Widerspruch ist verständlich, denn er drückt die eigentlich nächstliegende Reaktion aus. Muß der, der den Weg Gottes geht, nicht darauf vertrauen können, daß er dabei Erfolg hat, auch für sich? Doch genau das wird nun als satanische Versuchung entlarvt, denn wer so denkt, denkt nicht wie Gott, sondern er denkt, wie Menschen denken (Mk. 8,33).

Daraus folgt: Wer Jesus auf seinem Wege nachfolgen will, muß sich selbst verleugnen und muß sein Kreuz auf sich nehmen (Mk. 8,34). Denn nur so kann er ihm nachfolgen. Das ist die Konsequenz aus eschatologischem Existieren. Und diese Konsequenz darf man nicht unterschlagen, wenn über christliche Ethik diskutiert wird. Ich fürchte, das geschieht heute viel zu oft. Eine christliche Ethik kann man vielleicht so entfalten, daß Erfolg in Aussicht steht. Für eine "christliche" Ethik gilt das aber nicht.

Darum ist, um nur ein Beispiel zu nennen, eine "christliche" Ethik ungeeignet, in Politik umgesetzt zu werden. Welche Partei könnte es sich leisten, einen politischen Weg zu empfehlen, bei dem nicht verschwiegen wird, daß jeder einzelne, der diesen Weg geht, das Risiko des persönlichen Scheiterns auf sich nimmt?

Der einzige "Erfolg", der einem eschatologisch Existierenden verheißen werden kann, ist der, daß er die Chance hat, die Erfahrung zu machen, zusammen mit

Jesu Gott zu wirken, und zwar beim Existieren selbst. Damit hat er zugleich die Chance, daß andere dies erkennen und dadurch Mut bekommen, selbst das Wagnis eschatologischen Existierens einzugehen.

Diesen Erfolg hat Jesus in der Tat gehabt.

II. Die Ethik des Paulus

1. Vorüberlegungen zur Einordnung

Nach dem unter I Ausgeführten gäbe es gute Gründe, die Ethik des Paulus unter der Überschrift "Entwicklungen und Fehlentwicklungen" (also in Teil B) zu behandeln. Denn begonnen hat christliche Ethik als an Jesus orientierte Ethik. Die paulinische Ethik wäre dann danach zu befragen, ob sie diesen Ansatz durchgehalten hat oder nicht. Norm für die Christlichkeit einer Ethik könnte die Ethik des Paulus nicht sein, jedenfalls nicht unmittelbar, weil der Apostel bereits in christlicher Tradition lebt, aber nicht selbst Repräsentant des Anfangs ist. Wenn die Ethik des Paulus dennoch in Teil A behandelt werden soll, hat das im wesentlichen vier Gründe.

Der erste Grund ist ein literarischer. Die ältesten (erhaltenen!) Dokumente stammen nun einmal aus der Feder des Paulus.

Der zweite Grund liegt darin, daß bei Paulus eine andere Christologie begegnet. Unausweichlich kommt hier das Problem "Ostern" in den Blick, das in den Jesus-Bildern der frühen synoptischen Tradition noch überhaupt keine Rolle spielt, selbst dann nicht, wenn sie nach dem Datum (!) Ostern entstanden sind. Man kann, wie gezeigt wurde, die gesamte aus den Jesus-Bildern erhobene Ethik entfalten, ohne daß das Motiv Ostern herangezogen zu werden braucht.

Betonen muß man freilich: das Motiv! Denn immerhin kann man die Frage stellen, ob die mit dem Motiv gemeinte Sache nicht schon längst da war, sich nur sprachlich ganz anders äußerte. Das kann zwar erst später erörtert, soll aber an einem Beispiel wenigstens angedeutet werden: Wenn Jesus als einer erfahren worden ist, der das nach der Äonenwende erwartete Reich Gottes jetzt schon - immer wieder - als Herrschaft Gottes lebte, könnte man das bei Benutzung der Osterterminologie doch auch so ausdrücken: Jesus ist als einer erfahren worden, der das Leben nach der Auferweckung der Toten jetzt schon - immer wieder - gelebt hat. Doch wie dem auch sei, expressis verbis und literarisch begegnet die Auferweckung Jesu erstmalig bei Paulus.

Diese besondere Gestalt der von Paulus vertretenen Christologie ist in der Folgezeit in der Kirche die nahezu allein herrschende geworden. Das löst aber die Frage aus: Bringt diese andersartige Christologie auch eine andere Ethik mit sich?

Der dritte Grund ergibt sich aus den beiden anderen. Paulus bildet mit seinen Briefen den Ausgangspunkt für eine Entwicklungslinie, die sich insbesondere in der Briefliteratur des Neuen Testaments niedergeschlagen hat. Der Apostel hat also prägend gewirkt, und das nicht nur hinsichtlich literarischer Formen, sondern auch durch bestimmte Inhalte. Auf eine knappe Formel gebracht: Da Paulus ohne Zweifel das voraussetzt, was man Auferstehung Jesu nennt, hat man oft diese Auferstehung Jesu allgemein und grundsätzlich für das vorausgesetzt, was man (weithin bis heute) christlich zu nennen pflegt. Eben das läßt die Frage stellen, ob es neben der bisher erarbeiteten Definition von "christlich" eine andere (konkurrierende?) Definition geben könnte, und wie sich diese beiden Definitionen zueinander verhalten.

Der vierte Grund schließlich ist das Selbstverständnis des Paulus. Er ist sich zwar klar darüber, daß er nicht zur "ersten Generation" gerechnet werden kann, weil er zunächst die (schon bestehende) Gemeinde verfolgt hat. Dennoch behauptet er die Gleichursprünglichkeit seines Apostolats mit dem Apostolat der anderen und begründet das damit, daß er "Jesus, unseren Herrn, gesehen" habe (1. Kor. 9,1; vgl. 1. Kor. 15,3-11). Ist das lediglich eine (Schutz-)Behauptung des Paulus gegen Angriffe von Gegnern? Oder läßt sich diese Behauptung einsichtig machen und begründen?

So empfiehlt es sich, Paulus nicht vorschnell als einen darzustellen, der bereits in christlicher Tradition lebt. Auch wenn das ohne Zweifel der Fall ist, soll er zunächst als einer dargestellt werden, der einen Anfang verkörpert.

2. Vorüberlegungen zur Gliederung des Stoffes

Ausgangspunkt für die Darstellung der paulinischen Ethik sind die sieben erhaltenen Briefe des Apostels. Diese Bemerkung ist nur scheinbar selbstverständlich, denn nur wenn man sie bedenkt, entgeht man einer vorschnellen Systematisierung. Briefe sind nun einmal keine Abhandlungen, in denen Themen "akademisch" erörtert werden, sondern sie sind Anreden in konkrete und jeweils unterschiedliche Situationen hinein. Insofern sind alle Äußerungen des Paulus zu ethischen Fragen "zufällig". Sie sind zufällig, weil nur solche Fragen erörtert werden, die konkret vorliegen und von außen veranlaßt sind. Sie sind aber auch zufällig, weil sie gerade so erörtert und begründet werden, wie Paulus es im konkreten Fall für nötig und geboten hält. Daraus ergibt sich die Frage, wie man den auf den ersten Blick gelegentlich disparat erscheinenden Eindruck ordnen kann. Anders formuliert: Lassen sich die einzelnen Äußerungen von einer Mitte aus verstehen?

Es gibt zwei mögliche Wege, eine solche Mitte zu finden. Man kann die Briefe voraussetzen und versuchen, von ihnen aus die Botschaft des Paulus irgendwie zusammenzufassen. Man kann aber auch hinter die Briefe zurückfragen und dort den Punkt zu formulieren versuchen, von dem aus der Apostel seine Aussagen macht und von dem aus dann die im konkreten Fall unter Umständen von anderen abweichenden Aussagen dennoch als einheitlich verstanden werden können.

In evangelischer Tradition geht man sehr oft den ersten Weg. Als Mitte der paulinischen Botschaft versteht man die sogenannte Rechtfertigungslehre. Da aber einerseits über diese Lehre kein Konsensus besteht, andererseits umstritten ist, ob die Rechtfertigungslehre überhaupt als Mitte der paulinischen Botschaft bezeichnet werden darf, wäre dieser Weg nicht nur mit vielen Unsicherheiten, sondern auch mit Vorentscheidungen und Vorurteilen belastet.

Näher liegt es daher, hinter die Briefe zurückzugehen und dort eine Mitte zu suchen. Dann bietet sich sofort das an, was man das Damaskus-Erlebnis des Paulus zu nennen pflegt. Nun ist es zwar richtig, daß Paulus selbst diesen entscheidenden Einschnitt in seinem Leben mit "Ostern" in Beziehung setzt (vgl. 1. Kor. 9,1; 15,8). Aber er identifiziert beides nicht. Darum sollte man es auch nicht nachträglich vorschnell tun, denn dann besteht die Gefahr, daß man die Reihenfolge umkehrt. Bei der Rückfrage kommt man über das Damaskus-Erlebnis zu "Ostern"; und nun setzt man dort ein und argumentiert von dort aus.

Häufig begegnen Formulierungen wie diese: "Ausgangspunkt (!) und Basis (!) ... der Ethik des Paulus ist das eschatologische Heilsereignis von Tod und Auferweckung Jesu" (W. Schrage: Ethik des Neuen Testaments, S. 161). Diese Formulierung ist jedoch in mehrfacher Hinsicht unklar, zunächst sprachlich, dann auch inhaltlich. Kann man Tod *und* Auferstehung Jesu *das* eschatologische Heilsereignis nennen? Es wäre doch zunächst einmal zu prüfen, ob und warum man einen Plural im Singular formuliert. Es unterliegt zwar keinem Zweifel, daß Paulus sowohl den Tod als auch die Auferweckung Jesu voraussetzt. Sollen die Vokabeln aber keine Leerformeln bleiben, muß man sie inhaltlich füllen. Dann jedoch steht man sofort vor dieser Alternative: Soll man zunächst den Inhalt von Tod und Auferweckung Jesu bestimmen und diesen Inhalt als Meinung des Paulus voraussetzen? Oder soll man von den Paulus-Briefen (und *nur* von ihnen) aus fragen, wie der *Apostel* die Vokabeln Tod und Auferweckung Jesu füllt? Nur bei der zweiten Möglichkeit vermeidet man unnötige Fehler.

Fragt man dann aber von den Paulus-Briefen aus hinter diese zurück, stößt man zunächst auf das Damaskus-Erlebnis. Und es läßt sich zeigen, daß das gesamte Wirken des Apostels (einschließlich seines Wirkens durch die Briefe) eine Entfaltung ebendieses Erlebnisses ist.

Von dort aus ergibt sich der Ablauf der Darstellung. Zunächst soll die Mitte rekonstruiert werden, von der aus das Wirken des Paulus verstanden werden muß. Da die Gemeinden von dieser Mitte in unterschiedlichen Richtungen abgewichen sind, soll danach gezeigt werden, wie Paulus sie mit Hilfe der Briefe zu dieser Mitte zurückführen möchte. Abschließend sollen paradigmatisch einige Einzelprobleme erörtert werden.

a) Die Mitte: das Damaskus-Erlebnis

Will man das Damaskus-Erlebnis auf eine kurze Formel bringen, kann man sagen: Der Pharisäer wurde Christ. Ganz offensichtlich geschah das nicht in einem langsamen Prozeß, sondern schlagartig. Ausgangspunkt für das Verstehen dieser "Bekehrung" ist, daß der Christ gewordene Pharisäer vorher Christen verfolgt hatte.

1. Der Verfolger

Voraussetzen darf man: Wenn jemand eine Gruppe von Menschen verfolgt, tut er das, weil diese Gruppe etwas vertritt, was dem Verfolger nicht nur in hohem Maße ärgerlich ist, sondern was er zugleich aus irgendwelchen Gründen für gefährlich hält. Daraus folgt: Paulus muß bereits vor seinem Damaskus-Erlebnis ein Wissen von dem gehabt haben, worum es den Christen ging. Er kannte also die christliche Botschaft, zumindest aber wesentliche Elemente aus ihr, und zwar solche, die ihn zur Verfolgung reizten.

Für das Verständnis des Damaskus-Erlebnisses ergibt sich daraus: Dem Apostel sind durch sein Erlebnis keine Glaubensinhalte neu vermittelt worden, sondern er lieferte sich nun genau den Glaubensinhalten aus, die er bereits kannte. In einer Kurzformel: Aus Wissen wurde Glauben.

Man sollte sich das Problem grundsätzlich klarmachen. Inhalte eines Glaubens kann man lernen. Man kann wissen (und dann beschreiben), wie "lutherischer Glaube", wie "reformierter Glaube", wie "katholischer Glaube" usw. aussehen. Und man kann auch beschreiben, wie "christlicher Glaube" aussieht, wenn man diese Beschreibung mit Hilfe einer sachgemäßen Benutzung der neutestamentlichen Schriften begründet. Immer haben wir es mit historischen Theologien zu tun. Man kann sodann diese verschiedenen Glaubensinhalte miteinander vergleichen, dabei Übereinstimmungen feststellen und Differenzen konstatieren. Das alles gehört in den Bereich des Wissens.

Eine ganz andere Frage ist, ob einer dieser Glaubensinhalte *mir* zur Wahrheit wird. Wahrheit wird er mir, wenn ich mich ihm ausliefere, und das heißt: wenn ich diesen Glauben lebe.

Man richtet sehr oft das Interesse auf die Frage, wie es dazu kam, daß bei Paulus aus Wissen Glauben wurde. Nicht selten geschieht das in der irrigen Meinung, durch Darstellung des Vorgangs die Wahrheit des Glaubens des (Christen) Paulus sichern zu können. Ist es nun ohnehin nicht möglich, die Wahrheit eines Glaubens zu sichern, weil gesicherter Glaube gar kein Glaube mehr wäre, kommt hier noch hinzu, daß das, was dem Paulus vor Damaskus widerfahren ist, nicht wirklich rekonstruiert werden kann.

Der Apostel macht nur spärliche Angaben, dazu noch in unterschiedlichen Formulierungen. Nach 1. Kor. 9,1; 15,8 könnte man auf eine Vision schließen. Das ist durchweg die herrschende Vorstellung geworden, weil diese "Vision" später anschaulich ausgemalt und durch das Motiv Audition ergänzt wurde (vgl. Apg. 9,1-6; 22,6-11; 26,12-18). Gal. 1,16 spricht Paulus jedoch ohne nähere Charakterisierung ganz allgemein von einem Offenbaren, 2. Kor. 4,6 davon, daß Gott im Herzen des Paulus Licht hat aufstrahlen lassen. Rekonstruieren läßt sich der Vorgang beim Damaskus-Erlebnis also nicht.

Erörtern läßt sich allerdings die Frage, auf die es sachlich allein ankommt: Welches Wissen hatte Paulus vom Inhalt der Botschaft der Christen?

(a) Die Botschaft der Verfolgten. Es kann kein Zweifel darüber bestehen: Der Pharisäer Paulus verfolgte die Christen wegen deren Stellung zum Gesetz, denn immer wenn Paulus seine Verfolgertätigkeit erwähnt und in dem Zusammenhang Inhalte angibt, nennt er zugleich seinen eigenen Eifer für das Gesetz (Gal. 1,13-14; Phil. 3,6).

Früher hat man gelegentlich die Auffassung vertreten, Paulus habe die Christen verfolgt, weil sie Jesus als Messias verehrten, und damit sogar einen Gekreuzigten. Aber niemals gibt Paulus das als Grund für seine Verfolgertätigkeit an. Außerdem wäre das kein verfolgungswürdiges Verbrechen gewesen. Im damaligen Judentum hat es mehrfach Gruppen gegeben, die irgendeinen "Propheten" als Messias ausgaben. Die galten jedoch als wunderliche Sekte; und ein gekreuzigter Messias mußte als geradezu lächerlich erscheinen. Wer einer solchen Meinung anhing, erntete Spott, aber man verfolgte ihn nicht.

Die entscheidende Frage ist nun, warum die Stellung der Christen zum Gesetz in den Augen des Pharisäers so gefährlich war, daß er zum Verfolger werden mußte. Man versteht das nur, wenn man erkennt, daß es sich hier um ein theologisches Problem handelt, und zwar im präzisen Sinne dieses Wortes.

Sehr oft wird hier zu kurzschlüssig argumentiert. Man blickt nur auf das Gesetz selbst und stellt fest, die Christen seien "gesetzeskritisch" gewesen. Was heißt das aber? Man behauptet etwa, die kultischen Gebote seien außer Kraft gesetzt, die "sittlichen" Gebote dagegen weiter befolgt worden. Man kann aber auch nicht von einer bloß laschen Befolgung des Gesetzes reden. Daß Menschen nicht immer alle Gebote hielten, war ohnehin das Normale. Gingen sie zu "großzügig" mit dem Gesetz um, verfielen sie der Verachtung. Von diesen "Sündern" (dem "Volk des Landes") trennte man sich, indem man ihnen die Gemeinschaft aufkündigte. Man stellte ihnen aber nicht nach.

Die gesetzeskritische Haltung der Christen war vielmehr prinzipieller Art. Das aber machte sie in den Augen des Paulus, der in ihnen ja Juden sah, zu Gotteslästerern.

Man darf den Zusammenhang Gott/Israel/Gesetz nicht auseinanderreißen und eine dieser Größen isoliert betrachten. Gott hatte das Gesetz gegeben; und er hatte es nur Israel gegeben. Für Israel war das zugleich Auszeichnung und Verpflichtung. Es war eine Auszeichnung, weil nur Israel den Willen Gottes kannte. Die Heiden kannten ihn nicht; und darum *konnten* sie Gott nicht gefallen. So hatte Israel Freude am Gesetz, und das trotz der Verpflichtungen, die damit verbunden waren. Diese wurden um Gottes Willen ganz ernst genommen. Das führte in eine kasuistische Entfaltung der Einzelgebote durch die Schriftgelehrten. Das Leben wurde bis in die kleinsten Einzelheiten geregelt. Man mag darüber lächeln, sollte es aber nicht tun. Denn dahinter stand der immense Ernst, mit dem nach dem Willen Gottes gefragt wurde. Die Pharisäer zeichneten sich nun dadurch aus, daß sie sich mit allergrößter Strenge um das Halten des Gesetzes bis in kleinste Kleinigkeiten hinein bemühten.

Sie bemühten sich aber nicht nur darum, sondern sie hatten auch vielfach Erfolg bei ihren Bemühungen. Besonders deutlich wird das an Paulus. Es ist ein verbreiteter Irrtum, zu meinen, Paulus sei mit der Zeit zu der Auffassung gelangt, der Mensch könne das Gesetz nicht halten. Das Gegenteil ist der Fall! Noch als Christ behauptet Paulus im Rückblick, daß er "untadelig" das Gesetz gehalten habe (Phil. 3,6). Und es gibt keinen Grund, an diesem Selbstzeugnis des Apostels zu zweifeln. Nach seiner Meinung kann der Mensch das Gesetz mit seinen Geboten halten.

Daß das faktisch nur wenige tun, ist eine ganz andere Sache. Daraus darf aber nicht die Unerfüllbarkeit des Gesetzes postuliert werden.

Wenn Paulus, dieser (erfolgreiche!) Eiferer für das Gesetz, nun auf eine Gruppe von Juden stößt, die "gesetzeskritisch" sind, dann heißt das für ihn: Indem diese Leute aus dem Zusammenhang Gott/Israel/Gesetz ein Stück herauslösen, zerstören sie das Ganze. Die Gesetzeskritik ist also lediglich ein Symptom für die viel tiefer liegende Krankheit. Denn ein Jude, der meint, auf das Gesetz verzichten zu können, greift damit zugleich Gott an, der das Gesetz gegeben hat und seine Befolgung verlangt. Damit zugleich entzieht er dem Judentum seine Grundlage: Es verliert die Besonderheit und den Vorzug, Gottes Volk zu sein. Dadurch entsteht besonders für die Synagogen in der Diaspora eine tödliche Gefahr, denn die Juden dort werden den Heiden gleich. Eben das macht die Verfolgung verständlich.

So stand für den Pharisäer Paulus schlechthin alles auf dem Spiel, insbesondere aber sein Gott. Man sollte daher für die Verfolgertätigkeit des Paulus nicht einfach nur die gesetzeskritische Haltung der Christen angeben, weil man dann leicht zu kurz greift. Der eigentliche Grund war ein theologischer: Diese (christlichen) Juden stellen sich gegen seinen Gott. - *Erkannt* hat Paulus das freilich daran, daß diese Leute behaupteten: Wir können auf das Gesetz verzichten. Das war der Punkt ihrer Botschaft, den Paulus kannte und an dem er Anstoß nahm.

Damit stellen sich die beiden Fragen: Wie ist diese Botschaft von den Christen vertreten worden?, und: Wie ist sie entstanden?

(b) Die Formulierung der Botschaft der Christen. Man darf davon ausgehen, daß die Botschaft der Christen mehr umfaßte als nur diesen einen (im Grunde ja negativen) Punkt, der Paulus so erregte. Von Paulus selbst erfahren wir (wenigstens unmittelbar) darüber jedoch nichts. Gibt es dennoch die Möglichkeit, die Botschaft etwas vollständiger zu rekonstruieren?

Gehen wir dazu von der Überlegung aus, wie der Pharisäer von der gesetzeskritischen Einstellung der Christen erfahren hat. Theoretisch gibt es zwei Möglichkeiten. Er kann das Tun der Christen *beobachtet* haben; und er kann die Kritik ausdrücklich von ihnen *gehört* haben. Die erste Möglichkeit muß ausscheiden. Durch Beobachtung kann man lediglich erkennen, daß Menschen lasch mit den Geboten des Gesetzes umgehen, vielleicht sogar sehr lasch. Man kann daraus aber nicht schon auf eine prinzipielle Ablehnung des Gesetzes schließen. Und außerdem wird man sich die Christen schwerlich als eine Gruppe von Menschen vorstellen dürfen, die permanent Gebote übertraten. So kommt nur die zweite Möglichkeit in Frage: Die Christen müssen *gesagt* haben, daß sie eine Bindung an das Gesetz für unnötig und darum das Gesetz selbst für überfüssig hielten.

Doch genau das scheint, wenigstens auf den ersten Blick, ziemlich unwahrscheinlich. Denn wenn in Jerusalem (oder in Judäa) Christen das laut gesagt hätten, hätten sie sich keinen Augenblick in dieser Umgebung halten können. Sie wären sofort vertrieben worden.

Nun wissen wir aus der Apostelgeschichte, daß ganz früh schon eine solche Vertreibung stattgefunden hat. Sie betraf allerdings nicht die aramäisch sprechenden Judenchristen, sondern lediglich die griechisch sprechenden, die sogenannten Hellenisten.

Die Angaben der Apostelgeschichte sind aus späterer Zeit gestaltet worden. Was dort erzählt wird, kann sich so, wie es erzählt wird, kaum zugetragen haben. So ist es z.B. undenkbar, daß sich bei der großen Verfolgung, die über die Gemeinde in Jerusalem kam, *alle* aufs Land in Judäa und Samarien zerstreuten, *außer den Aposteln* (Apg. 8,1). Man verfolgt nicht die Anhänger und läßt die Führer unbehelligt. Die Angaben der Apostelgeschichte müssen also historischer Kritik unterworfen werden.

Dann ergibt sich etwa folgendes Bild: Es hat in Jerusalem Spannungen gegeben zwischen "Hellenisten" und "Hebräern" (Apg. 6,1). Diese Spannungen müssen in die Öffentlichkeit gedrungen und den jüdischen Behörden bekanntgeworden sein. Diese wurden jetzt auf die Christen aufmerksam und griffen ein. Einen der Hellenisten, Stephanus, stellten sie unter Anklage und steinigten ihn. (Möglicherweise lag aber auch Lynchjustiz vor.) Anschließend vertrieben sie die Hellenisten aus der Stadt.

Warum die jüdischen Behörden gegen die hellenistischen Christen einschritten, kann man der Anklage gegen Stephanus entnehmen. Man warf ihm vor, daß er

Lästerworte "gegen Mose *und* Gott" geredet habe (vgl. Apg. 6,11) und daß er "unaufhörlich Worte gegen diesen heiligen Ort und das Gesetz" gerichtet und behauptet habe, Jesus von Nazareth werde "diesen Ort zerstören und die Sitten ändern, die uns Mose überliefert hat" (vgl. Apg. 6,13-14). Wir haben es hier also mit denselben Vorwürfen zu tun, die Paulus gegen die Christen erhob, und zwar in demselben Zusammenhang: Gott/Israel/Gesetz. Dagegen aber mußte auch schon in Jerusalem die jüdische Obrigkeit einschreiten.

Es gab also zwei Gruppen von Christen. Die aramäisch sprechenden Judenchristen konnten in Jerusalem ihren Glauben leben und wurden als jüdische Sekte toleriert. Die Hellenisten aber konnte man nicht tolerieren, weil sie die Grenze des innerhalb des Judentums Möglichen überschritten hatten. Sie *sagten* eben ausdrücklich, daß sie das Gesetz ablehnten.

Für unseren Zusammenhang folgt daraus: Es waren hellenistische Christen, denen Paulus nachstellte, denn nur diese formulierten ihre gesetzeskritische Einstellung grundsätzlich. Und das heißt umgekehrt: Da Paulus später die Glaubensinhalte der von ihm Verfolgten übernommen hat, ist er durch sein Damaskus-Erlebnis zunächst hellenistischer Christ geworden. Erst später hat er einen Ausgleich mit den aramäisch sprechenden Christen gesucht und diesen Ausgleich auch (wenigstens zum Teil) erreicht.

Diese beiden "Christentümer" haben noch lange Zeit nebeneinander bestanden. Erst auf dem Apostelkonvent (vgl. Gal. 2,1-10) gelang es Paulus, zumindest die "Säulen" von der Richtigkeit seines gesetzesfreien Evangeliums zu überzeugen. Man mußte indes die "Zuständigkeiten" aufteilen (Paulus für die Heiden, Petrus für die Juden). Das ist ein Hinweis darauf, daß man in jüdischer Umgebung Rücksicht nehmen mußte: Aufgabe der Beschneidung (die ja unter das Gesetz stellte; vgl. Gal. 5,3) hätte für die Jerusalemer Vertreibung aus der Stadt und dem Land zur Folge gehabt. - Wie schwer das lebbar war, zeigt der Zwischenfall in Antiochien (Gal. 2,11ff.). Als Petrus dorthin kam, nahm er zunächst an der Tischgemeinschaft mit den Heidenchristen teil, verhielt sich also gemäß den Abmachungen auf dem Apostelkonvent. Durch Leute von Jakobus (aus Jerusalem) wurde er dann darauf aufmerksam gemacht, daß er, einer der Leiter in Jerusalem, durch seine "gesetzesfreie Praxis" die aramäisch sprechenden Judenchristen in der Hauptstadt in Gefahr brachte. Er gab (zusammen mit Barnabas und anderen Judenchristen) die Tischgemeinschaft auf. Damit stellte er (um mit Max Weber zu formulieren) die Verantwortungsethik über die Gesinnungsethik. Paulus dagegen wollte in Antiochien nur den "hellenistischen Standpunkt" gelten lassen, konnte ihn freilich nicht durchsetzen.

Das Nebeneinander dieser beiden "Christentümer" wirft nun die Frage auf: Haben die Hellenisten aus dem "alten Christentum" ein "neues Christentum" gemacht? Anders formuliert: Ist durch das von Paulus (zwar übernommene, dann aber selbst) vertretene Christentum etwas ganz anderes geworden als das, was Menschen früher in der Begegnung mit Jesus erfahren haben? Genau das hat man nicht selten behauptet; und da sich die Theologie des Paulus später in der Kirche weithin durchgesetzt hat, hat man dann gelegentlich den Apostel als den "eigentlichen Gründer" des Christentums bezeichnet. *Er* war es nun aber ganz sicher nicht. Die Frage bleibt indes, ob dies für das hellenistische Christentum zutrifft.

Denn es besteht doch kein Zweifel, daß das hellenistische Christentum aus einem jüdischen Christentum entstanden ist und dieses irgendwie weitergebildet hat. Ob diese Weiterbildung im jüdischen Christentum angelegt war oder ob es sich um eine Umbildung handelt, kann man nur ermitteln, wenn man das Christentum der aramäisch sprechenden Christen rekonstruiert.

Doch hier gibt es einige Unsicherheiten. Sie hängen einerseits mit der Zeit, andererseits mit dem Ort zusammen.

Das hellenistische Christentum ist zweifellos in ganz früher Zeit entstanden: vor dem Damaskus-Erlebnis des Paulus, also etwa innerhalb der ersten drei Jahre nach Jesu Tod. Angesichts unserer Quellenlage ist es nun jedoch sehr schwierig, etwas Genaueres über Glauben und Leben der aramäisch sprechenden Judenchristen in dieser Zeit zu ermitteln. Dazu kommt, daß wir gar nicht wissen, wo sich das hellenistische Christentum aus dem Judenchristentum herausgebildet hat. Das könnte in der Diaspora geschehen sein, und dann möglicherweise unter dem Einfluß galiläischer Gemeinden. Nicht ganz auszuschließen ist aber auch, daß es in Jerusalem geschehen ist, und zwar durch hellenistische Juden, die sich dort aufhielten und auf aramäisch sprechenden Christen stießen. Im ersten Fall könnte man das Judenchristentum, das die Hellenisten dann weitergebildet haben, mit Hilfe des frühen synoptischen Traditionsgutes rekonstruieren.

Im anderen Fall aber doch wohl auch. Denn selbst wenn es unwahrscheinlich ist, daß die Jerusalemer Gemeinde Ausgangspunkt und Träger des synoptischen Traditionsgutes war (vgl. oben S. 52f.), darf man unterstellen, daß die Menschen, die dort den Mittelpunkt der Gemeinde bildeten, Menschen aus der Umgebung Jesu waren, die dann (nach "Ostern"; darüber unten S. 158ff.) immer noch oder wieder so lebten, wie sie in der Gemeinschaft mit Jesus gelebt hatten und wie sie Jesus hatten leben sehen.

Man muß also von der Frage ausgehen, wie Menschen Jesus mit dem Gesetz haben umgehen sehen, und sich zugleich klarmachen, daß bereits die Fragestellung vom hellenistischen Christentum aus formuliert ist, nämlich prinzipiell. Fragt man dagegen nicht prinzipiell, darf man zunächst einmal voraussetzen, daß das Leben der Juden im Alltag zwar vom Gesetz und seinen Geboten aus geregelt war, aber die, die diesen Alltag lebten, normalerweise gar nicht daran dachten, daß sie "nach dem Gesetz" lebten. Es war einfach üblich, am Sabbat nicht zu arbeiten, sich in Fragen der Speise und der Reinheit an die Gepflogenheiten zu halten. Eine wirkliche Reflexion über das Gesetz entstand nur in Grenzfällen, und dann auch nur, wenn man bereit war, Grenzfälle als solche zu erkennen und anzuerkennen. Dann griff man auf Kasuistik zurück, um die die Schriftgelehrten sich (mit unterschiedlichen Entscheidungen) bemühten. Und es entstand auch eine Reflexion über das Gesetz, wenn jemand in eklatanter Weise vom Alltäglichen abwich.

140

Man wird das, was die Menschen Jesus haben leben sehen, daher etwa so beschreiben können: Er lebte das Normale; aber im Verlaufe des Normalen tat er immer wieder auch einmal etwas "Regelwidriges", und das häufig ganz bewußt und auffällig. - Bei den aramäisch sprechenden Judenchristen wird es nicht anders gewesen sein. Sie lebten in jüdischer Umgebung und lebten normalerweise so, wie es in dieser Umgebung üblich war: Die Söhne wurden beschnitten; am Sabbat ruhte die Arbeit; Speise- und Reinheitsregeln wurden beachtet. Von Zeit zu Zeit aber werden auch sie ein regelwidriges Tun gewagt haben, wie sie es Jesus hatten tun sehen. Ob sie sich in jedem konkreten Fall ganz genau überlegt haben, was sie damit taten, warum sie es taten, von welchen Voraussetzungen aus sie das tun durften, läßt sich nicht sagen, ist aber eher unwahrscheinlich. Möglicherweise haben sie die Frage gestellt, wie Jesus wohl in diesem Fall gehandelt hätte. Wenn sie dann eine Entsprechung zwischen damals und heute sahen, werden sie die Ausnahme gewagt haben, wie sie gesehen hatten, daß Jesus sie gewagt hatte. Eine grundsätzliche Erwägung über die Stellung zum Gesetz konnte ihnen in dieser Umgebung schwerlich gelingen, weil ihr Alltag so selbstverständlich vom Gesetz bestimmt war und Selbstverständliches kaum reflektiert wurde.

Demgegenüber waren die griechisch sprechenden Juden in der Diaspora in einer ganz anderen Situation. Die Umwelt, in der sie lebten, war nicht nach dem Gesetz ausgerichtet. Sie dagegen mußten sich daran halten und hielten sich wohl weitgehend daran. Infolgedessen setzte die Reflexion darüber, wie man im Unterschied zur Umwelt zu leben hatte, viel früher ein.

Die Juden, die sich um die Synagoge scharten, bildeten für ihre Umwelt zwangsläufig einen exklusiven Kreis. Kehrte dieser das elitäre Moment gar zu sehr hervor, konnte das zu Feindschaft führen, aus der von Zeit zu Zeit Verfolgungen entstanden. Umgekehrt konnte die Exklusivität auch gerade anziehend wirken, so daß Menschen aus der Umwelt Anschluß an die Synagoge suchten, zumal sie dort in einzigartiger Weise in Verbindung mit Gott kommen konnten. So versuchten die Juden dann auch, Heiden "zu Gott zu bekehren". Wirklich zu Gott konnten Heiden jedoch nur dann kommen, wenn sie (durch Beschneidung bzw. Taufbad) Proselyten und dadurch Israeliten wurden. Wer das wurde, war nun aber verpflichtet, das Gesetz zu halten. Und genau das war lästig. Denn wer sein Leben nach dem Gesetz ausrichtete, löste sich damit aus der Gesellschaft, in der er bisher gelebt hatte. Schon wegen der Speise- und Reinheitsvorschriften konnte man mit Heiden keine Tischgemeinschaft mehr halten. Wohlhabende konnten dadurch ihre soziale Stellung einbüßen. Ebendeswegen taten viele Heiden diesen letzten Schritt nicht. Sie wurden nicht Proselyten, hielten jedoch als "Gottesfürchtige" einen etwas lockeren Kontakt zur Synagoge. Es ging diesen Menschen wirklich um den Gott Israels. Das Gesetz bildete jedoch eine Sperre, die den Weg zu ihm verbaute, denn ohne das Gesetz war der Gott Israels nun einmal nicht zu haben.

So mußte das Gesetz in der Diaspora zu einem grundsätzlichen Problem werden; und eigentlich konnte es nur dort dazu werden. Denn im Nebeneinander von einer Minderheit von griechisch sprechenden Juden und einer Mehrheit von Heiden war latent immer diese Frage gegenwärtig: Braucht der Mensch wirklich das Gesetz, um bei Gott zu bleiben oder um ganz zu Gott zu kommen? Deutlich ist damit zugleich, daß das Problem des Gesetzes ein theologisches Problem ist: Zu Gott konnten Heiden nur kommen, wenn sie das Gesetz übernahmen. Bei Gott konnten Juden nur bleiben, wenn sie am Gesetz festhielten - so schwer ihnen das in gerade dieser Umgebung oft auch fallen mochte.

Wenn dann aber griechisch sprechende Juden auf eine Gruppe von aramäisch sprechenden Juden stießen, die zwar in ihrer Umgebung normalerweise "nach dem Gesetz" lebten, hin und wieder jedoch Gesetzesübertretungen wagten und (unter Berufung auf Jesus) trotzdem der Überzeugung blieben, dadurch Gott nicht zu verlieren, ja, das gerade im Namen Gottes zu tun, dann mußte das diese griechisch sprechenden Juden verwundern und zum Nachdenken zwingen. Eine theologische Reflexion setzte ein: Wenn man trotz (wenn auch gelegentlicher) Gesetzesübertretungen Gott nicht verliert, dann kann das Tun des Gesetzes grundsätzlich nicht mehr Voraussetzung dafür sein, zu Gott zu kommen. Dann braucht man für die Gemeinschaft mit Gott das Gesetz nicht mehr.

Damit ist dann aber das, was die aramäisch sprechenden Jesus-Jünger in jüdischer Umgebung lebten, nicht etwa verändert, sondern es ist nur zu Ende gedacht worden. Präzise heißt das: *Die hellenistischen Juden dachten die Theologie der aramäisch sprechenden Juden zu Ende.* Denn diese Judenchristen lebten doch (durch Jesus!) in der Gewißheit, bereits bei Gott zu sein, nicht aber erst auf dem Wege zu ihm. Wenn Gott der Vater ist, der sich seinen Kindern zur Gemeinschaft schenkt, dann kann er nicht *zugleich* ein fordernder Gesetzgeber sein, der erst dann zur Gemeinschaft mit den Menschen bereit ist, wenn diese zuvor das Gesetz befolgt haben. So ist die Gesetzeskritik, die die hellenistischen Christen formulierten, zwar vordergründig Kritik am Gesetz, aber eben nur vordergründig. Tatsächlich ist sie ein Zu-Ende-Denken der Theologie der Judenchristen.

Die Ablehnung des Gesetzes als Heilsweg zu Gott konnte indes nicht die einzige Konsequenz aus der zu Ende gedachten Theologie bleiben. Hand in Hand damit mußte eine Kritik an der Sonderstellung Israels gehen. Denn die Zugehörigkeit zu Israel konnte nun auch nicht mehr die Voraussetzung für die Gemeinschaft mit Gott sein. Daß Juden das dann aber als Angriff auf sich und zugleich als Angriff auf Gott verstehen mußten und verstanden haben, zeigt die Anklage gegen Stephanus (Apg. 6,13f.). Wenn Gott jedoch wirklich der Vater ist, kann er nur Vater *aller* seiner Kinder sein, also Vater von Juden *und* Heiden.

Es ist verständlich, daß die aramäisch sprechenden Judenchristen in Jerusalem diese Konsequenz von sich aus nicht gezogen haben. So kam es zu Spannungen zwischen ihnen und den hellenistischen Christen. *Diese* Konsequenzen gingen ihnen zu weit. Sie konnten sie auch nur schwer ziehen, wenn sie sich in jüdischer Umgebung in Jerusalem halten wollten.

Jetzt kann man auch die an sich nicht leicht verständliche Darstellung Apg. 8,1 historisch korrigieren. Nicht nur "die Apostel" entgingen der Verfolgung, die im Zusammenhang mit der Steinigung des Stephanus die hellenistischen Christen in der Stadt traf, sondern die aramäisch sprechenden Judenchristen überhaupt.

Erst etwa eineinhalb Jahrzehnte später wurden die Jerusalemer erneut mit diesem Problem konfrontiert, und zwar durch den hellenistischen Judenchristen Paulus. Er konnte es auf dem Apostelkonvent durchsetzen, daß nun auch die aramäisch sprechenden Judenchristen die von den Hellenisten gezogenen Konsequenzen wenigstens grundsätzlich akzeptierten, wenngleich sie die ganze Praxis nicht übernehmen konnten (vgl. Gal. 2,1-10). Wie schwer es war, diese Praxis zu leben, zeigte sich alsbald beim Zwischenfall in Antiochien (vgl. Gal. 2,11ff.).

Als Ergebnis können wir feststellen: Die Formulierung der Botschaft der Christen, der Paulus sich konfrontiert sah, erfolgte erst durch hellenistische Christen. *Entstanden* ist diese Formulierung aber dadurch, daß die Hellenisten durch ein Zu-Ende-Denken das explizierten, was bereits die aramäisch sprechenden Judenchristen unter Berufung auf Jesus implizit lebten, jedoch noch mehr oder weniger unreflektiert.

Dadurch ist in einem anderen Raum zumindest formal dasselbe geschehen, was in der Geschichte des synoptischen Traditionsgutes zu beobachten ist (vgl. oben S. 64ff.). Das Einzelmaterial bietet auf den ersten Blick einen einigermaßen disparaten Eindruck. Durch seine vorangestellte Zusammenfassung hat Markus mit 1,14f. eine "Mitte" formuliert. Ganz entsprechend brachten die hellenistischen Judenchristen das auf einen Nenner, was sie die aramäisch sprechenden Judenchristen von Zeit zu Zeit und im einzelnen sehr unterschiedlich leben sahen. Das Zu-Ende-Denken und das Zusammenfassen geschah zwar mit Hilfe unterschiedlicher Vorstellungen und darum mit unterschiedlichem Sprachgebrauch. In der Sache besteht dennoch Übereinstimmung.

2. Der Inhalt des Damaskus-Erlebnisses (Theologie und Ethik)

Den eigentlichen Vorgang beim Damaskus-Erlebnis erwähnt Paulus nur in knappen Andeutungen und mit unterschiedlicher Terminologie (vgl. oben S. 136). Wir erfahren aber auch hier nur sehr wenig vom Inhalt dieses Erlebnisses.

Nach Gal. 1,16 weiß Paulus sich von Anfang an gesandt, den Sohn Gottes unter den Heiden zu verkündigen. Daß der Apostel einen Akzent auf Mission *unter den Heiden* legt, erklärt sich aus dem Kontext des Gal. (vgl. 2,9). Ob das aber für ihn das eigentlich Neue war, ist zumindest nicht sicher, denn wahrscheinlich hat er schon früher in der Diaspora Mission getrieben, um Heiden zum Gott Israels zu bekehren.

Solche Mission wurde damals mit unterschiedlichen Schwerpunkten betrieben. Sie konnte darauf abzielen, der Synagoge Proselyten zuzuführen. Da das aber wegen des Gesetzes schwierig war, konnte sich die Mission auch (wenigstens vorläufig) damit begnügen, Gottesfürchtige zu gewinnen.

Wenn Paulus also vorher bereits ein solcher Missionar unter den Heiden war, änderte sich nicht das Feld seiner Tätigkeit, wohl aber ihr Inhalt. Das war nach Gal. 1,16: der Sohn Gottes. Was meint Paulus mit dieser formelhaften Wendung? Ein wenig deutlicher sagt er es 2.Kor. 4,6. Es ist ein neues Gottes-Bild, das der Apostel seit seinem Damaskus-Erlebnis verkündigt. Er will die Erkenntnis der Herrlichkeit Gottes zum Leuchten bringen, die "auf dem Antlitz Jesu Christi" erschienen ist. Doch worin besteht diese Herrlichkeit Gottes? Über das Formelhafte kommen die Angaben auch an dieser Stelle nicht hinaus.

Weiter führen zwei andere Abschnitte aus Paulus-Briefen, die zwar das Damaskus-Erlebnis nicht ausdrücklich nennen, die aber dennoch Auskunft über seinen Inhalt geben.

Phil. 3,3-11 bringt Paulus im Rahmen einer Auseinandersetzung mit Gegnern eine Gegenüberstellung: früher/jetzt. Dabei gibt er deutlich zu erkennen, daß er auf die entscheidende Wende in seinem Leben anspielt. Zunächst nennt er die Vorzüge, deren er sich als Glied des auserwählten Volkes rühmen konnte und gerühmt hat: "Beschnitten am achten Tage, aus dem Volk Israel, dem Stamm Benjamin, ein Hebräer von Hebräern, ein Pharisäer nach dem Gesetz ..." Eben als solcher hat er dann die Christen verfolgt und konnte sich rühmen, das Gesetz untadelig gehalten zu haben. Doch dann kam die Wende: "Was mir Gewinn war, habe ich um Christi willen für Schaden gehalten ... gegenüber dem überwältigenden Gewicht der Erkenntnis Jesu Christi, meines Herrn." Um seinetwillen ließ er sich um alles bringen, um Stolz und Ruhm. Er kann das Vergangene jetzt nur noch als Kot ansehen. Diese Gegenüberstellung faßt Paulus dann zusammen: Früher ging es ihm darum, "eigene Gerechtigkeit aus dem Gesetz" zu erwerben; jetzt geht es ihm um "die Gerechtigkeit durch den Glauben an Christus, die Gerechtigkeit aus Gott aufgrund des Glaubens".

Dieselbe Terminologie begegnet Röm. 10,1-4. Auch hier wird das Damaskus-Erlebnis nicht genannt; Paulus spricht hier nicht einmal von sich selbst. Dennoch bildet seine eigene Wende den Hintergrund der Aussage.

Der Römerbrief ist veranlaßt durch die Situation in Rom, die Paulus nicht aus eigenem Augenschein kennt, von der er aber gehört hat. Es hatte in der Hauptstadt des Reiches Auseinandersetzungen zwischen Heidenchristen und Judenchristen gegeben, die zu Tumulten führten. Daraufhin wurden durch das Claudius-Edikt im Jahre 49 n.Chr. Juden(christen) aus Rom ausgewiesen (vgl. Apg. 18,2). Nach dem Tode des Kaisers (54 n.Chr.) wurde das Edikt gelockert. Die Verbannten konnten zurückkehren. Paulus möchte nun vermeiden, daß der alte Streit neu ausbricht. Darum weist er im Römerbrief beide Gruppen aneinander. Insbesondere in den Kap. 9-11 wirbt er bei den Heidenchristen um Verständnis für Judenchristen und verdeutlicht das an den Juden.

Röm. 10,1-4 erläutert Paulus, was geschehen muß und geschieht, wenn Juden Christen werden, also genau das, was ihm vor Damaskus geschehen ist.

Der Wunsch seines Herzens und sein Gebet zu Gott für seine jüdischen Volksgenossen ist, "daß sie gerettet werden". Als Juden werden sie das, wie Paulus meint, nicht, und das, obwohl sie "einen Eifer für Gott haben", was Paulus ihnen ausdrücklich bescheinigt. Dem Eifer fehlt nämlich die richtige Erkenntnis Gottes. Weil sie "die Gerechtigkeit Gottes nicht kannten" und darum versuchten, "die eigene Gerechtigkeit aufzurichten", haben sie sich der "Gerechtigkeit Gottes" nicht untergeordnet. "Denn das Ende des Gesetzes ist Christus, zur Gerechtigkeit für jeden, der glaubt."

Das hier begegnende griechische Wort *dikaiosyne* kann leicht mißverstanden werden, wenn man es mit "Gerechtigkeit" übersetzt, weil man im Deutschen darunter im allgemeinen den Zustand versteht, bei dem es *nach menschlichen Maßstäben* gerecht zugeht. Das ist hier aber nicht gemeint. Es handelt sich vielmehr um einen sogenannten forensischen Ausdruck, also um einen Ausdruck aus der Gerichtssprache. Damit kommt dann sofort der theologische Aspekt in den Blick. Es geht nämlich um das Urteil, das Gott über den Menschen spricht: Du, Mensch, bist mir recht. - Die Frage ist nun: Warum und unter welchen Bedingungen spricht Gott dieses Urteil? Hier gehen die jüdisch-pharisäische Auffassung und die Einsicht, die Paulus vor Damaskus gewonnen hat, diametral auseinander.

Der Pharisäer Paulus argumentiert so (und nach Röm. 10,2f. die Juden immer noch): Gott hat das Gesetz gegeben. Der Mensch ist darum angehalten und verpflichtet, das Gesetz zu tun. Orientiert er sich in seinem Tun am *Gesetz,* handelt er in den Augen *Gottes* gerecht.

Das Gesetz ist also der Maßstab für Gerechtigkeit. Für eigene Entscheidungen hat der Mensch keinerlei Spielraum, wenn er nicht die Gerechtigkeit verscherzen will. Wenn das Gesetz zum Beispiel festlegt, daß der Mensch keine Gemeinschaft (insbesondere keine Tischgemeinschaft) mit Unreinen (also mit Heiden) oder mit Sündern (insbesondere also mit "dem Volk des Landes") halten soll, dann handelt der gerecht, der diesen Menschen die Gemeinschaft verweigert, auch wenn ein Verhalten herauskommt, das wir als unsozial bezeichnen würden. Das Gesetz verlangt das nun einmal.

Am Ende der Zeiten wird dann Gericht gehalten werden. Die Bücher werden aufgeschlagen. Weisen sie eine positive Bilanz auf (und das heißt: hat der Mensch nach dem Gesetz überwiegend gerecht gehandelt), wird Gott sein Urteil sprechen: Du, Mensch, bist mir recht. Nur diese "Gerechten" werden dann in das Reich Gottes eingehen.

Es ist zwar immer *Gott,* der dieses Urteil spricht. Dennoch nennt Paulus das eine *eigene* Gerechtigkeit des Menschen. Der Grund ist schnell einzusehen. Denn dieses Urteil hat sich der Mensch ja durch eigene Leistungen verdient. Mehr noch: Gott ist bei seinem Urteil abhängig vom Tun des Gesetzes durch den Menschen.

An dieser Stelle entsteht nun für Paulus das eigentlich theologische Problem: Ist *dieser* Gott wirklich noch Gott, wenn er sich in seinem Urteil vom Menschen abhängig macht? Seine Souveränität steht doch auf dem Spiel. Weil es um die Gottheit *Gottes* geht, nennt Paulus diesen Weg später einen Weg, dem die richtige Erkenntnis Gottes fehlt. Es geht also wirklich um die theologische Frage: Ist mein Gott eine Größe, die ich bei seinem Urteil über mich durch mein eigenes Tun manipulieren kann? Dann hätte *ich* es in der Hand, wie *Gott* sich zu mir stellt. So ist das Problem des Gesetzes nicht eigentlich ein Problem des Gesetzes und sollte auch niemals isoliert als solches behandelt werden. Sondern es geht um das Gottes-Bild: Ist Gott eine Größe, die verlangt, daß der Mensch das Gesetz hält, damit er dann (wirklich: *erst* dann) sein Urteil über ihn sprechen kann?

Gegen dieses Bild, das Paulus von seinen Volksgenossen zeichnet, wird häufig eingewandt, es habe damals auch andere Gruppen und Strömungen im Judentum gegeben, die ein durchaus anderes Gottes-Bild vertraten. Das ist nicht zu bestreiten, für die Argumentation des Paulus aber belanglos. Er hat, vermutlich beeinflußt durch seine pharisäische Vergangenheit, gerade dieses Bild vor Augen und hält dies für charakteristisch für die Juden. Dieses Gottes-Bild hat es bestimmt gegeben; und *nur* dagegen polemisiert er. Daß Paulus mit seiner Polemik andere Gruppen und Strömungen im Judentum damals nicht traf (und heute vielleicht auch nicht trifft), ist kein Argument gegen *diese* Polemik gegen *dieses* Gottes-Bild.

Der Christ Paulus hat eingesehen, daß der Weg der eigenen Gerechtigkeit ein Irrweg ist. Er hat sich nun auf die "Gerechtigkeit Gottes" eingelassen. Zu beachten ist, daß der Genitiv ein Genitivus auctoris ist. Damit wird zunächst einmal betont: Gott ist und bleibt der Souveräne, der alleinige Urheber des Urteils. Er macht sich in keiner Weise vom Menschen abhängig, auch nicht in seinem Urteilsspruch. Wenn Gott sich aber nicht vom Menschen abhängig machen will, dann *kann* der Mensch gar nichts tun, um damit Gott in seinem Urteil über ihn zu beeinflussen. Damit wird Gott als der Liebende definiert.

Wenn der souveräne Gott nun beschlossen hat, sein Geschöpf, den Menschen, zu lieben, dann liebt er es, ob es dem Menschen recht ist oder nicht. Dann kann aber auch das Gesetz keine Rolle mehr spielen, jedenfalls nicht so, daß der Mensch damit eine Möglichkeit in der Hand hätte, durch Befolgung des Gesetzes das gute Urteil zu erlangen. Mehr noch: Wenn der Mensch nun dennoch versuchen wollte, mit Hilfe des Tuns des Gesetzes Gottes Liebe zu erringen, wäre *das* eine Gotteslästerung. Denn wer ein Geschenk nachträglich doch noch (und sei es wenigstens teilweise) zu erwerben versucht, mißachtet den Schenkenden.

Deutlich ist wieder, daß man den Ausdruck "Gerechtigkeit Gottes" nicht im Sinne unseres Sprachgebrauchs verstehen darf. Denn der Gott, den Paulus vor Damaskus erkannt hat, spricht sein gutes Urteil über alle Menschen, auch über die, die sich nicht an das Gesetz gehalten haben oder halten. Seine Liebe zu wirklich allen Menschen hat kein Ende. Das aber ist nach menschlichem Urteil gerade ungerecht.

Die Frage ist nun: Wie begründet Paulus dieses neue Gottes-Bild? Ist es eine bloße Behauptung? Die Antwort wird mit Röm. 10,4 angedeutet: Für die Glaubenden ist Christus des Gesetzes Ende. Doch ist das ja zunächst lediglich eine Leer-Formel. Wie kann man sie füllen?

Nach 2.Kor. 4,6 ist Paulus "auf dem Antlitz Jesu Christi" die Herrlichkeit Gottes aufgegangen. Damit verweist Paulus zunächst einmal auf Vergangenheit. Seit damals braucht der Mensch das Gesetz nicht mehr, um Gerechtigkeit vor Gott zu erlangen. Mit anderen Worten: Der *Pharisäer* Paulus wartete auf das Urteil Gottes am Ende der Zeiten. Der *Christ* Paulus geht davon aus, daß das gute Urteil bereits ergangen ist, und zwar: in Christus.

Der Unterschied läßt sich so darstellen:

Der Weg des Pharisäers Paulus

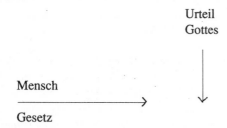

Der Weg des Christen Paulus:

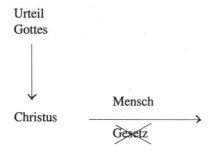

Wieso das gute Urteil Gottes damals in und durch Christus bereits ergangen ist, erläutert Paulus mit Hilfe seiner Christologie. Er verwendet in seinen "Jesus-Bildern" unterschiedliche Vorstellungen, mit denen er das Handeln Gottes veranschaulicht. Trotz der sprachlichen Differenzen liegen identische Aussagen vor. Immer nämlich will Paulus zeigen, wie und warum der Mensch jetzt schon aus dem ergangenen Urteil Gottes leben kann. Exemplarisch seien drei christologische Vorstellungen genannt.

Am bekanntesten ist die Aussage: Christus ist für uns gestorben. Diese Wendung begegnet sehr oft in den Paulus-Briefen. Der Apostel hat sie bereits vorgefunden (vgl. unten S. 153) und dann selbständig auf mannigfache Weise variiert. Das gute Urteil, das Gott über die Menschen gesprochen hat, wird hier veranschaulicht mit Hilfe der Vorstellung vom stellvertretenden Sühnopfer: Der Tod Christi hat die Versöhnung der Menschen mit Gott bewirkt. Sie können daher nun als mit Gott Versöhnte leben, brauchen also selbst für ihre Versöhnung mit Gott nichts mehr zu tun, dürfen das sogar nicht einmal wollen.

Die zweite christologische Vorstellung hängt mit einem Satz zusammen, den Paulus ebenfalls übernommen hat: Gott hat Jesus von den Toten auferweckt (zur Formel selbst vgl. unten S. 158ff.). Wie Paulus dieses Motiv aufnimmt, kann etwa an Röm. 6,4 deutlich werden: "Wie Christus auferweckt ist von den Toten, so sollen auch wir in Neuheit des Lebens wandeln." Der Wandel in "Neuheit des Lebens" meint nichts anderes als ein Leben in der Versöhnung mit Gott, ein Leben, das nicht erst auf das Urteil Gottes aus ist, sondern das ergangene Urteil bereits voraussetzt. Hier wird also die in der Vergangenheit geschehene Auferweckung verstanden und zur Veranschaulichung benutzt für die Ermöglichung des neuen Wandels.

Bei der dritten christologischen Vorstellung greift Paulus zur Veranschaulichung auf das zurück, was wir heute Inkarnation nennen: "Als aber die Fülle der Zeit kam, sandte Gott seinen Sohn, geboren von einer Frau, gestellt unter das Gesetz, damit er die, die unter dem Gesetz waren, loskaufte, damit wir die Sohnschaft empfingen" (Gal. 4,4f.). Das gute Urteil Gottes begegnet hier in dem Bilde des Loskaufs aus der Sklaverei. Das Kommen des Sohnes hat die Befreiung erwirkt. Die Menschen sind dadurch in die "Sohnschaft" eingesetzt. Sachlich bedeutet das wieder nichts anderes als das, was in den anderen Bildern in anderer Terminologie ausgedrückt wird. Wer in der Sohnschaft lebt, wandelt in der Neuheit des Lebens, ist ein mit Gott Versöhnter usw. Das alles ist aber nicht etwas, worum der Mensch sich mit Hilfe des Gesetzes erst bemühen muß, sondern das hat Gott durch die Sendung des Sohnes bewirkt.

Für das Verständnis der Christologie ist nun wichtig: Paulus blickt dreimal zurück und kann bei diesem Rückblick jeweils unterschiedliche Punkte der Vergangenheit anvisieren. Er kann das gute Urteil Gottes mit Vorstellungen veranschaulichen, die einmal am Kommen des Sohnes, das andere Mal am Tod des Christus und schließlich an der Auferweckung Jesu festgemacht werden. Und in jedem einzelnen Fall wird dasselbe gesagt.

Selbstverständlich darf man das Ganze jetzt nicht umkehren und in eine sogenannte heilsgeschichtliche Abfolge bringen. Denn dann entstünde zwangsläufig die Frage, wann denn das gute Urteil Gottes über die Menschen ergangen ist: schon beim Kommen, oder erst beim Tod, oder erst bei der Auferweckung? Oder man müßte von einer Steigerung sprechen. Oder aber man müßte addieren, weil erst die Summe das Ganze bringt. Paulus blickt jedoch zurück und sagt an jedem einzelnen Punkt das Ganze aus.

Man kann hier erkennen, wie problematisch es ist, wenn man formuliert: "Ausgangspunkt (!) und Basis (!) ... der Ethik des Paulus ist *das* eschatologische Heilsereignis von Tod *und* Auferstehung Jesu" (vgl. oben S. 134).

Die hinsichtlich der jeweils benutzten Vorstellungen ganz unterschiedlichen Christologien haben also (und zwar jede für sich) die Funktion, anschaulich zu entfalten, wie in der Vergangenheit das Urteil Gottes ergangen ist. Paulus kann nun aber nicht nur die Bilder auswechseln, ohne dadurch den Inhalt der Aussage zu verändern, sondern er kann auch ganz auf Bilder verzichten und als "Chiffre" einfach Christus benutzen. So kann er zum Beispiel sagen, daß Gott sich mit uns "durch Christus" versöhnt hat (2.Kor. 5,18), oder eben, daß "Christus" des Gesetzes Ende ist für die Glaubenden (Röm. 10,4).
Die begonnene Skizze läßt sich also erweitern:

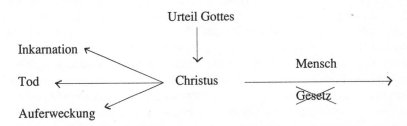

Jetzt bleibt die Frage, wie das, was damals in der Vergangenheit "in Christus" geschehen ist, heute beim Menschen ankommt. Darauf antwortet die sowohl präzisierende als auch abgrenzende Schlußbemerkung in Röm. 10,4. Paulus behauptet eben nicht einfach (wie man ihn leider oft verkürzt zitiert), daß Christus des Gesetzes Ende ist, sondern er sagt, daß Christus das "zur Gerechtigkeit" (= als Urteil Gottes) "für alle Glaubenden" ist. Das heißt aber: Das Urteil Gottes kommt bei all denen an, die sich das gesagt sein lassen, die sich darauf vertrauend einlassen, und zwar *im Vollzuge ihres Existierens*. Knapp formuliert: Wer daraus lebt, der glaubt. Die Formel "Glaube an Christus" hat also einen ganz präzisen Inhalt. Dieser Inhalt ist unzureichend angegeben, wenn man ihn als *Überzeugung* formuliert und mit der Wendung ausdrückt: "Ich glaube, *daß* Gott in Christus das Urteil über die Menschen bereits gesprochen hat." Ist Glaube Ausdruck einer Überzeugung, dann bezieht sich dieser Glaube auf ein Wissen. Vom Glauben an Christus kann aber, nach Paulus, nur dann die Rede sein, wenn der Glaubende sein *Leben* aus dem ergangenen Urteil gestaltet.

Dieses Urteil Gottes, dem der Glaubende glaubt, verändert also den Glaubenden. Paulus hat viele Möglichkeiten, das auszudrücken. Er kann die durch das Urteil Gottes veränderten Menschen Versöhnte nennen, Freie, Mündige, in der Sohnschaft Lebende, aber auch vom Geist Regierte. Er kann sie als neue Kreatur bezeichnen, die das Alte hinter sich gelassen haben, wenn sie "in Christus" sind. Die einzelnen Vokabeln, die Paulus benutzt, stammen aus ganz verschiedenen Bereichen, haben auch religionsgeschichtlich unterschiedliche Herkunft. Paulus kann mit den Vokabeln durchaus wechseln und wählt dann aus der Fülle der Ausdrucksmöglichkeiten die aus, die er in seinem jeweiligen Argumentationszusammenhang für besonders geeignet hält. Man darf daraus aber nicht auf sachliche Differenzen schließen. Nicht darauf kommt es ihm an, was diese Ausdrücke in ihren früheren Zusammenhängen einmal bedeutet haben. Er nimmt sie vielmehr auf, um mit ihnen immer dasselbe zu sagen. Immer hat er "an Christus Glaubende", und das heißt nun eben: durch das Urteil Gottes veränderte Menschen, im Blick, die *als veränderte* Menschen ihr Leben gestalten.

Man kann darum formulieren, daß Paulus vor Damaskus "zum Glauben gekommen" ist. Nur muß man diese "Leer-Formel" füllen; denn der Pharisäer Paulus hätte doch keineswegs zugegeben, daß er nicht an Gott glaubte. Ansätze für die Füllung der Kurzformel bringt Paulus Gal. 3,23-25. Er kann hier ganz knapp formulieren, daß mit Christus,und zwar: erst mit Christus, der Glaube gekommen sei. Das ist aber sofort ein theologisches Problem. Bevor dieser Glaube kam, lebten die Menschen im Gefängnis. Das Gesetz war ihr *paidagogos* (nicht etwa: Erzieher, sondern: Prügelknecht). Diesem Prügelknecht war der Pharisäer ausgeliefert, und er lieferte sich ihm aus. Der Prügelknecht Gesetz war sein Gott. Nachdem aber der Glaube gekommen ist (und das ist identisch mit: nachdem Christus gekommen ist), leben glaubende Menschen nicht mehr unter dem Prügelknecht Gesetz, sondern sie leben als solche, denen Gott sein gutes Urteil bereits zugesprochen hat. Als Glaubende sind sie verändert: Aus Gefangenen sind Freie geworden.

Man kann das Damaskus-Erlebnis des Paulus also durchaus so zusammenfassen: Dem Pharisäer ist ein Götter-Wechsel widerfahren (zur Terminologie vgl. oben S. 21). Die "Bekehrung" des Paulus bestand darin, daß er sich von dem Gott wegwandte, der von den Menschen als Vorbedingung für seinen Urteilsspruch die Erfüllung des Gesetzes verlangte, und sich nun dem Gott auslieferte, der ihm "auf dem Antlitz Christi" erschienen war, dem Gott nämlich, der sein Urteil bereits gesprochen hat, da er *alle* seine Kinder liebt, ohne zunächst Vorleistungen von ihnen zu verlangen.

Man sollte nicht versuchen, dem Terminus Götter-*Wechsel* dadurch zu entgehen, daß man den *einen* Gott voraussetzt. Tut man das, muß man sagen: Vor Damaskus ist Paulus klargeworden, wie Gott *wirklich* ist. Dadurch verschleiert man jedoch das Problem. Richtig ist zwar, daß der Pharisäer Paulus (wenn er griechisch sprach) seinen Gott mit der *Vokabel theos* (Gott) bezeichnet hat, und daß der Christ Paulus seinen Gott immer noch mit *derselben* Vokabel bezeichnet. Es besteht also zwischen dem Gott des Pharisäers und dem Gott des Christen "Identität" - aber doch nur in der *Vokabel*. Wenn indes dieselbe Vokabel mit kontradiktorischen Inhalten gefüllt wird (das Urteil *wird* erst gesprochen, das Urteil *ist* bereits gesprochen), ist es doch wohl mehr als nur problematisch, wegen der Identität der Vokabel von einer Identität der mit dieser Vokabel bezeichneten Größen zu sprechen.

Es geht also vor und nach Damaskus um grundverschiedene Theologien. Da aber die Ethik ein Aspekt von Theologie ist, sind auch die Ethiken des Pharisäers Paulus und des Christen Paulus grundverschieden. Man kann ihre Differenzen am einfachsten erkennen, wenn man sich an dem von Paulus benutzten Gegensatzpaar orientiert: Werk und Frucht (vgl. Gal. 5,19.22).

Kennzeichnend für die pharisäische Ethik ist, daß sie *Werk* ist. Hier ist der (alte) Mensch auf sich selbst gestellt und darum allein. Er hat das Gesetz, hat Vorschriften und Regeln, und er bemüht sich, sein Leben daran zu orientieren. Er ist zwar davon überzeugt, daß sein Gott das Gesetz gegeben hat; aber jetzt hat er diesen Gott nicht bei sich. Darum muß er sich selbst anstrengen, und zwar in doppelter Weise: Zunächst muß er versuchen, den Willen seines Gottes möglichst genau zu erkennen. Das führt in die Kasuistik hinein. Danach muß er sich bemühen, den erkannten Willen seines Gottes zu tun. Dabei kann er großartige Erfolge erringen, auf die auch der Christ Paulus noch hinweisen kann, ohne diese Erfolge in Zweifel zu ziehen. Im Gegenteil: Der Pharisäer hat allen Grund, auf seine Leistungen stolz zu sein; und er kann sich ihrer rühmen. Es ist daher ein (unter Christen verbreiteter) Irrtum, die pharisäische Ethik als eine "minderwertige" oder gar als "schlechte" Ethik abzuqualifizieren. Was sie theologisch problematisch macht, ist das "Muß", unter dem sie immer steht, und zwar das *theologische* Muß. Der Gott der Pharisäer verlangt zuerst Werke: konkretes Tun ebenso wie konkretes Unterlassen. Dabei stellt er dem Menschen in Aussicht, daß er ihn annehmen, daß er ihn rechtfertigen *wird, wenn* er diese Werke erbringt.

Kennzeichnend für die Ethik des Paulus nach Damaskus ist, daß sie *Frucht* ist. Diese Frucht wird wirklich gebracht. Im Vollzuge des Lebens wird sie immer wieder konkret gestaltet. Der Mensch, der hier handelt, ist jedoch nicht mehr der alte Mensch, der, allein und auf sich gestellt, sich mühen muß, sein "Sein" erst noch zu erreichen, sondern er ist ein veränderter Mensch, der durch Christus sein Sein schon hat. Was er tut, ist daher stets "Frucht des Geistes". Insofern ist gar nicht er es, der handelt, wiewohl er *sein* Handeln gestaltet. Der "eigentliche"

Täter ist Christus oder der Geist. Darum entfällt für den Menschen jede Möglichkeit, sich seines Tuns zu rühmen.

Der entscheidende Unterschied zwischen diesen beiden Ethiken liegt also in den jeweils grundverschiedenen Ansatzpunkten. Besonders deutlich wird das bei der Frage: Was ist zu tun, wenn es mit der Ethik nicht klappt? In der pharisäischen Ethik klappt das Tun dann nicht, wenn man entweder den Willen des Gottes der Pharisäer nicht genau genug kennt, oder wenn man sich nicht ausreichend um das Tun des Willens dieses Gottes bemüht. Abhilfe wird dann dadurch geschaffen, daß man möglichst präzise erkundet und festlegt, was nach dem Willen dieses Gottes zu tun oder zu unterlassen ist, und dadurch, daß man die eigenen Anstrengungen intensiviert. In der Ethik des Christen Paulus klappt das Tun dann nicht, wenn der Mensch nicht aus der Vorgabe des Gottes lebt, der in Christus bereits sein Urteil über ihn gesprochen hat. Denn dann ist er ja immer noch der alte, nicht aber ein veränderter Mensch. Aber nur veränderte Menschen können Frucht bringen. Abhilfe kann darum nur dadurch geschaffen werden, daß der Mensch glaubt, d.h., daß er sich versöhnen läßt mit Gott.

Auf eine knappe Formel gebracht: In der pharisäischen Ethik muß der Mensch sein *Tun* verändern, damit Werke herauskommen. In der Ethik des Christen Paulus muß sich der *Mensch* verändern *lassen,* damit er Frucht bringen kann.

Exkurs: Kreuz und Auferweckung Jesu

Man kann durchaus die Frage stellen, ob es zur Entfaltung der Ethik des Paulus notwendig ist, noch einen Schritt hinter das Damaskus-Erlebnis zurückzugehen und in diesem Zusammenhang Kreuz und Auferstehung Jesu ausdrücklich zu thematisieren. Drei Gründe lassen das aber zumindest zweckmäßig erscheinen.

(1) Nach verbreiteter Meinung setzen Theologie und Ethik des Paulus Kreuz und Auferstehung Jesu voraus. Wenn man das auch nicht bezweifeln kann, bleibt dennoch die Frage offen, wie das bei Paulus der Fall ist: Geht er von Kreuz und Auferstehung aus? Das scheint dort vorausgesetzt zu werden, wo man formuliert: "Ausgangspunkt und Basis der Ethik des Paulus ist das eschatologische Heilsereignis von Tod und Auferweckung Jesu, in dem Gott endzeitlich und endgültig zum Heil der Welt gehandelt hat." Oder aber führt Paulus seine vor Damaskus gewonnene Theologie außer auf die Inkarnation auch auf Kreuz und Auferweckung Jesu zurück?

(2) Wird dadurch, daß Paulus vom Gekreuzigten und Auferweckten redet, aus dem, was Menschen in der Begegnung mit Jesus erfahren haben, inhaltlich etwas anderes? Oder handelt es sich um Wieder- bzw. um Neuaufnahme der alten Inhalte? Dies ist eine Frage, die zwar Paulus selbst nicht tangiert, wohl aber sachlich von Interesse ist.

(3) Zumindest einen Fingerzeig für diese Rückfrage gibt uns Paulus selbst dadurch, daß er zweimal sein eigenes Damaskus-Erlebnis in Verbindung bringt mit einem Erlebnis

Früherer: Er hat "Jesus, unseren Herrn, gesehen", wie andere vor ihm ihn gesehen haben (1.Kor 9,1); und dieses gemeinsame Sehen wird (schon vor Paulus, dann aber auch durch ihn) in den Komplex Auferstehung Jesu eingeordnet (1.Kor. 15,8).

Da in diesem Exkurs nur soweit auf Kreuz und Auferstehung Jesu eingegangen werden soll, wie beides von Paulus aus in den Blick kommt und für seine Ethik relevant ist, gehen wir vom literarischen Befund aus.

Der Apostel verwendet in seinen Briefen häufig vorformuliertes Material. In unserem Zusammenhang ist auf drei Gruppen von Formeln zu verweisen, die mehrfach begegnen. Zum Teil sind sie dem Kontext angepaßt worden, lassen sich jedoch mit ausreichender Sicherheit auf diese Grundformen zurückführen:

(1) eine Formel, die den Tod Jesu zum Inhalt hat: "Wir glauben: Christus ist für uns gestorben" (Röm. 5,8 u.ö.);

(2) eine Formel, die die Auferweckung Jesu zum Inhalt hat: "Wir glauben: Gott hat Jesus von den Toten auferweckt" (Röm. 10,9), und die auch als Gottesprädikat begegnet: Gott ist der, der Jesus von den Toten auferweckt hat (vgl. Gal. 1,1);

(3) eine kombinierte Formel, die Tod und Auferweckung Jesu zum Inhalt hat: "Wir glauben: Jesus ist gestorben und auferstanden" (1.Thess. 4,14), bzw. ausführlicher: "Christus ist gestorben für unsere Sünden nach den Schriften und wurde begraben; und er ist am dritten Tage auferweckt worden nach den Schriften und wurde gesehen - von Kephas ..." (1.Kor. 15,3-5).

Man spricht hier von "vorpaulinischem" Gut, muß aber gerade deswegen beim Versuch der Datierung vorsichtig sein. Man darf das nicht so verstehen, daß diese Formeln bereits vor dem Damaskus-Erlebnis existierten. Das kann zwar, muß aber nicht der Fall sein. Sicher ist zunächst lediglich, daß Paulus diese Formeln gekannt hat, als er seine Briefe schrieb, also ab 50 n.Chr. Das Datum ihrer Entstehung innerhalb der davorliegenden ca. 20 Jahre ist offen.

Im Rahmen einer relativen Chronologie kann man indes davon ausgehen, daß die kombinierten Formeln aus den beiden anderen zusammengewachsen, also jünger sind. Insbesondere ist das für die Formel 1.Kor. 15,3-5 zu bedenken. Sie weist bereits so viele Reflexionen auf, daß es ganz unwahrscheinlich ist, für ihre Entstehung die ersten drei Jahre nach der Kreuzigung Jesu (also die Zeit bis zum Damaskus-Erlebnis) anzunehmen. Wir haben es hier also nicht, wie man oft unterstellt, mit einer "ganz alten", sondern mit einer "relativ jungen" Formel zu tun.

Der Prozeß der Aus- und Weiterbildung dieser Formeln ist daher zeitgleich mit dem Wirken des Paulus.

Man kann also feststellen: Zum Zeitpunkt, als der Apostel seine Briefe schrieb, wußte er, daß Menschen behaupten: "Wir glauben: Christus ist für uns gestorben"; und er wußte, daß Menschen behaupten: "Wir glauben: Gott hat Jesus von den Toten auferweckt." Wichtig ist: Paulus hat beide Aussagen nebeneinander gekannt, und zwar als jeweils in sich geschlossene Aussagen. Darum konnte er sie auch einzeln aufnehmen und einzeln benutzen. Paulus wußte aber auch, daß es Menschen gibt, die beide Aussagen zusammenfassen konnten; und er hat dann solche Zusammenfassungen übernommen (1.Kor. 15,3-5); aber er hat auch selbst auf unterschiedliche Weise solche Zusammenstellungen vorgenommen und in den Dienst seiner Argumentation gestellt (vgl. Röm. 5,6-11; 6,3-4).

Dabei ist eine gewisse Akzentverschiebung zu erkennen. Zunächst handelt es sich um Formeln, die mit der Wendung "wir glauben" eingeleitet werden. Das ist, wie gleich noch zu zeigen sein wird, ganz präzise zu verstehen: Menschen sagen aus, worin sie ihr Leben gründen. Die Wendung "wir glauben" begegnet auch noch bei der kurzen Zusammenfassung 1.Thess. 4,14. Dann aber beginnen sich die "Inhalte" des Glaubens zu verselbständigen in Richtung auf eine Darstellung, die vergangenes Geschehen als Ablauf interpretiert. Das ist in der von Paulus übernommenen Formel 1.Kor. 15,3-5 der Fall. Dabei verblaßt der *unmittelbare* Bezug dieser Vergangenheit auf das Leben in der Gegenwart. Bringt man diese Akzentverschiebung auf eine kurze Formel, kann man etwa sagen: Aus "Glauben *an*" wird ein "Glauben, daß ...". Oder anders ausgedrückt: Die früheren Inhalte des Glaubens werden wißbar. Dadurch können sie als Argumentationsmaterial benutzt werden. Offenbar steht Paulus mitten in dieser Entwicklung, von der man freilich kaum sagen kann, daß sie ausdrücklich reflektiert wurde.

Geht man nun den mit Hilfe der Literarkritik aufgezeichneten Weg zurück, stößt man am Ende auf zwei Einzelformeln, denen wir uns nacheinander zuwenden.

1. Christus ist für uns gestorben

Dieser Satz, der als Aussage des Glaubens entstanden ist, wird bis heute wortwörtlich vielfach wiederholt. Sein Inhalt bereitet häufig Schwierigkeiten. Man versucht, diesen Schwierigkeiten zu begegnen, indem man darauf hinweist, daß es sich eben um einen Glaubenssatz handle. Damit bietet man aber kaum eine Hilfe, ihn zu verstehen.

Will man ihn jedoch verstehen, hat es wenig Sinn, sich sofort unmittelbar am Inhalt des Satzes zu orientieren. Zunächst muß geklärt werden, wie dieser Satz entstanden ist. Es kann nicht bestritten werden, daß irgendwann nach dem Tode Jesu irgendwer diesen Satz zum erstenmal gesprochen hat. Wenn man heute diesen Satz wiederholt, wiederholt man nicht einfach und nur den Wortlaut dieses Satzes, sondern muß bedenken: Man wiederholt einen Satz, mit dem ein Mensch damals seinen Glauben formulierte. Da das Zustandekommen dieses

Satzes für seinen Inhalt konstitutiv ist (und darum auf keinen Fall unterschlagen werden darf), müssen nun zwei Fragen geklärt werden:

(a) Was hat der Mensch, der diesen Satz zum erstenmal formulierte, damals mit diesem Satz gemeint? - und (b): Wie kam dieser Mensch dazu, diesen Satz gerade so zu formulieren? War das eine kühne Behauptung? Oder ist diese Behauptung irgendwie einsehbar? - Wir gehen beiden Fragen nacheinander nach.

(a) Was wollte der Mensch, der diesen Satz zum ertenmal formulierte, mit ihm aussagen? Das ist präzise die Frage der historischen Exegese. Um sie beantworten zu können, muß man nicht nur wissen, sondern auch bedenken, daß dieser Mensch ein Mensch seiner Zeit war, der in diesem Satz Vorstellungen benutzte, die seiner Umgebung vertraut waren. Ohne diese Voraussetzungen hätte der Satz damals gar nicht verstanden werden können.

Die Vorstellung war: Gott verlangt für die Sünde der Menschen ein Opfer. Eigentlich müßten die Menschen selbst das Opfer sein; denn sie sind es, die wegen ihrer Sünden den Tod verdient haben. Gott kann sich aber mit einem stellvertretenden Opfer zufriedengeben: einem Tier, das im Tempel geschlachtet wird. Das Tier wird also *für den Menschen* (= an seiner Stelle) geopfert, damit Gott sich mit den Menschen versöhnt. In diesen Zusammenhang gehört das "für uns". Mit dieser Wendung befinden wir uns in einem Raum, in dem Opfervorstellungen *vertraut* waren, und zwar als Sühn- und als stellvertretendes Opfer. Und *Gott* ist es, der als Vorbedingung für die Versöhnung dieses Opfer *verlangt.*

Der Mensch, der zum erstenmal den Satz: "Christus ist für uns gestorben" ausgesprochen hat, wollte also damit sagen: Der Tod Jesu war ein solches stellvertretendes Sühnopfer für uns.

Läßt man diese Aussage in jener Zeit stehen, erkennt man: Mit diesem Satz wird die damals vertraute Vorstellung zerstört, und zwar gerade durch Benutzung dieser Vorstellung. Denn in Zukunft gibt es keine Opfer mehr. Mit anderen Worten: Gott wird neu definiert. Er ist gar nicht mehr der, der eigentlich den Tod der Sünder will, sich aber mit einem stellvertretenden Sühnopfer begnügt, sondern er ist der, der, ohne Vorleistung durch Opfer, versöhnt mit den Menschen leben will.

Der Mensch, der diesen Satz formulierte, formulierte ihn als Aussage seines Glaubens. Er glaubte also, daß er als mit Gott Versöhnter leben darf. Diesen seinen Glauben begründete er unter Aufnahme einer zeitgenössischen Vorstellung, indem er ein Ereignis der Vergangenheit, den Tod Jesu am Kreuz, als stellvertretendes Sühnopfer interpretierte. Menschen seiner Zeit konnten das ganz unmittelbar verstehen.

Man wird nun überlegen müssen, ob man das heute immer noch kann. Bei dieser

Überlegung wird man beides genau auseinanderhalten müssen: den Inhalt des Glaubens und die Begründung dieses Inhaltes.

Daß der zentrale Inhalt christlicher Verkündigung die Ansage der "in Christus" geschehenen Versöhnung mit Gott ist, sagt nicht nur Paulus ausdrücklich (2.Kor. 5,20), das wird auch heute wiederholt werden können und müssen. Gelingt es uns aber, die geschehene Versöhnung ebenso zu begründen? Paulus ist, wie oben gezeigt wurde, keineswegs auf die eine Begründung mit der Interpretation des Todes Jesu als "Tod für uns" angewiesen; er kann als Begründung ebenso auf die Sendung des Sohnes Gottes verweisen, ohne einen "Ausgleich" zwischen Kreuz und Inkarnation vornehmen zu müssen. Beides steht unverbunden und gleichgewichtig nebeneinander. Da Paulus Kind seiner Zeit war, konnte er dann eben auch den Gedanken des stellvertretenden Sühnopfers aufnehmen.

Heute dürfte man damit jedoch Schwierigkeiten haben. Denn setzt der, der den Tod Jesu mit Hilfe dieser Vorstellung interpretiert, nicht zugleich damit jenes Gottes-Bild voraus: Gott verlangt zur Versöhnung der Menschen mit sich ein Opfer? Macht er damit nicht gerade die neue Definition Gottes rückgängig? Jedenfalls wird man sich diesen Fragen stellen müssen und muß sich mit ihnen auseinandergesetzt haben, bevor man jenen alten Glaubenssatz als eigenen Glaubenssatz einfach nachspricht.

Da nun nicht zu bestreiten ist, daß jener Mensch zur Begründung seines Glaubens den geschehenen Tod Jesu als stellvertretendes Sühnopfer interpretierte, stellt sich die Frage nach der Berechtigung dieser Interpretation durch diesen Menschen.

(b) Wie kam der Mensch dazu, diesen Satz gerade so zu formulieren? Am Ereignis Kreuz war nicht ablesbar, daß hier ein Opfertod geschah. Es liegt daher eine Interpretation vor. Für das Zustandekommen der Interpretation gibt es zwei Möglichkeiten: Entweder handelt es sich um eine kontingente und darum nicht ableitbare, oder es handelt sich um eine ableitbare und darum einsehbare Behauptung.

Liegt eine kontingente Behauptung vor, bereitet ihre Übernahme nahezu unüberwindliche Schwierigkeiten.

Sie entzieht sich jeder Überprüfung. Weder können wir feststellen, ob es sich um einen bloßen Einfall dieses Menschen handelt, noch, ob er sich auf eine Eingebung oder was auch immer berief.

Wer diese Meinung vertritt, darf nicht den Glauben ins Spiel bringen und den Inhalt dieses Satzes als Ausdruck seines Glaubens bezeichnen. In diesem Fall richtet sich der Glaube gar nicht auf den Inhalt des Satzes, sondern zunächst darauf, daß dieser Mensch in der Lage war, den Tod Jesu sachgemäß zu interpretieren. Wieso er dazu in der Lage war, bleibt offen, weil es offenbleiben muß. Nur wenn man das voraussetzt und sich damit zufriedengibt, kann man den Satz nachsprechen. Alles hängt jetzt vom Urteilsvermögen dieses einen Menschen ab, der den Satz zum erstenmal formuliert hat. Darauf baut man seinen Glauben. Ist man in *diesem* Glauben gewiß (aber erst dann!), kann man als

Konsequenz auch den Inhalt des Satzes akzeptieren. Ein heutiger (!) Glaube, der den Tod Jesu als "Tod für uns" bekennt, steht und fällt also mit der Urteilsfähigkeit jenes Menschen. Kann man darüber aber überhaupt diskutieren?

Diesen Schwierigkeiten entgeht man nur, wenn man das Zustandekommen des Satzes einsichtig machen kann. Das ist sogar relativ einfach möglich.

In der Begegnung mit dem wirkenden Jesus hat dieser Mensch Jesus als Versöhner erfahren, weil Jesu Gott eben ein Gott war, der unversöhnten Menschen Versöhnung anbietet, und zwar ohne vorher Leistungen (oder Opfer) zu verlangen. Sodann hat dieser Mensch erfahren, daß Jesus ein Risiko einging, wenn er den Menschen seiner Umgebung diesen Gott zulebte. Aber auch Nachstellungen, die Jesus dabei erlebte, Anfeindungen und Verfolgungen hinderten ihn nicht, den Menschen weiter die Versöhnung seines Gottes zuzuleben. Das äußere Geschick dessen, der solche Versöhnung lebt, ist also kein Gegenargument. Es geschieht dennoch wirklich Zuleben von Versöhnung. Konnte dann aber der Tod Jesu am Kreuz ein Gegenargument sein?

Genau dagegen protestiert dieser Mensch mit diesem Satz. Um das auszudrükken und verstehbar mitteilen zu können, nimmt er die Vorstellung auf, die damals zur Verfügung stand: das stellvertretende Sühnopfer. So sagt er dann am *Endpunkt* des Lebens Jesu, sozusagen zusammenfassend, das aus, was er in der Begegnung mit dem *wirkenden* Jesus immer wieder erfahren hat.

Paulus kann das später so ausdrücken: "Alles kommt aus Gott, der uns mit sich *durch Christus* versöhnt und uns den Dienst der Versöhnung gegeben hat" (2.Kor. 5,18). Auf zwei Dinge muß man hier achten.

Zunächst: Paulus kennt zwar den Satz, daß Christus für uns gestorben ist. Er fixiert das Versöhnungshandeln Gottes aber nicht auf das Ereignis des Kreuzestodes, sondern er kann die geschehene Versöhnung ganz allgemein mit dem Handeln Gottes in Christus begründen.

Sodann: Der Dienst des Paulus (und der der Christen) besteht darin, die geschehene Versöhnung zu predigen, damit versöhnte Menschen frei werden zu versöhnendem Tun. Damit ist dann sofort der Ansatz für die Ethik erreicht.

Es ist sicher pointiert ausgedrückt, aber dennoch sachlich nicht falsch, wenn man formuliert: *Christus* hat die Versöhnung gebracht, nicht das Kreuz. Denn es wird ja gar nicht eigentlich das *Ereignis* Kreuz interpretiert, sondern *am* Kreuz wird exemplarisch ausgesagt, was am Wirken Jesu erfahren worden ist. Das Verständnis des *Wirkens* Jesu brachte diesen Menschen dazu, den *Tod* Jesu (*auch* den Tod) als Tod für uns auszusagen.

Diese exemplarische Aussage der Heilsbedeutung des Kreuzes steht bei Paulus genau neben der anderen (auch exemplarischen) Aussage in Gal. 4,4f.: Gott hat durch die *Sendung* des Sohnes den Loskauf aus der Sklaverei durch das Gesetz bewirkt.

Es ist also sehr problematisch, das Kreuz so in das Zentrum zu rücken, wie es fast immer geschieht. Was für die Geschichte des synoptischen Traditionsgutes gilt, gilt ebenso für die andere Traditionslinie, in der Paulus steht: Das Ereignis Kreuzestod war keineswegs Ziel und Höhepunkt des Wirkens Jesu. Es war jedoch die äußerste Konsequenz, die eintreten *kann,* wenn in einer unversöhnten Welt Versöhnung gelebt wird. Nachdem diese Konsequenz aber eingetreten war, ist es zugleich irgendwie verständlich, daß sich das Interesse nun an diesem Extrempunkt fixierte.

Paulus konnte mit Hilfe des so interpretierten Kreuzes einen wichtigen Zug in seiner Ethik zur Geltung bringen, übrigens wieder in Parallele zum synoptischen Traditionsgut: "Wenn jemand mir nachfolgen will, verleugne er sich selbst und nehme sein Kreuz auf sich und folge mir nach" (Mk. 8,34). Bei Paulus kommt das in der sogenannten *theologia crucis* zum Ausdruck, die man nur dann richtig versteht, wenn man sie im Zusammenhang seiner Auseinandersetzungen mit Gegnern sieht, die ihrerseits eine *theologia gloriae* vertreten. Es handelt sich hier um ethische Kategorien. Denn eigentlich ist es (nach menschlichen Maßstäben) gar nicht einzusehen, daß das Tun der Ethik dem Täter selbst keinen Erfolg garantiert. Wer in dieser Welt den Dienst der Versöhnung ausübt, wer Versöhnung predigt und lebt, geht damit immer ein Risiko ein: Er riskiert "das Kreuz".

Damit wird sofort signalisiert, daß die ethischen Anweisungen des Paulus kaum geeignet sind für Menschen, bei denen diese Bereitschaft zum Risiko nicht besteht.

Abschließend sei noch einmal auf folgendes hingewiesen: Mit dem Satz: "Wir glauben: Christus ist für uns gestorben" liegt eine in sich geschlossene Aussage vor, die keineswegs einer Ergänzung durch eine Aussage über die Auferweckung Jesu bedarf. Insofern kann man durchaus sagen, daß mit diesem Satz bereits eine "Oster"-Aussage vorliegt. Denn es wird so auf das abgeschlossene Wirken Jesu zurückgeblickt, daß dieses Wirken Zukunft eröffnet. Daß Gott *in Christus* die Welt mit sich selbst versöhnt hat, wird *auch noch* vom Kreuz ausgesagt. Von nun an kann verkündigt werden: Gott hat sich mit der unversöhnten Welt versöhnt. Wer sich das gesagt sein läßt, indem er sich darauf einläßt, kann von nun an als Versöhnter leben.

Daß er dann "in Neuheit des Lebens" wandelt und daß *das* mit der Auferweckung Christi begründet wird (Röm. 6,4), ist nur die andere Seite derselben Sache, nicht aber etwas, was zusätzlich noch hinzukommt:

2. Gott hat Jesus von den Toten auferweckt

Zum Verstehen des zweiten Glaubenssatzes müssen wieder die beiden Fragen beantwortet werden, nämlich: was der Mensch, der diesen Satz zum erstenmal ausgesprochen hat, damit sagen wollte, und: wie dieser Mensch dazu kam, eine solche Behauptung aufzustellen. In diesem Fall müssen wir jedoch die Reihenfolge der Fragen umkehren. Der Grund dafür ergibt sich aus dem Inhalt des Satzes.

Verdeutlichen kann man sich das mit einer (freilich hypothetischen) Überlegung, die zugleich zeigt, daß man sehr genau auf den Sprachgebrauch achten muß.

Ein Mensch, der im Grabe Wache hält, sieht den toten Jesus lebendig werden. Er sieht also seine Auf*erstehung*. Wenn dieser Mensch nun formuliert: Gott hat Jesus von den Toten auf*erweckt*, dann schließt er damit von einem Geschehen, das er vor Augen hatte, auf den Urheber des Geschehens und ändert damit zugleich das Verbum. - In dem Satz "Christus ist für uns gestorben" wird ein Ereignis genannt, dem eine Interpretation hinzugefügt wird. In dem Satz "Gott hat Jesus von den Toten auferweckt" ist jedoch bereits der gesamte Wortlaut eine Interpretation. Das Ereignis (die Auferstehung Jesu), das wir hypothetisch als von diesem Menschen erlebt unterstellt haben, wird nicht mehr genannt.

Da es nun aber für dieses Ereignis keinen Zeugen gibt (und in keiner erhaltenen Tradition überliefert wird, daß es einen solchen gegeben habe), muß zunächst nach dem Zustandekommen einer "Interpretation" gefragt werden.

In dem Zusammenhang kommt eine völlig neue Frage in den Blick: Was wird eigentlich mit diesem Satz interpretiert:

(a) Wie kam ein Mensch dazu, diesen Satz zu formulieren? Würde dieser Satz von Petrus stammen, wäre die Frage relativ leicht zu beantworten:

Von Petrus ist später behauptet worden, ihm sei Jesus nach der Kreuzigung erschienen bzw. er habe Jesus gesehen (1.Kor. 15,5; vgl. Lk. 24,34). Wenn das zutrifft, hätte er zunächst einmal formulieren können: "Ich habe Jesus gesehen." Der Satz "Gott hat Jesus von den Toten auferweckt" wäre dann eine Interpretation dieses Sehens. Diese Interpretation lag nahe, denn nach jüdischer Vorstellung würde Gott am Ende der Zeiten die Toten auferwecken. An Jesus wäre das im voraus geschehen. Der Satz gäbe dann den Ermöglichungsgrund für das Sehen an: ein Eingriff Gottes.

Nun wird jedoch niemals behauptet, daß der Satz, Gott habe Jesus von den Toten auferweckt, auf Petrus zurückgeht, und es gibt auch keinen indirekten Grund für diese Annahme. Der Satz muß daher von einem anderen stammen. Dennoch kann man ziemlich sicher angeben, in welchem Kreise dieser Mensch zu suchen ist. Er lebte in einer Gruppe von "Jesus-Anhängern", die sich nach der Kreuzigung Jesu wieder zusammengefunden hatte. Ihr Mittelpunkt war Petrus.

Wenn man nun einen aus dieser Gruppe gefragt hätte, wieso sie noch immer als Jesus-Anhänger lebten, hätte der auf Petrus verwiesen, der die Zerstreuten wieder gesammelt hatte. Dieses Sammeln durch Petrus begründete man mit einer "Vision", die Petrus erlebt hatte. In dieser Gruppe ist dann irgendwann von irgend jemandem zum erstenmal der Satz formuliert worden: Gott hat Jesus von den Toten auferweckt. Der Weg des Entstehens dieses Satzes ging also über die

Stationen: die Gruppe, Petrus als Sammler dieser Gruppe, Vision des Petrus. Interpretiert werden soll mit diesem Satz das Ingangsetzen des Lebens dieser Gruppe.

Daß damit zunächst keine neuen Inhalte formuliert werden, kann ein Vergleich mit dem zeigen, was im Zusammenhang mit dem Damaskus-Erlebnis des Paulus erörtert wurde (vgl. oben S. 135).

Schon als Verfolger hatte Paulus ein Wissen von dem, worum es den von ihm verfolgten Christen ging. Entsprechend ist nun zu sagen: Die, die Jesus nach Jerusalem begleitet und dort seinen Tod erlebt hatten, hatten ein Wissen von dem, wie sie unter dem Einfluß von und in der Gemeinschaft mit Jesus gelebt hatten. Nur lebte der Verfolger Paulus sein Wissen *noch nicht*; und die durch das Kreuz ihres Herrn beraubten und nun irritierten Jesus-Anhänger lebten ihr Wissen *nicht mehr*.

Durch das Damaskus-Erlebnis lieferte sich Paulus den vorher schon gewußten Inhalten aus. Entsprechend gilt wieder: Die von Petrus gesammelten Jesus-Anhänger lieferten sich *neu* den gewußten Inhalten aus.

In beiden Fällen geht es also nicht um neue Inhalte, sondern um das Auslösen bzw. um das Neuauslösen gewußter Inhalte im Vollzuge des Lebens.

Während seines irdischen Wirkens hatte Jesus das Leben dieser Gruppe in Gang gesetzt. Man hatte erfahren: Nur unter seinem Einfluß und in der Gemeinschaft mit ihm konnte dieses Leben gelingen und war es gelungen. Da es sich aber bei der von Petrus gesammelten Gruppe um das Leben derselben "Sache" handelte, war - und *blieb* Jesus der, der das Leben dieser Sache auslöste. *Beim Leben* derselben Sache wurde diese Gruppe gewiß: Er (wirklich Er) kommt auch heute noch. Und weil Er auch noch heute kommt, geht seine Sache weiter.

Wie es zur Neuauslösung kam, konnte man damit begründen, daß man auf eine Vision des Petrus verwies. Die Identität des Auslösers blieb dadurch gewahrt.

Im Anschluß daran (möglicherweise aber auch parallel dazu) hat nun ein Mensch irgendwann formuliert: Gott hat Jesus von den Toten auferweckt. Mit diesem Satz hat er (wieder einmal) zu Ende gedacht: Von den Erfahrungen aus, die diese Gruppe beim Leben der "Sache Jesu" machte, konnte er sagen: Jesus wirkt immer noch. Eben das drückte er dann mit Hilfe einer damals vertrauten Vorstellung und mit den Sprachmitteln dieser Vorstellung aus.

Man kann wohl auch zwei "Sitze im Leben" angeben, die eine solche Formulierung entstehen ließen: Paraklese und Apologie.

Die Paraklese konnte im Inneren der Gemeinschaft nötig werden. Wo ohne die leibliche Gegenwart Jesu so gelebt wurde, als ob er bei ihnen wäre, entstand die Frage, mit welcher Berechtigung man das eigentlich immer noch könne. Man wollte einander vergewissern: Indem wir das leben, was er bei uns gewirkt hat, ist er bei uns, denn Gott hat ihn von den Toten auferweckt. Anders formuliert: Das *extra nos* bleibt gewahrt.

Die ganz entsprechende Frage konnte auch von außen an die Gruppe herangetragen

160

werden: Wieso lebt sie das Leben, in das sie ein "Gescheiterter" hineingeführt hat? Antwort: Gott hat Jesus von den Toten auferweckt.

Mit dem Ausgeführten ist nun aber auch schon die andere Frage im wesentlichen beantwortet:

(b) Was wollte der, der diesen Satz formulierte, mit ihm sagen? Erinnern wir uns daran, daß der gesamte Wortlaut dieses Satzes "Interpretation" ist. Darum gehört zur Aussage, die dieser Mensch machte, konstitutiv das dazu, was interpretiert wird. Interpretiert wird nun aber nicht (wie oben bei dem fiktiven Beispiel unterstellt wurde) das "Ereignis" Auferstehung Jesu. Sondern interpretiert wird der *durch Jesus* ausgelöste Glaube, den dieser Mensch nach dem Tode Jesu in der Gemeinschaft der Jesus-Anhänger lebt.

Man muß nun streng darauf achten, daß der ganze Interpretationszusammenhang gewahrt bleibt. Ohne die Voraussetzung des gelebten Glaubens wäre dieser Satz als Interpretament nie entsanden. Darum darf man hier auf keinen Fall das Interpretament von dem trennen, was interpretiert wird. Eine solche Trennung verändert nämlich den Charakter und damit den Inhalt dieses Satzes grundlegend.

Genau das ist aber bereits in neutestamentlicher Zeit geschehen. Die Einbruchsstelle für diese Trennung bot möglicherweise eine sprachliche Modifizierung, obwohl man die damals kaum so schwerwiegend empfunden hat, wie sie uns heute erscheint.

Die sprachliche Modifizierung geschah wahrscheinlich so: Zunächst lautete der Satz: "Gott hat Jesus von den Toten auf*erweckt*." Mit diesem Satz wollte der Mensch begründen, warum er (und die Gruppe um ihn) immer noch den Glauben lebte, in den Jesus ihn einst hineingeführt hatte. Daraus wurde später der Satz: "Jesus ist auf*erstanden*." Wie dieser zweite Satz *entstanden* ist, ist deutlich: Zuerst wurde das Interpretament isoliert; dann wurde es umformuliert; und nun kam eine Aussage heraus, die man zumindest so verstehen *kann,* als solle damit ein in der Vergangenheit geschehenes "Ereignis" behauptet werden. Daß der "Verfasser" des ursprünglichen Satzes das nicht gemeint hat, ist völlig klar. Ebenso klar ist, daß es unmöglich ist, von dem Interpretament aus ein solches "Ereignis" zu postulieren.

Daß es dennoch geschehen konnte, ist leicht einzusehen. Bestimmt hing das (auch) mit dem oben erwähnten zweiten "Sitz im Leben" (mit der Apologie) zusammen. Wenn der Satz: "Gott hat Jesus von den Toten auferweckt" apologetisch benutzt wurde, war er *für die Benutzer* des Satzes Interpretament des Glaubens, den sie lebten. Für *"außenstehende" Hörer* bestand aber diese Voraussetzung nicht. Sie mußten daher verstehen: Die Christen behaupten die Auferstehung Jesu als ein in der Vergangenheit geschehenes "Ereignis". - Doch auch unter Christen entstand dieses Verständnis. Am deutlichsten ist es vielleicht bei Matthäus zu erkennen. Um dem Vorwurf des Leichenraubs zu begegnen, konstruiert er die Geschichte mit den Grabeswächtern (Mt. 27,62-66; 28,11-15). Also muß auch Matthäus schon die Auferstehung Jesu als Ereignis verstanden haben. Doch soll hier auf die dorthin führende und die anschließend weiterlaufende Entwicklung nicht eingegangen werden. Sie bildet aber den Ausgangspunkt für die auch noch heute geführte Diskussion: Ist die Auferstehung Jesu "ein (historisches) Ereignis" oder nicht?

Es kommt also alles darauf an, den Interpretationszusammenhang zu wahren, in dem der ursprüngliche Satz entstanden ist. Er ist *Konsequenz* aus gelebtem Glauben, aber nicht selbst ein *credendum,* also eine Behauptung, die als solche Glauben fordert, der zunächst einmal "geleistet" werden muß, um (anschließend!) Konsequenzen daraus zu ziehen.

Nun wird in den Schriften des Neuen Testaments, aber auch schon bei und vor Paulus, nebeneinander und meist ohne erkennbare Differenzierung von Auferweckung bzw. Auferstehung Jesu geredet (vgl. etwa 1.Kor. 15,4 mit 1.Thess. 4,14).

Im Gefolge des Aufklärungsdenkens stellt man heute häufig die Frage: Hat Paulus die Auferstehung Jesu als ein geschehenes "Ereignis" verstanden? Gerade weil das *unsere* Frage ist, müssen wir bei der Antwort vorsichtig sein. Wie Paulus sich das *vorgestellt* hat, was er mit dem Terminus Auferweckung bzw. Auferstehung Jesu ausdrückt, können wir nicht angeben, weil er darüber nicht redet. Wir können lediglich feststellen, wie er diesen Terminus benutzt: niemals zur Bezeichnung eines isolierten "Ereignisses", sondern immer in einem Interpretationszusammenhang.

Das ist nun aber nicht etwa etwas Besonderes, sondern das einzig Mögliche. Denn der als Bezeichnung eines "Ereignisses" verstandene Satz: "Jesus ist auferstanden", ist als solcher (ganz wörtlich) nichts-sagend. Außer der Konstatierung eines geschehenen Faktums hat er keinen Inhalt. Die Konstatierung des Faktums provoziert aber sofort Fragen, und zwar eben nach diesem Inhalt.

Wenn man jetzt formuliert, Gott habe sich in der Auferstehung zu Jesus bekannt, oder, er habe durch die Auferweckung Jesus bestätigt, bleiben auch das Formeln, die auf Füllung warten. Denn *als wer* hat Gott sich denn zu Jesus bekannt, *als wen* hat er Jesus bestätigt? Erst wenn man diese Fragen beantwortet, kommen Inhalte in den Blick. Und dann könte man (etwa) sagen: Gott hat Jesus als den bestätigt, der ein mit Gott versöhntes Leben ausgelöst hat. Die Bestätigung bestünde dann darin, daß das, was Jesus *gebracht* hat, *weiter* gebracht werden kann und soll.

Mit anderen Worten: Der Satz, der in einem Interpretationszusammenhang entstanden ist, behält nur Sinn, wenn er in einem Interpretationszusammenhang benutzt wird. Nur wer sich heute auf das einläßt, was Jesus gebracht hat (= wer glaubt), kann bekennen: Jesus lebt. Und umgekehrt: Wer sagt, Jesus lebt, sagt nur dann etwas Sinnvolles, wenn er sich auf das einläßt, was Jesus gebracht hat. Ohne diesen Zusammenhang ist der Satz "Jesus lebt" nichts-sagend.

Die Interpretationszusammenhänge, in denen Paulus von der Auferweckung bzw. Auferstehung Jesu redet, sind vielfältig und können hier im einzelnen nicht erörtert werden. (Gewarnt sei jedoch davor, einzelne Sätze aus dem Zusammenhang zu reißen und dann mit ihnen zu argumentieren.) Das Gemeinsame ist immer der soteriologische Aspekt. Es kommt auf gegenwärtiges Heil (und auf gegenwärtige Hoffnung) an, die Gott "in Christus" bereitet hat.

Indem Paulus den Interpretationszusammenhang wahrt, nimmt er das auf, was der Mensch sagen wollte, der zum erstenmal den Satz formulierte: Gott hat Jesus von den Toten auferweckt.

b) Indikativ und Imperativ -
Imperativ und Indikativ

Rudolf Bultmann hat mit seinem berühmten Aufsatz: "Das Problem der Ethik bei Paulus" Weichen gestellt (Zeitschrift für die Neutestamentliche Wissenschaft 1924, S. 123-140; abgedruckt in: R.B.: Exegetica, 1967, S. 36-54). Seither hat es sich eingebürgert, die Eigenart der paulinischen Ethik (darüber hinaus aber auch der christlichen Ethik überhaupt) mit den beiden in der Überschrift benutzten Termini zu bezeichnen. Ausgedrückt werden soll damit, daß eine Spannung vorliegt, die logisch nicht aufzulösen ist. Darum bietet auch die Darstellung dieser Paradoxie oder Antinomie Schwierigkeiten. Das zeigt gerade auch die Diskussion, die sich bis in die Gegenwart an die grundlegenden Ausführungen Bultmanns angeschlossen hat. Die Kritik besteht meist darin, daß man eine der beiden Seiten der Paradoxie zuwenig akzentuiert findet und deswegen meint, darauf größeren Nachdruck legen zu müssen. Doch wenn man in der Korrektur das Gewicht gerade darauf verlagert, besteht sofort die Gefahr, das Gleichgewicht nun in der anderen Richtung zu zerstören. Vermutlich ist jede *Darstellung* der Paradoxie Mißverständnissen ausgesetzt.

Worum es geht, läßt sich (im Anschluß an das bisher Ausgeführte) leicht zeigen. Wenn Gott sein gutes Urteil über den Menschen unbegreiflicherweise schon gesprochen hat (Indikativ), was Paulus doch offenbar seit Damaskus voraussetzt, welchen Sinn können dann die Imperative noch haben (und zwar theologisch!), die sich vielfach in den Paulus-Briefen finden? Ist Paulus der Meinung, daß Gott das Tun dieser Imperative *fordert*? Wenn das der Fall sein sollte, besteht dann nicht sofort die Gefahr, daß es wieder auf das Tun des Menschen ankommt? Wird ein solches im Namen Gottes durch Imperative geforderte Tun dann nicht aber alsbald zum "Werk"? Und bedeutet das dann nicht einen Rückfall in pharisäische Ethik? Wenn jedoch der Indikativ als *Gottes* Indikativ wirklich ernst genommen wird, müssen die Imperative störend wirken, weil die den Indikativ zurückzunehmen scheinen. Muß man

Paulus also (theologisch!) Inkonsequenz vorwerfen, wenn er nicht auf Imperative verzichtet?

Doch man kann auch umgekehrt fragen: Wäre ein Verzicht auf Imperative nicht vielleicht ein Zeichen dafür, daß der Indikativ verkürzt und damit mißverstanden worden ist? Denn wenn Gott "in Christus" sein gutes Urteil über den Menschen schon gesprochen hat und *wenn der Mensch das glaubt* (das heißt: wenn er *sich* darauf einläßt), dann verändert das doch den *ganzen* Menschen. Er ist dann nicht mehr der "alte" Mensch; er ist nicht mehr Sünder, sondern er ist "in Christus" eine "neue Schöpfung" (2.Kor. 5,17). Der neue Mensch ist aber nur dann neuer Mensch, wenn sein Tun neues Tun ist. Denn wenn der von Gott gerechtfertigte Mensch nicht seine Rechtfertigung lebt, ist er in Wahrheit gar kein gerechtfertigter Mensch. Wenn also das Tun des Gerechtfertigten nicht als etwas unverzichtbar notwendig mit seiner Rechtfertigung Zusammenhängendes in den Blick kommt und nicht ausdrücklich ausgesprochen wird, bleibt der Glaube eine intellektuelle Überzeugung, oder er verkümmert zu einer Sache des frommen Gemütes oder privater Innerlichkeit. Es muß daher vom Tun des Menschen und also vom Imperativ geredet werden, wenn Gott wirklich der *den Menschen* beschenkende Gott und damit der Indikativ wirklich Indikativ bleiben soll. Die Paradoxie kann man also nicht auflösen.

Die Schwierigkeit besteht nun jedoch in der Darstellung dieser Paradoxie. Sie besteht sodann aber auch im Leben dieser Paradoxie. Das läßt sich schon am Vorgang des Sprechens und dann auch an der Sprache verdeutlichen. Eigentlich müßte man vom Indikativ und vom Imperativ, vom Imperativ und vom Indikativ gleichzeit reden, und zwar so, daß man beides mit *einer* Vokabel ausdrückt. Diese Vokabel müßte so gewählt werden, daß sie die Inhalte beider Seiten der Paradoxie in einem Wort zusammenfaßt. Gibt es dafür eine geeignete Vokabel? Es soll später (im Anschluß an paulinische Terminologie) ein Vorschlag gemacht werden, der das Problem freilich auch nicht ganz löst (vgl. unten S. 171ff.). Wahrscheinlich kann es keine wirklich vollständig befriedigende Lösung geben. Und das hängt damit zusammen, daß der Mensch in dieser alten Welt in einer *ablaufenden* Geschichte lebt, das Leben als "neue Schöpfung" (das eschatologische Existieren) aber nicht von *dieser* Welt und insofern "zeitlos" ist, wenngleich es *in* dieser Welt gelebt wird und gelebt werden soll, gelebt werden soll und gelebt wird. Es muß daher *nacheinander* von Indikativ und Imperativ *oder* von Imperativ und Indikativ geredet werden. Damit entsteht zwangsläufig eine Reihenfolge. Die Reihenfolge bringt dann sofort die Gefahr mit sich, daß die zuerst *genannte* Größe auch eine sachliche Priorität bekommt.

Man kann das etwa an einer bis heute immer wieder begegnenden Alternative erkennen. Gegenüber einer sogenannten Dogmengläubigkeit wird behauptet, daß es in erster Linie doch auf ein sogenanntes praktisches Christentum ankomme. Sieht man dann Menschen, die von den "Dogmen" gar nichts halten oder die sie gar nicht kennen, das leben, was man für praktisches Christentum hält, erklärt man sie zu "anonymen Christen". Abgesehen davon, daß hier ziemlich überheblich Menschen qualifiziert und damit beurteilt werden, ist dazu doch wohl zu sagen: Hier ist das Christliche in Gefahr, zu einer *bloßen* Ethik zu verkommen. Wenn dagegen (mit Recht) protestiert wird, erschöpft sich dieser Protest sehr oft darin, daß man die Akzente anders verteilt. Die Praxis wird dann zwar nicht ausgeklammert. Man erklärt sie für unverzichtbar; ihr Fehlen gefährdet aber nicht (jedenfalls nicht grundsätzlich) den "Besitz" des Glaubensindikativs.

Dasselbe Problem liegt beim Nebeneinander der Disziplinen Dogmatik und Ethik vor. Herkömmlich werden sie in dieser Reihenfolge genannt. Dadurch droht die Gefahr, daß man etwas scheidet, was man zwar unterscheiden kann, aber gerade nicht scheiden darf. Das bringt Studenten (aber nicht nur sie) unentwegt in Schwierigkeiten. Einmal wird die eine Disziplin behandelt (und studiert - und geprüft); das andere Mal die andere Disziplin. Ihre Zusammengehörigkeit wird zwar stets behauptet und dementsprechend wird darauf auch "hingewiesen". Eine wirkliche (inhaltliche!) Durchdringung beider Disziplinen bei der Darstellung geschieht jedoch kaum. Eine Scheidung verdirbt jedoch *beide* Disziplinen.

Die Paradoxie ist nur dann wirklich gewahrt, wenn es keine Reihenfolge und keine unterschiedlich gewichtende Akzentuierung gibt. Da wir nun aber einfach "verurteilt" sind, die beiden Seiten der Paradoxie nacheinander zu *nennen,* liegt es in unserem Fall nahe, mit dem Imperativ zu beginnen.

1. Konkrete Ethik?

Wir setzen ein bei dem einen Extrem der Paradoxie, also bei Imperativen, mit denen ein ganz konkretes Tun gefordert wird. Mit dem Fragezeichen in der Überschrift wird bereits das Problem signalisiert. Man kann sich das vielleicht am einfachsten verdeutlichen, wenn man von der Gegenwart ausgeht.

Vielfach herrscht "im Raum der Kirche" eine große Unsicherheit in ethischen Fragen. Die Themen sind vielfältig: der Christ und der Staat, politische Entscheidungen der Christen, das Durchsetzen von sozialer Gerechtigkeit, Ehe- und Ehescheidung, die Stellung der Frau in der Gemeinde usw. Dementsprechend wird oft die Forderung erhoben, zu dieser oder jener Frage müsse "die Kirche" (wer ist das?) endlich ein klärendes Wort sagen. Dieses klärende Wort soll möglichst konkret sein, damit der Christ dann so genau wie möglich weiß, was er - nach Gottes Willen - zu tun hat. (Die römisch-katholische Kirche freilich kann aufgrund ihres Kirchen- und Amtsverständnisses ein solches Wort sagen.)

Darf eine solche Forderung aber erhoben werden? Oder anders formuliert: Ist es möglich, ein ganz konkret bezeichnetes Tun als christliches Tun auszugeben? Auch hier verweist man gern auf Paulus. Er hat seinen Gemeinden konkrete Anweisungen durch Imperative gegeben. Wenn man die dann aufnimmt (selbstverständlich modifiziert und auf die Situation der Gegenwart bezogen), werden solche "apostolischen Weisungen" in die christliche Ethik hineingeführt.

Kann man aber nach der Meinung des Paulus ein ganz konkretes Tun als "christliches" Tun bezeichnen? Zwei gewichtige Argumente sprechen dagegen: ein literarisches und ein sachliches.

Das literarische Gegenargument. Die Dokumente, die uns zur Verfügung stehen, sind Briefe. Damit ist zwar nur eine Selbstverständlichkeit formuliert. Es genügt aber nicht, diese Selbstverständlichkeit lediglich zu konstatieren. Die Paulus-Briefe sind eben nicht "Zeugnisse kirchen*gründender* Predigt" (wie Martin Kähler es einmal von den Schriften des Neuen Testaments gesagt hat), sondern sie sind (wie alle anderen Schriften des Neuen Testaments auch) Zeugnisse kirchen*erhaltender* Predigt. Darum kann keine einzige neutestamentliche Schrift *Grundlage* für "das Christliche" sein.

Paulus will mit seinen Briefen Gemeinden wieder zurückbringen, nachdem sie irgendwie von dem Wege abgekommen sind, auf den er sie bei der Gründung gebracht hatte.

Die einzige Ausnahme ist der 1.Thess. Hier ermuntert Paulus eine Gemeinde, auf dem Wege zu bleiben, auf dem sie unterwegs ist. Das macht den besonderen Reiz dieses weithin viel zuwenig beachteten ältesten Paulus-Briefes aus. Doch ist auch er geschrieben, um eine schon bestehende Gemeinde zu erhalten.

Da aber die jeweiligen Probleme in den Gemeinden unterschiedlich aussahen und bei mehreren Briefen an eine Gemeinde die Probleme (mindestens, was den Schwerpunkt betrifft) sich veränderten, mußte Paulus darauf auch ganz unterschiedlich reagieren. Mit seinen konkreten ethischen Anweisungen will er den Schwierigkeiten, die gerade vorliegen, entgegensteuern. Darum kann man geradezu sagen: Je konkreter der Imperativ ist, den Paulus formuliert, um so situationsbedingter war er und um so weniger eignet er sich für die Darstellung und das Verstehen der Eigenart der paulinischen Ethik. Für die Lösung konkreter ethischer Probleme sind die Imperative der Briefe daher unbrauchbar. Zwei Beispiele mögen dies verdeutlichen.

Wenn Paulus nach Röm. 13,1ff. die Christen *in Rom* ermahnt, "den übergeordneten Gewalten untertan zu sein", dann nimmt er Gedanken auf, die im hellenistischen Judentum jener Zeit mehrfach ausgesprochen worden sind. Sie sind daher weder spezifisch christlich, noch bemüht Paulus sich, sie in irgendeiner Weise christlich zu begründen. Er äußert sich *hier* also *nicht* zum Thema: Der Christ und die Obrigkeit (bzw. der Staat). Seine Briefe geben keinen Hinweis dafür, daß er dieses Thema überhaupt jemals grundsätzlich reflektiert hat. - Daß Paulus diese Verse nach Rom schreibt, hängt mit der dortigen konkreten Situation zusammen. Diese können wir freilich nur rekonstruieren; und da gibt es unterschiedliche Meinungen. Läßt sich die Situation in Rom *nicht* sicher rekonstruieren, darf man nicht den Versuch unternehmen, den Abschnitt dann situationsunabhängig zu erklären. Denn situationsunabhängig läßt sich dieser Abschnitt *als Aussa-*

ge des Paulus überhaupt nicht exegesieren, weil es sich um einen Imperativ *nach Rom* handelt.

Ich halte es für wahrscheinlich, daß Paulus von einem früheren Eingreifen der römischen Behörden in innergemeindliche Streitigkeiten wußte. Nach Apg. 18,2 wurden damals Juden aus Rom vertrieben. Der Streit hatte die öffentliche Ordnung gestört. Nach Rückkehr der Judenchristen droht er erneut auszubrechen. Das will Paulus nach Möglichkeit verhindern.

Solche konkreten Weisungen werden mißbraucht, wenn man sie generalisiert.

Entsprechendes gilt für das Thema: die Frau in der Gemeinde. Nach 1.Kor. 14,34 sollen die Frauen in den Gemeindeversammlungen schweigen. Ob dieses Wort von Paulus stammt oder ob (was ich für wahrscheinlich halte) 1.Kor. 14,33b-36 Einschub eines Späteren ist, kann völlig offenbleiben, weil es am grundsätzlichen Problem nichts ändert. Wenn Paulus hier anordnet (oder angeordnet haben sollte), daß Frauen in den Gemeindeversammlungen schweigen, hat er nicht "die Frauen" gemeint, sondern Frauen in Korinth, die durch enthusiastische Ekstasen ein Durcheinander produzierten. - Wenn es "geordnet" in der Gemeinde zugeht, kann Paulus durchaus voraussetzen, daß Frauen öffentlich beten. Zur Ordnung damals gehörte nach seiner Meinung hinzu, daß die Frauen mit bedecktem Haupt beten (1.Kor. 11,5). - Wie situationsbedingt solche konkreten Anweisungen sind, kann man auch daran erkennen, daß Paulus (nun allerdings den Galatern und aus ganz anderen Gründen) schreiben konnte, "in Christus" gibt es weder Mann noch Frau (Gal. 3,28). Daß das nun wiederum (auch in Gemeindeversammlungen) keine vorfindliche Feststellung ist, zeigt der Kontext, denn "in Christus" gibt es auch weder Juden noch Griechen, weder Sklaven noch Freie. "Vorfindlich" gibt es diese Unterschiede durchaus, auch in der Gemeinde; nur "in Christus" gibt es sie nicht mehr.

Wer die paulinische Ethik darstellen will, darf sich also nicht an den Inhalten der konkreten Imperative orientieren und diese Inhalte dann thematisch zusammenfassen. Erst recht darf man das nicht, wenn man heute Aussagen über christliche Ethik machen will. Die Dokumente, die uns vorliegen, sind eben Briefe.

Das sachliche Gegenargument. Nachdem Paulus Röm. 13,1-7 den Römern (wegen der Situation in Rom) Ratschläge erteilt hat, wie sie sich der Obrigkeit gegenüber verhalten sollen, kommt er Röm. 13,8-10 zu grundsätzlichen Erörterungen.

Der Übergang wird mit 13,8 deutlich markiert: "Bleibt niemandem etwas schuldig, außer daß ihr einander liebt." Die vorher genannten Verpflichtungen, wie etwa das Zahlen von Steuern, kann man erfüllen. Das Lieben aber ist ein "debitum immortale" (eine unsterbliche Schuld; Bengel). Es ist immer neu zu verwirklichen, weil man damit nie fertig wird.

Paulus zählt einige Gebote des Dekalogs auf. Bei ihrer Erfüllung kommt konkretes Tun heraus. Dann bezeichnet er das Liebesgebot als "Hauptnenner" aller Gebote und begründet das damit, daß, wer liebt, dem Nächsten nichts Böses tut - also genau das tut, was in den Geboten verlangt wird.

Daraus folgt: Wer ein konkretes Tun vor Augen hat, kann von außen nicht erkennen, ob sich der Täter bei seinem Tun an das Gesetz mit seinen Geboten gehalten hat (also den Weg pharisäischer Ethik gegangen ist), oder aber ob er sich von der Liebe bestimmen ließ. Denn das konkrete Tun ist in beiden Fällen gleich. Die "Christlichkeit" einer Ethik kann sich daher nicht an einem konkreten Tun entscheiden, sondern immer nur am Täter.

Damit wird noch einmal deutlich, daß die christliche Ethik keine "bessere" Ethik ist als die pharisäische, sondern eine andersartige. Die Andersartigkeit liegt in der Theologie.

Da sich die "Christlichkeit" eines Tuns niemals am konkreten Tun entscheidet, ist die paulinische Ethik nicht erfaßt, wenn man sie isoliert aus konkreten Imperativen in den Briefen des Paulus ableitet. Der Täter muß in den Blick genommen werden.

Damit stellt sich, auch wenn man mit dem Imperativ einsetzt, alsbald wieder die Frage nach dem Indikativ, konkret: die Frage nach der Christologie, wobei freilich die Eigenart der paulinischen Christologie sofort wieder mitbedacht werden muß.

Sie ist falsch erfaßt, wenn sie als "gewußte" Christologie verstanden wird und damit Ausdruck einer Überzeugung ist. Eine solche Christologie könnte man betrachten und darstellen. Sie bliebe aber als betrachtete und dargestellte Christologie im Abstand vom redenden Menschen. In ihr könnte zwar *über* ein Handeln Gottes in der Vergangenheit in Christus gesprochen werden. Doch das träfe ja den, der *über* dieses Handeln Gottes redet, gar nicht selbst. Eine solche "gewußte" Christologie wäre bestenfalls eine "Christologie auf Abruf", die der, der sie besitzt, einsetzen kann, wann und wo er sie wünscht oder benötigt.

Will man die Christologie des Paulus erfassen, gelingt das nur, wenn man sie streng als Theologie (als Rede *von* Gott) darstellt. Der Redende darf nicht nur (mit Namen) *genannt* werden, sondern er muß selbst *in den Blick* kommen, und zwar schon bei der Darstellung. Nur dann wird deutlich, daß die Vergangenheit Paulus wirklich auf den Leib gerückt ist. Das, was Paulus auf den Leib gerückt ist, stellt er zwar als aus der Vergangenheit kommend dar, aber er kann die Inhalte, mit denen er die Vergangenheit beschreibt, unterschiedlich füllen.

Paulus ist in die Sohnschaft gesetzt, weil Gott seinen Sohn *gesandt* hat. Paulus lebt als mit Gott Versöhnter, weil Christus am Kreuz *für ihn gestorben* ist. Paulus lebt in der Neuheit des Lebens, weil Gott *Jesus auferweckt hat*. Paulus lebt als von Gott Gerechtgesprochener (und darum nicht mehr unter dem Gesetz), weil *Christus* für Glaubende das Ende des Gesetzes ist.

Nur wenn die Christologie des Paulus als Theologie (als Rede *eines Menschen* von *seinem* Gott) verstanden wird, impliziert sie ein Tun. Denn in der paulinischen Christologie ist immer zugleich von einer Veränderung des Menschen die

Rede. Die paulinischen Imperative wollen nicht einfach Menschen zum Tun auffordern, sondern sie richten sich an *veränderte* Menschen. Sie setzen daher nicht einfach einen Indikativ voraus, sondern sie setzen einen *angekommenen* Indikativ voraus, nicht nur einen "gewußten".

Genau das darf man nicht unterschlagen, wenn man sich heute in christlicher Ethik auf Paulus beruft. Ein Paradigma: Es wird aufgerufen zur Versöhnung mit dem Feind. Wer diesen Imperativ verwirklicht, tut ohne Zweifel ein Werk, das hohe Anerkennung verdient. Es ist aber falsch, schon das als ein spezifisch christliches Tun zu bezeichnen, weil lediglich das Tun, noch nicht aber der Täter im Blick ist. Erst wenn ein *Versöhnter* Versöhnung lebt, kann von einem christlichen Tun gesprochen werden.

Man sollte die Konsequenzen bedenken, die sich daraus ergeben. Eine Konsequenz ist, daß der, der als Versöhnter Versöhnung leben *kann,* nicht auf den herabsieht, der (nicht "aus Glauben", sondern) durch eigene Anstrengung Versöhnung schafft, ihn aber auch nicht (nun genau umgekehrt) wegen seines vorbildlichen Tuns als "anonymen Christen" vereinnahmt. - Eine andere Konsequenz ist, daß man "im Raum der Kirche" nicht schon den Aufruf zur Versöhnung als solchen als christlichen Imperativ ausgibt. Das Entscheidende ist übersehen, wenn der potentielle Täter nicht auf den bei ihm *angekommenen* Indikativ hin angesprochen wird.

Die paulinische Ethik läßt sich also nicht so darstellen, daß man sich an den Imperativen orientiert. Selbst wenn man bei ihnen einsetzt, wird man alsbald auf den Indikativ verwiesen - und damit auf die Paradoxie.

2. Paradoxien

Zunächst soll an einigen Beispielen gezeigt werden, wie Paulus die Paradoxie mit unterschiedlichen Vorstellungen und demzufolge mit unterschiedlichen Vokabeln formulieren kann.

(a) Beispiele. Die sozusagen klassische Stelle (die auch in Bultmanns grundlegendem Aufsatz immer wieder begegnet) steht Gal. 5,25: "Wenn wir im Geiste leben, laßt uns auch im Geiste wandeln."

Der Kontext zeigt, daß Paulus hier eine Zusammenfassung bieten will. Bereits 5,1 hatte er dem Indikativ: "Zur Freiheit hat uns Christus befreit" den Imperativ folgen lassen: "... so stehet nun (darin) und laßt euch nicht wieder unter ein Joch der Knechtschaft spannen." Und 5,16 hatte er als Imperativ formuliert: "Wandelt im Geist."

Gal. 5,25 fällt nun auf, daß, zumindest grammatisch, kein Imperativ folgt, sondern ein Adhortativ. Das ist eine leichte Akzentverschiebung, die aber im Grunde besser zum Ausdruck bringt, worum es geht: nicht um ein Müssen im Sinne einer angeordneten Verpflichtung, sondern um ein "könnendes Müssen" aus einer Vorgabe heraus. Das läßt dann sofort die Frage stellen, ob nicht die paulinischen Imperative überhaupt, selbst wenn sie grammatisch Imperative sind, viel mehr den Charakter von Adhortativen haben: Laßt uns ..., oder: Wir wollen ...

Röm. 6,2 stellt Paulus als Indikativ fest: "Wir sind der Sünde abgestorben." Dennoch fordert er 6,12 die Leser auf, die Sünde (der sie doch abgestorben sind) nicht in ihrem sterblichen Leibe herrschen zu lassen. In Analogie zu Gal. 5,25 könnte man formulieren: "Wenn wir der Sünde abgestorben sind, so laßt uns auch nicht in der Sünde leben."

1.Kor. 5,7 drückt Paulus die Paradoxie mit Hilfe einer ganz anderen Vorstellung aus (die er auch Gal. 5,9 benutzt): "Fegt den alten Sauerteig hinaus, daß ihr neuer Teig seid, wie ihr ja (tatsächlich schon) Ungesäuerte seid." In diesem Fall steht der Imperativ nicht nach, sondern vor dem Indikativ. Die Reihenfolge ist also offenbar austauschbar. Charakteristisch für den Indikativ ist hier, daß die Qualifizierung in die Bezeichnung des "Täters" hineingenommen ist: *Sie* sind Ungesäuerte. Wieder könnte man in Analogie zu Gal. 5,25 formulieren: "Wenn wir Ungesäuerte sind, so laßt uns auch den alten Sauerteig hinausfegen."

Eine weitere Vorstellung, mit deren Hilfe Paulus dieselbe Paradoxie ausdrükken kann, ist die vom Anziehen des Kyrios. Den Indikativ begründet er Gal. 3,27 unter Berufung auf die geschehene Taufe: "Die ihr auf Christus getauft seid, habt Christus angezogen." Den Aufruf, die Werke der Finsternis ab- und die Waffen des Lichtes anzulegen, faßt Paulus Röm. 13,14 in dem Imperativ zusammen: "Ziehet den Herrn Jesus Christus an." Und auch das kann man wieder in Analogie zu Gal. 5,25 formulieren: "Wenn wir den Herrn Jesus Christus angezogen haben, so laßt uns auch den Herrn Jesus Christus anziehen."

Wenigstens am Rande sei hier auf ein Problem hingewiesen, dessen Lösung in der Folgezeit Schwierigkeiten bereitet hat. Paulus kann das Zustandegekommensein des Glaubens und damit das Angekommensein des Indikativs auf zweierlei Weise ausdrükken. Er kann (wie etwa Gal. 3,27) auf die geschehene Taufe zurückverweisen und im Zusammenhang mit der Taufe vom Geist reden (1.Kor. 12,13). Daneben kann er (wie etwa Röm. 10,17) sagen, daß der Glaube aus der gehörten Botschaft kommt; und er kann den empfangenen Geist ebenfalls auf die gehörte Predigt des Glaubens zurückführen (Gal. 3,2). Wichtig ist, daß man genau auf die Richtung der Aussage achtet. Im *Rückblick* kann Paulus auf die empfangene Taufe *oder* auf die gehörte Predigt verweisen. *Insofern* kann man dann durchaus sagen, daß er das Verhältnis von Wort und Sakrament zueinander nicht reflektiert. Offenbar sieht er im Nebeneinander beider kein Problem.

Nun darf man aber die Aussagerichtung nicht einfach umkehren. Niemals redet Paulus programmatisch über die Taufe. An keiner Stelle sagt er, was an oder mit einem Täufling geschieht, wenn (in Zukunft) in den Gemeinden getauft wird. Benutzt man aber die paulinischen Aussagen über *geschehene* Taufen als Aussagen über *geschehende* Taufen, dann mißbraucht man sie nicht nur, sondern man gefährdet zugleich die Paradoxie. Der Indikativ (die geschehene Taufe) wird dann zu einer Sache für sich, zu der der Imperativ

170

hinzutritt. Man müßte dann ja ebenso von der (heutigen) Predigt sagen, daß sie den Geist "verleiht".

Ein solches Mißverständnis hat es offenbar schon in Korinth gegeben. Paulus verweist auf die "Sakramente", die die Väter in der Wüste hatten (1.Kor. 10,1-6). Da sie die Ethik nicht in das Sakrament *integriert* hatten, fand Gott "an den meisten von ihnen keinen Gefallen". Nach Paulus verleiht die Taufe also keineswegs einen Character indelebilis (einen unverlierbaren Charakter). Das gilt von der geschehenden Taufe. Wohl aber kann sich der Getaufte auf die geschehene Taufe berufen *oder* er kann (ohne dadurch etwas anderes zu sagen) seinen Glauben auf das ihm verkündigte Wort zurückführen.

Die Versuchung, die Paradoxie aufzulösen, ist offenbar groß. Ihre Eigenart soll nun an einem weiteren Beispiel erläutert werden.

(b) Das Prägen des Geprägten. Mehrfach benutzt Paulus die Vokabeln *typos* und *mimetes,* und zwar sowohl einzeln als auch als Wortpaar. Dabei begegnen Formen des Indikativs (1.Thess 1,6f.; 2,14; 1.Kor. 11,1; Phil. 3,17b) und des Imperativs (1.Kor. 4,16; 11,1; Phil. 3,17a).

Im allgemeinen übersetzt man *typos* mit "Vorbild" oder "Beispiel", das Substantiv *mimetes* meist verbal mit "nachahmen" oder "einem Beispiel folgen". Mit diesen deutschen Vokabeln wird aber nur unzulänglich wiedergegeben, worum es Paulus geht, weil sich mit ihnen leicht das Mißverständnis einschleicht, als sei von einer Art Imitation die Rede: Man soll auf das Verhalten oder auf das Tun des Vorbildes blicken, weil man daran ablesen kann, wie man sich selbst verhalten soll oder was man zu tun hat. Für die Ethik bedeutet das: Das Vorbild ist ein Imperativ, denn sein Beispiel fordert zur Nachahmung auf. Ein Indikativ fehlt.

Dieses Mißverständnis ist alt. Schon der Verfasser des 2.Thess. ist ihm erlegen, als er wenige Jahre nach Paulus (oft in sklavischer Anlehnung an Wortlaute aus dem 1.Thess.) sein Schreiben als "Paulus"-Brief konzipierte. Der (unbekannte) Verfasser gibt an, er habe gehört, daß es in der Gemeinde seiner Leser einige Leute gibt, die "unordentlich" wandeln (3,11). Damit sind sie von dem "Vorbild" abgewichen, das Paulus ihnen gegeben hat (3,9). Dieses Vorbild stellt er den Lesern 3,8 vor Augen, indem er nahezu wörtlich 1.Thess. 2,9 abschreibt, und fordert sie nun dringend zum *mimeisthai* (zum Nachahmen) des Vorbildes des Paulus auf (3,7.9). Der unordentliche Wandel soll also mit Hilfe eines Imperativs korrigiert werden: Ahmt das Beispiel des Paulus nach! - Ein Indikativ, der den Lesern das Tun des Imperativs ermöglicht, fehlt. Das ist nicht nur an dieser Stelle der Fall, sondern durchgängig im 2.Thess. In diesem deuteropaulinischen Schreiben fehlen für die vielen dort begegnenden Imperative immer die dazugehörigen Indikative (vgl. unten S. 219ff.).

Paulus drückt mit dem Wortpaar nun aber gerade nicht das Nachahmen eines an einem Vorbild abzulesenden Verhaltens aus. Das machen insbesondere die Indikative deutlich, die die Imperative jeweils begründen. Es sind nicht einfach

"Menschen", denen die Imperative zu tun befohlen werden, sondern die Imperative werden immer "veränderten Menschen" gesagt: Diese bringen bereits mit, was von ihnen erwartet wird.

Phil. 3,17 ruft Paulus die Leser auf, seine *mimetai* zu werden. Er und die, die ebenso wandeln, sind *typos* für die Philipper. Wieso sie das aber sind (und überhaupt sein können), hatte Paulus unmittelbar vorher zum Ausdruck gebracht: "Wozu wir gelangt *sind,* daran wollen wir festhalten" (Phil. 3,16). - Die Korinther kann Paulus auffordern, seine mimetai zu werden, weil er sie "durch das Evangelium gezeugt *hat*" (1.Kor. 4,15f.). Das wiederum konnte er aber nur deswegen, weil er selbst ein mimetes Christi ist (1.Kor. 11,1).

Was hier an zerstreuten Äußerungen des Apostels zu erkennen ist, hatte er früher bereits zusammenhängend formuliert. Den Thessalonichern schrieb er, daß sie durch das Festhalten am Evangelium Gottes in aller Bedrängnis und Anfechtung seine mimetai geworden sind und damit die des Kyrios. Als solche mimetai sind sie dann selbst zu einem typos für alle Glaubenden in Makedonien und Achaia geworden (1.Thess. 1,6f.). - Damit kommt eine "Kette" in den Blick: Der (Ur-)typos ist der Kyrios. Paulus ist ein mimetes des Kyrios und als solcher typos für die Gemeinden. Die Gemeinden sind sodann mimetai des Paulus (und des Kyrios). Wenn sie das aber sind (und das zu sein, was sie sind, dazu ruft Paulus sie ja auf), dann sind sie typos für andere.

Bezeichnend ist hier die Paradoxie, die das Selbstverständnis des Paulus bestimmt. Einerseits ist Paulus unverzichtbar; andererseits tritt er aber völlig zurück. Paulus ist unverzichtbar, weil die Gemeinden ohne den typos Paulus nie mimetai geworden wären. Zugleich aber tritt er völlig zurück, weil die Gemeinden, die seine mimetai geworden sind, eigentlich nicht seine, sondern mimetai des Kyrios geworden sind.

Diese Kette ist auf Fortsetzung angelegt, wenngleich das bei Paulus (in der "zweiten Generation"!) nur sehr ansatzweise in den Blick kommt. Dadurch entstehen in der (unvermeidbar) ablaufenden Geschichte Probleme. Es soll jedoch, auch in der Tradition, immer um Unmittelbarkeit zum Kyrios gehen.

Die Frage ist nun, was es inhaltlich bedeutet, daß Paulus (und durch ihn die Gemeinden) mimetai des Kyrios sind. Oder anders formuliert: In welchem Sinne kann der Kyrios als Urtypos bezeichnet werden?

Auf keinen Fall darf man hier auf den irdischen Jesus, auf dessen Verhalten oder Tun verweisen und dazu Beispiele aus dem synoptischen Traditionsgut heranziehen. Zu diesem Mißverständnis ist man deswegen gelegentlich gekommen, weil man das Wortpaar im Sinne von Imitation verstanden hat. Mit diesem Verständnis ist es natürlich ganz unmöglich, den Kyrios (als "erhöhten Herrn") in irgendeiner Weise "nachahmen" zu wollen. So versteht man dann das Verhalten oder Tun des irdischen Jesus als Vorbild oder Beispiel und macht damit genau dasselbe wie der Verfasser des 2.Thess., der das Verhalten und Tun des Paulus als nachzuahmendes Beispiel verstanden hat.

Wenn man aber heute (nicht gerade selten) das Verhalten und Tun des irdischen (meist sagt man: des historischen) Jesus als Vorbild für christliche Ethik versteht, muß dieselbe Frage gestellt werden, die an den Verfasser des 2.Thess. zu stellen ist: Führt das nicht alsbald zu einer Ethik, die nur Imperative kennt, die Indikative gar nicht in den Blick bekommt oder gar meint, ohne sie auskommen zu können?

Für Paulus ist der Kyrios immer *der* Kyrios, der ihm vor Damaskus begegnet ist. Wenn er aber (was selten genug geschieht) auf den irdischen Jesus zurückblickt, sieht er diesen immer "durch die Brille" seines Damaskus-Erlebnisses. Er ist der, "der mich geliebt und sich für mich dahingegeben hat" (Gal. 2,20). Mit anderen Worten: Wenn Paulus vom Kyrios (oder vom Sohn Gottes oder vom Christus) redet, ist das eine Zusammenfassung seiner Christologie, präziser: Es ist eine Zusammenfassung der bei ihm *angekommenen* Christologie.

Deutlich wird das, wenn man das Wortpaar *typos/mimetes* präzise versteht. Die Vokabel *typos* benutzt Paulus im ursprünglichen Wortsinn: Prägestempel. Der Kyrios hat sich dem Menschen Paulus ein-geprägt. Dadurch kann er mimetes werden; und das heißt nun: Als ein vom Kyrios Geprägter wird er selbst zum Prägenden. Die Vokabel *mimetes* ist also zu übersetzen mit: Weiter-Prägender. Auf das "weiter" kommt es an. Denn nur einer, der selbst geprägt worden ist und die empfangene Prägung durch eigenes Prägen weitergibt, ist ein mimetes.

Wer dagegen einen anderen nur "nachahmt", tut das als "alter" (als ungeprägter) Mensch, an dem selbst noch gar nichts geschehen ist. Der Indikativ fehlt. Er sieht nur, wie sich ein anderer verhalten hat (zum Beispiel: der irdische Jesus oder Paulus), und bemüht sich, sich ebenso zu verhalten.

Damit kommt eine deutsche Vokabel in den Blick, mit deren Hilfe man (wenigstens einigermaßen) in der Lage ist, die Paradoxie von Indikativ und Imperativ mit *einem* Ausdruck wiederzugeben:

Indikativ/Imperativ: Paulus ist ein geprägter Prägender;
Imperativ/Indikativ: Paulus ist ein prägender Geprägter.

Von dort aus ist auch zu verstehen, warum Paulus sowohl mit dem Indikativ als auch mit dem Imperativ beginnen kann. Womit er jeweils beginnt, hängt mit der Situation zusammen, in die hinein er spricht. Dadurch löst er jedoch die Paradoxie nicht auf; nur die Akzente werden verschoben.

Wenn Paulus mit dem Indikativ beginnt und diesen besonders herausarbeitet, heißt das im Blick auf den Imperativ: Es geschieht bereits ein Tun, das aber durch ein umfassenderes Verstehen des Indikativs noch besser geschehen kann. Am deutlichsten ist das im 1.Thess. der Fall.

Paulus spricht die Thessalonicher als Geprägte an, die selbst bereits Prägende geworden sind (1.Thess. 1,6-8). Wie diese Prägung geschehen ist, stellt er 1.Thess 2,1-13 anschaulich dar, indem er erlebte Vergangenheit interpretiert. So betont er etwa in V.8, daß seine Missionstätigkeit nicht allein darin bestanden habe, der Gemeinde Anteil am Evangelium

Gottes zu geben (was bis heute im allgemeinen als entscheidend angesehen wird), sondern er hat den Thessalonichern sein eigenes Leben (sich selbst) vermittelt. Übersetzt: Paulus hat der Gemeinde sein eigenes geprägtes Sein zugelebt. Sie hat sich von ihm prägen lassen und kann darum ermuntert werden, den Indikativ, den sie bereits lebt, durch umfassenderes Verstehen noch besser zu leben (vgl. 1.Thess 4,1.9f.).

In der Terminologie von Gal. 5,25: Ihr, die ihr im Geiste lebt, wandelt bereits im Geist - und genau das könnt ihr noch besser.

Anderen Gemeinden gegenüber beginnt Paulus nicht mit dem Indikativ, sondern mit dem Imperativ. Er fordert sie auf, seine mimetai zu werden. Dadurch stellt sich zunächst (auch grundsätzlich) die Frage, unter welchen Bedingungen im Rahmen der paulinischen Ethik mit dem Indikativ begonnen werden kann.

Am deutlichsten wird das Phil. 3,17. Die Philipper sollen seine symmimetai (= mit ihm zusammen mimetai) werden und auf die achten, die ebenso wandeln, weil sie Paulus zum typos haben. Paulus bindet den Imperativ, mit dem er beginnt, alsbald in den Indikativ ein.

Mit dem Imperativ kann begonnen werden, weil beim Tun des Imperativs alsbald der Indikativ eingeholt wird. Wer nämlich aufgefordert wird, zu prägen, der kann (und soll!) beim Prägen innewerden, daß er *als Geprägter* prägt. Das ist für Paulus unverzichtbar, wenn die Ethik christliche Ethik *bleiben* soll. Denn das Tun eines formulierten Imperativs bleibt nur dann christliche Ethik, wenn beim Tun erkannt wird: Das Tun geschieht nicht als ein vom Imperativ gefordertes Müssen, sondern als ein Können. Das Können wird dann christologisch begründet, und zwar mit Hilfe einer *beim Tun ankommenden* Christologie. Ist das nicht der Fall und wird dieser Zusammenhang nicht gesehen, entspringt das Tun eigener Leistung und wird dann Grund zum Rühmen.

Wird das ausreichend bedacht, wenn man sich heute im Raum der Kirche um Ethik bemüht? Im Mittelpunkt stehen nahezu immer Imperative, die, um ein Beispiel zu nennen, konkret angeben, wie Versöhnung zu leben ist. Gelegentlich wird ein Indikativ vorausgesetzt. Der hat dann jedoch die Gestalt eines Hinweises, etwa auf Kreuz und Auferstehung. Offen bleibt dabei, wem die Imperative gesagt werden. Sie können doch eigentlich nur denen gesagt werden, bei denen der Indikativ angekommen ist. Niemals aber können sie als "Wort der Kirche" *allen* gelten. Sollen sie indes allen gelten, wird dann ausreichend deutlich gemacht, daß beim Tun des Imperativs der Indikativ ankommen will? Es kann ja geschehen, daß beim Tun von Versöhnung der Täter inne wird: Er kann sich das Tun der Versöhnung leisten, weil er selbst als ein "durch Christus" Versöhnter dieses Tun wagt.

Es muß also immer darauf geachtet werden, daß es nicht zur Auflösung der Paradoxie kommt. Sehr leicht kommt es dazu, weil diese Paradoxie nicht nur schwer zu formulieren, sondern auch schwer durchzuhalten ist. Wahrscheinlich gibt es überhaupt keine Formulierungen, die nicht zugleich Mißverständnissen ausgesetzt sind und deswegen in der Gefahr sind, die Praxis zu verfehlen.

Wenn man z.B. die Paradoxie mit den Worten Gabe und Aufgabe ausdrückt und dabei sogar das unauflösbare Ineinander von beiden betont, besteht dennoch die Gefahr: Der Mensch meint, die Gabe "haben" zu können, auch wenn er im Augenblick gerade einmal die Aufgabe nicht tut. Die Gabe kommt aber erst beim Tun der Aufgabe an.

Wird, wenn man das durchschaut, die Gabe lediglich als Angebot verstanden, besteht die Gefahr, daß der Mensch darin eine Möglichkeit sieht, die zu ergreifen er aufgerufen ist. Das bleibt zwar richtig, doch führt das leicht zum Mißverständnis, der Mensch *selbst* sei es, der (nun wieder: als eine eigene Leistung) das Tun des Imperativs verwirklicht.

Eine andere Gefahr besteht darin, daß man die Gabe vom Geber trennt. Das führt zum Verlust von Theologie (der Rede eines Menschen *von* seinem Gott). Denn nun wird *über* Gott geredet, der nicht nur im Abstand bleibt, sondern durch diese Trennung gerade in den Abstand gerückt wird. Beim Menschen ist nur die Gabe. Übersehen wird hier, daß der Geber nicht "etwas" schenkt, sondern sich selbst.

Vielleicht lassen sich mit Hilfe des vorgeschlagenen Terminus "prägen" solche Mißverständnisse etwas leichter umgehen. Ganz vermeiden werden sie sich aber kaum lassen. Man kann wohl auch den Grund zeigen, warum das nicht möglich ist.

Mit welchen Vokabeln die Paradoxie auch ausgedrückt wird, sie läßt sich immer auf die beiden Größen Gott und Mensch zurückführen. Das konkrete Handeln des geprägten Menschen ist immer ein Handeln des Menschen und ein Handeln Gottes, und zwar beides ineinander. Das konkrete (!) Handeln hat also zwei Subjekte: Gott und Mensch. Daß aber ein und dasselbe Handeln von zwei zu unterscheidenden Handelnden ausgeht, läßt sich nur paradox formulieren.

Paulus bringt nun mit Hilfe seiner Christologie zum Ausdruck, wie Gott handelt. Zur Verdeutlichung sei noch einmal auf das Damaskus-Erlebnis verwiesen. Gezeigt wurde, daß an Paulus hier ein "Götterwechsel" geschehen ist. Bis Damaskus war der Gott des Paulus ein Gott, der den Menschen das Gesetz gegeben hat. Das war jedoch eine Rede *über* Gott. Denn der eigentliche Gott des Paulus war das Gesetz mit seinen konkreten Anweisungen, die der Mensch zu befolgen hat. In dieser ethischen Konzeption ist es völlig eindeutig: Es ist der Mensch, der handelt.

Wenn Paulus aber bei Damaskus erkannte, daß Gott wirklich *Gott* ist (wenn also aus Rede über Gott Theologie wurde), dann konnte der Handelnde immer nur Gott sein, und zwar auch in dem, was der Mensch tut. Am prägnantesten drückt Paulus das aus, wenn er den Terminus *Mitarbeiter Gottes* benutzt.

Er nennt sich (mit Apollos zusammen) selbst so und die Gemeinde dementsprechend Gottes (!) Ackerfeld und Bau (1.Kor 3,9). Daß Paulus Timotheus "Mitarbeiter Gottes am Evangelium Christi" nennt (1.Thess. 3,2), haben schon Abschreiber zu "mildern" versucht, weil es ihnen zu stark erschien. Paulus meint aber präzise das, denn er kann sogar Titus und andere Brüder als "doxa Christi" bezeichnen (2.Kor. 8,23). Wenn man das Wort doxa mit Abglanz übersetzt, muß man betonen, daß die, die diesen Abglanz der Herrlichkeit Christi tragen, selbst diese Herrlichkeit ausstrahlen.

Man kann das von Paulus Gemeinte durchaus (allgemein) so formulieren: *Jedes Tun des Christen (!) ist ein Tun seines Herrn.*

Verständlich ist, daß man später, wie die Dogmengeschichte zeigt, oft versucht hat, diese Paradoxie mit Hilfe irgendeiner Logik in den Griff zu bekommen. Man stellte etwa die Frage, ob der Mensch zu seinem Heil mitwirken könne oder gar müsse. Doch jede Antwort, die man auf diese Frage gibt, ist falsch. Sie ist es insbesondere dann, wenn man das Heil in die Zukunft rückt. Sie ist es aber auch dann, wenn man nach gegenwärtig sich ereignendem Heil fragt.

Denn wenn man antwortet, der Mensch könne und müsse auch zu seinem Heil mitwirken, nimmt man den Kyrios nicht ernst, der *alles* wirkt. Wenn man dagegen antwortet, der Mensch könne nicht zu seinem Heil mitwirken, besteht sofort die Gefahr, daß die Verantwortung des Menschen für sein Tun nicht mehr gesehen wird.

So bleibt christliche Ethik nach Paulus eine dem Menschen unmögliche Möglichkeit, aber *ebenso* eine mögliche Unmöglichkeit.

Derselbe Gedanke begegnet im synoptischen Traditionsgut Mk. 10,17-27. Der reiche Jüngling hatte zwar alle Gebote gehalten, war aber nicht bereit, alles, was er besaß, zu verkaufen und den Erlös den Armen zu geben. Daraufhin kommt es zum Gespräch über die Reichen. Leichter kommt ein Kamel durch ein Nadelöhr, als daß ein "Reicher" (einer, der irdische Bindungen hat, die er weder loslassen will noch kann) Gottesherrschaft verwirklicht. Das ist, wie es abschließend heißt, Menschen *unmöglich,* wohl aber Gott, dem *alles möglich* ist, sogar (um es nun paulinisch auszudrücken), den Menschen zu seinem Mitarbeiter zu machen.

Für einen Menschen, der darauf wartet, Christ zu werden, ist das kaum zu akzeptieren. Er kann es ja nicht einmal logisch formulieren. Darum kann er nur warten, daß es dennoch geschieht. Es darf ihn nun aber nicht dazu verleiten, christliche Ethik "billiger" haben zu wollen oder gar die Hoffnung aufzugeben. Denn während die Hoffnung bestimmt ist von dem, was noch nicht da ist, ist der Glaube bestimmt von dem, was schon da war.

(c) Paulus als Typos des auferstandenen Gekreuzigten. Paulus verstand sich in seinem Wirken als Typos seiner Gemeinden. Die Vollmacht, als Typos zu wirken, begründete er damit, daß er selbst mimetes des Kyrios war. Daß Paulus sich als Typos verstand, war aber nun nicht etwas, was er nur für sich beanspruchte und was darum nur für ihn galt (etwa als "Apostel"), sondern auch die Gemeinden wurden in ihrem Wirken Typos für andere. Man kann daher, ganz allgemein, christliches Existieren, wie Paulus es verstand, so bezeichnen: Es handelt sich um ein Wirken als Typos. Dieses Wirken geschieht zwar durch Menschen, aber immer nur durch Menschen, die selbst vom Kyrios geprägt worden sind.

Nun wurde bereits gezeigt, daß Paulus, wenn er in diesem Zusammenhang vom Kyrios redet, darunter nicht den irdischen Jesus verstanden haben kann (vgl. oben S. 273). Der Kyrios ist vielmehr der Auferstandene bzw. der Erhöhte. Doch reicht diese Bezeichnung nicht aus, weil damit noch kein Inhalt angegeben ist. Ohne nähere Bezeichnung des Inhalts kann es, nach Meinung des Paulus, zu einem gefährlichen Mißverständnis kommen. Vermieden wird dieses Mißverständnis nur, wenn man nicht unterschlägt, daß es um den auferstandenen Gekreuzigten geht.

Wie bereits gezeigt, handelt es sich bei den Glaubensformeln "Christus ist für uns gestorben" und "Gott hat Jesus von den Toten auferweckt" um ursprünglich selbständige Einzelformeln, die nebeneinander existierten. Wir haben es also mit zwei im wörtlichen Sinn konkurrierenden Formeln zu tun. Beide sagen den Glauben aus, und zwar jeweils vollständig. Sie bedürfen keiner Ergänzung. Paulus hat diese Formeln sowohl als Einzelformeln als auch als schon zusammengewachsene gekannt, wie insbesondere 1.Kor. 15,3-5 zeigt. Doch genau bei diesem Zusammenwachsen entsteht das Problem.

Es gibt zwei Möglichkeiten, die in diesen Formeln gemachten Aussagen miteinander zu verbinden: paradox und addierend. Es leuchtet sofort ein, daß die erste Möglichkeit die schwierigere ist. Denn nun muß man versuchen, zwei ursprünglich konkurrierende Aussagen so miteinander zu verknüpfen, daß *eine* Aussage entsteht ("wir glauben"), die dennoch *zwei* Aussagen enthält. Beispiel: "Wir glauben: Jesus ist gestorben und auferstanden" (1.Thess. 4,14). Hier wird versucht, paradox zu formulieren: Der *eine* Glaube bezieht sich *zugleich* auf "gestorben" und "auferstanden". Gerade das macht die Paradoxie aus. Sie ist darum auch nur schwer zu erkennen und durchzuhalten. Daher kann es leicht zu ihrer Auflösung kommen.

Möglich ist aber auch, daß die Paradoxie gar nicht erreicht wird, weil man die Inhalte der beiden Glaubensformeln einfach addiert. Ein Beispiel dafür ist das von Paulus übernommene Traditionsstück 1.Kor. 15,3-5. Dadurch, daß man die Inhalte addiert, formuliert man nicht ein In- oder Miteinander (mit der Einleitung: wir glauben), sondern es entsteht ein Nacheinander: Zuerst ist vom Tode Jesu als dem früheren Geschehen die Rede, danach von der Auferstehung.

Diese Addition markiert eine Einbruchstelle für das Entstehen einer problematischen Christologie, die dann eine problematische Ethik impliziert. Statt die Christologie paradox zu formulieren und die Paradoxie als Aussage des einen *Glaubens* durchzuhalten, entsteht eine Christologie, in der zwei aufeinanderfolgende "Stufen" *gezeichnet* werden. Zuerst wird das Kreuz genannt. Das bleibt aber in der Vergangenheit zurück, denn der Gekreuzigte ist ja anschließend (!) auferstanden. Das wird jetzt das Entscheidende; und darum gilt dem Auferstandenen als dem inzwischen zu Gott Erhöhten das ausschließliche Interesse. Das hat sofort Folgen für die Ethik. Drückt man die mit dem Motiv Typos aus, heißt das: Der in die Herrlichkeit Gottes Erhöhte prägt die Menschen. Weil aber dieser Erhöhte sie prägt, werden die Geprägten durch eine solche Prägung selbst "erhöht". Sie verstehen sich jetzt als "Erhöhte"; und das wiederum hat Konsequenzen für ihr Auftreten und für die Gestaltung ihres Lebens.

Genau diese Christologie ist im Urchristentum vertreten worden und drang auch in paulinische Gemeinden ein. Besonders deutlich erkennt man das in der Korrespondenz des Paulus mit den Korinthern. Vordergründig kann man hier den Eindruck gewinnen, Paulus gehe es darum, seinen Anspruch, Apostel Jesu Christi zu sein, gegen Bestreiter dieses Anspruchs zu verteidigen, und außerdem darum, ethische Mißstände anzuprangern und nach Möglichkeit zu beseitigen. Selbstverständlich geht es auch darum, aber diese beiden auf den ersten Blick kaum miteinander zusammenhängenden "Themen" haben einen gemeinsamen Hintergrund: der Kampf um die Christologie.

Man darf die Gegner nicht einfach durch die Brille des Paulus sehen und sie dann voreilig aburteilen. Es ist zwar verständlich, daß Paulus mit scharfen Worten gegen sie vorgeht und sich bemüht, sie in den Augen der Korinther bloßzustellen und herabzusetzen. Tatsächlich aber waren sie nicht einfach bösartige und böswillige Leute, denen nur daran lag, Paulus zu verleumden, und die darüber hinaus auch noch ethische Laxheit praktizierten und propagierten. Sie waren vielmehr durchaus ernstzunehmende Theologen (im präzisen Sinne dieses Wortes), die eine eigenständige Christologie vertraten. Es geht also in Wahrheit um die Frage: Welche Christologie darf als "christlich" bezeichnet werden?

Man macht sich meist nicht klar, daß das Urchristentum (auch im Umkreis des paulinischen Missionsgebietes) damals keineswegs eine einheitliche Größe war. Auch die Gegner des Paulus erhoben den Anspruch, Christen zu sein; und es war durchaus noch offen, welche Christologie sich einmal durchsetzen würde. Unser Urteil wird leicht dadurch getrübt, daß wir die Gegner des Paulus nur indirekt aus seiner Polemik gegen sie erschließen können und uns literarische Zeugnisse nur von Paulus vorliegen.

Das Auftreten und das Verhalten der Gegner des Paulus in Korinth läßt sich von ihrer Christologie aus erklären. Und von dieser Christologie aus war es durchaus konsequent. Was läßt sich nun (direkt oder indirekt) über diese Gegner erschließen?

Hinzuweisen ist zunächst darauf, daß sie sich als "Diener Christi" bezeichnet haben (2.Kor. 11,23), die mit der Behauptung auftraten, daß Christus aus ihnen spricht (2.Kor. 13,3) und daß ihnen Offenbarungen zuteil geworden sind (vgl. 2.Kor. 12,1). Sie beriefen sich darauf, aus dem Gottesvolk zu stammen (2.Kor. 11,22), und beanspruchten, Apostel zu sein (2.Kor. 11,5; 12,11). Hier stand also Behauptung gegen Behauptung. Wie sollten die Korinther entscheiden, welche Behauptung zu Recht bestand? Die Gegner hatten gute Argumente für sich. Als sie kamen, haben sie sich mit Empfehlungsbriefen eingeführt (2.Kor. 3,1). Ihr

Auftreten muß imponierend gewesen sein und Eindruck gemacht haben; denn wenn Paulus sagt, daß sie sich "nach dem Fleische" rühmen, sagt er damit, daß sie äußere Vorzüge aufzuweisen hatten und diese zu ihrer Legitimation herausstellten (2.Kor. 5,12; 11,12.18). Sie stellten also äußerlich sichtbar etwas dar. Sie verglichen sich nur mit sich selbst, waren also "unvergleichlich" und bildeten ihren eigenen Maßstab (2.Kor. 10,12f.). So ist es nicht überraschend, daß sie mit ihrer "Abwerbung" erheblichen Erfolg gehabt haben (2.Kor. 11,20f.). Ihnen gegenüber mußten sich die Korinther "ganz klein" vorkommen und ließen es sich gefallen, daß diese "vollkommenen Christen" sich über sie erhoben. Diese nahmen Freiheit für sich in Anspruch, und darum konnten sie diese Freiheit ausleben, auch im Blick auf ethisches Handeln (2.Kor. 12,21; 13,2).

Der abwesende Paulus hat es schwer, den Einfluß dieser Leute zurückzudrängen. Auch bei einem kurzen Zwischenbesuch ist ihm das nicht gelungen. Gerade darum schreibt er einen Brief. Er bezeichnet die Gegner, die doch einen so vorzüglichen Eindruck machen, als Lügenapostel, als arglistige Arbeiter, als solche, die sich nur in Apostel Christi verkleidet haben. Dadurch treiben sie das Werk des Satans, der sich auch gern verkleidet, sogar in einen Engel des Lichtes (2.Kor. 11,13f.). Wegen ihres großartigen Auftretens nennt Paulus sie spöttisch Überapostel (2.Kor. 11,5; 12,11). Er wirft ihnen vor, daß sie einen anderen Jesus verkündigen und dadurch denen, die auf diese Verkündigung hereinfallen, einen anderen Geist vermitteln. Kurz: Die Gegner bringen ein anderes Evangelium (2.Kor. 11,4).

Nun sind das alles ja lediglich Behauptungen, aber keine Argumente. Damit kann Paulus schwerlich überzeugen, zumal er selbst zugeben muß und zugibt, daß die Gegner mit dem Bild, das sie von ihm zeichnen, durchaus recht haben: Die Gegner stellen wirklich etwas dar; Paulus dagegen, wenn man ihn mit den Gegnern vergleicht, gar nichts. Er ist tatsächlich ohne Empfehlungsbriefe nach Korinth gekommen. Eine Legitimation für die Bestätigung seiner Vollmacht fehlt ihm. Zwar kann er gewichtige Briefe schreiben (durch die er sogar bis in unsere Gegenwart nachwirkt und als Briefschreiber Autorität besitzt). Wenn er aber persönlich anwesend ist, macht er nicht nur einen schwächlichen Eindruck, sondern er verfügt nicht einmal über eine besondere, geschweige denn über eine mitreißende Redegabe (2.Kor. 10,10). So ist es nicht verwunderlich, wenn er sich unterwürfig verhält (2.Kor. 10,1). Schon gar nicht kann er es wagen, sich von der Gemeinde unterhalten zu lassen, wie seine Gegner es aufgrund ihres Auftretens können (2.Kor. 11,7; 12,13). Alles in allem: ein wirklich seltsames Bild eines Apostels Jesu Christi.

Doch gerade mit diesem Bild argumentiert Paulus. Er weist darauf hin, daß er, lange bevor die Gegner kamen, als dieser "schwächliche" Apostel bei den Korinthern etwas bewirkt hat. Darauf hat er von Anfang an vertraut: Sein Wirken sollte ihn legitimieren. Wozu brauchte er dann einen Empfehlungsbrief? Die durch sein Wirken entstandene Gemeinde selbst ist sein "Empfehlungsbrief" (2.Kor. 3,1). Sein Wirken in Schwachheit hat sich als so mächtig erwiesen, daß gerade sie in der Gemeinde Früchte getragen hat. Als er nach Korinth kam, kam er wirklich nicht so, daß er in "Rede oder in Weisheit" hervorragte. Er kam vielmehr "in Schwachheit und Furcht mit viel Zittern". Doch gerade dadurch hat er unter den Korinthern "den Beweis des Geistes und der Kraft" erwirkt. Er wollte in seinem Auftreten und Wirken "nichts wissen als Jesus Christus, und zwar den *gekreuzigten*" (1.Kor. 2,1-5).

Damit stellt Paulus die christologische Antithese auf. Er tut es durch Umkehrung der Blickrichtung. Die Gegner in Korinth (und durch sie auch viele Korinther) dachten in "heilsgeschichtlichen Stufen", in denen sie eine Steigerung sahen. Das Kreuz war zurückgeblieben, war daher inzwischen überwundene Vergangenheit. Jetzt ging es nur noch um den Auferstandenen, an dessen Erhöhung sie partizipierten. So kam eine theologia gloriae heraus, die die Gegner in ihrem Auftreten und Verhalten gestalteten. Paulus dagegen blickt zurück. Wer sich heute auf den erhöhten Kyrios einläßt, läßt sich immer auf den auferstandenen *Gekreuzigten* ein. Als mimetes *dieses* Kyrios wurde Paulus Typos für die Korinther. Darum konnte er gar nicht, wie die Gegner, in Herrlichkeit auftreten, sondern immer nur in der Schwachheit des Gekreuzigten. So haben die Menschen, die auf Paulus blicken, immer Niedrigkeit vor Augen. Doch von dieser Niedrigkeit wird paradox Herrlichkeit behauptet, weil es die Herrlichkeit des *auferstandenen* Gekreuzigten ist.

Menschen, die nach dem Augenschein urteilen, muß das eine Torheit sein, wie "das Wort vom Kreuz", das Paulus *lebt*, den Juden ein Skandal und den Heiden eine Dummheit ist (1.Kor. 1,23). Daß aber genau das Gotteskraft ist, müßten die Korinther doch bezeugen können, wenn sie sich daran erinnern, was durch Paulus an ihnen geschehen ist.

Wenn Paulus dann auf sein Auftreten und Wirken verweist, verweist er ebendamit auf den auferstandenen Gekreuzigten und kann nur paradox argumentieren: "In allem sind wir bedrängt, aber nicht erdrückt, ratlos, aber nicht verzweifelt, verfolgt, aber nicht verlassen, niedergeworfen, aber nicht zunichte geworden. Allzeit tragen wir *das Sterben Jesu* am Leibe, damit auch *das Leben Jesu* an unserem Leibe offenbar werde. Denn immerdar werden wir, die wir leben, um Jesu willen in den Tod gegeben, damit auch das Leben Jesu an unserem sterblichen Fleisch offenbar werde. So wirkt der Tod in uns, das Leben aber in euch" (2.Kor. 4,8-12).

Wer sich darauf einläßt, mimetes *dieses* Kyrios zu werden, kann nicht darauf spekulieren, *für sich selbst* Erfolg zu haben. Er riskiert vielmehr immer, selbst dabei auf mannigfache Weise zu Schaden zu kommen. Außenstehende müssen ihn für einen Verlierer halten. Versucht er, dem zu entgehen, hört er auf, als mimetes Typos *dieses* Kyrios zu sein und wird seinem Dienst untreu (vgl. 2.Kor.

6,3). Als "Gottes Diener" erweist er sich nur, wenn er den gelebten Glauben wagend durchhält "in viel Geduld, in Trübsalen, in Nöten, in Bedrängnissen, in Schlägen, in Gefängnis, in Unruhen, in Mühsalen ... unter Ehre und Schande, unter Lästerung und Lobrede, als Betrüger und doch wahrhaftig, als Unbekannte(r) und doch wohl bekannt, als Sterbende(r), und siehe, wir leben, als Gezüchtigte(r) und doch nicht getötet, als Betrübte(r) und doch allezeit fröhlich, als Arme(r), (der) doch viele reich macht, als solche(r), (der) nichts (hat) und doch alles (besitzt)" (2.Kor. 6,4f.8-10).

Dieses Existieren nach und mit dem Bilde des auferstandenen Gekreuzigten wäre mißverstanden, wenn man unterstellte, daß von einem gewollten Leiden die Rede wäre (bis hin zur Sehnsucht nach dem Martyrium). Das Leiden als solches zeichnet den Leidenden nicht aus. Und er wird auch nicht dazu aufgerufen, etwa eingetretenes Leiden in "stoischer Gelassenheit" zu ertragen, weil er "frei" ist und diese "Freiheit" nicht durch das Leiden in Gefahr gerät. Nein, frei ist nach Paulus nur ein Sklave Christi. Darum geht es um das Leiden eines Typos, der gerade als Leidender prägt. Denn der Typos weiß, daß er als mimetes des auferstandenen Gekreuzigten immer Leiden riskiert. Doch gerade darum kann dieses Leiden, das anderen zugelebt wird, paradox als Herrlichkeit erfahren werden.

Mißverstanden wären diese Aussagen aber auch, wenn man meint, daß Paulus hier nur das "apostolische" Leiden im Blick habe, daß Leiden also zur Besonderheit seines Existierens als Apostel gehöre. Paulus will vielmehr an sich selbst zeigen, was für christliches Existieren überhaupt gilt. Den Thessalonichern hatte er gesagt, daß sie Typos für andere geworden sind (1.Thess. 1,7). Die Korinther ruft er auf, seine mimetai zu werden (1.Kor. 4,6), weil auch sie dann durch ihn mimetai des Christus werden (1.Kor. 11,1). Wenn sie das aber werden, können sie das nur so, daß sie nun selbst Typos für andere werden, Typos des auferstandenen Gekreuzigten.

Die Frage muß erlaubt sein, ob man diese Zusammenhänge noch sieht und erwägt, wenn heute über christliche Ethik reflektiert wird. Die Christologie der Gegner des Paulus in Korinth und damit deren Selbstverständnis und Anspruch bleibt eine Versuchung - für die Kirche und ihre Glieder. Kommt gegen diese Christologie noch ausreichend in den Blick, daß eschatologisches Existieren für den, der es wagt, nicht ohne Konsequenzen sein kann? Werden diese Konsequenzen *zusammen* mit der Ethik heute noch so deutlich genannt und vor Augen gestellt, wie Paulus das in der Korrespondenz mit der Gemeinde in Korinth tut?

Manche Erörterungen über ethische Fragen würden dann wahrscheinlich anders aussehen. Man würde zuerst und intensiver nach dem Täter fragen (wollen und können wir es wagen, Christen zu *werden*?), bevor man die Frage stellt, was Christen tun oder tun sollen, und dabei Imperative diskutiert.

c) Imperative

Gleichwohl bleiben die Imperative ein Thema der Ethik. Es kommt jedoch darauf an, daß man dieses Thema richtig einordnet.

1. Die Notwendigkeit von Imperativen

Die mit Indikativ und Imperativ gegebene Paradoxie ist immer in der Gefahr, "aus dem Gleichgewicht" zu kommen. Wenn das der Fall ist, ist es nötig, den Akzent auf die jeweils andere Seite zu setzen. Das muß jedoch so geschehen, daß wirklich das Gleichgewicht wiederhergestellt wird, nicht jedoch nun ein Ausschlag nach der entgegengesetzten Richtung erfolgt. Wo der Indikativ das Übergewicht hat (etwa in Korinth), muß der Imperativ akzentuiert werden. Das darf nicht zur Zerstörung des Indikativs führen. Wo dagegen der Imperativ das Übergewicht gewonnen hat (etwa in Galatien), muß der Indikativ akzentuiert werden, was wiederum nicht zur Zerstörung des Imperativs führen darf. Immer kommt es darauf an, die Paradoxie zu erhalten.

Insbesondre 1.Kor. 5-16 lassen erkennen, daß in Korinth auf dem Gebiet der Ethik eine große Unsicherheit geherrscht hat. Paulus beantwortet hier Anfragen, die die Gemeinde an ihn gerichtet hat, offenbar geordnet nach konkreten Themen. Da lag ein Fall von schwerer Unzucht vor. Christen prozessierten gegen Christen vor heidnischen Gerichten. Einige Gemeindeglieder nahmen an heidnischen Götzenopfermahlen teil und erregten dadurch Anstoß. Glossolalie (das Reden in Zungen) verwandelte Zusammenkünfte zu ekstatischen Veranstaltungen. Tischgemeinschaften arteten zu Trinkgelagen aus usw., also ein ziemliches Durcheinander. Man verfuhr nach der Parole: Mir ist alles erlaubt (1.Kor. 6,12; 10,23).

Gegen diese Parole stellt Paulus zwei Sätze. Der theologische Satz lautet: Gott ist nicht ein Gott der Unordnung, sondern des Friedens (1.Kor. 14,33). Der ethische Satz lautet: Alles soll anständig und gemäß der Ordnung geschehen (1.Kor. 14,40).

Deutlich wird hier wieder, daß Ethik ein Aspekt von Theologie ist: *Wenn* der Gott der Korinther ein Gott des Friedens ist, dann geschieht alles anständig und gemäß der Ordnung.

Daß in einer solchen Situation Imperative nötig sind, liegt auf der Hand. Doch wenn man das konstatiert, sollte man sich gleichwohl Zeit lassen und nicht zu schnell bei den Imperativen einsteigen. Denn wenn man das Ganze beurteilen will, muß man es erst einmal umfassend verstehen. Das mag banal klingen. Dennoch ist dieser Hinweis nicht überflüssig.

Man versteht das Ganze nämlich nur sehr vordergründig, wenn man sagt, wir hätten es in Korinth mit "heruntergekommenen Christen" zu tun, die durch energisch vorgetragene Imperative zur Ordnung gerufen werden müssen.

Dieses voreilige Urteil begegnet häufig. Man hat bestimmte Maßstäbe, von denen man ausgeht, und beurteilt von diesen Maßstäben aus Menschen der Vergangenheit. Dann liegt es nahe, von einem Versagen zu reden. Die näherliegende Frage muß doch aber lauten: Könnten diese Menschen, die nach unseren Maßstäben so unmöglich gehandelt haben, nicht vielleicht von ihren Voraussetzungen aus doch richtig gehandelt haben? Genau das dürfte auf die Korinther zutreffen, so seltsam uns das auf den ersten Blick erscheinen mag.

Es handelt sich in Korinth nämlich keineswegs um ethisch "heruntergekommene Christen". Man könnte fast sagen: im Gegenteil. Denn diese Menschen verstanden sich nicht nur als Christen, sondern sie waren auch der Überzeugung, als Christen so richtig zu handeln, wie sie handelten. Sie waren doch, wie sie meinten, als Christen "freie" Menschen geworden.

Wieder stehen wir vor dem Problem, auf das nun schon oft hingewiesen wurde: Man interessiert sich vorschnell für konkrete ethische Entscheidungen, reflektiert aber nicht, wie die zustande gekommen sind.

Verständlich wird das Ganze, wenn man auf die dualistische Anthropologie der Korinther achtet und von ihr ausgeht.

Die Vorstellung war: Im Körper des Menschen lebt die Seele. (Die Terminologie wechselt. Statt vom Körper kann vom Leib die Rede sein, statt von der Seele vom Selbst, vom Ich, auch vom Geist.) Körper und Seele stehen gegeneinander. Erlösungsbedürftig und erlösungsfähig war allein die Seele. Die Erlösung konnte unterschiedlich geschehen: durch Mysterienkulte oder Sakramente. Die Seele konnte auch durch Verkündigung Gnosis (Erkenntnis) empfangen.

    War die Seele aber erlöst, dann war sie es ein für allemal. Sie lebte zwar noch im Körper, der nun als Gefängnis der Seele bezeichnet werden konnte. Nach dem Absterben des Körpers würde die erlöste Seele die Himmelsreise antreten.

In dieser dualistischen Anthropologie kam also alles auf die Seele an, und nur auf sie. Hatte sie Erlösung empfangen, war der "Indikativ" beim Menschen angekommen. Mit diesem Indikativ hatte der Körper gar nichts zu tun. Da aber die Ethik im Körper gelebt wurde, konnte der erlösten Seele gleichgültig sein, was der Körper tat.

    Von dieser anthropologischen Voraussetzung aus konnte man in Korinth nun eben sagen: Wir *sind* Christen. Damit meinte man: Unser Selbst, unser Ich, unsere Seele *ist* Christ. Denn dort war ja die Erlösung wirklich geschehen.

Von dort aus ist z.B. das Verhalten einiger Korinther bei der gemeinsamen Mahlzeit zu verstehen (1.Kor. 11,17ff.). Wenn die Wohlhabenden zusammenkamen, aßen und tranken (und sich dabei auch betranken), konnten sie das "mit gutem Gewissen" tun: denn den

Armen, die später kamen, entging nichts: Am Sakrament, das am Ende gefeiert wurde, nahmen sie ja teil.

Im Rahmen dieser Anthropologie konnte man den Indikativ als "Gabe" verstehen, und zwar als eine Gabe, die man "hatte". Und in dieser Situation muß der Imperativ akzentuiert werden.

Das ist indes gar nicht so einfach. Denn die eigentliche Frage (jedenfalls erst einmal für die Korinther) lautet doch nun: Was soll die Seele mit einem Imperativ anfangen?

Im Grunde besteht die Aufgabe, vor der Paulus steht, doch nun darin, die dualistische Anthropologie zu verändern. Ist das aber möglich? Kann Paulus seine (aus dem Judentum stammende) Anthropologie einfach als die "richtige" den Korinthern aufdrängen?

Die jüdische Anthropologie ist nicht dualistisch, sondern sie sieht den Menschen als eine Einheit. Das ist oft schwer zu erkennen, weil ganz ähnliche Vokabeln begegnen. Man kann auch fragen, ob Paulus selbst diese Differenzen (von Anfang an) immer präzise erkannt hat. Als Beispiel dafür verweise ich auf 1.Kor. 15.

Einige Leute in Korinth vertreten die These: Es gibt keine Auferstehung der Toten (1.Kor. 15,12). Paulus schließt daraus: Wenn es keine Auferstehung der Toten gibt, gibt es für den Menschen keine Hoffnung (1.Kor. 15,19). Paulus wirft nun den Korinthern Inkonsequenz vor, da sie die Taufe für Tote üben (die sogenannte Vikariatstaufe; 1.Kor. 15,29). Die muß doch sinnlos sein, wenn es für Tote keine Hoffnung gibt.

Von den Korinthern (und ihrer Anthropologie) aus gesehen ist das aber gar nicht sinnlos. Wenn sie die Auferstehung der Toten bestreiten, bestreiten die die Auferstehung des Körpers. Hoffnung gibt es für sie durchaus, aber nur für die erlöste Seele. Ist nun ein Mensch gestorben, dessen Seele noch nicht erlöst war, findet eine stellvertretende Taufe statt, durch die die Seele des Verstorbenen nachträglich erlöst wird, um die Himmelsreise antreten zu können. Der Körper bleibt selbstverständlich im Grabe. Die Korinther sind daher durchaus nicht ohne Hoffnung, wie Paulus meint. Wenn aber Auferstehung der Toten Auferstehung des ganzen Menschen meint (mit Seele und Körper), dann bedeutet gerade das für die Korinther Hoffnungslosigkeit, denn nun bleibt die erlöste Seele im Körper, also in ihrem Gefängnis. Gerade weil die Korinther (allerdings nur für die Seele) Hoffnung haben, bestreiten sie die Auferstehung der Toten.

Ob es Paulus gelungen ist, den anthropologischen Dualismus der Korinther zu überwinden (und ob das überhaupt gelingen kann), ist kaum zu sagen. Ausdrücklich zum Thema wird die Anthropologie in dieser Auseinandersetzung nicht. Wohl aber finden sich deutliche Ansätze zu Korrekturen.

Paulus bezeichnet 1.Kor. 6,12-20 den Leib als Tempel des heiligen Geistes und sagt, daß die Korinther den Leib von Gott haben. Er versucht also, den Leib gegenüber der korinthischen Anthropologie aufzuwerten. Damit bringt Paulus den Gedanken der Schöpfung ein, der im Rahmen der dualistischen Anthropologie unbekannt ist. Vom Gottesgedanken des Paulus aus ist er aber zwingend. Es gibt nichts, was nicht von Gott ist. Dadurch können Leib und Seele zusammengenommen werden. Ethik wird wieder möglich.

Ob die Korinther das verstanden haben, kann man kaum sagen. Die exegetische Frage lautet indes, was Paulus erreichen wollte; und die dogmatische Frage lautet, ob wir das von unserer durchaus nicht einheitlichen Anthropologie aus verstehen - und akzeptieren können.

Man muß jetzt darauf achten, daß Paulus dialektisch argumentiert, weil es ihm darauf ankommt, die Paradoxie durchzuhalten. Deutlich wird das etwa, wenn das Problem der Freiheit zur Diskussion steht.

Wenn die Korinther von der Freiheit reden, die sie als Christen haben (und damit vom Indikativ), und wenn sie diese Freiheit mit dem Satz ausdrücken, daß ihnen alles erlaubt sei, dann kann Paulus den Indikativ nicht bestreiten; und er tut es auch nicht. Ausdrücklich wiederholt er: "Mir ist alles erlaubt." Damit nimmt er die korinthische These auf. Er fährt dann aber unmittelbar anschließend fort: "... aber es hilft nicht alles; ... aber *ich* werde mich nicht von etwas beherrschen lassen" (1.Kor. 6,12). Ähnlich in dem späteren Zusammenhang: "Alles ist mir erlaubt; aber nicht alles hilft. Alles ist mir erlaubt; aber nicht alles baut auf. Keiner suche das Seine, sondern (er suche) das des anderen" (1.Kor. 10,23f.). - Also auch hier begegnet die für Paulus charakteristische Redeweise.

Man sagt in diesem Zusammenhang gern, daß Paulus die Freiheit begrenze: Freiheit darf nur gelebt werden, wenn sie dem anderen nicht schadet. Das ist zwar nicht falsch. Dennoch sollte man das positiv ausdrücken. Hilfreich ist auch hier, mit Hilfe des typos-mimetes-Motivs zu formulieren: Da ich als vom Kyrios Geprägter frei bin, präge ich nur dann richtig, wenn durch mein Prägen der andere frei wird.

Freiheit wird ja ohnehin zu leicht einseitig verstanden. Alle lästigen Bindungen sind weggenommen. Nichts unterdrückt den Menschen mehr. Nichts zwingt ihn und hält ihn in Bann. Er ist eben "frei".

Doch das ist nicht die Freiheit, die Paulus meint. Er sieht sie paradox und bezieht die positive Komponente ein.

Die geschenkte Freiheit ist eine wirkende Macht. Der Kyrios hat sie geschenkt. Darum wirkt *er* durch den freigewordenen Menschen Freiheit, indem dieser Mensch anderen Freiheit zulebt und diese so frei macht. So kann (und muß) paradox formuliert werden: Wer Sklave des Kyrios ist, ist ein Freier. Nur er!

Trägt man diese Grundfigur in die Imperative des Briefes ein, erkennt man, daß es sich nicht einfach um Imperative handelt, die zu tun aufgegeben sind. Vielmehr muß derjenige im Blick bleiben, von dem das Tun ausgeht, und derjenige, bei dem das Tun ankommen soll. Die Freiheit, die der Mensch lebt, ist darum immer auch die Freiheit des anderen.

185

Paulus hat ja nicht nur und einfach Libertinisten vor Augen, sondern auch Menschen, die ängstlich sind und angesichts des Tuns dieser Libertinisten Unbehagen empfinden. Gerade von diesen dürften die Anfragen stammen, auf die Paulus antwortet.

Ähnliches begegnet bei dem Thema Götzenopfer. Offenbar weiß man in Korinth nicht, wie man sich zu diesem Komplex stellen soll. Will Paulus die herrschende Unsicherheit beseitigen, scheint es nötig, auf die Frage, was zu tun sei, mit Imperativen zu antworten. Die begegnen in der Tat 1.Kor. 8-10. Doch wer angesichts des vorliegenden Problems nur auf die Imperative blickt, kann leicht in Verlegenheit kommen. Sie scheinen sich nämlich zu widersprechen. Neben einem Verbot (vgl. 1.Kor. 10,14.21) begegnet eine ausdrückliche Erlaubnis, die dann freilich wieder eingeschränkt wird (vgl. 1.Kor. 10,25-28). Man hat daher gelegentlich gemeint, die unterschiedlichen Aussagen mit Hilfe einer Teilungshypothese verschiedenen Briefen zuordnen zu sollen. Zwingend nötig ist das aber nicht. Das eigentliche ethische Problem würde dadurch auch gar nicht gelöst.

Zunächst muß man beachten, daß innerhalb des Gesamtkomplexes Götzenopfer zwei Aspekte ausgesprochen werden, die zwar miteinander zusammenhängen, aber dennoch zu unterscheiden sind. Immer geht es um das Einnehmen von Speisen, doch einmal im Rahmen eines Götzen*dienstes* (also kultisch), das andere Mal lediglich um das Essen von Götzenopfer*fleisch* (also um ein durchaus "profanes" Essen vom Fleisch kultisch geschlachteter Tiere). Schon daraus ergibt sich die Notwendigkeit, die Imperative unterschiedlich zu formulieren. Das ist jedoch noch nicht das eigentliche Problem.

Dieses erkennt man erst, wenn man sieht, daß es nicht einfach auf die Imperative als solche ankommt, sondern auf ihre (im präzisen Wortsinn) theologische Begründung, das heißt: Man darf nicht zuerst auf das im jeweiligen Fall geforderte oder empfohlene Tun sehen, sondern man muß auf den Täter achten und nach seinem "Gott" fragen. Welcher "Gott" bestimmt ihn? Sieht man das, erkennt man die Gleichartigkeit der Argumentation in beiden Fällen.

In Korinth wird die Auffassung vertreten, daß Götzen und Dämonen nicht existent sind. Das ist, wo ein Monotheismus vertreten wird, eine fast selbstverständliche Konsequenz; und insofern teilt Paulus diese Auffassung (1.Kor. 8,4-6). Die Korinther setzen diese Auffassung aber nun unmittelbar in die Praxis um. Wenn es keine Götzen gibt, dann konnten sie unbekümmert an Götzendiensten teilnehmen. Für sie waren das jetzt keine Götzendienste, sondern einfach beliebte und verbreitete gesellschaftliche Veranstaltungen. Ebenso unbekümmert konnten sie bei solchen Veranstaltungen Opferfleisch und auch zu Hause bei sich oder bei anderen auf dem Markt gekauftes Fleisch essen, bei dem man nie genau wußte, ob es von kultisch geopferten Tieren stammte. Wenn es keine Götzen gibt, dann konnte kein Fleisch Götzenopferfleisch sein, sondern es handelt sich um "normales" Fleisch. Das aber konnte man mit gutem Gewissen essen (1.Kor. 10,25). Eigentlich mußte damit doch das Problem erledigt sein.

Für Paulus war es das keineswegs. Er sieht nämlich, daß ein nur metaphysisch verstandener Monotheismus, der die Nichtexistenz von Götzen und Dämonen einschließt, den anthropologischen Aspekt ausblendet bzw. gar nicht in den Blick bekommt. Genau auf den aber kommt es an. Indem Paulus den nun einbringt, kommt er zu differenzierten Aussagen. Auch wenn Götzen und Dämonen Nichtse sind (1. Kor. 8,5), "von Natur" aus also keine Götter, haben diese Götter dennoch Macht über den Menschen, der sich auf sie einläßt (vgl. die umgekehrte Argumentation Gal. 4,8).

Darum ist eine Teilnahme am Götzendienst keineswegs eine nur gesellschaftliche und insofern harmlose Angelegenheit. Der Mensch, der ihn mitmacht, begibt sich in den Bannkreis der Götzen und wird so, ob er es will oder nicht, "Genosse der Dämonen" (1.Kor. 10,20). Damit fordert der Christ aber seinen Herrn heraus, lehnt sich gegen ihn auf; und Paulus fragt: "Sind wir etwa stärker als er?" (1.Kor. 10,22).

Mit dem Imperativ "Fliehet den Götzendienst!" (1.Kor. 10,14) spricht Paulus also die Warnung vor einem unbedachten "Götterwechsel" aus. Die Korinther dürfen die Zugehörigkeit zum Kyrios nicht als unverlierbaren Besitz verstehen. Sie können herausfallen; und sie sind sogar in der Gefahr, das leichtsinnig zu tun, wenn sie, weil es ihrer Meinung nach Götzen nicht gibt, "Götzendienst" für erlaubt und ungefährlich halten. Die "Richtigkeit" einer metaphysischen (und insofern: einer *nur* dogmatischen) Überzeugung ist kein ausreichender Schutz. Wenn die Korinther aufgrund dieser Überzeugung an gesellschaftlich vertrauten und darum für harmlos gehaltenen Zusammenkünften teilnehmen, dürfen sie das gerade nicht für harmlos halten. Sie sollen bedenken, daß hinter solchen (und wohl allen) gesellschaftlichen Gepflogenheiten Mächte stehen, die dem Kyrios Konkurrenz machen und ihn verdrängen wollen, selbst wenn diese Mächte "Nichtse" sind. Sie sind das nicht mehr, wenn Menschen sich auf sie einlassen. Denn jetzt bestimmen diese angeblichen Nichtse die Menschen wirklich. Sie werden Knechte von Dämonen. Dadurch verlieren sie aber die Freiheit, die sie nur als Knechte des Kyrios haben.

Die Korinther können ihre Freiheit aber auch auf andere Weise verlieren, und zwar dann, wenn sie als vom Kyrios Geprägte nicht den *Kyrios* leben. Das heißt hier: wenn sie ihn nicht *anderen zuleben*. Das ist zu bedenken bei der Frage, ob man Götzenopferfleisch essen dürfe.

Wer in der Freiheit des Kyrios lebt, ist ein "Starker" und kann darum unbekümmert Götzenopferfleisch essen. Denn Götzen sind eben Nichtse (1.Kor. 8,4); und darum ist "Götzenopferfleisch" Fleisch wie anderes Fleisch (1.Kor. 10,25-27). Der Starke kann das aber nur, wenn er allein oder mit anderen Starken zusammen ißt. Hier besteht überhaupt kein Problem. Doch nicht alle haben diese Einsicht (1.Kor. 8,7). Für die "Schwachen" sind die Götzen keineswegs Nichtse. Wenn sie nun jemanden Götzenopferfleisch essen sehen, müssen *sie* meinen, daß er "Genosse der Dämonen" ist, der durch sein Essen absichtlich oder unabsichtlich, auf jeden Fall aber faktisch, versucht, auch sie zu Genossen der Dämonen zu machen. Nicht die "Qualität" des Fleisches ist das eigentliche Problem. Darüber stellt Paulus keine Überlegungen an. Das Problem ist, was durch das Essen geschieht: Die Starken leben den Schwachen Dämonen zu, nicht aber den Kyrios. Sie tun das wirklich, gleichgültig welche subjektive Überzeugung sie selbst damit verbinden. Jetzt wird die Freiheit der Starken den Schwachen zum Anstoß (1.Kor. 8,9), nicht etwa nur zum Ärgernis, sondern zu einem Anstoß, der sie zugrunde richten kann (1.Kor. 8,11).

Die gelebte Freiheit kann also zwei konkrete Gestalten haben. Sind die Starken untereinander, können sie Opferfleisch essen, weil es Opferfleisch gar nicht gibt. Da sie aber in dieser Welt und in einer Gemeinde nie ganz allein untereinander, sondern immer auch Schwache anwesend sind, kann die Freiheit nur in anderer Gestalt gelebt werden. Paulus drückt das für sich so aus: "Obwohl ich allen gegenüber frei bin, habe ich mich allen zum Sklaven gemacht" (1.Kor. 9,19). Genau das erwartet er von den Starken in Korinth.

Dieser Verzicht auf das Essen von Götzenopferfleisch und damit das Sich-selbst-zum-Sklaven-Machen wird aber nun keineswegs (isoliert) als Imperativ befohlen, sondern argumentierend nahegelegt. Es handelt sich um die Gestaltung der Freiheit, in der ein vom Kyrios Geprägter lebt. Verstehen wird das freilich nur, wer sieht, daß Ethik ein Aspekt von Christologie ist. Gerade so hat ja der Kyrios seine Freiheit gelebt.

In einer solchen Freiheit kann der Freie es sich leisten, auf Dinge zu verzichten, die er gern tun möchte, die er sogar tun darf. Er kann sogar auf sein Recht verzichten und klagt es nicht vor Gericht ein (1.Kor. 6,1-11). Führt das aber nicht zur Auflösung jeder Ordnung?

Paulus sieht die Sache anders. Er stellt gegenüber: "Gott ist nicht ein Gott der Unordnung, sondern - des Friedens" (1.Kor. 14,33). Diese Gegenüberstellung ist in der Tat überraschend. Wenn man Unordnung durch Ordnung ersetzen will, geschieht das im allgemeinen dadurch, daß man Regeln aufstellt, also Imperative formuliert, durch deren Beachtung dann die Ordnung hergestellt oder wiederhergestellt wird. Wenn Gott hier statt dessen als Gott des Friedens definiert wird, dann setzt Paulus voraus, daß das Bringen des Friedens die Macht ist, durch die es unter Christen zur "Ordnung" kommt.

Dieses Bringen von Frieden kann von dem, der ihn bringt, schon seinen Preis fordern. Er sucht dann nicht das Seine, sondern das des Nächsten. Denn wer das Seine sucht, der läßt sich ja gerade beherrschen, und zwar von sich selbst. So kann Paulus formulieren: "Alles ist mir erlaubt; aber ich darf mich von nichts beherrschen lassen" (1.Kor. 6,12) - auch nicht von mir selbst. Der einzige, der mich beherrscht, ist der Kyrios.

Zusammenfassung: Ein Imperativ ist nötig, wenn nicht gesehen wird, daß im Indikativ immer ein Imperativ angelegt ist. Der Imperativ ist daher nie etwas, was zum Indikativ hinzukommt. Wenn darum zum Tun eines Imperativs aufgerufen wird, muß das so getan werden, daß der vorgegebene Indikativ erkannt und erfahren wird.

Eine grammatische Überlegung kann hier hilfreich sein. Imperative sind nur dann christliche Imperative, wenn sie Adhortative sind: "Laßt uns doch ..." Denn nur dann wird deutlich, daß es sich nicht um zu erfüllende Befehle handelt, sondern um Ermunterungen, das zu tun, wozu die Täter bereits befähigt worden sind. Paradigma: Laßt uns unsere Feinde lieben, weil Gott uns, seine Feinde, bereits mit seiner Liebe eingedeckt hat. Imperative sind nötig, werden aber nur als Adhortative sachgemäß formuliert.

2. Die Inhalte der Imperative (Zur Frage einer konkreten Ethik)

Paulus mußte den Korinthern einschärfen: Die Ethik ist keineswegs gleichgültig, denn das Christsein ist keine ein für allemal erworbene Qualität. Es muß vielmehr immer wieder und immer neu gestaltet werden, und zwar im Leibe, denn erst bei der Gestaltung kommt das Christsein wirklich beim Menschen an. Das Tun ist nicht etwas, was zum Christsein noch hinzukommen muß, sondern der vom Kyrios bestimmte Leib tut das Werk des Kyrios. Man kann darum Täter und Tun, Indikativ und Imperativ, Gabe und Aufgabe, Dogmatik und Ethik zwar unterscheiden. Wenn man sie aber scheidet, verdirbt man beides.

Behält man das im Auge, ergibt sich bei einer Unterscheidung diese Frage: Kommt, wenn der Täter vom Kyrios bestimmt ist, ein *Tun* heraus, das sich vom Tun anderer Täter unterscheidet? Diese Frage wird heute kontrovers diskutiert; und wenn man auf die Fülle der bei Paulus begegnenden Imperative blickt, ist dies verständlich.

Gerade hier droht die Gefahr, das zu scheiden, was man nur unterscheiden darf. Oft hat man versucht, die Imperative nach Sachgesichtspunkten zu ordnen, um auf diese Weise "die Ethik des Paulus" zu gewinnen. Dabei kann man ganz unterschiedlich vorgehen. Man stellt verstreute Äußerungen des Paulus zur Individualethik und zur Sozialethik zusammen. Man sammelt seine Stellungnahmen zu Einzelproblemen wie: Mann und Frau, Ehe und Ehescheidung, Arbeit, Beruf, Eigentum, Sklaverei, das Verhältnis zum Staat usw. Nicht selten geschieht das dann auch noch in der Absicht, Anweisungen zu gewinnen, die heute in eine christliche Ethik übertragen werden können.

Doch das ist in zweifacher Hinsicht problematisch. Die durch die unterschiedlichen Situationen der Briefempfänger immer nur zufällig begegnenden und oft uneinheitlich behandelten Komplexe erwecken nun den Eindruck, daß sie aus einer "christlichen Ethik" stammen, die Paulus zur Verfügung gehabt hat und auf die er je nach Bedarf zurückgreift. Diese rekonstruierte (!) Ethik wird als "Ethik des Paulus" vorausgesetzt, der dabei unter der Hand zum Systematiker wird, auf den man sich berufen kann. Übersehen wird dabei aber, daß Paulus in einer von unserer völlig verschiedenen Welt lebte, unter ganz anderen sozialen und gesellschaftlichen Bedingungen. Seine Aussagen (einschließlich der Imperative) lassen sich daher nicht so unmittelbar in die Gegenwart übertragen, wie das von der "Ethik des Paulus" aus oft geschieht.

Weiter kommt man daher nur, wenn man hier vom Ansatz aus grundsätzlich fragt und dabei trotz der möglichen Unterscheidung nicht scheidet.

Überblickt man nämlich die Fülle der bei Paulus begegnenden Imperative, kann man feststellen, daß kein Inhalt wirklich neu ist. Für alle Inhalte gibt es vielmehr mannigfache Parallelen in der Umwelt. Paulus kann auf jüdische Traditionen zurückgreifen: auf Gebote des Dekalogs, auf einzelne Sätze aus alttestamentlichen Schriften, auf Spruchgut (vgl. u.a. 1.Kor. 6,16; 2.Kor. 8,15; 9,9; Röm. 12,16.17.19.20). Paulus kann Tugend- und Lasterkataloge aufnehmen, die in der hellenistischen Popularethik verbreitet waren (vgl. u.a. Röm. 12,2; 1.Kor. 5,11; Gal. 5,19-22). Hier kann man dem Mißverständnis erliegen, es handle sich um spezifisch paulinische (und darum christliche) Inhalte. Das gilt auch für die berühmten *hos-me* (wie-nicht) - Sätze; "... die, die Frauen haben, seien, als hätten sie keine; und die weinen, als weinten sie nicht; und die kaufen, als behielten sie es nicht; und die die Welt nützen, als benützten sie sie nicht; denn die Gestalt dieser Welt vergeht" (1.Kor. 7,29b-31). Das ist eine geradezu klassische Beschreibung des kynisch-stoischen Lebensideals: Der "Weise" lebt losgelöst von allen Bindungen in großer Gelassenheit; Glück und Unglück kommen an sein Innerstes nicht heran.

Man kann weiter auf allgemeine ethische Sentenzen verweisen, die Paulus aufnimmt, oder auf seinen Hinweis auf die Natur: So soll die Natur selbst lehren, daß es für einen Mann eine Schande, für eine Frau aber eine Ehre ist, wenn sie lange Haare tragen (1.Kor. 11,14f.). Paulus kann auf die Sitte verweisen und damit darauf, was sich zu tun gehört. So sollen die Philipper dem nachdenken und dann das tun, "was wahr, was ehrbar, was gerecht, was rein, was liebenswert, was wohllautend ist, wenn es irgendeine Tugend und irgendein Lob gibt" (Phil. 4,8). Allgemeiner kann man kaum noch formulieren. Vor allem aber: Wo in der Umwelt von Christen (damals und heute) könnte man sich auf solche ethischen Maximen nicht verständigen? Anständige und ordentliche Menschen in der heidnischen Umgebung des Paulus tun das alles doch auch.

Das alles spricht für die Richtigkeit des Urteils von Rudolf Bultmann: "Die sittliche Forderung hat für (Paulus) *keinen neuen Inhalt* gewonnen, und sein sittliches Verhalten unterscheidet sich von dem anderer nur dadurch, daß es den Charakter des Gehorsams (gemeint ist: des Gehorsams aus Glauben) trägt.

Gefordert ist vom Gerechtfertigten (!) nur, was gut, wohlgefällig und vollkommen ist, was man an Tugend und Lobenswertem nennen mag (Röm. 12,1; Phil. 4,8)" (Exegetica, S. 51). Eine materiale christliche Ethik kann es dann nach Paulus nicht geben; das heißt, es läßt sich nicht konkret festlegen, wie ein Christ sein Christsein so lebt, daß es, unverwechselbar mit dem Tun anderer, als christliches Tun bezeichnet werden kann.

Dieser (außer von Bultmann von vielen anderen vertretenen) Auffassung hat man nun aber auch widersprochen. Das ist zunächst einmal verständlich. Denn wenn man für christliches Tun keine spezifischen Inhalte angeben kann, drohen mehrere Gefahren. Das Christsein kann wieder als Angelegenheit nur des inneren Menschen verstanden werden; und das Tun droht der subjektiven Beliebigkeit des einzelnen anheimgestellt zu werden. Ob das die einzige Alternative ist und ob solche Gefahren wirklich bestehen, kann vorläufig offenbleiben. Die Frage ist, ob man sich für diese andere Position auf Paulus berufen kann.

Das versucht (u.a.) Wolfgang Schrage (Ethik des Neuen Testaments, insbesondere S. 189-192). Er gibt zwar zu, daß Bultmann grundsätzlich Richtiges gesehen habe, meint aber dennoch, daß "von einer pauschalen Identität zwischen christlicher und außerchristlicher Ethik" nicht die Rede sein könne. Im wesentlichen führt er dafür zwei Argumente an.

Zunächst weist Schrage auf die Aussagen des Paulus hin, daß die Christen sich nicht dieser Welt gleichstellen, sondern in Distanz zu ihr leben sollen (Röm. 12,2). Das müsse doch die Frage aufwerfen, ob dann die Inhalte der paulinischen Ethik völlig mit denen der Umwelt übereinstimmen können. - Ist das aber in diesem Zusammenhang ein Gegenargument? Man muß doch unterscheiden zwischen den nichtchristlichen ethischen "Idealen" und der Wirklichkeit des "in der Welt" gelebten Lebens; und man muß zugeben, daß es nicht nur bei Nichtchristen, sondern auch bei Christen ein Versagen beim Tun gibt. Diesem in der Welt vorliegenden Hin und Her zwischen Wirklichkeit und Ideal sollen die Christen sich nicht gleichstellen. Sie brauchen es auch nicht, wenn sie sich von ihrem Herrn bestimmen lassen. Blickt man aber auf die Inhalte des von beiden *erwarteten* Tuns, unterscheiden die sich bei Christen und Nichtchristen nicht. Es geht immer um das "Gute und Wohlgefällige und Vollkommene" (Röm. 12,2).

Sodann weist Schrage darauf hin, daß Paulus nicht die gesamte außerchristliche Ethik, sondern nur einen Teil daraus aufnimmt. Sowenig das zu bestreiten ist, so wenig hilft das in diesem Zusammenhang weiter. Denn nun müßte man ja erst einmal die Inhalte der außerchristlichen Ethiken zusammenstellen, die Paulus zwar kannte, aber übergangen hat; und man müßte Kriterien für die Auswahl ermitteln.

M.E. gelingt es nicht, für die *Inhalte* der paulinischen Imperative Beispiele zu finden, die den Rahmen dessen sprengen, was auch in der Umwelt begegnet. Die wirkliche Differenz liegt eben doch an dem Punkt, den Bultmann bezeichnet hat: Das Tun trägt den Charakter des Gehorsams. Will man diese Formulierung von 1924 vor Mißverständnissen schützen, kann man sie präzisieren. Der Gehorsam ist selbstverständlich der "Gehorsam" eines Glaubenden, also eines "Gerechtfertigten", der die an ihm geschehene Rechtfertigung lebt. Es liegt also eine andere "Motivation" für das Tun vor. Es handelt sich um das prägende Tun eines Geprägten. Eine solche Prägung mag dann wohl auch auf die konkrete Gestaltung der Inhalte einwirken. Die Inhalte selbst werden aber nicht so verändert, daß beim Tun etwas *sichtbar* anderes herauskommt. Nur wenn das der Fall wäre, könnten Imperative formuliert werden, die als spezifisch christlich zu bezeichnen sind. Eben dafür bietet Paulus keine Beispiele.

Man darf hier auch nicht auf die Liebe verweisen, die in der Ethik des Paulus eine zentrale Stellung einnimmt. Daß sie konkret geschehen soll, unterliegt keinem Zweifel. Sie ist daher nicht richtig erfaßt, wenn man sie als Haltung oder Gesinnung oder gar als Gefühl versteht. Die Liebe soll vielmehr als konkretes Tun bei dem ankommen, dem sie gilt. Die Frage ist nur: Wie sieht das Tun konkret aus? Läßt sich das als Imperativ formulieren, und wird dann das Tun eben dieses Imperativs als *christliches* Tun sichtbar? Auch dafür kann man sich nicht auf Paulus berufen.

Das hängt zunächst wieder damit zusammen, daß man Täter und Tun wohl unterscheiden kann, nicht aber scheiden darf. Die Liebe ist eine Macht, die den Täter bestimmt. Am deutlichsten wird das da, wo Paulus von der Liebe Christi redet, die den Menschen mit Beschlag belegen will. Hat sie ihn mit Beschlag belegt, dann zwingt sie ihn in ihren Bann und "drängt" ihn (2.Kor. 5,14). Man kann es geradezu so formulieren: Die Liebe, die der Christ tut, ist gelebte Christologie. Das heißt dann aber zugleich: Nur wenn Christologie gelebt wird, kann man von der Liebe sprechen, die Paulus meint.

Von der Christologie aus versteht man dann, daß die Liebe für den Täter immer Selbstentäußerung (nie aber Selbstverwirklichung) ist. Jedoch eine Selbstentäußerung als solche muß noch keineswegs christliches Tun sein. Es ist dem Menschen durchaus möglich, alle seine Habe als Almosen zu verteilen oder seinen Leib zur Verbrennung hinzugeben (vgl. 1.Kor. 13,3); und denkbar ist sogar, daß das aufgrund ergangener Imperative geschieht. Auf diese Weise können große Leistungen geschehen. Nur ohne die Liebe, und das heißt: ohne den von der Liebe Christi geprägten Täter, ist dieses Tun (nach christlichem Maßstab) nichts wert.

Ernst Käsemann hat recht, wenn er formuliert: "Was Gottes Wille jeweils von uns fordert, läßt sich nicht ein für alle Male festlegen, weil es nur in konkreter Entscheidung gegenüber einer gegebenen Situation erkannt und getan werden kann" (An die Römer, S. 315). Daraus folgt zweierlei:

Ich kann heute nicht sagen, wie die Situation morgen aussieht. Darum kann ich auch heute noch nicht formulieren, was ich morgen als Gottes Willen aus der Liebe Christi heraus konkret tun werde. Wäre das anders, dann würde ich ja den mich bestimmenden Herrn von mir wegschieben. Ich würde mich bei meinem Tun morgen nicht von *ihm* bestimmen lassen, sondern von einer heute von mir (oder von anderen) formulierten Weisung. An eine Weisung kann ich mich immer halten, auch dann, wenn der Herr mit seiner Macht mir nicht auf den Leib gerückt ist. Halte ich mich aber heute an eine gestern formulierte konkrete Weisung und gebe ich die heute als Gottes Willen aus, käme dabei genau dasselbe heraus, was im Laufe einer längeren jüdischen Geschichte mit dem Gesetz geschehen ist: Es ist an die Stelle Gottes getreten.

Sodann ist zu bedenken: Da es sich immer um die konkrete Entscheidung eines Menschen in einer bestimmten Situation handelt, kann die Entscheidung des einen Menschen durchaus anders aussehen als die eines anderen. Jeder steht und fällt seinem Herrn (Röm. 14,4).

Jedem, der auf Eindeutigkeit bei konkreten ethischen Entscheidungen drängt, muß diese "Lösung" unbefriedigend erscheinen. Sie ist auch unbefriedigend, weil es eine Lösung nicht gibt. Doch genau das ist sachgemäß.

Wie schwer es ist, das in Praxis umzusetzen, erkennt man an einem Beispiel aus dem Leben des Paulus, das sich aus Gal. 2,11ff. erschließen läßt und das darüber hinaus zeigt, daß auch er nicht immer damit fertig geworden ist.

Als Petrus nach Antiochien kam, hat er zunächst an der Tischgemeinschaft mit Juden- und Heidenchristen teilgenommen. Er gab sie aber auf, als Leute von Jakobus aus Jerusalem kamen. Paulus stellte ihn deswegen zur Rede, offenbar ohne Erfolg. Wer von beiden hat sich in dieser konkreten Situation richtig verhalten?

Wer sich bei dieser Frage für Paulus entscheidet, urteilt zumindest vorschnell. Man könnte natürlich grundsätzlich (und dann als Imperativ) formulieren: Juden- und Heidenchristen gehören an einen Tisch! Gilt das aber wirklich so grundsätzlich? Bevor man Petrus verurteilt, sollte man auf seine Argumente hören, die Paulus (verständlicherweise) im Brief an die Galater nicht nennt, die sich aber durchaus rekonstruieren lassen. Petrus hatte, wie Paulus sagt, Angst vor den Juden. Es kann sich hier nur um die Juden in Jerusalem gehandelt haben. Die hatten schon vorher auf dem Apostelkonvent argwöhnisch auf die kleine Gruppe von Christen geblickt (vgl. Gal. 2,4). Würde nun in Jerusalem bekannt, daß eine der "Säulen" der Gemeinde (Gal. 2,9) mit Heiden Tischgemeinschaft hielt, hätten diese Juden ein Argument gegen die Christen. Durch die Teilnahme an der Tischgemeinschaft in Antiochien brachte Petrus also die *Jerusalemer* Judenchristen in Gefahr. Das hatten ihm die Leute von Jakobus klargemacht. Er gab die Tischgemeinschaft also nicht auf, weil er grundsätzlich gegen Tischgemeinschaft von Juden- und Heidenchristen war, sondern weil er durch sein "richtiges" Tun nicht andere gefährden wollte.

Wir haben hier eine genaue Parallele zur Frage, ob Christen Götzenopferfleisch essen dürfen oder nicht (vgl. oben S. 186f.). Hier hatte Paulus geantwortet: Alles ist erlaubt; aber es ist nicht alles hilfreich. In Antiochien dagegen hat Paulus offenbar eine eindeutige Entscheidung verlangt. Schätzte er die Gefahr nicht so groß ein wie Petrus (und Barnabas und die anderen Judenchristen, die ja auch den gemeinsamen Tisch verließen; Gal. 2,13)? Paulus äußert sich dazu nicht (wieder: im Brief an die Galater verständlich).

Auf jeden Fall beurteilen Paulus und Petrus die Situation unterschiedlich. Darum mußten sie in der Praxis unterschiedliche Konsequenzen daraus ziehen. Eindeutige konkrete Entscheidungen sind eben nicht möglich. Sie sind es auch deswegen nicht, weil jeder seine eigene Entscheidung selbst vor seinem Herrn verantworten muß. Würde er sich der Entscheidung eines anderen beugen, ist er sofort in Gefahr, sich der eigenen unmittelbaren Verantwortung vor seinem Herrn zu entziehen.

Im nächsten Abschnitt wird dieses Problem noch einmal aufgenommen werden.

Da es keine eindeutigen konkreten Imperative in der paulinischen Ethik gibt, das Christsein aber dennoch konkret im Leibe gelebt werden will, ist jede Entscheidung immer ein Wagnis.

Die entscheidende Hilfe, dieses Wagnis einzugehen, ist die Christologie. Wenn sie den Menschen bestimmt (also nicht etwa nur: wenn sie gewußt wird), verändert sie den Menschen und befähigt ihn zum Tun. Wie dieses Tun konkret aussieht, läßt sich im voraus niemals sagen. Dennoch ist der Mensch auch hier nicht ohne Hilfen.

Es sei hier nochmals auf die Imperative des Paulus verwiesen. Gerade wenn sie als Adhortative verstanden werden, bieten sie ein Arsenal von Entscheidungshilfen, auf die der Mensch zurückgreifen kann. Nur darf er sie unter der Hand nicht doch wieder als zu befolgende Weisungen verstehen. Hier gilt vielmehr das, was oben im Exkurs "Orientierungsmuster für Sünder" ausgeführt wurde (vgl. S. 119-125).

3. Das "Gewicht" der Imperative

Im Anschluß an gerade Gesagtes kann das Problem, das hier zu behandeln ist, so formuliert werden: Kann (nach Paulus) irgend jemand einen Imperativ für einen anderen formulieren, und zwar so, daß dieser andere nun gehalten ist, den Inhalt des Imperativs zu tun, um dadurch sicher zu gehen, sein Tun sei christliches Tun? - Nach Lage der Dinge könnte ja nur Paulus der sein, der diese Imperative formuliert. - Die bisherigen Überlegungen legen die Antwort bereits nahe: Das ist nur schwer denkbar.

Wie steht es dann aber mit dem, was man apostolische Autorität des Paulus nennen könnte? Ist es die Autorität eines Führers über seine Gefolgschaft? Gibt es bei dieser Autorität Bevormundung der Abhängigen, möglicherweise sogar so etwas wie geistliche Diktatur? In den Äußerungen des Paulus zu diesem Problem findet sich eine eigentümliche Spannung. Einerseits kann er seine Autorität betont herausstellen, andererseits kann er sie völlig zurücknehmen.

Schon im ersten (erhaltenen) Brief schreibt er, daß er durchaus das Recht gehabt hätte, als Apostel Jesu Christi gewichtig aufzutreten. Dennoch sei er sanft unter den Thessalonichern aufgetreten (1.Thess. 2,7). Wenn Gegner dem Paulus bestreiten, Apostel zu sein, kann er mit Nachdruck seinen Apostolat verteidigen und betonen, daß er darin nicht hinter Petrus und anderen Aposteln zurückstehe (1.Kor. 9,1f.). Derselben Gemeinde, in der er um die Anerkennung seines Apostolats kämpfen muß, kann er aber später schreiben: "Wir predigen nicht uns selbst, sondern Jesus Christus als den Herrn, uns aber als *eure Diener* um Jesu willen" (2.Kor. 4,5). Und im letzten erhaltenen Schreiben nach Korinth, dem sogenannten Versöhnungsbrief (der aus dem 2.Kor. mit 1,3-2,13 und 7,5-16 rekonstruiert werden kann), sagt er von sich selbst, daß er nicht Herr über den Glauben der Gemeinde sei, sondern Gehilfe ihrer Freude (2.Kor. 1,24). - Was bedeutet das nun für die von Paulus formulierten Imperative? Besonders deutlich erkennen kann man das am Philemonbrief.

Paulus bittet für Onesimus, einen dem Philemon entlaufenen Sklaven, der bei seiner Flucht vermutlich Geld entwendet oder sonst einen Schaden angerichtet hat. Onesimus ist bei Paulus Christ geworden.

Nun bittet Paulus den Philemon, den Sklaven als Bruder aufzunehmen. Er hätte ihn zwar gern bei sich behalten, zumal er dem Philemon früher "unnütz" war, dem Paulus aber nützlich geworden ist (Wortspiel: onesimos = nützlich). Paulus sagt zwar nicht, daß Philemon dem Onesimus die Freiheit schenken solle, läßt aber deutlich durchblicken, daß er das erwartet und ihn danach zu Paulus zurückschickt.

Paulus hat also eine sehr klare Vorstellung von dem, was Philemon eigentlich tun müßte. Er spielt sogar darauf an, daß Philemon ihm eigentlich verpflichtet sei. Die Entscheidung kann aber nur Philemon selbst treffen.

Nebenbei eine Anmerkung zum sozialen Problem. Natürlich kann man von Paulus nicht erwarten, daß er einen Plan zur Veränderung der Gesellschaft entwirft und dabei die Sklavenfrage regelt. Das lag außerhalb des Blickfeldes (und der Möglichkeiten) des Paulus. Das schließt aber nicht aus, daß ein Handeln in der Bindung an den Kyrios die Gesellschaft verändert. Nur geschieht das nicht als Programm, sondern gerade indirekt, als Einladung.

Der Rat nämlich, den Paulus dem Philemon gab, war ein doppelter Verstoß gegen die damalige Gesellschaft und ihre Klasseninteressen. Er richtete sich einmal gegen die Besitzer von Sklaven. Denn, wenn Philemon wirklich den Sklaven freiläßt, werden andere Sklaven aufsässig. Er richtete sich sodann aber auch gegen die Interessen von Sklaven. Denn wenn Onesimus freiwillig zu seinem Herrn zurückkehrt, ist er für die, die gewaltsame Sklavenbefreiung betreiben (etwa Spartacus), verdorben.

So verderben es Herr und Sklave mit je ihrer eigenen Klasse, und zwar deswegen, weil durch die Bindung an den gemeinsamen Herrn eine neue Gemeinschaft entstanden ist.

Blicken wir nun aber auf die eigenartige Argumentation des Paulus. Einerseits sagt er, er habe alles Recht, dem Philemon zu befehlen, was er jetzt zu tun habe (Phlm. 8), zumal dieser dem Paulus sein Christsein verdankt (Phlm. 19). Hier stellt Paulus also seine Autorität heraus. Dennoch will er "um der Liebe willen" nur bitten (Phlm. 9) und betont ausdrücklich, daß er, ohne die Meinung des Philemon zu kennen, nicht entscheiden wolle, damit "das Gute" nicht wie aus Zwang, sondern freiwillig geschehe (Phlm. 14).

Auch wenn Paulus also sehr klar vor Augen hat, was der Christ Philemon nun tun sollte (und das sogar gut begründen kann), schreibt er keine konkreten Imperative, an die sich Philemon halten muß, sondern er bietet Entscheidungshilfen. Philemon kann ja Gründe haben, sich anders zu entscheiden; und der Brief macht deutlich, daß Paulus bereit wäre, auch das zu akzeptieren.

Wenn man sich in der Ethik an Paulus orientieren will, kann man hier geradezu von einem Paradigma reden. Einige Hinweise:

Paränesen im Raum der Kirche sollten nicht so gegeben werden, daß damit Entscheidungen vorweggenommen sind. Sie sollten vielmehr Hilfen dazu sein, daß der einzelne in die Lage versetzt wird, selbst zu entscheiden, wobei dann (wie im Phlm.) immer gezeigt werden muß, warum (Indikativ!) er sich entscheiden kann.

Prediger könnten hier sehr viel von Paulus lernen, aber (und das muß ebenso nachdrücklich gesagt werden) auch manche Kritiker von Predigten (und kirchlichen Verlautbarungen).

Wenn Predigten (oder kirchliche Verlautbarungen) den Hörern (oder Lesern) eine sie treffende Christologie zusprechen und diese so erfahren, was sie *können,* dann haben wir es mit dem Indikativ zu tun. Der wird "mit Autorität" zugesprochen. Darüber gibt es keine Diskussion. Hier sind nur die Antworten ja oder nein möglich. Antwortet einer ja, *kann* er tun.

Wie dieses Tun nun aber konkret aussehen muß, kann nicht mehr mit Autorität gesagt werden. Hier können immer nur Entscheidungshilfen angeboten werden; und sie müssen als solche erkennbar bleiben. Denn die Verantwortung für die konkrete Gestalt des Tuns liegt immer beim einzelnen Täter.

Genau hier setzt nun aber sehr oft Kritik ein. Man wirft dem Prediger oder der Kirche vor, sie wollten sich nicht festlegen; darum drückten sie sich um eine klare Entscheidung. Dieser Vorwurf hat zwei (sehr unterschiedliche) Gründe.

Er kann einmal erhoben werden, weil Hörer oder Leser sich bereits entschieden haben. Das ist ihr gutes Recht. Nun verlangen sie aber, daß der Prediger oder die Kirche sich ebenso entscheiden wie sie. Wenn diese aber die konkrete Entscheidung offenlassen, weil eine konkrete Entscheidung gar nicht möglich ist, dann werfen solche Kritiker dem Prediger oder der Kirche nicht etwa vor, daß diese sich um eine Entscheidung herumdrükken, sondern in Wahrheit werfen sie ihnen vor, daß sie nicht das für *alle* verbindlich machen, was *sie* für verbindlich halten und darum für sie verbindlich ist.

Der andere Grund für die Kritik liegt in der eigenen Unsicherheit. Der Kritiker weiß, daß er sich konkret entscheiden muß, weiß nur nicht wie. Wenn nun Prediger oder Kirche eine klare Entscheidung formulieren, ist die Unsicherheit beseitigt. Sie ist dann in der Tat beseitigt; aber um welchen Preis?

Die Verantwortung, die der einzelne *vor seinem Herrn* hat, wird verweigert. Jetzt kann er sich bei seiner Entscheidung auf den Prediger oder auf die Kirche berufen. *Sie* haben

196

nun die Verantwortung für das, was der Täter konkret tut. Das aber ist nicht weniger als ein "Götter-Wechsel".

Wenn Paulus dem Philemon geschrieben hätte, was er konkret tun muß, dann wäre Philemon, wenn er das getan hätte, von seiner eigenen Verantwortung frei gewesen, und zwar sowohl für sein Tun selbst als auch für die möglichen Folgen (unter Sklavenbesitzern und unter Sklaven). Philemon würde dann nicht von seinem Herrn bestimmt handeln, sondern er würde die Anordnungen des Paulus befolgen. Der wäre dann des Philemon "Gott" geworden, auch wenn die Anordnungen des Paulus noch so gut begründet gewesen wären.

Wie steht es nun mit dem "Gewicht" der Imperative? Sie haben durchaus Gewicht, aber nur im Blick auf den Indikativ, der die Imperative trägt und mit ihnen zusammen angesagt wird. Sie haben aber kein Gewicht im Blick auf den konkreten Inhalt der Imperative. Denn die Verantwortung für das konkrete Tun bleibt immer beim Täter; und dieser hat sie unmittelbar vor seinem Herrn.

Wer jetzt von Beliebigkeit des Handelns oder gar von Willkür redet, hat nicht verstanden, worum es geht. Denn es ist ja nicht gemeint, daß jeder selbst frei wäre, so zu entscheiden, wie er gerade will, so oder auch anders. Es geht doch nicht um die Entscheidung eines freien (= autonomen) Menschen, sondern es geht um die Entscheidung eines Menschen, dessen Freiheit darin besteht, daß er Sklave seines Herrn ist. Es geht um die Entscheidung eines vom Kyrios geprägten Menschen.

Wer sich dem Gott Jesu wirklich aussetzt, muß zwar die konkrete Entscheidung immer noch wagen. Er wird aber merken, daß das mit Beliebigkeit oder mit Willkür überhaupt nichts zu tun hat.

Und wenn sich ein anderer nun im konkreten Fall anders entscheidet? Dann kann ein *unbeteiligter Dritter* vielleicht sagen: Die Christen entscheiden sich willkürlich, einmal so, das andere Mal anders. Wer sich aber Jesu Gott ausliefert, weiß, daß nicht nur seine eigene konkrete Entscheidung ein Wagnis ist; er weiß zugleich, daß die Entscheidung eines anderen ebenso ein Wagnis ist. Darum wird er verstehen, wenn ein anderer sich anders entscheidet.

Daß das oft nicht leicht zu ertragen ist, liegt auf der Hand. Es gelingt auch nicht immer, wie das Beispiel des Streites zwischen Petrus und Paulus in Antiochien zeigt (vgl. oben S. 193f.). Wo das aber ausgehalten wird, wird die Bruderschaft dadurch gerade nicht zerstört.

d) Zusammenfassung: Gottesdienst im Alltag

Will man die mehrfach beobachteten Spannungen in den Aussagen des Paulus zusammenfassen, kann man (mit Wendungen, die wohl auf Karl Barth zurückgehen) formulieren: Christliche Ethik ist eine unmögliche Möglichkeit und zugleich eine mögliche Unmöglichkeit. Diese Spannung darf man nicht auflösen. Wohl aber kann es nötig sein, die Akzente von Zeit zu Zeit unterschiedlich zu setzen.

Blickt man heute auf mancherlei Bemühungen um Ethik in der Kirche oder bei einzelnen, kann man wohl den Eindruck gewinnen, daß im allgemeinen das "unmöglich" entweder gar nicht gesehen wird oder zu kurz kommt. Die Ethik wird dann als menschliche Möglichkeit formuliert. Imperative legen die Inhalte fest. Wer sich in seinem Tun an die Inhalte hält, gilt als Christ (und manchmal spricht man dann sogar von einem anonymen Christen). Ebenso umgekehrt: Wer sich für einen Christen hält oder wer Christ sein will, bemüht sich, die Inhalte der Imperative zu tun.

Die Frage muß aber erlaubt sein: Haben wir es hier mit Christen oder mit "Christen" zu tun?

Wenn so unterschieden wird, muß sofort vor einem Mißverständnis gewarnt werden: Es geht nicht um eine Wertung oder Bewertung des konkreten Tuns. Wer als Christ handelt, steht im allgemeinen in christlicher Tradition. In dem, was früher einmal "Christen" oder auch Christen getan haben, erkennt er ein vorbildliches Handeln, das meist sogar anspruchsvoll ist in dem, was es vom Täter erwartet. Dem eifert er nach. Wenn er damit Erfolg hat, verdient er wegen seines Tuns Anerkennung. Wer sie ihm verweigert, weil das Tun "nicht aus Glauben" geschehen ist (wie will man das feststellen?), erhebt sich zum Richter und übt damit eine Funktion aus, von der er wissen sollte, daß sie ihm nicht zusteht.

Von einem "christlichen Tun" kann aber nur dann die Rede sein, wenn dieses Tun durch "Christen" geschieht. Es kommt also auf den Täter an; und darum geht jede Überlegung über "christliche Ethik" an der Sache vorbei, wenn nicht der Täter in den Blick genommen wird. Genau das aber wird heute nicht nur oft, sondern nahezu immer übersehen.

Paulus verliert diesen Täter nicht aus dem Blick, auch dann nicht, wenn "Ethik" zum Thema wird. In seinem letzten Brief formuliert er zu Beginn des paränetischen Teils geradezu programmatisch: "Ich ermuntere euch nun, Brüder, unter Berufung auf die [euch im Vorhergehenden nachdrücklich zugesprochene] Barmherzigkeit Gottes, eure Leiber [euch selbst ganz und gar] hinzugeben zu einem lebendigen, heiligen, Gott wohlgefälligen Opfer. Das ist euer sachgemäßer Gottesdienst. Laßt euch [darum nun] nicht diesem [alten] Äon gleichschalten, sondern laßt euch in erneuertem Denken ändern, damit ihr prüfen könnt, was Gottes Wille ist [nämlich:] das Gute und das Wohlgefällige und das Vollkommene" (Röm. 12,1-2).

Faßt man das kurz zusammen, kann man sagen: "Christliche Ethik" ist Gottesdienst im Alltag. Und nur wenn das konkrete Tun *Gottes*dienst ist, kann von "christlicher" Ethik die Rede sein.

Selbstverständlich wird hier nicht eine eigene Leistung des Täters gefordert, der sich selbst zum Opfer bringt. Die Frage ist, welche Macht den Täter bestimmt: die beim Täter angekommene Barmherzigkeit Gottes oder der alte Äon.

Ist die Barmherzigkeit Gottes beim Täter angekommen, ist er selbst nicht mehr Herr über seinen Leib. Daß das Gottes Wille ist, hat Paulus an Christus (und seiner Hingabe) abgelesen und erkannt. Die Ausführungen in Röm. 1-11 sollen die Leser sich so sagen lassen, daß ihnen das Gesagte nun auf den Leib rückt und sie sich davon mitnehmen lassen. Geschieht das, dann ist ihr Tun, das sie in ihrem Leibe tun, nicht mehr eigenes Tun, sondern es ist Gottes Tun, wenngleich es durch die Leser geschieht.

Christliche Ethik als Gottesdienst ist nur dann "christliche" Ethik, wenn das Handeln des Täters als Handeln Gottes geschieht. Da es sich aber wirklich um ein Handeln Gottes handelt, ist dieses Handeln für den Menschen eine Unmöglichkeit. Weder kann er es im voraus planen, noch kann er im voraus die Inhalte programmatisch festlegen. Wo das versucht wird, wird die Unmöglichkeit dieses Tuns nicht ernst genommen. Für den erneuerten Menschen wird das Unmögliche dennoch zu einer Möglichkeit, aber eben zu einer Möglichkeit von etwas, was ihm unmöglich bleibt.

Zwar geschieht der Gottesdienst inmitten der profanen Welt; und von außen gesehen bleibt das Tun daher immer profanes Tun. Der Täter, der seinen Leib hingegeben hat und der sein Denken hat erneuern lassen, weiß dennoch nicht automatisch, welches konkrete Tun jetzt herauskommen muß. Er soll (und kann) prüfen, was der Wille Gottes ist. Dazu braucht er im konkreten Augenblick einen kritischen Verstand. Setzt er ihn (in erneuertem Denken) ein, mag ihm vielleicht gelingen, das Gute und das Wohlgefällige zu tun, aber auch das Vollkommene?

Hier wird dieselbe Grenze sichtbar, die in der vormatthäischen Antithese so formuliert wird: "Seid nun vollkommen, wie euer himmlischer Vater vollkommen ist" (Mt. 5,48). Da es hier nicht darum geht, der Vollkommenheit möglichst nahe zu kommen (das läßt sich mit Anstrengung in einer christlichen Ethik vielleicht erreichen; und wer dabei Erfolg hat, verdient Respekt), sondern da es in "christlicher" Ethik um *Gottes* Vollkommenheit geht, bleibt der Gottesdienst im Alltag eine unmögliche Möglichkeit. Aber eben weil er für Kinder Gottes die Möglichkeit des Unmöglichen ist, darf der Christ erwarten, daß er immer wieder "Christ" wird, und sich dankbar darüber freuen, daß er in solchem Gottesdienst "Mitarbeiter Gottes" ist (vgl. 1.Thess. 3,2 und oben S. 175f.).

Das Kriterium dafür, ob eine christliche Ethik "christlich" ist, bleibt also die Frage: Geschieht im konkreten profanen Tun *Gottes*dienst?

B. Entwicklungen und Fehlentwicklungen

Eigentlich müßte man hier von gelungenen und mißlungenen Entwicklungen sprechen, in denen der "Ansatz" weitergeführt worden ist. Doch in dieser Überschrift kann vorläufig nur auf die hier vorliegende Spannung aufmerksam gemacht werden. Nach dem, was bisher ausgeführt worden ist, kann man die Frage stellen, ob gelungene Entwicklungen überhaupt möglich sind.

Wenn man Christologie und Ethik trennt, kann man, was oft genug geschehen ist, eine Entfaltung der christologischen Aussagen nachzeichnen und dabei die kritische Frage stellen, ob der Anfang durchgehalten oder verfehlt wurde. Im zweiten Fall wird die Christologie als häretisch bezeichnet. Konsequent ist es dann, bei der Ethik entsprechend zu verfahren. Man wendet sich (und zwar isoliert) den in späterer Zeit und in anderer Umgebung neu auftauchenden Problemen zu und fragt, welche Lösungen man dabei erwogen und gefunden hat. Wie will man nun aber die ethischen Entwicklungen kritisch beurteilen? Verzichtet man bei einer solchen Trennung der Ethik von der Christologie nicht gar zu leicht auf die christologische Begründung der ethischen Entscheidungen? Dann aber ist Ethik nicht mehr ein Aspekt von Christologie. Daß genau das schon sehr früh geschehen ist, soll alsbald gezeigt werden.

Da christliche Ethik als eschatologisches Existieren zu charakterisieren ist, heißt das zunächst, daß sie immer nur punktuell erfaßt werden kann. Sie gelingt ja nur im Kairos. Der Kairos selbst kennt keine Entwicklungen, weil Punkte nicht zur Linie werden. Darum darf man auch nicht versuchen, aus Punkten eine Linie machen zu wollen. Dennoch ist es unvermeidlich, daß die, die immer wieder eschatologisch existiert haben, das in einer ablaufenden Geschichte erfahren haben und in eine weiterlaufende Geschichte, in "Entwicklungen" hineingehen. Schon in der ersten Generation taucht dieses Problem auf. In der zweiten und dritten Generation verschärft es sich aber noch einmal. Wie wird man mit dieser Spannung fertig? Kann man überhaupt damit fertig werden?

Worum es geht, kann man sich vielleicht am einfachsten an der Umgestaltung - und anschließenden Rückgestaltung der Vorstellung von der Naherwartung der Parusie verdeutlichen.
Vorgefunden hatte man die apokalyptische Vorstellung: Diese Weltzeit geht dem Ende entgegen. Bei der Äonenwende wird Gott (oder in seinem Auftrag: der Menschensohn) zum Gericht kommen. Wer dort bestehen wollte, mußte sich in diesem Leben die Voraussetzung dafür schaffen. Wurde dann, wie es immer wieder einmal geschah, der Tag Jahwes als nahe bevorstehend erwartet, war das eine zusätzliche Motivation, die eigenen Anstrengungen zu intensivieren.

In der Begegnung mit Jesus haben Menschen dann erfahren, daß Jesus diese apokalyptische Erwartung überholte. Jeden Augenblick durfte man jetzt mit dem Kommen Gottes rechnen. Allerdings wurde Gott nun nicht mehr als Richter, sondern als Vater definiert. (Paulus modifiziert den Gedanken, wenn er mit dem Kommen des Kyrios rechnet.) Dadurch bekommt die Naherwartung eine neue, vor allem aber eine ganz andersartige Gestalt. Zwar bleibt der apokalyptische Rahmen als weltanschaulich vorgegebene Vorstellung bestehen; und insofern bleibt auch "der Tag" eine auf der Zeitlinie irgendwann zu erwartende Zukunft. Paulus konnte ihn, mindestens in der Zeit, als er den 1.Thess. schrieb, als ganz nahe Zukunft erwarten (1.Thess. 4,15.17). Von dieser *Vorstellung* wird der Blick aber weggelenkt, denn allein wichtig wird nun etwas ganz anderes: Auf der Linie ihres ablaufenden (und weiterlaufenden!) Lebens leben Menschen jetzt *immer* in Naherwartung, denn *immer* wartet die Möglichkeit eschatologischen Existierens auf sie. Hat sich das in ihrem Leben ereignet, wird es alsbald wieder unmittelbar zu erwartende Zukunft.

Wegen *dieser* Naherwartung spielt die Frage nach dem apokalyptisch vorgestellten Tag keine Rolle mehr, auch nicht nach seinem Datum (1.Thess. 5,1). Er kann nah gedacht sein; er kann auch auf sich warten lassen. Wer heute "Sohn des Tages" ist (1.Thess 5,5), braucht die Frage nach einem später einmal kommenden Tag nicht mehr zu stellen. Wo in *dieser* Naherwartung gelebt wird, stellt sich nicht mehr das Problem einer Parusieverzögerung, das sich im Rahmen der apokalyptischen Vorstellung schon nach kurzer Zeit zwangsläufig einstellen muß. (Wie Paulus dieses Problem überspielt, zeigt ein Vergleich zwischen 1.Thess. 4,15.17 und 1.Kor. 15,51 - im jeweiligen Kontext.)

Diese Umgestaltung der apokalyptischen *Vorstellung* von einer Naherwartung zur *"Einstellung"* eines Lebens in Naherwartung hat man nicht immer durchhalten können. Da sich die Einstellung der Terminologie der Vorstellung bediente, konnte sie leicht apokalyptisch mißverstanden werden. - Das führte zum Verlust der "christlichen" Naherwartung. Sie wurde zur apokalyptischen Vorstellung zurückgebildet. Dadurch mußte mit weiterlaufender Zeit das Problem der Parusieverzögerung aufkommen, das beim Durchhalten der christlichen Naherwartung gar nicht hätte entstehen können. Besonders deutlich erkennt man das im 2.Thess und im 2.Petr. Aus der *immer* zu erwartenden *Ankunft* des Kyrios im Leben der Menschen entsteht nun als Lehre die christologische Aussage von der *Wiederkunft* Jesu Christi.

Da Lehre und Leben jetzt auseinanderfallen, hat das Konsequenzen für die Ethik. Sie muß neu konzipiert und anders begründet werden. Gegen eine solche Entwicklung hat sich aber auch schon in neutestamentlicher Zeit Protest erhoben, am deutlichsten erkennbar beim Evangelisten Johannes. Und auch das hat wieder Konsequenzen für die Konzeption von Ethik.

Die Spannung zwischen *kairos* und *chronos*, zwischen Punkt und Linie läßt sich für unseren Zusammenhang als Ausgangsfrage also so formulieren: Bleibt auch in der zweiten und dritten Generation die Ethik ein Aspekt von Christologie; oder aber kommt es zur Trennung beider? Ebendiese Frage soll nun exemplarisch an einige Verfasser neutestamentlicher Schriften gestellt werden. Allen darf man unterstellen, daß sie die Absicht hatten, die Ansätze durchzuhalten und für ihre

Zeit und Situation neu auszusagen. Die exegetische Frage lautet dann: Wie tun sie das? Danach stellt sich jeweils die systematische Frage: Ist ihnen das gelungen?

I. Die Ethik des Matthäus

In der Diskussion über christliche Ethik hat immer wieder die Bergpredigt eine besondere Rolle gespielt; und das ist auch heute der Fall. Wie sie zu verstehen ist und wie man sich auf sie berufen kann, ist freilich umstritten, und das war auch früher schon die Frage. Es muß also der Versuch unternommen werden, zum Verstehen der Bergpredigt einen begründeten Vorschlag vorzulegen.

Ausgangspunkt kann nur die Tatsache sein, daß die Bergpredigt ein Abschnitt aus dem Matthäus-Evangelium ist. Es ist nicht unnötig, diese Selbstverständlichkeit zu nennen, weil sie bei der Diskussion über die Bergpredigt nahezu immer unberücksichtigt bleibt. Das verhindert dann ein richtiges Verstehen. Schon bei der Formulierung sollte man präzise sein. Es geht nicht um die Ethik der Bergpredigt und dann auch nicht um die Ethik des Matthäus-Evangeliums, sondern es geht um die Ethik dessen, der dieses *Buch* (vgl. 1,1) geschrieben hat, um die Ethik des Matthäus also. In der Forschung besteht ein Konsensus darüber, daß Matthäus als Redaktor gearbeitet hat. Schon diese Tatsache stellt die Exegese vor einige Probleme.

a) Der Redaktor Matthäus

Vorausgesetzt wird die Zwei-Quellen-Theorie. Danach hat Matthäus das Markus-Evangelium und die sogenannte Logienquelle als Vorlagen benutzt, daneben auch noch manches Sondergut. Nun kann man durch Vergleich feststellen, daß der Redaktor seine Vorlagen nicht einfach wortwörtlich abgeschrieben hat. Er hat sie vielmehr zum Teil verändert, dadurch bestimmte Akzente gesetzt, die seine Vorlagen so noch nicht boten. Ganz offensichtlich hat er auch einiges neu geschaffen und das Ganze in eine Ordnung gebracht, bei der er zwar im wesentlichen dem Faden des Markus-Evangeliums folgt, aber auch das mit erkennbaren Modifizierungen. Der Exeget muß also zwischen Tradition und Redaktion unterscheiden. Genau das gelingt aber nicht immer.

Man darf zwar unterstellen, daß ein Redaktor aus den Vorlagen, die ihm zur Verfügung stehen, nichts übernimmt, was seiner eigenen Konzeption widerspricht. Daraus darf man aber nicht schließen, daß er seine Vorlagen historisch exegesiert hat und sie nun mit dem Sinn in sein Werk einfügt, den die Vorlagen ursprünglich einmal gehabt haben. Historische Exegese kannte Matthäus noch nicht. Wir aber müssen unterscheiden zwischen historischer Exegese der matthäischen Vorlagen und historischer Exegese des Gesamtwerkes. Selbst wenn der Wortlaut gleich oder fast gleich ist, müssen die Ergebnisse beider Exegesen nicht zu gleichen Aussagen führen.

Man kann sich das Problem etwa an den sogenannten Antithesen verdeutlichen (5,21-48). Wenn auch umstritten ist (und wohl auch umstritten bleibt), welche Antithesen in welchem Wortlaut Matthäus vorgefunden hat, so darf doch als sicher gelten, daß die dritte Antithese (5,31-32), in der die Ehescheidung verboten wird, aus der Feder des Matthäus stammt (vgl. 5,32 mit 19,9). Es fällt nämlich auf, daß diese dritte Antithese keine wirkliche Antithese ist. Bei den übrigen Antithesen bleibt die These selbst stehen, wird aber radikalisiert. In der dritten "Antithese" bei Matthäus liegt jedoch eine Bestreitung der These vor. Ein Gebot wird durch ein anderes ersetzt, das jedoch Gebot *bleibt,* wie das alte Gebot Gebot war. Wenn Matthäus nun aber selbst eine solche "Antithese" gestaltet, gibt er damit zu verstehen, wie er die anderen Antithesen verstanden hat, eben nicht als Antithesen, sondern als neue Thesen, als neu formulierte Gebote.

Das ganz entsprechende Problem liegt auch bei den Seligpreisungen vor (5,3-11). Die ersten Seligpreisungen (5,3-9) müssen *im Sinne des Matthäus* von den von ihm gestalteten letzten Seligpreisungen aus (5,10-11) verstanden werden.

Da es bei der Exegese des Matthäus-Evangeliums darauf ankommt, die Aussagen seines Verfassers zu erheben, setzt man am zweckmäßigsten dort ein, wo man mit ausreichender Sicherheit die Hand des Matthäus erkennen kann. Von dort aus sind dann auch die Abschnitte zu exegesieren, die der Redaktor unverändert oder nur wenig verändert aus seinen Vorlagen übernommen hat. Auf keinen Fall darf man die durch historische Exegese erhobenen Aussagen der Verfasser der Vorlagen als Argument gegen die von Matthäus in seinem Werk gestaltete Aussage benutzen.

Schon beim Überblick über das ganze Buch fallen einige Eigentümlichkeiten sofort ins Auge. In den vom Markus-Evangelium übernommenen Rahmen fügt Matthäus fünf Redenkomplexe ein, die er weitgehend selbst zusammengestellt hat: Bergpredigt (5-7), Aussendungsrede (10), Gleichnisrede (13), Gemeinderegeln (18), Rede gegen die Pharisäer, über die Parusie und das Endgericht (23-25). Daß es sich hier um beabsichtigte Kompositionen von Redeeinheiten durch den Redaktor handelt, lassen die stereotypen Wendungen am jeweiligen Abschluß erkennen: "Und es begab sich, als Jesus vollendet hatte ..." (7,28; 11,1; 13,53; 19,1; 26,1).

Eine weitere Eigenart des Buches ist das häufige Vorkommen eines Schriftbeweises in der dem Matthäus eigentümlichen Form des Reflexionszitates (1,22f.; 2,5f.15.17f.23; 3,3; 4,14-16; 8,17; 12,17-21; 13,35; 21,4f.; 26,56; 27,9f.). Schließlich bringt Matthäus sein Werk mit der großen Szene auf dem Berg in Galiläa zum Abschluß.

Es legt sich nun nahe, bei der Exegese am zweckmäßigsten bei diesen Eigentümlichkeiten einzusetzen.

b) Überblicksexegese des Werkes des Matthäus

Wir beginnen mit der Schlußszene, weil Matthäus hier selbst eine Zusammenfassung seines Werkes bietet.

"Die elf Jünger gingen nach Galiläa auf den Berg, wohin Jesus sie beschieden hatte. Sie sahen ihn und fielen nieder. Einige aber zweifelten. Jesus trat hinzu, redete mit ihnen und sprach: Mir ist alle Gewalt im Himmel und auf Erden gegeben. Gehet also hin und machet alle Völker zu Jüngern, indem ihr sie tauft auf den Namen des Vaters und des Sohnes und des heiligen Geistes und indem ihr sie lehrt, alles zu halten, was ich euch befohlen habe. Und siehe, ich bin alle Tage bei euch bis an das Ende der Weltzeit."

Deutlich wird sofort: Hier wird universal geredet, und zwar sowohl zeitlich als auch räumlich. Matthäus nimmt die Zeitspanne von der Auferstehung Jesu bis zum Ende der Weltzeit in den Blick. Wann dieses Ende und mit ihm das Gericht (25,31-46) einmal kommen wird, bleibt völlig offen. Doch spielt der Termin nicht nur keine Rolle, sondern er stellt auch kein Problem dar. Man muß präzisieren: nicht mehr. Denn das Motiv der Verzögerung der Parusie (vgl. 24,48; 25,5) zeigt, daß früher einmal apokalyptisch verstandene Naherwartung geherrscht haben muß. Damit setzt Matthäus sich aber nicht apologetisch auseinander (wie etwa 2.Petr. 3,1-10), sondern er überspielt das Problem einfach, indem er darstellt: Der Auferstandene hat schon bei seiner ersten (und letzten) Begegnung mit den elf (!) Jüngern das Programm für die Zukunft der Kirche (vgl. 16,18) entworfen. Der Auftrag, den die Jünger damals bekamen, war also von Anfang an zeitlich unbegrenzt.

Ähnlich ist es mit der räumlichen Dimension. Das (nach Matthäus) zu Lebzeiten Jesu geltende Gebot, nicht zu den Heiden und Samaritanern zu gehen, sondern nur zu den verlorenen Schafen des Hauses Israel (10,5f.), wird abgelöst durch den Auftrag, alle Völker zu Jüngern zu machen.

Das aber geschieht und wird in alle Zukunft so geschehen, daß die Jünger taufen und lehren. Taufen sollen sie auf den Namen des Vaters und des Sohnes und des heiligen Geistes. Lehren sollen sie, alles zu halten, was Jesus befohlen hat.

Von hier aus versteht man die beiden anderen Eigentümlichkeiten des Matthäus-Evangeliums. Das, was Jesus zu seinen Lebzeiten befohlen hat und was nun zu halten gelehrt werden soll, findet sich hauptsächlich in den von Matthäus zusammengestellten Redenkomplexen. Warum aber gerade Jesus in der Lage war, solche Anweisungen zu geben, drückt Matthäus mit Hilfe der Reflexionszitate aus. In seinem Wirken hat Jesus sich als der erwiesen, der die alttestamentlichen "Verheißungen" erfüllt hat. Man konnte daher an einer Vielzahl von Ereignissen im Leben Jesu geradezu ablesen, daß er der erwartete Messias Israels war. Matthäus will also nachkontrollierbar nachweisen, daß Jesus der erwartete Messias war.

Dieser Absicht dient auch der Stammbaum, mit welchem Matthäus sein Buch beginnt. Jesus, der Sohn Abrahams, der Sohn Davids wurde am Ende der doppelten Weltwochen (dreimal vierzehn Glieder; 1,17), also zu einer genau vorherbestimmten Zeit geboren.

Das Leben dieses Messias Jesus bringt Matthäus sodann in Beziehung zu Mose. Das zeigt sich einerseits an den Kindheitsgeschichten, die eine Mose-Typologie aufweisen (etwa das Motiv des verfolgten Kindes). Andererseits ist es bestimmt kein Zufall, daß Jesus seine erste und für Matthäus wahrscheinlich wichtigste Rede auf einem Berg hielt, wie Mose das Gesetz auf einem Berg empfing; und auf einem Berg in Galiläa werden vom Auferstandenen die von ihm zu Lebzeiten gegebenen Anweisungen bestätigt. Versteht Matthäus also den Messias Jesus als den neuen Mose? Das hätte natürlich Konsequenzen für sein Verständnis des Gesetzes.

Bei der Exegese des letzten Verses des Buches des Matthäus muß man besonders vorsichtig sein. Daß der Auferstandene alle Tage bis an das Ende der Weltzeit bei den Seinen ist, darf man nicht vorschnell so verstehen, wie man es verstehen könnte, wenn eine paulinische Aussage vorläge. Zunächst muß man klären, *als wer* und *wie* der Auferstandene bei den Seinen sein will. Dann aber legt der Zusammenhang diesen Gedanken nahe: Der Auferstandene will als der bei den Seinen sein, der zu seinen Lebzeiten die Befehle gegeben hat, die fortan zu halten sind, und die jetzt erst recht zu halten sind, weil ihm inzwischen alle Gewalt im Himmel und auf Erden gegeben ist. Wenn dann aber Matthäus, was kaum zu bezweifeln ist, von Haus aus Jude war, legt sich hier der zeitgenössische jüdische Gedanke nahe, wonach Jahwe selbst zwar im Himmel und daher (noch) abwesend, in seinem Gesetz aber gegenwärtig ist. Ganz entsprechend denkt Matthäus den Auferstandenen im Himmel. Die Seinen haben ihn aber bei sich, weil sie seine Anweisungen haben, die zu tun er befohlen hat. Zugespitzt formuliert: Die Kirche hat an allen Orten und durch alle Zeiten hindurch das Buch des Matthäus. Damit soll sie leben, und damit kann sie leben, bis der Auferstandene zum Gericht wiederkommen wird. So hat die Kirche mit dem Werke des Matthäus ihre heilige Schrift, wie die Juden ihre heilige Schrift haben.

Diese Überblicksexegese ist nun inhaltlich zu füllen, wobei es vor allem darauf ankommen muß, den Zusammenhang zwischen Ethik und Christologie zu klären.

c) Das Jesus-Bild des Matthäus
Der Lehrer der besseren Gerechtigkeit

Innerhalb der Bergpredigt bringt Matthäus (5,17-19) Ausführungen über das Gesetz, die, wie ein synoptischer Vergleich zeigt, von ihm gestaltet worden sind. Der "matthäische" Jesus formuliert hier polemisch: "Meint nicht, daß ich gekommen sei, das Gesetz oder die Propheten aufzulösen. Ich bin nicht gekommen, aufzulösen, sondern zu erfüllen."

Die Polemik zeigt, daß es Menschen gegeben haben muß, die anderer Meinung waren als Matthäus. Sie haben Jesus für den gehalten, der das Gesetz abgeschafft hat. Wer sie waren, läßt sich exakt kaum feststellen. Es kann sich um Juden gehandelt haben, die Christen den Vorwurf machten, sie hielten sich nicht an das Gesetz. Möglicherweise konnte ein solcher Vorwurf aber auch insofern begründet sein, als es Christen gab, die Paulus mißverstanden hatten. Wenn Paulus betont hatte, daß der Mensch sich durch das Tun des Gesetzes nicht selbst den Weg zu Gott bahnen könne, dann schlossen sie womöglich daraus: Wir brauchen das Gesetz überhaupt nicht mehr. Die Folge konnte dann ein Libertinismus sein (vgl. 7,21).

Matthäus betont also: In der Kirche ist das Gesetz nicht abgeschafft worden; und zwar gilt das für das ganze Gesetz bis in die kleinsten Kleinigkeiten hinein. Es muß vielmehr "erfüllt" werden; und das heißt in diesem Zusammenhang: Es muß getan werden, wie auch Jesus es getan hat. Für die Kirche aber gilt: Nur wer das Gesetz tut und die Menschen dementsprechend lehrt (vgl. 28,20a), wird einmal im Himmelreich "groß" genannt werden.

Mit 5,20 folgt die Begründung (die auch von Matthäus formuliert worden ist): "Denn ich sage euch: Wenn eure Gerechtigkeit nicht die der Schriftgelehrten und Pharisäer weit übersteigt, werdet ihr nicht in das Reich der Himmel eingehen."

Über diesen Vers haben die Exegeten oft gestritten. Das hängt, wie gleich noch gezeigt werden soll, auch damit zusammen, daß das entscheidende Verbum unterschiedlich verstanden werden kann. Der Hauptgrund ist aber meist ein anderer: Man versucht vorschnell, die Aussage des Matthäus mit anderen Aussagen (vor allem solchen des Paulus) auszugleichen, um das Ergebnis dann "dogmatisch" verwenden zu können. Der Exeget darf indes nur auf Matthäus hören und muß *das* erheben, auch wenn ihm selbst das befremdlich erscheinen mag.

Matthäus stellt gegenüber: die Glieder der Kirche auf der einen, die Schriftgelehrten und Pharisäer auf der anderen Seite. Beide haben dasselbe Ziel vor Augen. Sie möchten dermaleinst in das Reich der Himmel eingehen. Voraussetzung dafür ist "Gerechtigkeit". Mit dieser Vokabel wird hier also nicht (wie bei Paulus) das Urteil Gottes über den Menschen ausgedrückt, sondern das Tun des Menschen, das er auf Erden zu leisten hat, damit Gott beim Gericht das Urteil sprechen kann: Du bist mir recht. So verbietet schon der Aufbau des Gedankenganges in diesem Vers, hier vorschnell paulinische Gedanken einzutragen.

Matthäus bestreitet nun, daß die Gerechtigkeit der Schriftgelehrten und Pharisäer ausreicht, das angestrebte Ziel zu erreichen. Daher werden die Glieder der Kirche zu einer besseren Gerechtigkeit aufgefordert, eben zu einer Gerechtigkeit, die die der Schriftgelehrten und Pharisäer weit übersteigt. Nur dann werden sie das Ziel erreichen.

Worin besteht nun das "Mehr" der besseren Gerechtigkeit? Zwei Möglichkeiten werden diskutiert: Es kann sich um ein quantitatives oder um ein qualitatives Mehr handeln.

Die Vokabel ist leider nicht eindeutig. Das griechische Verbum *peresseuein* bedeutet: überschießen, im Überfluß vorhanden sein. Es wird zwar meist in quantitativer Bedeutung benutzt, kommt aber auch in qualitativer Bedeutung vor.

Versteht man das Mehr quantitativ, heißt das: Die Schriftgelehrten und Pharisäer tun zuwenig; die Christen müssen mehr tun. In diesem Fall wäre nun freilich die Konsequenz: Zwischen der Ethik der Schriftgelehrten und Pharisäer und der Ethik der Christen, wie Matthäus sie versteht, besteht kein grundsätzlicher Unterschied. Denn wenn die Schriftgelehrten und Pharisäer mehr täten, als sie tun, wenn sie also soviel täten, wie (der matthäische) Jesus von den Christen verlangt, dann würden auch sie in das Himmelreich eingehen. Daß manche Exegeten zögern, das zu akzeptieren, ist zumindest verständlich.

Versteht man dagegen das Mehr qualitativ, dann geht es um ein andersartiges Tun. Die christliche Ethik wäre dann auch eine andersartige Ethik, also etwa eine Ethik, bei der es nicht einfach um die Erfüllung von mehr Imperativen geht, sondern bei der für die Imperative ein christologisch begründeter Indikativ konstitutiv ist. Dann sind es *andere Täter,* die tun.

Da nun der Wortlaut von 5,20 beide Möglichkeiten des Verstehens zuläßt, müssen für die Exegese dieses Verses andere Aussagen des Matthäus zur Hilfe herangezogen werden. Am einfachsten dürfte die Antwort dort zu finden sein, wo Matthäus ein Minus konstatiert, dem er sein Mehr entgegenstellt.

Bleiben wir zunächst im engeren Kontext, fällt der Hinweis auf das kleinste Gebot auf, das nicht aufgelöst werden darf (5,18-19). Damit wird nicht nur jede "Großzügigkeit" im Umgang mit den Geboten untersagt, sondern zugleich jede Unterscheidung zwischen wichtigen und weniger wichtigen Geboten. Vielmehr müssen *alle* Gebote gehalten werden; und die Menschen sollen gelehrt werden, *alle* Gebote zu halten. Das Minus besteht dann darin, daß nicht alle Gebote gehalten werden. Geht man jetzt vom Abschnitt 5,17-19 zu 5,20 weiter, ergibt sich, daß das Mehr quantitativ verstanden werden muß.

Formuliert man das paulinisch, bedeutet das: Nur wenn die Christen mehr "Werke" als Schriftgelehrte und Pharisäer tun, werden sie beim Gericht von Gott anerkannt werden. Es geht also um eine "eigene Gerechtigkeit" und damit gerade darum, wogegen Paulus sich mit Leidenschaft gewandt hat (Phil. 3,9; Röm. 10,3).

Will man dieser Exegese entgehen, muß man nachweisen, daß es Matthäus nicht einfach und nur um ein ausreichendes *Tun* ging, sondern daß er die Imperative in einem Indikativ begründet, der die *Täter* befähigt, die Imperative zu tun. Ich bezweifle aber, daß ein solcher Nachweis gelingt, zumal eine Reihe anderer

Stellen, die eindeutig die Hand des Matthäus erkennen lassen, die vorgetragene Exegese bestätigen.

Den letzten Redenkomplex beginnt Matthäus mit einem scharfen Angriff auf die *Praxis* der Schriftgelehrten und Pharisäer (23,1-33). Sie muß streng unterschieden werden von ihrer *Lehre*. Die Schriftgelehrten und Pharisäer sitzen nämlich "auf dem Stuhl des Mose" (23,2). Das ist, im Sinne des Matthäus, eine durchaus positive Aussage. Darum weist er seine Leser an: "Alles, was sie euch *sagen*, das tut und haltet" (23,3a). Die Autorität der Schriftgelehrten und Pharisäer soll also auch von den Christen anerkannt werden. Auf diesem Hintergrund formuliert Matthäus das Minus: Leider tun sie nicht, was sie sagen (23,3b). Weil bei ihnen Lehre und Praxis nicht übereinstimmen, werden sie wiederholt als "Heuchler" bezeichnet (23,13.15.23.25.27.29).

Die heute weitverbreitete Charakterisierung der Pharisäer als Heuchler geht auf Matthäus zurück. Mit der historischen Wirklichkeit stimmt sie schwerlich überein. Im Gegenteil! Die Pharisäer bemühten sich mit großem Ernst und auch mit sichtbarem Erfolg, die Gebote des Gesetzes peinlich genau einzuhalten. Ein Beispiel dafür ist Paulus (Phil. 3,6), der darüber hinaus seinen Volksgenossen überhaupt bescheinigt, daß sie in dem Bemühen um Gesetzeserfüllung einen bemerkenswerten Eifer um Gott zeigen, wenn auch mit irriger Einsicht (Röm. 10,2). Nicht ihr (vielleicht vorbildliches) Tun unterliegt der Kritik, sondern ihre Theologie: Ihr Gott verlangt Werke von ihnen, und dementsprechend meinen sie nun, ihren Gott durch eigene Leistung beeinflussen zu können (vgl. Lk. 18,10-14a). - Diese theologische Kritik hat Matthäus offenbar nicht gesehen. Er verwandelt das theologische Problem in ein ausschließlich ethisches zurück.

Wenn die Christen *tun*, was Schriftgelehrte und Pharisäer (leider nur) *sagen*, sind sie nach Meinung des Matthäus durchaus auf dem richtigen Wege. Alles Gewicht liegt auf dem quantitativ ausreichenden Tun. Man kann natürlich eine Christologie "haben" (und Matthäus "hat" ja auch eine). Die aber hilft nicht zum Tun, nicht einmal, wenn sie an sich "richtig" ist. Denn wer zu Jesus nur "Herr, Herr" sagt, kann sich darauf beim Gericht nicht berufen (7,22). Dort ist allein entscheidend, ob der Wille des Vaters im Himmel getan wurde (den Schriftgelehrte und Pharisäer durchaus richtig lehren). Entscheidend ist, ob das, was Jesus (was der "Herr") zu tun befohlen hat (u.a. in der Bergpredigt), nicht nur gehört, sondern auch getan wurde (7,24-27).

Daß Matthäus die Entscheidung Gottes beim Gericht wirklich vom Tun des Menschen abhängig macht, zeigt auch seine Interpretation (6,14-15) des Vaterunsers (6,9-13). Der ursprüngliche Text des Gebets (den Matthäus der Logienquelle entnimmt) ist nicht mit Sicherheit rekonstruierbar, wohl aber die Reihenfolge in der vierten Bitte: Vergebung Gottes, Vergebung der Menschen. Wenn Gott den Menschen vergibt, werden sie frei, ihrerseits zu vergeben. In der Interpretation des Matthäus fällt aber der Indikativ aus. Die Vergebung Gottes wird davon abhängig gemacht, daß zunächst einmal die Menschen ihren Schuld-

210

nern vergeben. Tun sie das nicht, wird Gott ihnen auch nicht vergeben. Gottes Vergebung muß also verdient werden.

Auf derselben Linie liegt die matthäische Umgestaltung von Mk. 1,15. Markus hatte mit dem Indikativ begonnen: Die Gottesherrschaft will jetzt einbrechen. Daraus ergibt sich der Imperativ: Kehrt um! In der Umkehr des Menschen kommt die Gottesherrschaft bei ihnen an. Matthäus gestaltet seine Vorlage um. Nun beginnt Jesu Antrittspredigt mit dem Imperativ: Tut Buße. Das Tun des Imperativs wird dadurch dringlich gemacht, daß das Kommen des Reiches der Himmel als nahe bevorstehend angesagt wird (4,17). Aus dem Indikativ bei Markus macht Matthäus eine Verstärkung des Imperativs.

Gelegentlich versucht man, 4,17 anders zu exegesieren, um für Matthäus (trotz des gegenüber Mk. 1,15 veränderten Wortlautes) irgendwie den Indikativ zu "retten".

Man kann dann etwa so argumentieren: Da Matthäus nicht mehr mit dem baldigen Einbruch des Himmelreichs rechnet, kann er diese Zeitangabe nicht benutzen, um das Tun dringlich zu machen. Doch hier ist der Redaktor von der Tradition abhängig.

Vor allem aber: Nach Matthäus stimmt jetzt die Antrittspredigt Jesu wortwörtlich mit der Predigt des Täufers in der Wüste überein (3,2). Enthält 4,17 einen Indikativ, muß das auch für 3,2 gelten. Das anzunehmen dürfte doch aber wohl unmöglich sein. Johannes hatte vielmehr den Aufruf zur Buße dadurch motiviert und zugleich dringlich gemacht, daß er auf das nahe bevorstehende Gericht verwies. Ebendiese Predigt des Täufers läßt Matthäus Jesus nun wiederholen. Daß seine Vorlage Mk. 1,15 aber einen Indikativ enthielt und sich dadurch grundsätzlich von der Predigt des Täufers unterschied, hat Matthäus offenbar nicht gesehen.

Eine Ethik also ohne Indikativ? Eine christliche Ethik könnte dabei vielleicht herauskommen, schwerlich aber eine "christliche". Wer die bei Matthäus (aus welchen Gründen immer) voraussetzt (und dann natürlich auch als Ergebnis der Exegese herausbekommen will), muß nach dem bisher Ausgeführten starke Argumente beibringen. Wo finden wir bei Matthäus den Indikativ?

Man darf hier nicht auf die vom Redaktor aufgenommenen Traditionen verweisen. Zwar ergibt eine Exegese des vormatthäischen Gleichnisses vom Schalksknecht (18,23-35), daß der Imperativ im Indikativ begründet ist. Matthäus konnte das Gleichnis durchaus als Beispielgeschichte verstehen und damit seiner ethischen Konzeption einordnen.

Auch der Hinweis auf die zentrale Bedeutung des Liebesgebotes bei Matthäus hilft nicht weiter. Richtig ist, daß er der (aus Mk. 10,17 übernommenen) Aufzählung der Gebote das Liebesgebot hinzufügt (19,19). Er will es also offenbar besonders herausstellen. Zugleich zeigt er aber, warum er das tut: Das Liebesgebot ist die kritische Instanz für den Umgang mit dem Gesetz in der Praxis. Zweimal zitiert er Hos. 6,6: "Barmherzigkeit will ich, nicht Opfer" (9,13; 12,7). Damit bewegt sich Matthäus ganz im Rahmen der zeitgenössischen jüdischen Diskussion über das Gesetz, wie sie insbesondere von den Schriftgelehrten geführt wurde und dann in die Kasuistik hineinführte. Wenn sich bei wörtlicher Befolgung eines Gebotes herausstellt, daß damit gegen das Liebesgebot verstoßen wird, dann (aber *nur* dann) wird das betreffende Gebot außer Kraft gesetzt. Für Matthäus ist das Liebesgebot zwar das wichtigste Gebot, als solches aber immer noch eines der vielen Gebote, die Gott zu halten fordert. Entsprechend ist *für ihn* auch das Gebot der Feindesliebe ein zu haltendes Gebot (5,44), das zwar über das Liebesgebot hinausgeht (vgl. 5,43), gleichwohl aber eine für Christen geforderte Verpflichtung bleibt.

Man darf sich nicht schon durch die Benutzung der Vokabel "Liebe" durch Matthäus verleiten lassen, hier gleich ein "christliches" Motiv zu unterstellen. Daß Liebe von denen erwartet wird und Feindesliebe nur von denen erwartet werden kann, die durch Gottes Liebe und Gottes Feindesliebe verändert worden sind, kommt nicht in den Blick.

Daß bei Matthäus der Indikativ fehlt, hängt in erster Linie mit der Art seiner Christologie zusammen. Sie ist zu einer bloßen Lehre verkümmert. Man kann sie kennenlernen, wenn man das Buch des Matthäus liest. Man kann sie dann wissen. Matthäus unternimmt es sogar, ihre Richtigkeit zu beweisen, wozu ihm insbesondere die Reflexionszitate und der Stammbaum dienen. Doch diese "gewußte" Christologie ist nicht darauf angelegt, daß sie beim Leser so "ankommt", daß sie ihn verändert. Die Ethik ist darum kein Aspekt der Christologie, sondern nur noch Konsequenz. Sie ist eine gewünschte Konsequenz, eine notwendige sogar; denn der Leser muß einsehen: Wenn er ein richtiges Wissen über die Christologie hat, wird von ihm nun auch ein Handeln gefordert. Das ist aber ein zweiter Schritt. Christologie und Ethik sind getrennt.

Zwar weiß der Leser, daß der, der sich (nachkontrollierbar) zu seinen Lebzeiten als Messias Israels erwiesen hat, nun auferstanden ist. Er bekommt es aber nicht (im paulinischen Sinne) unmittelbar mit dem Auferstandenen zu tun, der nun sein Leben bestimmt, sondern mit einem Buch. Das verweist ihn auf Vergangenheit. Er erfährt: Der Messias Israels hat sich als "zweiter Mose" erwiesen, als ein von Gott bevollmächtigter Lehrer einer besseren Gerechtigkeit. Diese bessere Gerechtigkeit soll er nun tun. Das ist schon deswegen geboten, weil der, der das neue Gesetz gebracht hat, am Ende dieser Weltzeit als Richter wiederkommen und nach diesem Gesetz richten wird.

Das Heil wird von der Zukunft erwartet, ist aber nicht schon Gegenwart. Durch das neue Gesetz hat der Leser aber jetzt schon die Möglichkeit, das für das Erreichen der Heilszukunft Nötige zu tun. Ob die bisherigen Anstrengungen zum Erreichen des Zieles ausreichen, weiß er nicht. Niemand kann das wissen. Darum soll das auch niemand (weder für sich noch für andere) wissen wollen. Mit dem Gleichnis vom Unkraut unter dem Weizen verdeutlicht Matthäus das (13,24-30). In der Kirche leben gute und weniger gute Christen nebeneinander. Letztere nennt Matthäus "Kleingläubige".

"Ungläubig" kann er sie nicht nennen, weil sie ja getauft und dadurch Jünger geworden sind (28,19). Alle Glieder der Kirche sind "Gläubige". Wenn ihr Tun aber nicht ausreicht, sind sie Kleingläubige.

Die Kleingläubigen sollen sich nun anstrengen, damit sie aus ihrem Kleinglauben herauskommen. Ob ihnen das gelungen ist, werden sie aber erst beim Endgericht erfahren, wenn Unkraut und Weizen, wenn die Böcke von den Schafen (25,31-46) getrennt werden. Bis dahin bleibt alles offen. Erkennt der Leser aber, daß über sein Heil erst in der Zukunft entschieden wird, ist er zu erhöhter Wachsamkeit aufgerufen (25,1-13) und damit zu noch angestrengterem Tun der besseren Gerechtigkeit.

d) Die Bergpredigt

Die Schwierigkeiten bei der Diskussion über die Bergpredigt haben ihren Hauptgrund in einem unkontrollierten Sprachgebrauch. Früher hat man das nicht gesehen, wohl auch nicht sehen können. Heute kann man das sehen. Wenn von der Bergpredigt die Rede ist, versteht man darunter sehr oft nicht die Bergpredigt, sondern so etwas wie eine "Summe" christlicher Ethik oder das zentrale Dokument, an dem christliche Ethik sich auszurichten hat. Daß das nur durch eine schwerwiegende Bedeutungsverschiebung des ursprünglichen Sinnes von Bergpredigt möglich geworden ist, macht man sich kaum klar.

Es kann doch aber kein Zweifel darüber bestehen, daß die Bergpredigt eine eindeutig definierbare Größe ist. Sie ist der erste der von Matthäus gestalteten Redenkomplexe im Rahmen seines Buches. Daraus folgt: Man darf den "Bergprediger" nicht mit Jesus identifizieren (so zuletzt wieder E. Lohse, Theologische Ethik des Neuen Testaments, S. 44-51), sondern muß auch sprachlich präzise differenzieren. Der "Bergprediger" ist vielmehr der Jesus, wie Matthäus ihn verstanden und mit Hilfe seiner Redaktionsarbeit dargestellt hat. Die Bergpredigt muß daher im Rahmen der matthäischen Ethik exegesiert werden.

Wenn man dagegen Traditionen *rekonstruiert* (nicht jedoch einfach aus Kap. 5-7 herausschneidet), die Matthäus bei der Gestaltung seines Buches vorgelegen haben, kann man diese für sich exegesieren. Dann darf man aber nicht von Bergpredigt sprechen. *Denn die Bergpredigt gibt es erst seit Matthäus.* Wer Bergpredigt sagt, muß daher wirklich die Bergpredigt meinen und darf das Wort nicht in einem ganz anderen Sinne benutzen.

Für die Bergpredigt trifft vielmehr die Charakterisierung von Hans Windisch zu: Sie enthält die Einlaßbedingungen für den Eingang in das Reich (vgl. vor allem 5,20). Von den Christen wird also das Tun von Werken verlangt, weil sie nur dann dermaleinst ihr Ziel erreichen werden.

Die in der Bergpredigt genannten Forderungen sind zu einem großen Teil sehr anspruchsvoll. Darum ist immer wieder die Frage gestellt worden, ob sie überhaupt erfüllbar sind. Doch vor einer vorschnellen Antwort muß zunächst der Sinn folgender Fragen geklärt werden: Ist an die Erfüllbarkeit der Forderungen im

Rahmen einer heutigen christlichen Ethik gedacht? Oder geht es um die Frage, ob Matthäus die Forderungen für erfüllbar gehalten hat?

Wer diese Frage als gegenwärtiges ethisches Problem diskutiert, kommt schnell in Schwierigkeiten und sucht nach Auswegen. Man kann dann von einer "Interimsethik" reden (Albert Schweitzer), die nicht zu aller Zeit und für alle gilt, sondern nur für die kurze Zeit unmittelbar vor dem Ende dieser Welt. Man kann auch auf eine "Zwei-Stufen-Ethik" ausweichen: Die strengen Forderungen gelten nicht für alle, sondern richten sich nur an den kleinen Kreis solcher Menschen, die mit besonderen Gaben ausgestattet und/ oder besondere Verpflichtungen eingegangen sind (etwa Kleriker oder Mönche). Schließlich kann man sagen, daß die Forderungen lediglich ethische Ziele angeben, die nach bestem Können und Vermögen wenigstens anzustreben sind, auch wenn das Erreichen nur selten gelingt.

Bei diesen "Lösungsversuchen" ist man aber schon im Ansatz auf dem falschen Wege, weil man kurzschlüssig die matthäische Ethik als christliche Ethik für die Gegenwart versteht - und damit mißversteht.

Die Frage kann und darf nur lauten: War Matthäus der Meinung, seine Leser (und er) seien in der Lage, nach den Regeln der Bergpredigt zu leben? Da der Verfasser des Buches nicht erkennen läßt, daß er diese Frage überhaupt reflektiert, ist eine unmittelbare Antwort nicht möglich. Man kann bestenfalls Erwägungen in Richtung auf eine Antwort anstellen.

Matthäus redet Menschen an, die durch dieses Leben hindurch unterwegs sind. Dabei haben sie das Ziel, dermaleinst in das Reich der Himmel einzugehen. Erreichen werden sie das nur, wenn sie die Einlaßbedingungen erfüllen. Da man nun unterstellen darf, daß Matthäus das Ziel für erreichbar hält, muß er die Forderungen der Bergpredigt auch für erfüllbar gehalten haben.

Eine ganz andere Frage ist, ob und wie seine Leser (und er) damit fertiggeworden sind. Diese Frage können wir schlechterdings nicht beantworten. Wer hier Vermutungen anstellt, kann zu dem Ergebnis kommen, daß Matthäus und seine Leser hinter den Forderungen zurückgeblieben sind. Sie mögen dann, wie im zeitgenössischen Judentum üblich, erwartet haben, daß beim Gericht nicht erfüllte Forderungen gegen erfüllte aufgewogen werden konnten. Man darf aber nicht daraus schließen, daß Matthäus die Forderungen für unerfüllbar gehalten hat. Der Gedanke gar, daß die unerfüllten Forderungen den Menschen zur Einsicht in seine totale Angewiesenheit auf die Gnade bringen sollten, liegt ihm fern. Nach Matthäus kann der Mensch Werke zu seinem Heil tun.

Schließlich ist noch eine andere Frage zu bedenken, die zwar an Matthäus herangetragen ist, aber dennoch gestellt werden muß, weil sie in der gegenwärtigen Diskussion um die Bergpredigt eine Rolle spielt: Was will Matthäus mit der Formulierung dieser Forderungen erreichen?

Die Antwort ist klar: Es geht ihm um das zukünftige Heil der Menschen. Um dieses zukünftigen Heils willen sollen sie jetzt die bessere Gerechtigkeit tun.

Wohl werden die Einlaßbedingungen in der Gegenwart erfüllt; und wenn viele Menschen sie erfüllen, wird das auch die Gegenwart und das Miteinander der Menschen in der Gegenwart verändern. Auf dieser "sozialen Komponente" liegt für Matthäus aber gerade nicht der Akzent. Der liegt vielmehr darauf, daß sich die Menschen um ihr *zukünftiges* Heil sorgen sollen. Wird dadurch die Welt, in der sie leben, zu einer besseren Welt, ist das natürlich ein begrüßenswerter Nebeneffekt, aber eben nur ein Nebeneffekt. Unmittelbar hat Matthäus ihn nicht im Blick.

Die Frage, ob man mit der Bergpredigt den preußischen Staat regieren könne (die Bismarck verneint hat, die, in modifizierter Gestalt, heute aber gelegentlich bejaht wird), ist also schon als Frage falsch gestellt, weil sie voraussetzt, daß man die Bergpredigt unmittelbar zur Gewinnung einer christlichen Ethik benutzen könne. Selbst wenn man die Bergpredigt historisch exegesiert, erweist sich diese Frage als unangemessen.

e) Die Kontrolle der Exegese

Die vorgetragene Exegese unterliegt (wie jede Exegese) der *Prüfung*. Hier ist zu beachten, daß das eine ausschließlich historische Angelegenheit ist und bleibt. Die Frage lautet dabei: Ist richtig verstanden worden, was *Matthäus* seinen Lesern sagen wollte?

Eine solche Prüfung wird sicher zu dem Ergebnis kommen, daß ein umfassenderes Verstehen möglich ist, als es hier einigermaßen gestrafft vorgetragen wurde. Als Exeget muß ich jedoch auch damit rechnen, daß ich Matthäus falsch verstanden habe. Das müßte dann am vorliegenden Text gezeigt werden; präziser: *nur* an ihm und an *den* Stellen des vorliegenden Textes, an denen die Hand des Matthäus erkennbar ist. Es liegt indes an der Spannung zwischen Tradition und Redaktion, daß die Urteile auseinandergehen können.

Beim Streit der Exegeten geht es ausschließlich um die Frage: Wer hat *Matthäus* richtig verstanden? Es geht also weder um die Frage, was die Exegese für eine heutige christliche Ethik einbringen kann, noch um die Frage, ob das, was Matthäus seinen Lesern geschrieben hat, als christlich bezeichnet werden kann oder nicht. Weil aber gerade das Christliche bei der Exegese auf keinen Fall eine Rolle spielen darf, muß sich der Exeget peinlich bemühen, sein (mögliches) Vorverständnis nicht als Vorurteil in seine exegetische Arbeit einzutragen. Dadurch würde er sie verderben.

Von einer Prüfung der Exegese ist nun die theologische *Kontrolle* des Ergebnisses der Exegese scharf zu unterscheiden. Diese Kontrolle geschieht dadurch, daß an das Ergebnis der Exegese ein "Prüfestein" (Luther) angelegt wird. Wie ich diesen "Prüfestein" finden möchte ("Kanon *vor* dem Kanon") und welchen Inhalt er hat, habe ich oben (S. 29-33.58) begründet und dargestellt.

Das exegetische Ergebnis führt nun zu dem Urteil: Die Ethik des Matthäus ist zwar in christlicher Tradition entstanden; aber man kann sie nicht als "christlich" bezeichnen. Sie stellt vielmehr einen Rückfall in pharisäische Ethik dar. Dementsprechend lautet dann auch das andere Urteil: Die Ethik der Bergpredigt ist keine "christliche" Ethik.

Mit diesem Urteil ist nur eine Benennung der matthäischen Ethik vorgenommen worden. Über den Wert dieser Ethik ist damit noch nichts gesagt. Man kann doch nicht bestreiten, daß die pharisäische Ethik eine anspruchsvolle Ethik ist und schon darin einen erheblichen Wert besitzt. Wer sich nach ihr richtet, legt einen hohen Maßstab an sein Tun. Er unterwirft sich Forderungen, die das Übliche weit übersteigen. Er strengt sich an und kann bei entsprechender Anstrengung auch vorweisbare Erfolge erringen. Diese pharisäische Ethik wird durch Matthäus sogar noch einmal gesteigert. Seine Leser sollen nicht nur das tun, was die Pharisäer lehren, sondern sie sollen noch mehr tun. Sie sollen zum Beispiel nicht nur ihre Nächsten lieben, sondern sogar ihre Feinde. Wer das schafft, verdient hohe Anerkennung. Darum hat niemand das Recht, auf Menschen herabzusehen, die nach dieser Ethik leben. Die matthäische Ethik ist eben eine gute, sie ist, nicht zuletzt durch die Bergpredigt, eine geradezu vorbildliche Ethik.

Es wäre daher falsch, die "christliche" Ethik als eine bessere Ethik gegenüber der der Pharisäer und des Matthäus zu bezeichnen. Sie ist nicht besser, sondern sie ist eine ganz andersartige Ethik. Die Differenz zwischen beiden liegt in den unterschiedlichen Theologien. Dieses ist nun wieder ganz präzise zu verstehen.

Wer *von* seinem Gott als von einem redet, der Forderungen stellt und von deren Erfüllung sein Verhältnis zum Menschen abhängig macht, hat allen Grund, sich an die matthäische Ethik zu halten und die Bergpredigt zum Maßstab für sein Tun zu nehmen. Ihre Befolgung verspricht das Erreichen des Zieles. Die matthäische Ethik ist ein Aspekt *dieser* Theologie.

Wer dagegen *von* seinem Gott als von einem redet, der bereits mit seiner Liebe zu ihm gekommen ist, und zwar ohne jede Vorbedingung, der muß sich gegen die matthäische Ethik wehren, weil sie ihn in Versuchung führt. An ihr orientiert, würde er sich auf ein *seinen* Gott lästerndes Unternehmen einlassen: Er glaubt ihm seine Liebe nicht, weil er sie sich nicht schenken lassen, sondern selbst verdienen will. Wenn er das aber will, dann hat er seinen Gott bereits verloren und *muß* sich nun an die Ethik des Matthäus halten.

Glaubt er ihm aber seine Liebe, das heißt: hat er sich durch diese Liebe zu einem Liebenden verändern lassen, dann steht er nicht mehr unter dem "Muß". Jetzt *kann* er vielmehr tun, und zwar aus Dankbarkeit. Wenn er dann aber sein Tun betrachtet, wird er oft feststellen können, daß es dem entspricht, was Matthäus in der Bergpredigt (leider) als Gebote formuliert hat, die Jesus zu tun befohlen hatte.

Kommt nun also doch eine Kritik an Matthäus heraus? Man kann es so nennen und sollte dennoch vorsichtig sein. Wird die Kritik zu einer Verurteilung, wird sie ungerecht. Dann verstellt sie nämlich den Blick für die entscheidende Frage, die man jetzt nur noch in der ersten Person singularis stellen kann: Ist der Gott des Matthäus nicht gar zu oft auch mein Gott? Verfalle ich ihm nicht immer wieder, wenn ich, der ich "Christ" sein könnte, zum Christen werde?

Hier läßt sich auch der zentrale Grund dafür angeben, warum das geschieht: *Die Christologie wird zur Lehre.* Dadurch bleibt sie im Abstand und kommt nicht mehr an. Dann muß die Ethik eine Sache für sich werden, ist aber nicht länger Aspekt der Christologie.

Wenn es bei Christen mit der Ethik nicht klappt, werden sie nicht dadurch "Christen", daß sie sich mehr anstrengen. Auch nicht dadurch, daß sie das Geforderte möglichst präzise formulieren bis in konkrete Anweisungen hinein. Sondern "Christen" werden sie nur, wenn sie zunächst einmal einsehen: Die Christologie ist bei uns nicht angekommen. Dann werden sie sie so formulieren, daß sie ankommen kann, und darauf warten, daß sie ankommt.

II. Die Funktion der Christologie in ethischen Entwürfen

Da Exegese eine theologische Hilfswissenschaft ist, dürfen ihre Ergebnisse nicht unmittelbar in eine christliche Ethik für die Gegenwart übernommen werden. Durch Exegese erfahren wir immer nur, was der damalige Verfasser seinen damaligen Lesern sagen wollte. Daß alle Verfasser der Schriften, die später einmal ins Neue Testament gelangt sind (was die Verfasser selbst nicht wissen konnten), der Meinung waren, eine "christliche" Ethik für ihre Zeit zu entwerfen, darf man unterstellen. Ob ihnen das aber gelungen ist, kann nicht durch die Exegese entschieden werden, sondern erst nach einer anschließenden theologischen Kontrolle des Ergebnisses der Exegese.

Nun ist offenkundig: Bei sehr vielen Schriften des Neuen Testaments gehen die Meinungen der Exegeten über die Aussagen der Verfasser auseinander. Man kann das bedauern, muß aber gleichwohl sehen: Selbst ein Konsensus der Exegeten würde für einen Entwurf einer "christlichen" Ethik für heute unmittelbar nichts austragen. Allem Anschein nach wird das oft nicht gesehen. Die Exegeten wollen sich nicht damit zufriedengeben, daß ihre Arbeit wirklich nur Hilfswissenschaft ist. Sie verfallen dann leicht in eine kurzschlüssige Argumentation, indem sie die Ergebnisse anderer Exegeten widerlegen, wofür sie oft genug gute Gründe haben. Doch nun behaupten sie gleichzeitig (oder erwecken zumindest den Eindruck), daß dies für gegenwärtige ethische Entscheidungen relevant sei. Genau damit überschreiten sie aber nicht nur ihre Kompetenz als Exegeten, sondern zugleich ihre Möglichkeiten. Besonders verhängnisvoll wird das, wenn nicht die ganzen Schriften exegesiert werden, sondern wenn die "Steinbruch-Methode" angewandt wird. Dann sollen mit Hilfe der Exegese kurzer Abschnitte (z.B. der Haustafeln) oder gar einzelner Verse gegenwärtige ethische Entscheidungen begründet werden.

Um das mit der vorliegenden Arbeit verfolgte Ziel zu erreichen, hätte es wenig Sinn, jetzt die Ethiken aller Verfasser der neutestamentlichen Schriften darzustellen. Das könnte nur exegetisch geschehen; und da die Ergebnisse der Exegesen umstritten blieben, würden auch die Urteile, die bei der Kontrolle der Exegesen gefällt werden, unterschiedlich ausfallen. Ich versuche daher einen anderen Weg. Ich setze bei der immer unverzichtbaren Kontrolle des Ergebnisses der Exegesen ein. Dazu sind, im Zusammenhang mit der Darstellung der Ethik des Matthäus, einige Gesichtspunkte in den Blick gekommen. Die sollen nun aufgenommen und an einigen weiteren neutestamentlichen Schriften erörtert werden.

Einer dieser Gesichtspunkte wird mit dem Stichwort "Irrlehre und Ethik" markiert. Wenn die Verfasser neutestamentlicher Schriften gegen Irrlehren oder Irrlehrer kämpfen, geht es nahezu immer um Differenzen in der Christologie. Da nun Ethik ein Aspekt von Christologie ist, stellt sich ein doppeltes Problem. Das erste läßt sich so formulieren: Haben die Verfasser, die eine ihrer Meinung nach falsche Christologie bekämpfen, gesehen, daß diese Christologie mit einer falschen Ethik Hand in Hand ging? Oder sehen sie diesen Zusammenhang gar nicht und bekämpfen entweder nur die falsche Christologie oder nur die falsche Ethik? Dabei ist mit der Möglichkeit zu rechnen, daß auch schon bei den bekämpften Gegnern beides auseinandergefallen war. Das andere Problem ist dann: Wird durch die Korrektur der Christologie zugleich die Ethik korrigiert? Wird also die Ethik als Aspekt der Christologie gesehen, oder aber korrigieren die Verfasser die Christologie und die Ethik, vielleicht auch nur eines von beiden?

Die Probleme liegen in den neutestamentlichen Schriften sehr unterschiedlich, und dementsprechend bieten ihre Verfasser auch durchaus unterschiedliche Lösungen.

a) Die Lösung des Verfassers des 2. Thessalonicherbriefes

Mit der überwiegenden Mehrzahl der Exegeten setze ich voraus, daß dieser Brief nicht aus der Feder des Paulus stammt. Der weitgehend parallele Aufbau zum 1.Thess. und weitgehend parallele Formulierungen zeigen, daß der Verfasser diesen Brief nicht nur gekannt hat; er muß ihn bei der Abfassung "auf seinem Schreibtisch" gehabt und benutzt haben. (Zu Einzelheiten vgl. meinen Kommentar zum 2.Thess.) Wirklich selbständig gestaltet hat der Verfasser lediglich die Abschnitte 1,5-10 und 2,1-12. Hier stößt der Exeget also auf das Hauptanliegen der Aussage des Verfassers.

Die "Irrlehre", die der Verfasser bekämpft, formuliert er 2,2: Es gibt Leute, die (durch Geistessprüche, durch Worte oder durch einen Brief) behaupten: Der Tag des Herrn ist schon da.

Was der Verfasser mit diesem in einem recht unklaren Kontext formulierten Satz meint, ist umstritten.

Ausgehen kann man zunächst davon, daß damit gegen Aussagen im 1.Thess. polemisiert wird, auf die sich die "Gegner" offenbar berufen. Die im 1.Thess. angesagte unmittelbare Nähe der Parusie wird ausdrücklich bestritten.

Das muß man aber sofort präzisieren. Paulus hatte im 1.Thess. zwar (noch) die *Vorstellung* vertreten, daß die Parusie unmittelbar bevorstehe (1.Thess. 4,14-17). Zugleich aber hatte er von dieser apokalyptischen Vorstellung dadurch weggelenkt, daß er zum eschatologischen Existieren in der Gegenwart einlud (1.Thess. 5,1-11). Wer heute schon vom kommenden Tag bestimmt lebt, überholt dadurch die apokalyptische Frage nach dem Termin.

Dieses Neben- und Ineinander von *Vorstellung* und *Einstellung aufgrund der Vorstellung* konnte in der Folgezeit leicht zu Mißverständnissen führen. Konzentriert sich das Interesse auf die Vorstellung, wird der Termin zum Problem. Konzentriert es sich dagegen auf die Einstellung, kann sehr leicht die Vorstellung verlorengehen, und zwar ersatzlos. Was bei den "Gegnern" des Verfassers des 2.Thess. der Fall war, ist nicht sicher zu erkennen.

Die Gegner können apokalyptische Schwärmer gewesen sein, die der Meinung waren, die Parusie stünde nun wirklich ganz unmittelbar bevor. Daraus ergab sich für sie als ethische Konsequenz eine Vernachlässigung der Aufgaben des Alltags. Sich darum zu kümmern hatte so kurz vor dem Ende keinen Sinn mehr. Ihre Parole kann dann aber nicht gelautet haben, daß der Tag des Herrn schon da sei. Man müßte jetzt 2,2, gegen den griechischen Wortlaut, so übersetzen: Der Tag des Herrn steht unmittelbar bevor.

Für wahrscheinlicher halte ich, daß es sich um gnostische Schwärmer gehandelt hat, die sich aufgrund ihrer dualistischen Anthropologie in ihrem "Geist" (bzw. in ihrem Selbst) für schon vollendet hielten. Das hatte dann die ethische Konsequenz: Was sie in und mit ihrem "Leib" taten, war gleichgültig, denn am ein für allemal gewonnenen Heil konnte das nichts mehr ändern. Diesen gnostischen Gedanken hat der Verfasser apokalyptisch formuliert, weil seine Vorstellungswelt die der Apokalyptik war. Die von den "Gegnern" behauptete Präsenz des Heils formulierte er dann so, daß er sie behaupten ließ: Der Tag des Herrn ist schon da. (Hier liegt dasselbe vor wie 2.Tim. 2,18: die gnostische Meinung, im Selbst schon vollendet zu sein, wird dort apokalyptisch formuliert: Die Auferstehung ist schon geschehen.)

Beiden Exegesen ist eines gemeinsam: Der Verfasser des 2.Thess. wendet sich gegen die Auffassung, daß das, was Menschen in der Gegenwart tun, *theologisch* ohne Bedeutung ist.

In der These der Gegner, der Tag des Herrn sei schon da, sieht der Verfasser ein Alibi für die Rechtfertigung eines "unordentlichen Wandels" (3,6.11). Dementsprechend ruft er mit diesem Schreiben seine Leser auf, sich mit großem Ernst gerade um die Gestaltung ihres Alltags zu bemühen.

Wenn es uns nun auch nicht gelingt, die gegnerische Christologie, die zur Vernachlässigung oder gar zur Mißachtung der Ethik führte, eindeutig zu bestimmen, so ist dennoch deutlich: Der Verfasser setzt Christologie ein, um dem ethischen Mißstand zu begegnen. Leider formuliert er diese Christologie aber nicht so, daß sie als Christologie bei seinen Lesern ankommt, sondern er entwirft sie als Lehre (1,5-10), die er mit einem apokalyptischen Fahrplan verbindet (2,1-12).

Von (durch die Christologie) bereits eingetretener Gegenwart des Heils bei den Menschen kann nach Meinung des Verfassers schon deswegen keine Rede sein, weil vor dem Tag des Herrn noch Zwischenereignisse geschehen müssen, die noch gar nicht stattgefunden haben (2,3b.4.6-10). Was für Ereignisse das sind, sagt er (wahrscheinlich sogar absichtlich) ganz ungenau. Daran liegt ihm auch gar nichts. Allein entscheidend für ihn ist, den Tag des Herrn in die Zukunft zu rücken. Dadurch erreicht er, daß die Gegenwart sich dehnt und nun ablaufende Zeit gewonnen wird, die gefüllt und richtig gestaltet werden muß.

Das aber kann nur mit allergrößtem Ernst geschehen, denn bei "seiner Offenbarung" (1,7), also bei der nach Ablauf der Zwischenereignisse zu erwartenden

Parusie, wird der "Herr Jesus" mit den Engeln seiner Macht als Richter vom Himmel herabkommen und über die Ungehorsamen ein schreckliches Gericht halten, dem nur die entgehen, die "unserem Zeugnis" (= dem Zeugnis des "Paulus") Glauben geschenkt haben (1,9-10).

Die Einstellung, die der Verfasser aufgrund *dieser* Vorstellung bei seinen Lesern erreichen will (und auch nur erreichen kann), ist also nicht Antizipation von Heil, aus dem heraus sie ihren Alltag gestalten *können,* sondern die Überzeugung von der Richtigkeit dieser Vorstellung führt die Leser in die Angst hinein: Werden sie vor dem Richter bestehen? Nur durch Gehorsam können sie der Angst entgehen und in der Zukunft Heil erreichen.

Gehorsam sein sollen die Leser "dem Evangelium unseres Herrn Jesus" (1,8). Diese Wendung, die nie wieder im Neuen Testament begegnet, ist mit hoher Wahrscheinlichkeit eine Schöpfung des Verfassers.

Der Kontext zeigt nun, daß der Verfasser den Terminus Evangelium in dieser Wendung, darüber hinaus aber auch weitere Termini, anders versteht als Paulus. Für Paulus ist das Evangelium eine wirkende Macht, wie auch der Kyrios für ihn eine vom Himmel her wirkende Macht ist. Sie dringt auf die Menschen ein, belegt sie mit Beschlag, gestaltet und bestimmt sie. Wenn bei Paulus vom Gehorsam gegenüber dem Evangelium die Rede ist (vgl. Röm. 10,16) oder auch vom Glaubensgehorsam (vgl. Röm. 1,5), dann ist dieser Gehorsam ein Sichausliefern. Anders beim Verfasser des 2.Thess. "Gehorchen" benutzt er im Sinne von "befolgen". Jesus ist nicht deswegen der Herr, weil er selbst jetzt wirkt. Bis zu seiner Offenbarung bleibt er im Himmel (1,7b). Dennoch kann Jesus als Kyrios bezeichnet werden, weil er sein Evangelium gegeben hat, das die Menschen jetzt kennen sollen.

"Das Evangelium unseres Herrn Jesus" ist in das Zeugnis des "Paulus" (1,10) eingegangen und darum mit ihm identisch. Solange die Zeit dieses alten Äons noch andauert, also bis nach den Zwischenereignissen (2,3b.4.6-10), ist es zu halten. So ist für den Verfasser der Terminus Evangelium zu einer formelhaften Zusammenfassung für "Wahrheit" geworden (vgl. 2,10.12.13); und diese Wahrheit ist selbst tradierbare Lehre (vgl. 2,15; 3,6). Ein solches Evangelium fordert nun (ebenso wie das "Zeugnis" des Paulus 1,10) "Glauben", und zwar im Sinne von zustimmender Anerkennung, im Sinne von "für wahr halten". Diese Anerkennung hat "Leistung" zur Folge, und zwar für alle, die zur "Liebe zur Wahrheit" gekommen sind (vgl. 2,10). Entscheidend ist: Das Evangelium fordert, daß man es tut.

Genau dieses Verständnis der Vokabel *Evangelium* wirkt bis in unsere Gegenwart nach und hat (mindestens in einem verbreiteten kirchlichen Sprachgebrauch) das markinische und paulinische Verständnis (fast) verdrängt. Das ist vor allem dann der Fall, wenn man, ohne den Inhalt zu reflektieren, die Vokabel formelhaft verwendet und nun von dort aus Ethik begründen will. Man formuliert dann nicht: Das Evangelium versetzt uns in die Lage, ..., sondern man formuliert: Das Evangelium fordert ...

Was nun das Evangelium (bzw. was "die Wahrheit") nach Meinung des Verfassers fordert, sollen die Leser am Tun des Paulus ablesen. Ausführlich stellt der Verfasser dar, wie Paulus sich in Thessalonich verhalten hat: Er hat nicht unordentlich gelebt, hat nicht umsonst jemandes Brot gegessen. Er hat vielmehr selbst gearbeitet, um niemandem zur Last zu fallen (3,7-10). Paulus war also Vorbild.

Das Material für diese Aussage hat der Verfasser aus 1.Thess. 2,9 entnommen. Bezeichnend ist aber, in welchem Kontext er es nun verwendet. Den Leitgedanken entnimmt er 1.Thess. 1,6f. Dort finden sich die aufeinander bezogenen Termini "Vorbild" und "Nachahmer". Paulus benutzt sie jedoch im Dienste einer christologischen Aussage: Der Kyrios hat (als "Vorbild") Paulus geprägt. Als Geprägter ist er "Nachahmer" des Kyrios. Dann hat der "Nachahmer" (= der vom Kyrios Geprägte) die Thessalonicher geprägt, die nun selbst als "Nachahmer" des Paulus (= als von Paulus und durch ihn vom Kyrios Geprägte) andere prägen (vgl. oben S. 171ff.). Dieser an einer "ankommenden" Christologie orientierte Gedanke ist dem Verfasser des 2.Thess. fremd. Er verwandelt ihn in den Gedanken einer Imitation des Verhaltens des Paulus, dessen Inhalt er aus 1.Thess. 2,9 bezieht.

Jetzt kann er natürlich nicht beim Kyrios einsetzen, denn der weilt (noch) im Himmel. Schon deswegen kommt er als zu imitierendes Vorbild nicht in Frage. Wohl aber kann der Verfasser Paulus dafür heranziehen. Dessen Verhalten wird den Lesern vor Augen gemalt, damit sie wissen, was sie zu tun haben. Unterstrichen wird dieser Aufruf zur Nachahmung noch dadurch, daß der Verfasser unterstellt, schon bei seinem Aufenthalt in Thessalonich habe Paulus der Gemeinde als Befehl hinterlassen: Wer nicht arbeitet, soll auch nicht essen (3,10). Sind die Leser nun aber dem "Zeugnis" des Paulus gehorsam (1,10), also der Überlieferung, die sie von ihm empfangen haben (3,6), dann werden sie "bei der Offenbarung des Herrn Jesus vom Himmel her" (1,7) sich als "würdig" erweisen (1,11) und des Heils teilhaftig werden.

Der Verfasser hat also nur Imperative zu bieten, keinen Indikativ. An keiner Stelle des Briefes kommt in irgendeiner Weise der Gedanke vor, daß der Kyrios jetzt wirkt oder wirken will und *insofern* auch von gegenwärtigem Heil die Rede sein kann. Er sieht nicht, daß in der Behauptung der Gegner mindestens ein richtiges Anliegen liegen könnte, das aufzunehmen und zu modifizieren wäre. Die von jenen behauptete (wenn auch überzogene) Präsenz des Heils wird so total bestritten, daß Heil ausschließlich von der Zukunft zu erwarten ist.

Es geht dem Verfasser des 2.Thess. also nicht um ein eschatologisches Existieren, sondern nur um ein Existieren für das Eschaton. Er nimmt die apokalyptische Gedankenwelt nicht in Dienst, um in ihrem Rahmen christologische Aussagen zu machen, sondern er argumentiert unmittelbar apokalyptisch. Jesu Wiederkunft wird als Lehre entworfen, die über Zukünftiges informiert. Daraus ergibt sich: Was der Verfasser als christliche Ethik empfiehlt, ist nicht "christliche", sondern ein Rückfall in pharisäische Ethik.

b) Die Lösung des Verfassers der Pastoralbriefe

Vorausgesetzt wird: Die beiden Briefe an Timotheus und der Brief an Titus haben einen gemeinsamen Verfasser. Paulus kann das nicht gewesen sein, da die Briefe auf eine schon lange bestehende Kirche zurückblicken. Insbesondere wegen der entwickelten Form des kirchlichen Amtes muß als Abfassungszeit etwa das erste Drittel des 2. Jahrhunderts angenommen werden.

Die Ethik der Past. erfreute sich lange Zeit (und oft auch noch heute) einer großen Beliebtheit. Sie entspricht nämlich dem "Ideal einer christlichen Bürgerlichkeit" (M. Dibelius), das sein Entstehen wiederum nicht zuletzt gerade den Past. verdankt.

Angestrebt wird ein "ruhiges und stilles Leben in aller Frömmigkeit und Ehrbarkeit" (1.Tim. 2,2). Um das zu erreichen, ermahnt der Verfasser die Leser zur Fürbitte für die Obrigkeit (1.Tim. 2,1f.). Die Gestalt, die dieses ruhige und stille Leben hat, kann man charakterisieren als Mittelweg zwischen extremen Lebensweisen. So darf z.B. niemand übermäßig dem Wein zusprechen (1.Tim. 3,3; Tit. 1,7). Abstinenz wird aber nicht gefordert, denn dem Wasser soll (mit Rücksicht auf die Gesundheit) etwas Wein beigegeben werden (1.Tim. 5,23). Mäßigung ist also geboten. Der Verfasser warnt vor dem Reichtum, der große Versuchungen mit sich bringt (1.Tim. 6,9f.). Daraus folgt aber nicht, daß Armut als Ideal hingestellt wird. Ideal ist vielmehr eine bescheidene Genügsamkeit: Wer Nahrung und Kleidung hat, soll damit zufrieden sein (1.Tim. 6,8). Mit seinem Reichtum soll er Gutes tun (1.Tim. 6,17f.), das aber mit vernünftiger Überlegung. Nicht jeder Arme ist zu unterstützen, sondern der Verfasser erläutert am Beispiel der Versorgung der Witwen, daß eine wirkliche, nicht aber eine leichtfertig selbstverschuldete Bedürftigkeit vorliegen muß (1.Tim. 5,5f.11). Zu prüfen ist also, ob die Empfänger der Gaben dieser auch würdig sind.

In dieses Bild der "Bürgerlichkeit" fügt sich auch ein, was von den Amtsträgern (von Bischöfen, Diakonen und Ältesten) verlangt wird. Sie dürfen nicht anmaßend, nicht zornig, nicht doppelzüngig, nicht gewinnsüchtig und keine Trinker sein, vielmehr unbescholten, besonnen, gerecht, fromm, Freunde des Guten. Insbesondere müssen sie ihren Häusern in jeder Beziehung gut vorstehen (1.Tim. 3,2ff.). Eigentlich sind das jedoch keine "Amts"-Tugenden, sondern Tugenden, die für alle gelten. Insofern erweist sich das kirchliche Amt als ein bürgerlicher Beruf.

Zwar kann am Rande dieses anzustrebenden ruhigen und stillen Lebens auch einmal das Leiden in den Blick kommen. Der Verfasser weiß, daß Christen ins Leiden kommen können, und zeigt das insbesondere am Beispiel des Paulus (2.Tim.). Doch ist das dann nicht eine Konsequenz aus dem Leben, das Amtsträger und Christen führen (wie sollte es auch?), sondern eine Konsequenz aus der von ihnen vertretenen Lehre.

Nun wäre es ungerecht, diese Ethik wegen ihrer "wohltemperierten Bürgerlichkeit" vorschnell abzuqualifizieren. Hier werden doch vertretbare Forderungen aufgestellt, über die man im einzelnen zwar (je nach Zeitgeschmack) verschiedener Meinung sein kann. Für jene Zeit aber und in jener Umgebung kann man diese Ethik durchaus als vorbildlich bezeichnen; denn sie entspricht ziemlich genau dem, was damals als Ideal galt.

Dann stellt sich indes die Frage: Sollen Christen also vorbildliche Bürger sein? Dagegen zu polemisieren besteht kein Grund. Warum sollten sie das nicht sein? Eine ganz andere Frage ist jedoch, ob das ein Maßstab für das "Christliche" sein kann und ob man deswegen diese Ethik (wenn auch modifiziert) heute als "christliche" Ethik übernehmen kann.

Will man das Problem des "Christlichen" in den Blick bekommen, muß man zunächst darauf achten, wie diese Ethik entstanden ist. Der Verfasser sieht sich Häretikern gegenüber, die eine andere Lehre vertreten als er und die im Zusammenhang mit dieser Lehre eine Ethik entwickelt haben. Doch bei der nun notwendigen Auseinandersetzung stößt er auf Schwierigkeiten, mit denen er nicht fertig wird, weil er "Dogmatik" und "Ethik" nicht zusammenbringt.

Man darf unterstellen, daß die Häretiker ihre Lehre selbst als "Gnosis" bezeichnet haben (1.Tim. 6,20). Wie die konkret aussah, ist nur schwer auszumachen.

Die Gegner kommen "aus der Beschneidung" (Tit. 1,10). Sie wollen Gesetzeslehrer sein (1.Tim. 1,7). Doch wird man den jüdischen Einfluß nicht zu hoch veranschlagen dürfen (vgl. das Verbot der Ehe, 1.Tim. 4,3), auch wenn die von ihnen vertretenen Mythen als jüdisch bezeichnet werden (Tit. 1,14). Es ist die Rede von "Mythen und endlosen Genealogien" (1.Tim. 1,4), von "heillosen und für alte Weiber passenden Mythen" (1.Tim. 4,7). Diese Angaben bleiben aber inhaltlich recht blaß. Deutlicher werden sie vielleicht, wenn die Härtiker behaupten, "Gott zu kennen", obwohl sie ihn mit ihren Werken (angeblich) verleugnen (Tit. 1,16). Daß sie sodann als "aufgebläht" bezeichnet werden (1.Tim. 6,4; 2.Tim. 3,4), deutet wahrscheinlich auf Enthusiasmus hin.

Die einzige konkrete Angabe findet sich in der Behauptung der Häretiker, die Auferstehung sei schon geschehen (2.Tim. 2,18). Danach kann es sich nur um Gnostiker handeln, für die ein anthropologischer Dualismus kennzeichnend ist.

Hier konnte man sagen, daß die Auferstehung schon geschehen sei (wie man auch sagen konnte, daß der Tag des Herrn schon da sei, 2.Thess. 2,2; vgl. oben S. 220). Ausgedrückt wird damit, daß die im Körper lebende Seele bereits Erlösung erfahren hat, und zwar unverlierbar. Die Konsequenz ist, daß der Körper entweder tun kann, was er will (Libertinismus), oder daß ihm nichts mehr erlaubt wird (Askese).

Man muß bezweifeln, daß der Verfasser die Lehre der Häretiker wirklich durchschaut, denn zu einer Auseinandersetzung mit ihr kommt er nicht. Aber nicht nur er selbst verzichtet auf eine Diskussion, sondern er verbietet sie auch den Lesern ausdrücklich. Sie würde nur Streit bringen (2.Tim. 2,23) und ist darum unnütz und zwecklos (Tit. 3,9).

Dem Verfasser gelingt aber nun auch keine inhaltliche Darstellung der eigenen Lehre. Zwar benutzt er gelegentlich von Paulus übernommene Wendungen, spricht von Rechtfertigung nicht aus Werken (Tit. 3,5), von Jesus Christus, "der sich selbst für alle als Lösegeld gegeben hat" (1.Tim. 2,5f.). Doch bleiben diese Wendungen für ihn Formeln. Meist verzichtet er überhaupt auf das Rezitieren solcher Sätze und spricht von der Lehre als einem "herrlichen anvertrauten Gut" (1.Tim. 6,20; 2.Tim. 1,12.14). Oder er benutzt die Wendung "gesunde Lehre" bzw. "gesunde Worte" (1.Tim. 1,10; 2.Tim. 1,13; 4,3; Tit. 1,9; 2,1). Vermutlich will er damit ausdrücken, daß seine Lehre im Gegensatz zu den "krankhaften" Anschauungen der Häretiker vernünftig ist.

Der Verfasser stellt also beide Lehren einfach nebeneinander; und ohne Bezug zu ihnen behandelt er dann die Ethik. Hier wird seine Verlegenheit besonders deutlich. Da er die Lehre der Häretiker nicht verstanden hat, sieht er auch nicht, daß deren Ethik unmittelbar aus ihrer Lehre erwächst. Er zeichnet nämlich zwei nicht nur unterschiedliche, sondern sogar gegensätzliche Bilder vom Tun und Verhalten der Häretiker.

Einerseits zählt er in einem Lasterkatalog auf, was ihnen vorzuwerfen ist. Sie sind selbstsüchtig, geldgierig, prahlerisch, hochmütig, schmähsüchtig, den Eltern ungehorsam, undankbar, gottlos, lieblos, unversöhnlich, verleumderisch, unenthaltsam, roh, Feinde des Guten usw. (2.Tim. 3,2-4). Diese Zügellosigkeit soll mit der falschen Lehre zusammenhängen, denn durch ihre Verbreitung entstehen Neid, Zank, Lästerung, Streit (1.Tim. 6,4).

Andererseits müssen sich die Gegner aber ganz andersartige Vorwürfe gefallen lassen. Sie halten sich an Reinheitsvorschriften (Tit. 1,14f.), verbieten die Ehe und den Genuß bestimmter Speisen (1.Tim. 4,3). Vermutlich lehnen sie auch den Weingenuß ab (vgl. 1.Tim. 5,23). Danach waren die Häretiker keineswegs zügellose Menschen, sondern ethische Rigoristen. Diesen Rigorismus nennt der Verfasser eine "körperliche Übung", die wenig Nutzen hat (1.Tim. 4,8).

Wie der Verfasser für sich selbst beides zusammengebracht hat, ist schwer zu sagen, denn nur *ein* Bild vom Tun und Verhalten der Häretiker kann ja richtig sein. Von ihrer Gnosis mit der dualistischen Anthropologie her ergibt sich: Die Irrlehrer müssen in der Tat Rigoristen gewesen sein. Da der Verfasser das aber nicht durchschaut, widerlegt er jedes "Fehlverhalten" für sich.

Gegen die Enthaltung von Speisen betont der Verfasser, daß Gott sie doch geschaffen habe. Was Gott geschaffen hat, kann nicht verwerflich sein (1.Tim. 4,3f.). Dem Eheverbot der Gegner stellt er die Schöpfungsordnung entgegen. Die Frau (nicht Adam) ist zwar der Verführung erlegen, doch kann ihr Rettung zukommen durch Kindergebären, wenn sie "an Glauben, Liebe und Heiligung festhält in Zucht" (1.Tim. 2,15). Wie ist das aber mit der Behauptung des Verfassers in Einklang zu bringen, daß durch Werke das Heil nicht erlangt werden kann (Tit. 3,5)?

Das Bild von der Zügellosigkeit der Häretiker hat der Verfasser selbst entworfen. Zu Hilfe mag ihm dabei gekommen sein, daß es damals ohnehin zum Stil der Ketzerpolemik gehörte, die Häretiker als moralisch defekt hinzustellen. Dieses Motiv nahm er aber gern auf, denn nun kam heraus, was er intendierte: Die Christen dürfen nicht solcher Zügellosigkeit verfallen, sondern sollen ein ruhiges und stilles Leben in aller Frömmigkeit und Ehrbarkeit führen.

So ist die Ethik des Verfassers der Past. weder theologisch noch christologisch oder eschatologisch begründet. Sie ist vielmehr gegen eine andere Ethik entworfen, die der Verfasser den Häretikern unterstellt. Zwar ist es ihre *Lehre,* die ihm unheimlich ist. Darum will er sie bekämpfen. Doch das gelingt ihm nicht; und seinen Lesern rät er, sich nicht näher mit Fragen der Lehre zu beschäftigen. Sie sollen darüber auch nicht mit anderen diskutieren, weil sie davon ausgehen können, daß ihre Lehre "gesunde" apostolische Lehre ist. Worauf es für sie ankommt, ist allein die Ethik. Sie sollen ein bürgerlich wohlanständiges Leben führen, ein Leben, das vernünftig, einsehbar, durchschaubar ist und zwischen gefährlichen Extremen den Mittelweg geht. Das ist genau das Leben, das in einer gesitteten Umwelt als vorbildlich und erstrebenswert gilt. Wer ein solches Leben führt, darf nach der Meinung des Verfassers davon ausgehen, daß er ein christliches Leben führt. Den "richtigen" Glauben hat er ja ohnehin.

Die Frage muß erlaubt sein: Hat der Verfasser nicht eine in der heutigen Volkskirche verbreitete Auffassung vorweggenommen? Aber auch die andere: Hat der Verfasser nicht die Meinung derer vorweggenommen, die in der Kirche den Verlust an Ethik beklagen und nun mit einer isolierten Behandlung der Ethik das Defizit in der Kirche aufarbeiten wollen?

c) Die Lösung des Verfassers des Jakobus-Briefes

Der Jakobus-Brief liegt zwar in der literarischen Form eines Briefes vor, ist aber kein Brief, sondern eine lockere Sammlung von Paränesen ganz unterschiedlicher Herkunft. Es begegnen Anklänge an Weisheitsliteratur, aber auch paränetische Traditionen des Griechentums und des Hellenismus. Dazu kommen vielfach Berührungen mit Stoffen aus den synoptischen Evangelien.

Der Verfasser hat offenbar verschiedenes und verschiedenartiges Material gesammelt und ohne erkennbare Gliederung aneinandergefügt. Es ist daher relativ leicht möglich, durch Literarkritik Vorlagen zu rekonstruieren und diese dann zu exegesieren. Doch erreicht man durch diese Exegesen noch nicht die Aussagen des Verfassers.

So darf z.B. (trotz 5,7-11) als ausgeschlossen gelten, daß *er* mit einer Naherwartung der Parusie gerechnet hat; denn der Kyrios, von dessen Kommen die Rede ist, ist eindeutig Gott (vgl. 5,11). Ebensowenig wird man feststellen können, was *er* präzise unter dem "vollkommenen Gesetz der Freiheit" (1,25) oder unter dem "königlichen Gesetz" (2,8) verstanden hat. Dasselbe gilt für das andere übernommene Material, zumal nirgendwo erkennbar ist, daß, ob und wo der Verfasser selbst verändernd in die Gestaltung seiner Vorlagen eingegriffen hat.

Sicher ist jedoch: Der Verfasser möchte alle diese Traditionen als Aussagen christlicher Ethik verwenden. Formal bringt er das dadurch zum Ausdruck, daß er im Präskript (1,1) und in einer das Präskript aufnehmenden Anrede (2,1) den Namen Jesus Christus nennt, der sonst, erstaunlich genug, im ganzen Schreiben nie wieder begegnet. Kann man aber allein dadurch ältere paränetische Traditionen christianisieren?

Eine zunächst nur statistische Beobachtung läßt erkennen, warum der Verfasser auf gerade dieses Material zurückgreift: In den 108 Versen des Schreibens begegnen 54 Imperative; und genau diese Imperative sind es, die den Verfasser interessieren. Sie binden die übernommenen Traditionen zusammen und lassen die Absicht des Verfassers erkennen: Mit großem Nachdruck will er seine Leser zum Tun aufrufen.

Warum er gerade das für nötig hält, erläutert er im Abschnitt 2,14-26, der ganz aus seiner Feder stammen dürfte. Es geht um die Frage Glaube und Werke, die, soweit wir wissen, von Paulus erstmalig in dieser Form als Problem formuliert worden ist. Der Verfasser schreibt also in nachpaulinischer Zeit; und scheinbar polemisiert er gegen Paulus.

Die Frage, ob der Glaube ohne Werke retten könne (2,14), mutet angesichts paulinischer Aussagen schon seltsam an. Daß der Mensch aber aus Werken gerechtfertigt wird und nicht aus Glauben allein (2,24), scheint ausdrücklich gegen Röm. 3,28 formuliert worden zu sein. Dabei fällt sogar auf, daß das bei Paulus fehlende "allein", das zwar sachlich mitzudenken ist ("allein aus Glauben"), vom Verfasser ausdrücklich genannt, aber gerade bestritten wird.

Nun muß freilich präzisiert werden, worin die Polemik besteht: Sie richtet sich nicht gegen Paulus selbst, sondern gegen das Verständnis des paulinischen *Wortlautes* in späterer Zeit. Dabei kann offengelassen werden, ob der Verfasser diese Differenz gesehen hat. Wahrscheinlich ist das nicht.

Glaube ist bei Paulus immer ein "Sicheinlassen auf", das im Leibe konkret gelebt wird. Darum *impliziert* Glaube bei Paulus immer "Gehorsam". Das Tun ist dann "Frucht", aber nicht ein von den Menschen zu leistendes "Werk". Nur mit diesem Verständnis konnte Paulus Röm. 3,28 formulieren.

Verändert man aber den Inhalt dessen, was Paulus unter Glaube versteht, und benutzt trotz des neuen Inhalts dieselbe Vokabel, dann geschieht dieses: Man zitiert die paulinische Wendung wortwörtlich und verdirbt das, was Paulus gemeint hat, von Grund auf.

Genau das muß in nachpaulinischer Zeit geschehen sein; und daran knüpft der Verfasser an. "Glaube" wurde jetzt verstanden als Anerkennung von Lehren oder

Sachverhalten. Der Verfasser exemplifiziert dies an Dämonen: Sie haben solchen "Glauben", wenn sie überzeugt sind, daß Gott nur einer ist, d.h., wenn sie Monotheisten sind (2,19). Wenn aber nun (mit dem *Wortlaut* der paulinischen Wendung) behauptet wird, daß Gott Menschen nicht durch Werke, sondern allein aufgrund dieses "Glaubens" rechtfertigt, gerät mit der Abqualifizierung der Werke das Tun der Menschen überhaupt aus dem Blick. Die Folge kann Libertinismus sein, mindestens aber Gleichgültigkeit in bezug auf das Tun. Zugleich bekommt die Rechtfertigung einen anderen Ort. Es ist nicht mehr so, wie bei Paulus, daß "gerechtfertigte Menschen" jetzt handeln können und handeln, sondern die Rechtfertigung durch Gott rückt in die Zukunft. Voraussetzung für die Rechtfertigung ist aber nicht (wie bei den Pharisäern) der Nachweis getaner Werke, sondern zur Rechtfertigung bedarf es nur des "Glaubens". Wer "rechtgläubig" ist, ist damit seiner Zukunft sicher.

Rechtgläubigkeit allein reicht dem Verfasser zur Rechtfertigung nicht aus. Einmal blitzt sogar eine Ahnung von paulinischem Verständnis von Glauben auf: Das (jetzige!) Zittern der Dämonen zeigt, daß ihr "Glaube" heil-los ist (2,19b). Dennoch bleibt sein Blick auf die zukünftige Rechtfertigung gerichtet. Ohne das Tun von Werken werden seine Leser sie nicht erlangen.

Die Polemik gegen den mit anderen Inhalten versehenen paulinischen Wortlaut, den die Leser vermutlich kennen, da sie sich offenbar darauf berufen, hätte der Verfasser (mindestens theoretisch) so führen können, daß er die Vokabel Glaube zurechtgerückt und ihren Inhalt korrigiert hätte. Dieser Versuch setzt jedoch voraus, daß der Verfasser sich über die sprachliche Differenz klar war.

Es muß freilich zugleich gesagt werden, daß ein solcher Versuch in der Praxis nahezu immer zum Scheitern verurteilt ist. Vokabeln, die in ihrem Inhalt verdorben worden sind, sind unbrauchbar. Dies läßt sich vielfach bis in den heutigen "kirchlichen Sprachgebrauch" hinein nachweisen. Sie müssen durch andere ersetzt werden.

Der Verfasser geht nun diesen Weg: Im Blick auf die zukünftige Rechtfertigung konstatiert er ein Defizit an Ethik und macht sich daran, das aufzuarbeiten. Er übernimmt das Verständnis seiner Leser von "Glauben" (das er wahrscheinlich selbst teilt) und führt die Hoffnung, von solchem "Glauben" Heil zu erwarten, ad absurdum. Rechtfertigung durch Gott wird solcher "Glaube" nicht erreichen, schon gar nicht "allein", sondern immer nur zusammen mit Werken; und eigentlich kommt es sogar zuerst auf die Werke an (2,24). Das aber heißt: Das Moment des "Gehorsams", welches das paulinische Verständnis von Glauben immer impliziert, ist aus dem Glauben ausgewandert (und bleibt draußen!). Es wird durch den Verfasser als selbständige Größe, als Werk, dem "Glauben" hinzugefügt, ja sogar vorgeordnet.

Man kann nun natürlich die Paränesen, die der Verfasser in seine Schrift hineingenommen hat, einzeln betrachten. Man wird dann bemerkenswerte Erwägungen zur Ethik anstellen und wahrscheinlich ein beachtliches ethisches Niveau konstatieren können. Deshalb besteht kein Grund, die Ethik der Paränesen, aber auch nicht die Ethik des Verfassers des Jakobus-Briefes abzuqualifizieren.

Allerdings bietet der Verfasser des Jak. keine "christliche" Ethik. Weil eine Christologie völlig fehlt, fehlt den aufgenommenen Imperativen der Indikativ. Was bei dieser Ethik herauskommt, ist kein eschatologisches Existieren.

d) Die Lösung des Verfassers des 1. Petrus-Briefes

In der vorliegenden Gestalt ist der 1.Petr. ein Brief (genauer: eine Enzyklika), den "der Mitälteste und Zeuge der Leiden Christi" (5,1; beachte hier die 1.Pers.sing.!), der sich im Präskript "Petrus" nennt (1,1), an Gemeinden in Kleinasien schickt. Die Gemeinden werden von zwei Seiten bedrängt. Die erste Bedrängnis ist gesellschaftlicher Art. Der Verfasser schreibt an Leser, die durch einen nonkonformistischen Lebensstil in Gegensatz zu ihrer heidnischen Umgebung geraten sind (4,4) und deswegen von ihr manches an Vorwürfen und Verdächtigungen erdulden müssen (3,14.17), vielleicht sogar noch mehr (1,6). Die andere Bedrängnis ist politischer Art. Eine Christenverfolgung größeren Umfangs hat eingesetzt (4,12; 5,8f.). In dem Zusammenhang müssen die Leser damit rechnen, vor Gericht gebracht zu werden (4,15) und Leiden zu erdulden.

Es gibt Gründe für die Annahme, daß der Brief nicht in einem Zuge entstanden, sondern in zwei oder drei Stufen literarisch gewachsen ist.

Nach dieser Hypothese wäre das älteste Stück (1,3-4,11) eine Art Katechismus. Christen, vielleicht auch Taufbewerber, werden mit dem vertraut gemacht, worum es im christlichen Glauben und Leben geht. Zugleich werden sie auf die für sie persönlich möglichen negativen Konsequenzen hingewiesen. - Mit 4,12-5,11 wird in einer Zeit aktueller (4,13), das ganze Reich heimsuchender (5,8f.) Christenverfolgung der früher verfaßte Katechismus in diese Situation hinein aktualisiert. - Entweder gleichzeitig oder danach wird mit 1,1-2 und 5,12-14 das Ganze in einen brieflichen Rahmen gebracht.

Die vorgetragene Hypothese ist zwar für die Darstellung der Ethik des Verfassers kaum von Bedeutung, da die Teile und das Ganze mit ziemlicher Sicherheit aus einer Feder stammen. Sie macht es aber möglich, das ethische Problem differenzierter zu behandeln.

Der Verfasser will also Christen helfen, die in gesellschaftliche Isolation geraten und dadurch bedrängt sind. Darüber hinaus droht ihnen eine Verfolgung durch den Staat, die der Verfasser selbst offenbar schon zu spüren bekommen hat, da er sich als Zeuge der Leiden Christi bezeichnet (5,1). Bemerkenswert ist, wie er das tut.

Literarisch geht er ganz ähnlich vor wie der Verfasser des Jakobus-Briefes. Er stellt verschiedene und verschiedenartige Traditionen zusammen. Eine erkennbare Disposition fehlt; und daher ist eine Gliederung nur schwer möglich (abgesehen von einem Abschluß in 4,11 und einem Neuanfang in 4,12). Er greift aber nicht nur auf eine Fülle paränetischer Traditonen zurück (darunter insbesondere auf eine Haustafel; 2,13-3,7), sondern auch auf Lieder und Bekenntnisformeln (1,20; 2,21-25; 3,18). Insofern kann man sagen, daß er schon bei der Auswahl des Materials Leben und Lehre miteinander verbindet. Nur stellt er beides nicht nebeneinander, sondern er verknüpft es auf mannigfache Weise. Bezeichnend ist, daß und wie er beides immer auf die Adressaten bezieht.

Die für die Ethik des Verfassers entscheidenden Aussagen macht er nicht damit, daß er den Lesern sagt, was sie zu tun haben, sondern damit, daß er sie darauf anspricht, *wer sie sind,* wie sie das geworden sind und wie sich das in konkretes Verhalten und Tun umsetzen kann, einschließlich der sich daraus für sie persönlich ergebenden Konsequenzen. Damit wird sofort deutlich: Die Ethik des Verfassers ist nicht zuerst am Tun orientiert, sondern sie nimmt zuerst den Täter in den Blick.

Die Täter aber sind solche, die "nicht zu Hause" sind (1,17), sondern als "Gäste und Fremdlinge" (2,11) in dieser Welt leben.

Diese Charakterisierung der Christen ist dem Verfasser eigentümlich. Im Neuen Testament begegnet die hier benutzte Wortgruppe im positiven Sinne nur noch Hebr. 11,13 (genau umgekehrt Eph. 2,19). Daß ihm gerade daran liegt, die Fremdlingsschaft als positive Qualifizierung zu benutzen, kommt auch in der zusammenfassenden Angabe im Präskript zum Ausdruck: "... an die Erwählten, die in der Fremde in der Zerstreuung ... leben ..." (1,1).

Zwar leben die Leser, wie die Menschen um sie herum, in dieser Welt. Der Verfasser betont sogar mit Nachdruck, daß sie das sollen; und er zeigt dann auch exemplarisch, wie das aussehen kann. Entscheidend aber ist, daß sie in dieser Welt nicht zu Hause, und das heißt, daß sie nicht von ihr bestimmt sind. Sie sind zu Fremdlingen geworden.

Schon hier kann man darauf hinweisen, daß der Verfasser sachlich dasselbe sagt wie das Summarium Mk. 1,14f., nur in einer anderen Terminologie: Wer im alten Äon einbrechende Gottesherrschaft lebt, ist in dieser Welt nicht mehr zu Hause.

Daß eben das an den Lesern geschehen ist (und immer wieder geschehen soll), kann der Verfasser unterschiedlich ausdrücken. Er kann an das anknüpfen, was den Lesern weithin bekannt ist, ihnen aber immer neu gesagt werden muß. Dann redet er allgemein und benutzt traditionelle Wendungen, die in großer Zahl in diesem Schreiben vorkommen. Hier tippt der Verfasser gleichsam nur an, um den Lesern den Rahmen neu vor Augen zu stellen. Wenn es aber um akute Probleme geht, argumentiert er ausführlicher. Dann entfaltet er selbständig vorgegebene christologische Aussagen, und zwar bezogen auf die Probleme. Auf diese Weise wird die Christologie unmittelbar zur Hilfe, mit den bestehenden Schwierigkeiten fertig zu werden. Manchmal geht aber auch allgemeines Reden in konkretes Reden über.

Einige Beispiele: Der Verfasser kann sagen, daß die Leser "durch das teure Blut Christi" (1,19) losgekauft sind von ihrem früheren "nichtigen, von den Vätern überlieferten Wandel" (1,18). Diesen Loskauf kann er aber auch mit dem Terminus "Wiedergeburt" ausdrücken. Durch die Auferstehung Jesu Christi sind die Leser "wiedergeboren zu einer lebendigen Hoffnung" (1,3). Oder: Sie sind "durch Gottes lebendiges und bleibendes Wort" aus "unvergänglichem Samen wiedergeboren" (1,23); und darum sind sie "wie die neugeborenen Kinder" (2,2). Sie sind "Gott zugeführt worden", weil "Christus einmal für Sünder gestorben ist" (3,18). Solche knappen Aussagen finden sich vielfach im gesamten Schreiben. Immer geht es dem Verfasser um das Ankommen der Christologie. Die Leser sollen erkennen, *wer* sie (geworden) sind, damit sie daraus leben können. Der Indikativ soll bei ihnen ankommen, damit der angekommene Indikativ gelebt werden kann.

Diese Zuordnung vom Indikativ zum Imperativ wie vom Imperativ zum Indikativ erinnert an Paulus. Man hat den Verfasser daher häufig als Paulus-Schüler bezeichnet. Freilich wird man kaum sagen können, daß er das unmittelbar war. Das übernommene Material läßt erkennen, daß er aus einem breiten Strom christlicher Überlieferung schöpft. Bezeichnend ist nun aber, wie er mit den vielfältigen Traditionen verschiedener Herkunft umgeht. Weder wiederholt er sie einfach, noch stellt er sie addierend zusammen. Er entscheidet sich für eine Mitte. Die sieht er in der paulinischen Ethik. Und nun gelingt es ihm, von dieser Mitte aus unter Aufnahme der übernommenen Traditionen seine Ethik zu gestalten. Insofern ist er durchaus ein "Schüler" des Paulus, denn dessen Theologie ist für ihn, um es so auszudrücken, der "Kanon im Kanon".

Bei der Durchführung geht er durchaus selbständig vor. Das zeigt sich besonders an zwei häufiger begegnenden Eigentümlichkeiten. Er stellt gern den Imperativ voran (besonders, wenn er ihn in übernommenen Traditionen vorgefunden hat) und schließt den Indikativ mit einem begründenden "denn" an. Sodann begegnet der "Imperativ" häufig in der grammatischen Form des Partizips. Das läßt sich bei der Übersetzung aus dem Griechischen ins Deutsche nur schwer nachmachen (und darum werden die Partizipien im Deutschen als Imperative wiedergegeben). Da der Verfasser das Partizip verwendet, wirkt der (beabsichtigte) Imperativ viel weniger als eine zu befolgende Anordnung (tut!); denn die, die zum Tun aufgefordert werden, werden schon als "Tuende" angeredet (2,1.18; 3,1.7 u.ö.).

Genau dieselbe Zuordnung des Indikativs zum Imperativ erkennt man, wenn man größere Zusammenhänge überblickt, die der Verfasser gestaltet hat. Ein Beispiel dafür ist die Haustafel (2,13-3,7). Der Verfasser übernimmt Imperative aus dem in der Umwelt vertrauten Material. Er will seinen Lesern nun aber gerade nicht Imperative anbieten.

Das tut z.B. der Verfasser der Pastoralbriefe (vgl. 1.Tim. 2,8ff.; Tit. 2,1ff.), der dadurch die bürgerliche Ethik unmittelbar als christliche Ethik ausgibt. Anders ist es schon bei den Haustafeln Kol. 3,18ff. und Eph. 5,22ff. Die werden zwar "christianisiert", aber durchweg nur formelhaft. Der Verfasser des 1. Petrus-Briefes geht viel weiter.

Mehrfach und auf verschiedene Weise bringt er den Indikativ in die übernommene Haustafel-Ethik ein. Das geschieht schon im Vorspann 2,11-12. Die Vorlagen enthielten Regeln für Bürger. Der Verfasser legt sie aber nicht Bürgern, sondern ausdrücklich "Gästen und Fremdlingen" vor, also solchen, bei denen er voraussetzt, daß der Indikativ angekommen ist. Diesen widerfährt nun, daß sie (aus welchen Gründen immer) von den Bürgern (den "Heiden") als Übeltäter verleumdet werden. Einen solchen Vorwurf sollen die "Gäste und Fremdlinge" nun dadurch widerlegen, daß auch sie nach der Haustafel leben. Als "Gäste und Fremdlinge" *können* sie das nämlich.

Den Verfasser leitet also ein apologetisches Interesse. Deswegen greift er auf die Haustafel zurück. Von diesem Interesse aus gliedert er auch, und zwar planmäßig.

Man hat die Frage gestellt, ob die Aufforderung zum loyalen Verhalten gegenüber politischen Instanzen überhaupt Bestandteil einer Haustafel war, und wollte dann die Haustafel des Verfassers erst mit 2,18 beginnen lassen. Doch dann stellen sich sofort weitere Fragen: Wie kommt es zu der ganz ungewöhnlichen Reihenfolge: Sklaven, Frauen, Männer? Und: Wenn die Sklaven in einer christlichen Gemeinde angeredet werden, müssen dann nicht auch die Besitzer der Sklaven angeredet werden? Oder gab es unter den Christen keine Sklavenbesitzer?

Solche Fragen verkennen, daß die "Haustafel" im Sinne des Verfassers keine bürgerliche Haustafel ist. Der Verfasser schafft vielmehr eine neue Einheit (wie immer man die bezeichnen will), indem er verschiedene Traditionen, auch aus Haustafeln, nach Sachgesichtspunkten ordnet und mit 2,11f. einleitet.

Wenn er mit der Aufforderung beginnt, den politischen Instanzen untertan zu sein (2,13-17), spricht er zunächst das "bürgerliche" Moment an. Die überraschenderweise jetzt folgende Anrede an die Sklaven (2,18-25) richtet sich nicht eigentlich, vor allem nicht ausschließlich, an die Sklaven. Diese werden vielmehr angesprochen, weil der Verfasser gerade an ihnen exemplarisch zeigen kann und auch zeigen will, was es heißt, inmitten von Bürgern als "Gast und Fremdling" bedrängter Außenseiter zu sein. Mit diesen beiden Einheiten entfaltet der Verfasser also die 2,11f. thematisierte Spannung. - Danach nimmt er den innergemeindlichen Aspekt in den Blick. Da sein Anliegen ist, bedrängten Schwachen beizustehen, redet er nun zuerst die Frauen an (3,1-6), danach nur noch ganz kurz die Männer (3,7). Von 3,8 an wendet er sich dann wieder an alle Leser.

In diesem Rahmen wird auch deutlich, wie der Verfasser argumentiert. Daß die Leser sich den politischen Instanzen unterordnen sollen (2,13-17), begründet er vor allem mit ihrer Fähigkeit, das zu tun. Sie sind eben nicht einfach Bürger, von denen Gehorsam verlangt wird, sondern als "Sklaven Gottes" sind sie "Freie" (2,16). Darum können sie "um des Herrn willen" (2,13) dem Kaiser, den Statthaltern und deren Beamten untertan sein, zumal diese auch als Träger staatlicher Macht (nur) "menschliche Geschöpfe" sind (wie der Anfang von 2,13 korrekt zu übersetzen ist).

Das Eigentümliche der Aussage des Verfassers erkennt man noch deutlicher, wenn man mit Röm. 13,1-7 vergleicht. Paulus bringt hier auch ein übernommenes Traditionsstück, in das er aber nicht "christianisierend" eingegriffen hat. Nach diesem, vermutlich aus dem hellenistischen Judentum stammenden, Traditionsstück (nicht etwa nach der Meinung des Paulus!) ist jede Obrigkeit von Gott eingesetzt. Sie hat daher göttliche Dignität, und ihre Beamten sind Gottes Diener. Daraus folgt: Wer der Obrigkeit gehorcht, tut Gottes Willen.
    Doch genau das will der Verfasser des 1. Petrus-Briefes nicht sagen. Nach ihm ist es der Wille Gottes, daß die Leser die gegen sie erhobenen unberechtigten Vorwürfe durch Tun des Rechten widerlegen. Wenn sie dann aber das Rechte tun, tun sie ja genau das, was den Menschen zu tun befohlen ist, die ein staatliches Amt innehaben. Indem die Leser sich *als Freie* an die geltende Ordnung halten, "verschließen sie dem Unverstand der törichten Leute den Mund" (2,15).

Mit der Anrede an die Sklaven (2,18-25) wird genau dieser Gedanke unmittelbar fortgesetzt. Daß es hier zunächst wieder um Unterordnung geht, entspricht der herkömmlichen Forderung in Haustafeln. Jetzt führt der Verfasser aber eine Differenzierung zwischen guten und unguten Herren ein und kann dadurch das ungerechte Leiden thematisieren. Die Unterordnung gilt auch gegenüber den ungerechten Herren. Dadurch kommt das ungerechte Leiden in den Blick, das aber nicht nur den Sklaven, sondern den Christen überhaupt widerfährt. Die Anrede an die Sklaven wird auf alle Leser übertragen. Sie leben (und der Verfasser setzt voraus: unschuldig) in einer bedrückenden und nur schwer zu ertragenden Situation. Das darf sie aber nicht verwundern (vgl. 4,12). Dies wird nun christologisch begründet. Denn, wenn die Christologie, die der Verfasser den Lesern nun zuspricht, wirklich bei ihnen ankommt, dann können sie als "Fremdlinge in dieser Welt" nichts anderes erwarten.

Sehr wahrscheinlich hat der Verfasser für die christologischen Ausführungen 2,21-25 einen Hymnus zur Verfügung gehabt, in den er aber eingegriffen haben muß. Formelhaftes Material (z.B. "Christus hat für euch gelitten", 2,21) wird mit Motiven aus der Passionsgeschichte aufgefüllt und dadurch überhaupt erst anschaulich gemacht. Diese Veranschaulichung wird dann noch auf die Situation der Sklaven und der Christen hin aktualisiert: "Er wurde beschimpft und schimpfte nicht zurück; er mußte leiden und drohte nicht ..." (2,23).

Den ungerecht Leidenden wird zugesprochen, daß sie das Christus-Leben leben. Daß es sich hier um eine Christologie handelt, die ankommen soll, wird dadurch deutlich, daß die in ihr benutzten Bilder durch Bilder aus der konkreten Situation angereichert werden.

Wenn der Verfasser sich anschließend an die Frauen (3,1-6) und an die Männer (3,7) wendet, bleiben seine Ausführungen durchweg im Rahmen des in Haustafeln Üblichen. Aber auch innergemeindlich arbeitet er (bei den Schwächeren) einen Zug heraus, der ihm für das Wirken der Christen nach außen wichtig ist: Die Frauen können durch ihre Unterordnung und ihr Verhalten auf ihre Männer einwirken und sie für die Gemeinde gewinnen (3,1f.).

Der Verfasser begründet seine Ethik aber nicht nur christologisch (vgl. auch nach 3,17 den mit einem begründenden "denn" eingeleiteten Abschnitt 3,18-22). Er kann, von der Christologie aus, seine Ethik auch eschatologisch begründen. "Durch die Auferstehung Jesu Christi von den Toten" sind die "Neu-Gezeugten" zu einer "lebendigen Hoffnung" gelangt. Für sie ist "im Himmel" ein "unvergängliches, reines, unverwelkliches Erbe" aufbewahrt (1,3-4). Da die zukünftige Freude gewiß, aber eben noch nicht gegenwärtig ist, müssen die Gäste und Fremdlinge durch "eine Reihe von Versuchungen" hindurch. Dabei soll sich "die Echtheit ihres Glaubens" herausstellen (1,6f.). Was das für die Ethik bedeutet, wird 4,7-11 in einer Zusammenfassung ausgeführt.

Daß hier von der Nähe "des Endes aller Dinge" (4,7) die Rede ist, darf man nicht im Sinne einer apokalyptischen Naherwartung verstehen. Der Verfasser nimmt keinen Termin in den Blick, sondern benutzt eine traditionelle Wendung, um damit auszudrücken, daß das Leben der Christen vom Ende her bestimmt ist.

Wer in der gewissen Hoffnung, das Erbe zu erlangen, vom Ende her lebt, lebt nüchtern (also nicht in enthusiastischer Schwärmerei wie die Gegner nach 2.Thess. 2,2). Zu dieser Nüchternheit gehört, daß keiner ethisch überfordert wird. Nur das Charisma, das jemand bekommen hat, soll er dem anderen zuleben. Darin erweist er sich dann nämlich als "guter Haushalter der vielfältigen Gaben Gottes". Immer geht der Indikativ dem Imperativ voran. Beim Reden der Christen ist Gott dabei; darum werden "Gottes Worte" geredet. Das Dienen geschieht "aus der Kraft, die Gott darreicht". So ist das ganze Existieren der Christen als Christen eine Verherrlichung Gottes. Das, was sie gestalten, ist gelebter Gottesdienst (vgl. Röm. 12,1).

Wenn dann aber als äußerster Fall der Bedrängnis mit einer *Verfolgung* durch den Staat eine "Feuersbrunst" über die Christen kommt (4,12), wird dadurch für den Verfasser nicht etwa die Schmerzgrenze überschritten. Auch jetzt bleibt er seinem Ansatz treu. Darum darf das die Leser weder verwundern, noch kann es für sie etwas unvorhergesehen Befremdliches sein. Im Gegenteil: Es besteht Grund zur Freude, weil die Leser nun noch intensiver am Leiden Christi teilhaben und damit an der kommenden Herrlichkeit (4,13). Nur eine Sorge bewegt den

Verfasser: Es muß sich wirklich um Leiden "im Namen Christi" handeln (4,14).

Neben der Christologie bringt der Verfasser dann auch noch einen ekklesiologischen Aspekt als Hilfe ein: Die Leser sind mit ihrem Leiden nicht allein. Es ist "über die Bruderschaft in der ganzen Welt" gekommen (5,9). Und der Verfasser kann mit einer Doppelbezeichnung auf sich selbst hinweisen: Als Ältester unter anderen Ältesten ist er sowohl Zeuge der Leiden Christi als auch (als solcher) Teilhaber der künftigen Herrlichkeit (5,1).

Der Ausdruck *martys* (Zeuge) begegnet hier zum ersten Mal in der christlichen Literatur in Richtung auf den Sinn: Blutzeuge (Märtyrer). Gleichzeitig begegnet hier zum ersten Mal das Motiv des Primates des Petrus in Rom. Der Brief will von "Petrus" aus Babylon (5,13 = Rom) geschrieben sein. Beides dürfte miteinander zusammenhängen und die Aussage des Verfassers noch einen Schritt weiterführen.

Da pseudonyme Briefe nahezu immer dort entstanden sind, wohin sie gerichtet sind, liegt folgende Annahme nahe: Der Verfasser war irgendwo in Kleinasien Ältester einer Gemeinde. Die Verfolgung ist von Rom ausgegangen. Nun wußte man im Osten, daß Petrus in Rom Blutzeuge (martys) geworden ist. Das ist der Grund, warum im Briefrahmen (1,1-2; 5,12-14) Petrus als Verfasser dieses Schreibens aus "Babylon" angegeben wird. *Als Blutzeuge* hat Petrus einen Primat. Dieser Blutzeuge in Rom kommt, zusammen mit dem tatsächlichen Verfasser, dem Mitältesten und Zeugen der Leiden Christi (5,1), den bedrängten Gemeinden zu Hilfe in der von Rom ausgegangenen Verfolgung.

Wo heute von Christen politische Aktivität über die eigene Gemeinde hinaus verlangt wird, kann man sich natürlich nicht unmittelbar auf den 1. Petrus-Brief berufen. Die Leser damals hatten ja gar keine Möglichkeit, sich nach außen politisch zu betätigen.

Dennoch sollte in solchen Diskussionen die Stimme unseres Verfassers nicht überhört werden. Er nämlich zeigt seinen Lesern, daß ein christologisch und eschatologisch begründetes Existieren von Christen schon als solches ein Politikum ist. Es geschieht in der Welt. Die Welt wundert sich darüber, daß die Christen so leben, wie sie leben. Diese selbst ertragen es, Gäste und Fremdlinge zu sein. Keineswegs suchen sie die Verfolgung. Sie wundern sich aber nicht, wenn sie kommt; und schon gar nicht räsonieren sie darüber (4,12). Denn sie sind gewiß: Sie gehen in den Spuren ihres Herrn (2,21).

e) Die Lösung des Verfassers des Kolosserbriefes

Mit hoher Wahrscheinlichkeit stammt der Kol. nicht aus der Feder des Paulus. Zwar finden sich in diesem Schreiben viele Anklänge an paulinische Gedanken, und man kann insbesondere die Argumentation als paulinisch bezeichnen. Daneben aber gibt es eine große Fülle unpaulinischer Eigentümlichkeiten. Sie betreffen Sprache und Stil, vor allem aber Vorstellungen, die Paulus völlig fremd sind, jedenfalls sonst nie in seinen Briefen begegnen. So wird dann überwiegend angenommen, der Kol. sei von einem Schüler des Paulus geschrieben worden.

Für die Ethik des Verfassers des Kol. ist zunächst charakteristisch, daß Indikative und Imperative immer eng aufeinander bezogen sind. Formal läßt schon der Aufbau des Schreibens folgendes erkennen: Aus dem Indikativ der "Lehre" (Kap. 1-2) wird die Paränese (Kap. 3-4) begründet. Das geschieht sogar ausdrücklich, wie insbesondere der Rückbezug in 3,1 ("... seid ihr nun mit Christus auferweckt ...") auf 2,12 ("... in ihm seid auch ihr mit auferweckt worden ...") unterstreicht. Darüber hinaus zeigt sich aber die Verklammerung von Indikativ und Imperativ vielfach auch innerhalb der beiden Teile des Briefes. Im ersten Teil werden die christologischen Ausführungen unmittelbar in Paränese übergeführt (1,21-23; 2,16-23). Und wenn der Verfasser im zweiten Teil für die Paränesen mehrfach auf traditionelle Formen zurückgreift (Laster- und Tugendkatalog 3,5-13; Haustafel 3,18-4,1), begründet er die Imperative immer wieder mit Indikativen (3,9f.12f.15 usw.). Insofern liegt Übereinstimmung mit Paulus vor.

Für das Gesamtverständnis des Kol. ist nun aber etwas anderes wichtiger: Der Verfasser setzt sich mit Irrlehrern auseinander, deren Christologie unmittelbar ethische Konsequenzen hatte. Und nun wendet er sich in seiner Kampfschrift gegen beides: gegen Christologie und Ethik. Dabei ist bemerkenswert, daß und wie er den Zusammenhang zwischen beiden wahrt.

Die Position der Irrlehrer präzise zu beschreiben ist nicht ganz leicht. Das hängt vor allem damit zusammen, daß der Verfasser sie nie als solche darstellt, sondern sie immer sofort in seine Polemik hineinnimmt. Bei seinen Lesern konnte er Vertrautheit mit der Irrlehre voraussetzen. Sie waren ja durch sie gefährdet. Wir sind auf Rekonstruktion angewiesen. Die Versuche einer Rekonstruktion zeigen nun aber, daß wir es mit einem synkretistischen Gebilde zu tun haben, in dem Motive verschiedener religionsgeschichtlicher und philosophischer Herkunft nebeneinander vorkommen: jüdische und gnostische, aber auch Anklänge an Mysterienkulte. Häufig begegnen nur Andeutungen. Darum kann man nur schwer erkennen, wie diese Motive miteinander verbunden waren und welches Gewicht die einzelnen Motive jeweils für das Gesamtbild hatten. Das rät zur Vorsicht bei der Exegese.

Ein relativ deutliches Bild bekommt man von der Ethik der Irrlehrer, gegen deren "rein irdischen Sinn" (2,18) der Verfasser polemisiert. Es gibt "Satzungen" (vgl. 2,14), die zu befolgen sind. Der Verfasser spricht von von Menschen stammenden "Geboten und Lehren" (2,22). Bestimmte Zeiten (Festtage, Neumonde, Sabbate) müssen beachtet werden, ebenso bestimmte Speisevorschriften, offenbar asketischen Charakters (2,16). Tabus (auch für den Geschlechtsverkehr?) sind einzuhalten (2,21). Es gilt, den Leib zu kasteien (2,23). - Hier liegt also eine dualistische Anthropologie vor: Der Leib wird verachtet; nur für das Ich wird Heil erwartet.

Nun sagt der Verfasser zwar, daß das alles auf Menschentradition zurückgeht (2,8). Gleichwohl muß man beachten, daß die Ethik "theologisch" begründet wurde. Die Irrlehrer verstanden sich als Christen, und zwar als Christen höherer Art. Ihre Lehre bezeichneten sie selbst als "Philosophie" (2,8). Das Wort ist hier nicht im klassischen griechischen Sinn gemeint, sondern im hellenistischen Sinn einer Mythenlehre, die aus alter Überlieferung schöpfte und Erkenntnis über Erlösung vermittelte, Erlösung allerdings nur für das Ich. Das Ich strebt "nach oben" (vgl. 3,1). Sein Ziel ist die göttliche Welt, das Pleroma (die "Fülle"; vgl. 2,9). Von der Welt der Materie aus ist das Pleroma aber nur zu erreichen, wenn sich die Zwischenmächte nicht in den Weg stellen. Diese Zwischenmächte verlangen dafür aber Verehrung (2,18). Damit erweisen *sie* sich als die "Götter" der Menschen.

Eine solche Verehrung der Zwischenmächte geschieht durch die Befolgung von "Satzungen". Wer sich von ihnen bestimmen läßt, zeigt damit seine Demut (2,18.23) vor diesen personal vorgestellten kosmischen "Mächten und Gewalten" (2,10.15), vor den stoicheia tou kosmou (den Weltelementen; 2,8.20), vor den Engeln (2,18). Wegen dieser Zwischenmächte ist das Befolgen der ethischen Forderungen also "heilsnotwendig". Ohne Befolgung der "Satzungen" gibt es für das Ich keine Erlösung.

Auch der Kultus muß bei den Irrlehrern eine Rolle gespielt haben. Darauf deutet das Verbum *embateuein* (2,18) hin (wörtlich: betreten; beim Betreten genau erkunden), das in der Mysteriensprache als terminus technicus für den Eingangsritus begegnet. Wer sich einem solchen (nach Meinung des Verfassers: selbstgewählten) Gottesdienst hingibt (2,23), erfährt bei der Weihe visionäre Schauungen der kosmischen Zwischenmächte (2,18).

Wie immer und wo sich nun die Irrlehrer in dieser kosmischen Hierarchie Christus vorgestellt haben (vermutlich an der Spitze, dem Pleroma am nächsten), für sie genügte es zum Heil nicht, einfach Christ zu sein. Zwar war durch das Kreuz Vergebung der Sünden bewirkt worden, dadurch aber noch nicht Erlösung für das Ich. Die konnte nur dann erlangt werden, wenn der Christ in Ethik und Kultus selbst dazu beitrug, indem er sich an der "Philosophie" orientierte.

Gegen diese Philosophie argumentiert der Verfasser nun theologisch (und zwar im präzisen Sinne dieses Wortes); und er begründet seine Theologie christologisch. Es geht ihm um die Frage, wer der *Gott* der Christen ist: die Weltelemente oder Christus (2,8). Wenn die Weltelemente es aber nicht sind, dann können auch die Satzungen der Weltelemente die Christen nicht knechten. Ihre Befolgung darf daher nicht als Voraussetzung für die Erlangung des Heils verlangt werden.

Paulinisch formuliert: Was der Mensch durch eigenes Tun (durch "Werke des Gesetzes") erreichen will, ist schon erreicht, und zwar durch Christus. Um das zu zeigen, benutzt der Verfasser aber andere Vorstellungen als Paulus. Er knüpft an die "Weltanschauung" der Gegner an, vermutlich, weil er sie selbst teilt (siehe unten); und nun argumentiert er, sozusagen von innen, gegen die Lehre der Gegner.

Eine zentrale Bedeutung hat das Kreuz für ihn. Dieses interpretiert er aber umfassender, als die Gegner es tun. Nicht nur Vergebung der Sünden ist durch das Kreuz bewirkt worden, sondern Christus hat die ganze Satzung, eine gegen die Menschen gerichtete Urkunde, ausgelöscht, indem er sie ans Kreuz nagelte (2,14). Aber auch deren Urheber, die Mächte und Gewalten, sind am Kreuz entwaffnet worden. Sie sind durch Christus an den Pranger gestellt, sind lächerlich gemacht worden, indem Christus sie im Triumphzug vorführte (2,15). Die kosmischen Zwischenmächte samt ihren Satzungen sind damit aus dem Weg geräumt worden. Sie sind keine Götter mehr und können darum auch nicht mehr den Weg nach oben verstellen. Am Weg nach oben sind die Irrlehrer und der Verfasser gleichermaßen interessiert. Nur sagt er jetzt, daß dieser Weg durch Christus am Kreuz freigemacht worden ist. Dadurch ist das angestrebte Ziel, das Pleroma, unmittelbar erreicht. Man braucht die kosmischen Zwischenmächte und ihre Satzungen nicht mehr, weil man sich unmittelbar an Christus und damit unmittelbar am Ziel orientieren kann. Denn in Christus wohnt das ganze göttliche Pleroma (2,9).

Da Christus das "Haupt" jeder Gewalt und Macht ist (2,10), können die Christen, orientiert an Christus, an seinem Sieg über die kosmischen Zwischenmächte teilhaben. Um zu zeigen, daß und wieso das für seine Leser gilt, spricht der Verfasser sie auf ihre geschehene Taufe an und interpretiert sie. In der Taufe nämlich sind sie bereits den Weltelementen gestorben und mit Christus auferweckt worden (2,12). Insofern sind sie Menschen, die das Ziel schon erreicht haben.

Hier nimmt der Verfasser das religionsgeschichtlich vorgegebene Bild vom Mitsterben und Mitauferstehen mit der Gottheit auf. Auch Paulus benutzt es (Röm. 6,3-6), wenn auch modifiziert und zur unmittelbaren Begründung der Ethik. Dabei vermeidet er gerade die Aussage, daß die Christen schon mitauferweckt sind. Die Auferweckung der Christen bleibt für Paulus Zukunft. Gegenwärtig ist der vom auferweckten Christus bestimmte Wandel der Christen als neuer Wandel. An diesem sogenannten eschatologischen Vorbehalt liegt Paulus vor allem wegen seiner Erfahrungen mit Enthusiasten in Korinth. Die Aussage von der schon geschehenen Auferstehung der Christen kann zu einem Perfektionismus führen, der den Verlust der Ethik mit sich bringt.

Ist der Verfasser des Kol. hier "sorgloser"? Er sagt doch gerade das, was Paulus mit Bedacht zu sagen vermeidet. Man muß jedoch darauf achten, daß er nicht, wie Paulus, mit der Kategorie Zeit, sondern mit der Kategorie Raum argumentiert.

Daß die Christen in der Taufe mit Christus auferweckt worden sind, will der Verfasser gleichwohl nicht im Sinne eines Perfektionismus verstehen, der die Ethik überflüssig macht. Deshalb formuliert er zunächst einmal nur den Indikativ, und zwar im Rahmen seiner kosmologischen Weltanschauung. Denn auch als mit Christus Auferweckte bleiben die Christen "unten", auf dieser Erde. Hier führt der Indikativ dann in Imperative hinein. Da der Indikativ aber anders zur Sprache kommt als bei Paulus, ergibt sich daraus auch für den Imperativ eine andere Gestalt. Es geht nicht um Antizipation von Zukunft und darum um eschatologisches Existieren, sondern es geht für die Christen um das Suchen dessen, was "oben" ist. Denn dort ist Christus, zur Rechten Gottes (3,1). Danach sollen sich die Christen in ihrem Tun ausrichten, nicht aber, weil sie noch unten sind, nach dem, was auf Erden ist (3,2). So ist für die mit Christus Auferweckten das Heil eine wirkliche Realität, aber eine dennoch noch verborgene (3,3). Sie steht nicht einfach zur Verfügung, sondern will gelebt werden, und zwar "bis Christus, unser Leben, erscheinen wird" (3,4). Auch die mit Christus Auferweckten bleiben also unterwegs. Wie dieses Unterwegssein gestaltet werden kann, entfaltet der Verfasser von 3,5 an, wobei er immer wieder die Imperative durch Indikative stützt.

Interessant ist, daß hier (und in diesem Schreiben nur hier) der Gedanke der Parusie begegnet, und zwar im Sinne eines zu erwartenden Geschehens, auf das die Christen zugehen (nicht aber, das ihnen entgegenkommt und sie jetzt schon bestimmt). Der Verfasser, ganz in räumlichen Kategorien denkend und innerhalb dieser Kategorien argumentierend, muß mit einem "kosmologischen Vorbehalt" arbeiten: Auch die mit Christus auferweckten Christen sind noch "unten". Dieses "Noch" zwingt dazu, die Kategorie Zeit wenigstens in den Blick zu nehmen. Denn die Zeit auf der Erde ist der "Ort" für die Ethik.

Zweifellos steht die Polemik gegen die Häresie im Zentrum des Kol. Denn um dieser Auseinandersetzung willen hat der Verfasser diese Kampfschrift geschrieben. Beachten muß man jetzt aber, daß es dem Verfasser nicht darum geht, der "Lehre" der Häretiker die eigene (richtige) "Lehre" entgegenzustellen. Es geht ihm nicht um das isolierte Problem Rechtgläubigkeit. Die Differenz bricht vielmehr am Leben auf, das die Häretiker leben und das sie von anderen fordern, also an der Ethik. Denn dieses Leben ist das, was zunächst sichtbar wird: Christen sollen besondere Zeiten beachten (Festtage, Neumonde, Sabbate); sie sollen sich der Askese unterwerfen und an Tabu-Vorschriften halten. Gegen diese Ethik als einer vermeintlich christlichen polemisiert der Verfasser. Das tut er aber nun nicht mit Argumenten aus der Ethik selbst, um diese in sich selbst zu widerlegen, sondern er argumentiert theologisch, indem er die "Götter" dieser Ethik aufdeckt und diese dann mit seiner Christologie ihrer Macht entkleidet. Von seiner Christologie aus findet der Verfasser dann zu seiner Ethik.

Das muß man auch bei der Christologie beachten, die der Verfasser im 1. Kap. entfaltet. Da sie am Anfang steht, wirkt sie wie eine Grundlegung. Im Sinne des Verfassers soll sie auch eine Grundlegung sein; und er hält sie frei von jeder Polemik. Die entscheidende Frage ist jedoch, wie diese christologischen Aussagen entstanden sind. Und da ist unverkennbar, daß die Christologie von den Gedanken und von der Gedankenwelt aus entworfen ist, die in der Auseinandersetzung mit den Häretikern begegnen.

Es besteht ein Konsensus darüber, daß der Verfasser in 1,15-20 eine Vorlage benutzt hat, vermutlich einen christologischen Hymnus. Nicht sicher kann man sagen, wo er selbst in seine Vorlage eingegriffen hat. Möglicherweise liegt sogar eine längere Tradition vor, die auf einen vorchristlichen Hymnus zurückgeht. Der Hymnus stammt wohl aus dem Bereich kosmischer Mythologie, in dem es um die Überwindung der Trennungslinie zwischen Himmel und Erde von unten her ging. Die Christologisierung dieses Hymnus bestand dann darin, daß Christus als Überwinder dieser Trennung geglaubt wurde. Der Verfasser fügte dann freilich noch seine eigenen Akzente hinzu.

Auf diese Weise entstand eine Fülle von christologischen Aussagen, die (außer im Eph., der von Kol. abhängig ist) so nicht wieder begegnet: Christus ist das "Bild" (= die Hypostase) Gottes, der Erstgeborene der Schöpfung, in dem alles erschaffen ist im Himmel und auf Erden. In Christus hat das All Bestand; das Pleroma hat in ihm Wohnung genommen usw.

Man darf diese Christologie nun nicht aus der Kampfschrift isolieren und eine "Lehre" daraus machen. Der Verfasser hat sie (auch wenn er Vorlagen benutzt hat) von der konkreten Situation aus, der er sich konfrontiert sah, ausgestaltet. Es handelt sich also, um eine moderne Terminologie zu benutzen, um eine "Christologie von unten", mit deren Hilfe ethische Differenzen bewältigt werden sollen. Das "Material" für diese Christologie stammt "von unten". Von der Weltanschauung des Verfassers und der seiner Gegner aus ist die Benutzung gerade dieses Materials unmittelbar verständlich. Wenn man jetzt aber die Richtung umkehrt, wenn man aus der "Christologie von unten" eine "Christologie von oben" macht, gerät man zwangsläufig auf das Gebiet christologischer Spekulationen.

Es gibt eben nicht nur die Gefahr, die Ethik von der Christologie zu isolieren. Es gibt ebenso die andere Gefahr, die Christologie von der Ethik zu isolieren.

Der Verfasser des Kol. zeigt vorbildlich, daß christliche Ethik immer ein Aspekt von Christologie ist. Wird dieser Zusammenhang nicht gewahrt, wird beides verdorben.

f) Die Lösung des Verfassers des Hebräerbriefes

Der Hebr. ist kein Brief, sondern eine weitgehend in der Form einer Rede gestaltete gelehrte Abhandlung. Der unbekannte Verfasser selbst bezeichnet seinen Traktat als "Mahn-Wort" (13,22). Der fiktive Briefschluß (13,23f.) ist entweder von ihm oder von einem anderen an die Abhandlung angefügt worden. Zwar begegnen gelegentlich direkte Anreden und auch konkrete Anspielungen (5,11f.; 6,10; 10,32-34; 13,7), doch richtet sich der Verfasser damit nicht an eine bestimmte Gemeinde, der er in ihrer konkreten Situation helfen will. Er will vielmehr "typische" Aussagen machen, die in (etwa) der dritten christlichen Generation (2,3) für viele Gemeinden von Belang sind. Insofern kann man sagen, daß sich der Verfasser mit seiner Mahn-Rede an "die Kirche seiner Zeit" wendet.

Der Verfasser sieht seine Leser (oder Hörer) gefährdet, allerdings nicht durch eine Irrlehre, sondern durch Ermüdungserscheinungen. Bezeichnend ist nun, daß diese Müdigkeit in seiner Kirche sowohl die Lehre als auch das Leben betrifft. Beides bezieht der Verfasser aufeinander.

Gerade darauf muß man von Anfang an achten, weil immer wieder darüber gestritten wurde und wird, ob das Hauptinteresse des Verfassers seine Christologie oder die Ethik war. Dementsprechend versucht man, die Akzente meist da zu setzen, wo das eigene Interesse liegt. Für den Verfasser handelt es sich aber gerade nicht um eine Alternative. Für ihn ist die Ethik wirklich ein Aspekt der Christologie. Dementsprechend setzt er Christologie ein, um die ethischen Mängel der Kirche seiner Zeit zu beseitigen.

Einerseits sieht der Verfasser bei den Lesern ein Defizit an Lehre. Sie sind auf einer unzureichenden Erkenntnisstufe stehengeblieben (5,11-14). Im Hören sind sie stumpf geworden. Obwohl sie, gemessen an der Dauer ihres Christseins, eigentlich schon hätten Lehrer sein können, muß ihnen nochmals Unterricht in den Anfangsgründen der Lehre gegeben werden. Weil sie sich immer noch nicht auf das "Wort von der Rechtfertigung" verstehen, brauchen sie Milch statt fester Speise. Wären sie dagegen "Vollkommene" (hier: in der Lehre Erwachsene), würde das in ihrem Wandel sichtbar: Sie wären geübt im Gebrauch ihrer Sinneswerkzeuge und könnten Gut und Böse besser unterscheiden.

So ergeht dann die Aufforderung, endlich die Anfangslehre hinter sich zu lassen und nicht immer wieder die Grundlagen zu behandeln. Zu diesen "Grundlagen" rechnet der Verfasser die Abkehr von den toten Werken, die Hinwendung zu Gott, die Lehre vom Taufen und Handauflegen, von der Auferstehung der Toten und dem ewigen Gericht.

Was der Verfasser hier aufzählt, wirkt einigermaßen "modern". So etwa wird bis heute das Normalbild der christlichen Lehre verstanden: eine zumeist unklare Vorstellung vom Glauben an Gott, eine (oft auch unklare) Vorstellung davon, daß Christen "gute Werke" tun müssen, Taufe und Handauflegung als gebräuchliche Riten, Erwartung der Auferstehung der Toten und Gericht.

Sodann zeigen sich bei den Lesern aber auch im konkreten Verhalten Ermüdungserscheinungen. Früher einmal haben Christen um ihres Glaubens willen Leiden erduldet (10,32-34). Das liegt jedoch weit zurück, denn inzwischen sind sie fast schon leidensscheu geworden (12,4). Es fehlt ihnen an Ausdauer (10,36). Sie drohen zu ermatten (12,3). Damit besteht für sie die Gefahr des Abfalls (6,6). Die Leser müssen gewarnt werden, nicht vorsätzlich zu sündigen (10,26-31; 12,16f.). Einige haben sogar schon "die Versammlungen verlassen" (10,25).

Dem Defizit im Verständnis der Lehre korrespondiert also bei den Lesern eine Gleichgültigkeit im Wandel. Die eschatologisch lebende Gemeinde hat sich in eine Kirche verwandelt, die sich in der Welt eingerichtet hat. Dieser Kirche gilt die Warnung des Verfassers, die noch dadurch einen besonderen Nachdruck erhält, daß er das Motiv der Unmöglichkeit einer zweiten Buße ins Spiel bringt (6,4-6; 10,26f.; vgl. 12,16f.).

Was der Verfasser damit genau meint, ist exegetisch umstritten. In der Kirchen- und Dogmengeschichte hat das Problem oft eine große Rolle gespielt, ist auch (u.a. durch Luther) Gegenstand theologischer Kritik gewesen. Diese legt sich ja auch nahe, wenn man die betreffenden Stellen "biblizistisch" mißbraucht. Exegesiert man historisch, dürfte darüber kein Zweifel bestehen: Der Verfasser wollte nicht sagen, daß es *für seine Leser* trotz ihres Versagens keine Möglichkeit zur Buße mehr gibt. Hätte er das gemeint, hätte er entweder gar nicht zu schreiben brauchen, oder er hätte ganz anders geschrieben. Wohl aber mußte er davor warnen, ruhig so weiterzumachen wie bisher, weil man ja "das Institut der Beichte" hatte und darum auf Vergebung der Sünden spekulierte. Die Möglichkeit einer auf diese Weise *eingeplanten* (zweiten) Buße bestreitet der Verfasser allerdings.

Gerade im Zusammenhang mit diesen Aussagen wird deutlich, an welchem Punkt der Verfasser einsetzt, um den Ermüdungserscheinungen bei seinen Lesern zu begegnen. Wer in der Gestalt seines Glaubens im konkreten Leben ermüdet, zeigt damit, daß er sich in der Tat auf das "Wort von der Rechtfertigung" nicht versteht. Es ist in seinem Leben noch nicht angekommen, und er meint, es auch nicht ankommen lassen zu müssen, weil er auf Sündenvergebung spekuliert. Dadurch aber "kreuzigt er den Sohn Gottes noch einmal und gibt ihn der Schande preis" (6,6). Das heißt: Damit hebt er die Grundlage seines Existierens als Christ auf, das Opfer Christi. Ein weiteres "Opfer", durch das er jetzt Vergebung der Sünden erlangen könnte, gibt es aber nicht mehr. Es ist *einmal* geschehen, damit aber zugleich *ein für allemal* (7,27; 9,12).

Die Leser brauchen also nicht zuerst Ermahnungen, um auf dem rechten Wege zu bleiben oder um auf ihn zurückzukehren, sondern sie brauchen ein umfassenderes Verständnis des Opfers Christi. Erst wenn sie das gewonnen haben, können sie die Ermüdungserscheinungen in der Gestaltung ihres Lebens überwinden. Das ist der Grund, warum der Verfasser des Hebr. die Christologie entfaltet. Diese Entfaltung steht im Dienste der Soteriologie; und so soll seine Christologie unmittelbar zur Lebenshilfe werden.

Zum Verständnis ist ein Vergleich mit entsprechenden Entfaltungen vor und durch Paulus hilfreich. Der Tod Jesu wird mit der Formel "Christus ist für uns gestorben" als Heils-Tod ausgesagt. Diesen Ansatz führt Paulus weiter, wenn er das "für uns *gestorben*" an der (ebenfalls übernommenen) Wendung "Christus hat sich für uns *dahingegeben*" expliziert: Christus hat nicht sich selbst zu Gefallen *gelebt* (Röm. 15,3). Von seiner Christologie aus zeichnet Paulus das "Leben Jesu" als sich hingebende Liebe (Gal. 2,20), als Gehorsam

(Röm. 5,19) usw. Am anschaulichsten führt er das aus, wenn er den Christus-Hymnus übernimmt und interpretierend erweitert (Phil. 2,6-11). Die Entfaltung der Christologie geschieht in soteriologischem Interesse: Paulus will zu einem umfassenderen Verständnis des angebotenen Heils anleiten und bietet damit die Möglichkeit an, das Leben aus diesem Heil umfassender zu verstehen und zu gestalten. Die Christen können und sollen vom "Typos" Christus Geprägte werden (1.Thess. 1,6f.; 1.Kor. 11,1) und als solche leben. Sie leben "christologisch". Paulus selbst trägt "das Sterben Jesu" an seinem Leibe, um darin "das Leben Jesu" für andere offenbar zu machen (2.Kor. 4,10-12). - Vgl. auch die ganz entsprechende Entfaltung der Christologie 1.Petr. 2,21-24: Zu "christologischem Leben" soll ermuntert werden.

Mit einem modernen Ausdruck könnte man sagen, daß der Verfasser des Hebr. eine "narrative Christologie" entwirft. Der Sühne*tod* Christi wird unter Aufnahme von Vorstellungen, die dem Kult entstammen (Opfer, Hoherpriester) als *Selbst*opfer des wahren Hohenpriesters entfaltet. Der Verfasser stellt damit aber nun nicht etwa christologische Spekulationen an, die man heute als "Lehre" entfalten, weiterführen und mit anderen Christologien in ein System bringen könnte. Vielmehr geht er gerade umgekehrt vor. Weil er die Kirche seiner Zeit aus ihrer Müdigkeit herausführen will, veranschaulicht er die soteriologische Bedeutung des "für uns gestorben". Dazu nimmt er vorgegebene Vorstellungen auf, deren Verständnis er bei seinen Lesern voraussetzen kann.

Der, der sich selbst zum Opfer gab, ist dabei einerseits von den Menschen geschieden: Er war ohne Sünde. Zugleich aber ist er eng mit ihnen verbunden: Er hat Mitleid mit ihren Schwachheiten und wurde, wie sie, versucht (4,15). In allen Dingen wurde er seinen Brüdern gleich (2,17). Weil er gelitten hat und selbst versucht wurde, kann er denen helfen, die selbst versucht werden - also gerade den Lesern. Immer ist die Christologie auf Soteriologie bezogen.

Aufgrund seines Gehorsams gelangte der Sohn zur himmlischen Vollendung (5,8f.) und hat sich "zur Rechten der Majestät in den Himmeln" gesetzt (8,1; vgl. 4,14; 7,26; 9,24; 12,2).

Der Verfasser des Hebr. übernimmt also das Bild des Mythos: Der Erlöser (der "Sohn") kommt zur Erlösung der Menschen aus dem Himmel und kehrt dann wieder dorthin zurück. Das Erdenleben wird anschaulich dargestellt: Im Selbstopfer des Hohenpriesters geschieht die Erlösung. Allein darin ist das Heil begründet. Dementsprechend fehlt im Hebr. (wie auch im Hymnus Phil. 2,6-11) die Erwähnung der Auferweckung Jesu. Als "Heilsereignis" paßt sie in dieses Schema nicht hinein.

Zu diesem in den Himmel erhobenen "Sohn" sind nun die Christen auf Erden als "wanderndes Gottesvolk" (E. Käsemann) unterwegs. Den gegenüber einer "Anfangslehre" umfassenderen christologischen Aussagen korrespondiert ein umfassenderes Verständnis des christlichen Wandels, zu dem der Verfasser, als Aspekt der Christologie, erneut einlädt und ermahnt.

Zur Veranschaulichung kann er auf Vergangenheit verweisen, und zwar schon auf die Vergangenheit der müde gewordenen Kirche selbst. An diese früheren Tage sollen sich die Leser erinnern (10,32-36). Damals haben sie ihren Glauben gelebt; denn nachdem sie erleuchtet worden waren, haben sie Kampf und Leiden erduldet und Schmähungen ertragen. Sie sind mitbetroffen gewesen vom Geschick derer, denen es ebenso erging, haben auch den Raub ihres Vermögens erduldet, weil sie wußten, daß sie einen besseren "Besitz" haben. Diese Zuversicht dürfen sie nicht aufgeben. (Vgl. die ganz entsprechende Argumentation des Paulus im 1.Thess.)

Der Verfasser kann aber auch auf Vergangenheit verweisen, indem er an alttestamentliche Traditionen anknüpft. Die Gültigkeit des Opfers im alten Bund wird nicht bestritten; das Opfer Christi ist das "bessere" (9,23). Das Gesetz hat nur den "Schatten" der zukünftigen Dinge - aber eben doch den Schatten. Es bietet eine Fülle von Beispielen für die Paränese.

Gelegentlich hat man (vor allem wegen 1,1f.) die Konzeption des Verfassers des Hebr. "heilsgeschichtlich" genannt. Das ist aber (wie dieser Ausdruck überhaupt) sehr mißverständlich. Der Verfasser zeichnet nur scheinbar den Weg Gottes als Weg durch die alttestamentliche Geschichte hindurch bis zum Kommen des "Sohnes". Die "Wolke der Zeugen" (12,1), die er insbesondere Kap. 11 aufzählt, haben die Verheißungen gerade nicht empfangen, weil Gott "für uns" etwas Besseres vorgesehen hat (11,39f.). Wenn der Verfasser also so etwas wie eine "geschichtliche Linie" darstellt, so ist er an der gerade nicht interessiert. Er blickt von dem "Besseren" auf die Vergangenheit zurück; und dann kann er zeigen, daß sich damals schon diese Zeugen in entsprechenden Situationen wie seine Leser zu bewähren hatten.

Der alte Bund ist durch den neuen Bund wirklich abgelöst. Die Kirche kann und soll jetzt in Geduld in dem ihr verordneten Kampf laufen. Das wird ihr aber nur gelingen, wenn sie aufsieht auf Jesus, den Anfänger und Vollender des Glaubens (12,1f.). Dabei sollen sich die Glieder der Kirche gegenseitig helfen (3,13; 10,25), sich gegenseitig Mut machen (10,24) und auf Strauchelnde achten (12,13). Denn in dieser Welt bleiben sie Fremde und Gäste (11,13), die hier keine bleibende Stadt haben, aber gemeinsam die zukünftige suchen (13,14).

So bietet der Verfasser den müde gewordenen Christen mit seiner Christologie die entscheidende Lebenshilfe an. Er konnte sie entwerfen, weil er erkannte: Die Müdigkeit hat ihren Grund darin, daß die "Anfangsgründe der Lehre" keine soteriologische Kraft mehr besitzen. Dieses Defizit an soteriologischer Kraft versucht er dadurch zu beseitigen, daß er die überkommene Christologie expliziert und sie so als *hilfreiche Christologie* zeichnet. Sie kann bei den Lesern ankommen, weil er zu ihrer Ausgestaltung Vorstellungen in den Dienst nimmt, die ihm und seinen Lesern vertraut waren.

Orientiert man sich in einer müde gewordenen Kirche an der Konzeption des Verfassers des Hebr., stellt sich wohl diese Frage: Wie müßte heute ein Dogmatiker eine Christologie entwerfen, die müden Christen *unmittelbar* hilft, aus ihrer Müdigkeit herauszukommen?

III. Die Ethiken des johanneischen Kreises

Das Johannes-Evangelium und die drei Johannes-Briefe weisen in Sprache, Stil und Gedankenwelt eine weitgehende Übereinstimmung auf; und es ist gerade diese Übereinstimmung, durch die sie sich von allen anderen Schriften des Neuen Testaments unterscheiden. Wenn man nach der Ethik ihrer Verfasser fragt, darf man sich indes nicht von diesem Eindruck täuschen lassen. Zwar könnte man vermuten, daß sie in ihrer Ethik im wesentlichen übereinstimmen, doch genau das Gegenteil ist der Fall. Es läßt sich nämlich zeigen, daß sich die Ethik des "Johannes" grundlegend von der Ethik seiner Schule unterscheidet.

Den Ausgangspunkt für das Erkennen dieser Differenz liefern die Urteile über den literarischen Befund.

Es besteht ein nahezu einhelliger Konsens darüber, daß der Verfasser des Evangeliums nicht auch Verfasser der Briefe war. Umstritten ist jedoch, ob man bei den Briefen mit einem oder (was ich für sehr viel wahrscheinlicher halte) mit mehreren Verfassern rechnen muß. Ausgehen kann man jedoch davon, daß die Briefe aus einem relativ geschlossenen Kreis stammen.

Für das Evangelium besteht sodann ein nahezu einhelliger Konsens darüber, daß Kap. 21 nachträglich von einem anderen Verfasser an die Kap. 1-20 angefügt worden ist. Am nächsten liegt es dann, für dieses Nachtragskapitel jemanden aus dem Kreis verantwortlich zu machen, in dem die Briefe entstanden sind.

Mit an Sicherheit grenzender Wahrscheinlichkeit liegen aber auch die Kap. 1-20 nicht in ihrer ursprünglichen Fassung vor. Es lassen sich relativ leicht einige wenige Sätze herauslösen, die zum übrigen Kontext in Spannung stehen. Im Kontext liegt "präsentische Eschatologie" vor (siehe unten). Offenbar hat man die später als einseitig zugespitzt empfunden und damit im Widerspruch zur Lehre der "Kirche" in jener Zeit. Daher hat eine "kirchliche Redaktion" (R. Bultmann) stattgefunden, bei der Sätze mit "futurischer Eschatologie" eingeschleust wurden, die, durch Herstellung eines Ausgleichs, die Einseitigkeit abmildern sollten.

Zu unterscheiden ist daher zwischen dem Evangelium erster Hand auf der einen, der kirchlichen Redaktion dieses Evangeliums, dem Nachtragskapitel und den drei Briefen auf der anderen Seite.

Das Evangelium erster Hand dürfte aus der Feder des Jüngers stammen, "den Jesus liebhatte" (vgl. 13,23; 19,26; 20,2). Seinen Namen kennen wir nicht; und man muß auch sofort einschränkend sagen: Es ist nicht sicher, ob der Verfasser sich (schon) so bezeichnet hat. Diese Identifizierung des Verfassers des Evangeliums erster Hand mit dem Jünger, den Jesus liebhatte, ist aber durch die kirchliche Redaktion (19,34b.35) und durch den Verfasser des Nachtragskapitels durchgeführt worden (vgl. 21,24 mit 21,7.20), und zwar nach dem Tode des Verfassers des Evangeliums erster Hand (vgl. 21,23). Wir nennen diesen unbekannten Jünger "Johannes".

Schüler dieses Jüngers (vgl. das Wir in 21,24) haben dann das Werk ihres Lehrers kommentiert und, durch den Nachtrag ergänzt, herausgegeben. Diese Kommentierung und Ergänzung war nötig, weil sich die "johanneische Schule" gegen Angriffe (u.a. aus der "Kirche") wehren mußte. Sie blickte auf das Wirken des Lehrers zurück, fühlte sich ihm verpflichtet und wollte sein Erbe wahren, aber in späterer Zeit und in einer neuen Situation. Das sollte dann auch durch die drei Briefe geschehen.

Schon dieser literarische Befund legt es nahe, nicht vorschnell die Einheit der Ethik des Johannes und der seiner Schule zu postulieren.

a) Die Ethik des Johannes

Sucht man im Evangelium (erster Hand) nach Ethik, ist man zunächst verwundert. Konkrete Weisungen oder Paränesen fehlen gänzlich. Es begegnet eigentlich nur ein einziger ethischer Terminus: Liebe (und zwar abwechselnd und gleichbedeutend als Substantiv und als Verbum). Wie jedoch dieses Lieben konkret zu gestalten ist, wird, außer bei der Fußwaschung 13,1-7, nicht gesagt.

Ein Weiteres kommt hinzu. Niemals gilt das Lieben (wie etwa im synoptischen Traditionsgut) den Kleinen, den Bedrängten, den in Not Geratenen. Mehr noch: Niemals gilt es Außenstehenden. Das "neue Gebot", das Jesus seinen Jüngern gegeben und das er ihnen hinterlassen hat (Abschiedsreden!), lautet vielmehr, daß sie *einander* lieben sollen (13,34f.; 15,12.13.17). Objekt der Liebe der Jünger sind ausschließlich die Jünger. Das hat zu der Frage geführt: Hat Johannes die Nächstenliebe eingeschränkt auf das Einander-Lieben innerhalb des Jüngerkreises? Und wenn das der Fall sein sollte, wird dann nicht dadurch die Gemeinschaft der Jünger zu einem Konventikel?

Man hat Erklärungen für diese Eigentümlichkeit gesucht und mit den Erklärungen die Begrenzung des Liebens durch Johannes verständlich machen wollen. Damit eröffnete sich dann die Möglichkeit zur Sachkritik an den Aussagen des Evangelisten über die Liebe; und zugleich konnte man die Notwendigkeit solcher Sachkritik begründen.

So hat man z.B. auf die besondere Situation der Abschiedsreden hingewiesen, die diese Einschränkung veranlaßt haben soll. Man hat erwogen, ob Johannes und der Kreis um ihn so von außen bedrängt waren, daß dies zu einer gewissen Introvertiertheit geführt hat. Oder man hat gemeint, daß es in dem Kreis um Johannes mit der Liebe nach außen nicht geklappt hat und Johannes nun darauf hinweisen will, daß es damit nicht klappen kann, wenn nicht zuerst innerhalb des Kreises Liebe praktiziert wird. Darum betont er nun so einseitig das Einander-Lieben.

Alle diese Erklärungen sind jedoch Versuche, mit einer Schwierigkeit fertigzuwerden, bevor ausreichend geprüft worden ist, ob gerade diese Schwierigkeit wirklich besteht. Denn die Erklärungen haben doch, bei allen Differenzen untereinander, eine gemeinsame Wurzel: Man meint, Johannes wegen seiner Ethik entschuldigen zu müssen. Dann kommt aber gar nicht der entscheidende Punkt in den Blick, und er kommt deswegen nicht in den Blick, weil man zu schnell die Ethik in den Griff bekommen will, präziser: von der Ethik des Johannes aus eine christliche Ethik heute. - Um die Ethik des Johannes zu erfassen, darf man aber nicht zu kurz schließen.

Wenn man das Einander-Lieben verstehen will, sollte man zunächst darauf achten, daß für Johannes die Vokabel "Liebe" kein ausschließlich ethischer Terminus ist. Er wird vielmehr in einer gerade für Johannes eigentümlichen Weise auch theologisch und christologisch benutzt, und zwar zur Qualifizierung eines gegenseitigen Verhältnisses: Der Vater liebt den Sohn; und der Sohn liebt den Vater. Der Sohn liebt die Seinen; und die Jünger lieben den Sohn. Der Vater liebt die Jünger; und die Jünger lieben den Vater (vgl. u.a. 14,15.21.23.31; 15,9f.12f.; 16,27; 17,23f.26).

Hier begegnet, wenn auch in anderer Terminologie, dasselbe, was bei Paulus als Paradoxie von Indikativ und Imperativ begegnet. Die, die der Vater und der Sohn lieben, sind dadurch selbst zum Lieben befähigt. Nur sie können lieben und werden daher zum Lieben aufgerufen, aber zu genau dem Lieben, das ihnen widerfahren ist. Aus dieser Liebe können sie herausfallen. Daher ergeht die Aufforderung, in dieser Liebe zu bleiben, und zwar in der Liebe, die der Liebe des Vaters zum Sohn und des Sohnes zum Vater entspricht (15,9f.). Nur wenn sie selbst lieben, kommt die Liebe des Vaters und des Sohnes bei ihnen an. Wenn sie aber lieben, lieben sie nicht nur die, die sie lieben, sondern sie lieben damit immer zugleich die, von denen sie diese Liebe empfangen haben, den Vater und den Sohn.

Johannes benutzt die Vokabel Liebe also so, daß damit immer Gegenseitigkeit zum Ausdruck kommt; und dabei liegt diese Paradoxie vor: Die Liebe schafft Gemeinschaft; aber sie schafft nur dort Gemeinschaft, wo Gemeinschaft besteht. Und umgekehrt: Nur wo Gemeinschaft besteht, kann Liebe Gemeinschaft schaffen. Diese Gegenseitigkeit ist konstitutiv für das, was Johannes meint, wenn er die Vokabel benutzt.

Wenn aber der Indikativ immer die Gestalt der Gegenseitigkeit hat, kann der Imperativ auch nur diese Gestalt haben. Weil Liebe bei Johannes immer ein Einander-Lieben ist, kann sie nicht die einschließen, die außerhalb dieser Beziehung leben.

Das hat mit *Einschränkung* des Liebens auf den kleinen Kreis der Jünger also nichts zu tun; und der Vorwurf, die johanneische Gemeinde führe ein Konventikel-Dasein, trifft *als Vorwurf* nicht das eigentliche Problem. Denn das Problem liegt in der Sprache. Die Benutzung derselben Vokabel durch Johannes und durch die Verfasser der übrigen neutestamentlichen Schriften darf nicht zu dem Kurzschluß führen, daß damit immer auch dieselben Inhalte gemeint sind.

Für das, was Johannes unter Liebe versteht, fehlt uns im Deutschen ein Äquivalent. Wir sind daher auf Umschreibungen angewiesen. Dabei sollte folgende Schwierigkeit mitbedacht sein: Das Fehlen einer entsprechenden Vokabel im Deutschen könnte ein Hinweis dafür sein, daß uns das mit der Vokabel Gemeinte überhaupt fremd ist. Das erschwert das Verstehen, wenn es ihm nicht vielleicht sogar Grenzen setzt.

Es kann kein Zweifel bestehen: Das Einander-Lieben der Jünger ist mehr als eine bloße Haltung, eine Gesinnung oder ein Gefühl. Vielmehr wird das Einander-Lieben gestaltet, und zwar sichtbar. Denn wenn sich die Jünger an das Gebot Jesu halten, einander zu lieben, werden daran *alle* erkennen, daß sie Jesu Jünger sind (13,35). Das Einander-Lieben geschieht also durchaus in einem geschlossenen Kreis, aber gerade nicht in einem *ab*geschlossenen Kreis. Denn es geschieht vor den Augen der Öffentlichkeit. Das aber kann ja nur heißen: Es geschieht sichtbar.

Für die Ethik ergibt sich daraus die Frage: Was geschieht durch die Jünger beim Einander-Lieben so sichtbar, daß alle es erkennen können? Was spielt sich vor den Augen der Öffentlichkeit ab?

Auch hier darf man nicht vorschnell antworten wollen. Man könnte ja etwa auf das Halten der Gebote verweisen, von dem mehrfach, allerdings in unterschiedlichen Zusammenhängen, die Rede ist. Um das Halten des Gesetzes des Mose kann es sich nicht handeln (1,17). Es werden aber auch nie einzelne Gebote mit konkreten Inhalten genannt. Festgestellt wird nur: Wer Jesus liebt, hält seine Gebote (14,15.21; 15,10). Nun kann aber auch statt vom Halten der Gebote vom Halten des Wortes Jesu die Rede sein (15,20); und ebenso können die Gebote auf *ein* Gebot reduziert werden, eben auf das Einander-Lieben (15,12). So dreht man sich, wenn man alle Aussagen heranzieht, im Kreise und kann sich des Eindrucks nicht erwehren, Johannes vermeide es peinlich, irgendwie konkret zu werden.

Zu beachten ist dann auch, daß dieses eine Gebot nicht nur eines ist, das *die Jünger* tun sollen, sondern Jesus selbst hat dieses Gebot vom Vater empfangen und hat es gehalten. Hier wird der Inhalt dieses Gebotes als "ewiges Leben" bezeichnet (12,49f.); und Johannes läßt Jesus sagen, daß er den Seinen ewiges Leben gibt (10,28). Wenn nun aber die Jünger dieses Gebot halten, heißt das dann, daß sie bei ihrem Einander-Lieben ewiges Leben "gestalten"? Man kann dann zwar verstehen, warum das Gebot ein "neues" Gebot genannt wird (13,34), muß aber zugleich fragen, ob das denn überhaupt sichtbar zu gestalten ist.

Es scheint so, daß Johannes gerade diese Auffassung vertreten hat. Denn er sagt, daß Jesus "Werke" getan habe, die nicht nur alle sehen konnten, sondern von denen zugleich gesagt wird, daß alle sie gesehen haben (15,24). Diese Werke sind aber nicht einfach und nur Werke Jesu, sondern sie sind zugleich Werke des Vaters, die eine besondere Funktion haben: Denn wenn schon nicht durch das Wort Jesu, dann hätte es mindestens aufgrund dieser Werke zum Glauben an Jesus kommen müssen (14,10f.). Wenn die Jünger aber an Jesus glauben, werden sie nicht nur dieselben Werke tun, die Jesus getan hat, sondern sie werden sogar noch größere Werke tun als er (14,12).

Da die Jünger beim Einander-Lieben vor den Augen der Öffentlichkeit genau das gestalten, was Jesus gelebt hat, kann die Frage, was denn gestaltet wird und wie es gelebt wird, nur von der Christologie aus beantwortet werden. Denn ohne

Jesus können die Jünger nichts tun (15,5). Tun sollen sie aber, wie Jesus ihnen getan hat (13,15). Jesus wiederum kann nichts von sich selbst tun; denn er tut, was er den Vater tun sieht (5,19). Eine Bewegung im Kreis liegt vor.

Die Frage nach der Ethik des Johannes erweist sich also als eine Frage nach seiner Christologie. Insofern kann man sagen, daß für Johannes Ethik und Christologie identisch sind.

Nun kann hier nicht die Christologie des Johannes in ganzer Breite dargestellt werden, zumal dann auch die Diskussion über strittige Fragen aufgenommen werden müßte. Es konnte bisher kein Konsensus darüber erreicht werden, welche religionsgeschichtlichen Vorstellungen Johannes aufgenommen und wie er sie modifiziert hat. Ich beschränke mich daher auf diejenigen Züge der Christologie, die in unserem Zusammenhang wichtig sind.

Ausgangspunkt für die Vorstellung und den Argumentationsrahmen des Johannes ist ein kosmologischer Dualismus: Gott und Welt, oben und unten, Licht und Finsternis, Wahrheit und Lüge stehen sich gegenüber. Diese übernommene Vorstellung eines schroffen Dualismus durchbricht Johannes nur insofern, als er die Welt als Schöpfung betrachtet (1,3.10).

Im (gnostischen) Dualismus ist die Welt gefallene Materie, in der sich noch einige Lichtfunken erhalten haben, und zwar *in* den Menschen (anthropologischer Dualismus). Diese Lichtfunken können auf zweierlei Weise erlöst werden. Entweder kann ein vom Himmel kommender Erlöser die Lichtfunken im Materie-Leib erlösen; oder die Erlösung kann durch Gnosis (Erkenntnis) erreicht werden.

Auch wenn Johannes die Welt als Schöpfung Gottes versteht, hält er daran fest: Ohne Gott ist die Welt verloren. Die für die Welt tödliche Trennung zwischen Gott und Mensch muß daher überwunden werden. Das allerdings kann nur von Gott aus geschehen. Wie es geschieht, drückt Johannes mit dem Motiv "Sendung" aus. Bei der Sendung handelt es sich um ein übergreifendes Geschehen: Sie bestimmt nicht nur die Christologie (so daß man diese als solche darstellen und betrachten könnte), sondern sie ist zugleich immer auch eine ethische Kategorie.

Ausgangspunkt ist Gott (1,1). Gott liebt *seine* Welt (1,11) und erweist seine Liebe dadurch, daß er seinen Sohn in die Welt sendet mit dem Ziel: Jeder, der an ihn glaubt, soll nicht verlorengehen, sondern ewiges Leben haben (3,16). Als vom Vater Gesandter und den Vater Liebender wirkt der Sohn mit dem Vater zusammen und erwählt in der Welt die Seinen (15,16). Als vom Sohn Erwählte und den Sohn Liebende und zugleich damit als vom Vater Erwählte und den Vater Liebende werden nun auch die Jünger in die Welt gesandt. Das wird ausdrücklich als Entsprechung formuliert: "*Wie* mich der Vater gesandt hat, *so* sende ich euch" (20,21; vgl. 17,18). Sowohl für den Sohn als auch für die Jünger besteht die Sendung also darin, das Einander-Lieben zu gestalten. Doch nur und erst wenn sie das tun, können sie erfahren, daß ihre Sendung vom Vater ausgeht (7,17).

Kann man bis hierhin fast von so etwas wie einem in sich geschlossenen System reden, kommt das eigentliche Problem dort in den Blick, wo bedacht und reflektiert wird, daß die Sendung in die Welt hinein geschieht und geschehen soll, Gott und Welt aber geschieden sind. Darum ist schon das Einander-Lieben eine in dieser Welt eigentlich unmögliche Möglichkeit. Besonders deutlich wird das dann, wenn man bedenkt, daß das Gebot, welches Jesus vom Vater empfangen hat, das ewige Leben als Einander-Lieben zum Inhalt hat. Kann aber das Einander-Lieben in dieser Welt als ewiges Leben sichtbar gemacht werden? Dabei müßte eine "theologia gloriae" herauskommen.

Unterstrichen wird das noch durch die dem Johannes eigentümliche "präsentische Eschatologie". In der "Kirche" seiner Zeit war die Eschatologie inzwischen wieder zu einer "Lehre von den letzten Dingen" geworden. Parusie, Auferstehung der Toten und Gericht wurden von der Zukunft erwartet (vgl. oben S. 201f.). Johannes läßt Jesus das Erwartete als für die Glaubenden schon gegenwärtig ansagen; und er ist sich klar darüber, daß er damit der in seiner Zeit verbreiteten Auffassung widerspricht.

Ein Beispiel: Angesichts des Todes ihres Bruders hat Martha die traditionelle Hoffnung auf die Totenauferstehung am Jüngsten Tage (11,24). Jesus korrigiert diese Vorstellung: Die (erwartete) Auferstehung ist er selbst. Wer an *ihn* glaubt, wird leben (auch wenn sein physisches Leben vom Tode bedroht bleibt); und wer lebt und glaubt, wird nicht sterben. Nach diesem Wort Jesu kommt es jetzt nur noch auf Martha an, die gefragt wird: "Glaubst du das?" (11,25f.). Wer nämlich Jesu Wort hört und dem glaubt, der ihn gesandt hat, der *hat* ewiges Leben, und in ein Gericht kommt er nicht, sondern er *ist* aus dem Tode ins Leben hinübergegangen (5,24 vgl. 3,18f.). Wer aber an Jesus glaubt, der liebt ihn, der hält sein Wort und wird auch vom Vater geliebt. Dann aber kommen *jetzt schon* (und nicht erst bei einer späteren Parusie) der Vater und der Sohn zu ihm und machen Wohnung bei ihm (14,23).

Wenn ewiges Leben *jetzt* gelebt wird, ist die "präsentische Eschatologie" des Johannes nur folgerichtig. Ist dann aber von der Zukunft gar nichts mehr zu erwarten? Das könnte gefährliche ethische Konsequenzen haben. Doch die Zukunft reflektiert Johannes nicht ausdrücklich. Er begegnet den Gefahren einer "präsentischen Eschatologie" auf andere Weise.

Mit Hilfe eines "kosmologischen Vorbehalts" wendet sich Johannes gegen das mögliche Mißverständnis, dem gegenwärtig gelebten Leben, dem Einander-Lieben, sei unmittelbar abzulesen, daß es sich um ewiges Leben handelt. Das kann nicht sein, weil die Welt Welt bleibt. Zwar gibt es durch die Sendung in die Welt viel zu sehen. Man muß aber "sehen" können, um zu sehen, daß ewiges Leben geschieht. Diese Paradoxie zwischen sehen und "sehen" kommt in der Christologie des Johannes mannigfach zum Ausdruck.

251

Das geschieht z.B. schon da, wo Johannes Quellen benutzt oder einzelne Traditionsstücke in sein Werk aufnimmt und interpretiert. Seine Vorlagen enthielten eine Reihe massiver Wundergeschichten. Man könnte meinen, daß dieses sichtbar Außerordentliche zum Glauben führen müsse (was in der Tradition offenbar vorausgesetzt wurde; vgl. Apg. 2,22). Doch genau gegen solche Unmittelbarkeit wendet sich Johannes. Zwar findet Jesus in Jerusalem aufgrund seiner Zeichentätigkeit Glauben. Doch denen, die so zum Glauben gekommen sind, "glaubt" Jesus gerade nicht (2,23-25). Der königliche Beamte, der um die Heilung seines Sohnes bittet, muß sich zunächst anhören: "Wenn ihr nicht Zeichen und Wunder seht, glaubt ihr nicht" (4,48). Nikodemus will aus den sichtbaren Zeichen, die Jesus getan hat, eine Legitimation Jesu ableiten: Er muß ein von Gott gesandter Lehrer sein (3,2). Doch Jesus korrigiert diese (zeitgenössische) Meinung durch Verweis auf die Geburt "von oben" (3,3) und "aus dem Geist" (3,5).

Für Johannes sind solche Taten Jesu also durchaus sichtbar. Wer aber nicht "sehen" kann, mißversteht sie als göttliche Mirakel, die unmittelbar Glauben hervorrufen. Sichtbar sind sie nur als Zeichen, und zwar im Sinne von Hinweisen. Wer sie sieht, wird auf den aufmerksam, der sie tut. Dann ist er gefragt, ob er auf ihn hört. - Ein solches "Zeichen" war auch der Täufer (1,8).

Entsprechende Paradoxien bestimmen auch den Prolog. Mit dem Sohn kommt wirklich Gott in die Welt; aber er "zeltet" hier nur (1,14a) und kommt eben als Sohn. Doch wer "sehen" kann, sieht nun in der Welt Gottes Herrlichkeit (1,14b). Wenn das Licht in der Finsternis scheint, ist das Licht wirklich da; aber die Finsternis nimmt das Licht nicht an (1,5). Die Welt kann eben nicht "sehen"; und darum erkennt sie das Licht nicht als Licht. Die aber, die "aus Gott gezeugt sind" (1,13), können "sehen". Darum erkennen sie in der Welt das Licht als Licht. Damit haben sie die Macht bekommen, "Gottes Kinder" zu werden (1,12). Im Sinne des Johannes kann man interpretieren: Sie haben ewiges Leben und - lieben einander.

Von dieser christologischen Paradoxie zwischen "Sehen" und Sehen aus versteht man unmittelbar das Charakteristikum der johanneischen Ethik: Imperative mit konkreten Inhalten fehlen. Das begegnet so in keiner neutestamentlichen Schrift noch einmal. Für Johannes ist es aber unmöglich, daß den Jüngern gesagt wird, wie sie ihre Sendung in die Welt konkret zu gestalten haben. Denn wenn sie konkrete Anweisungen bekommen und diese befolgen, besteht sofort die Gefahr, daß im sichtbaren Tun ewiges Leben gestaltet werden soll. Was die Jünger tun, kann man sehen, und man muß es auch sehen können. Aber "sehen" kann man es deswegen noch nicht. Weil es aber auf das "Sehen" ankommt, kann das, was "gesehen" werden soll, nicht sichtbar gestaltet werden.

Weil das Tun der Jünger in der Welt geschieht, muß es also zweideutig bleiben. Darum ist der Weg, den die Jünger in der Welt gehen, auch kein Herrlichkeitsweg, weder in den Augen der Welt noch in ihren eigenen. Sie selbst haben in der Welt Angst (16,33). Aber auch Jesu Weg war kein sichtbarer Herrlichkeitsweg. Die Welt hat Jesus mißverstanden und verfolgt; und sein Weg auf dieser Erde endete am Kreuz. Wenn Johannes ihn dennoch als Herrlichkeitsweg bezeichnet (12,28) und das Kreuz als Erhöhung (3,14; 8,28; 12,32), dann war das nicht sichtbar, sondern dann sagt Johannes das als einer, der "sehen" kann. Für den, der "sehen" kann, ist der Gekreuzigte der Erhöhte.

Wenn diese Paradoxie nicht beachtet wird, kann leicht ein Mißverständnis entstehen: Aus dem, was man nur "sehen" kann, wird etwas, was man sehen (und damit feststellen) konnte. Dann sagt man, daß der Sohn in göttlicher Herrlichkeit da war. Wenn er aber nicht in göttlicher Herrlichkeit da war, dann war er gar nicht wirklich in der Welt. Dieses Mißverständnis, das zu einer doketischen Christologie führte (der Sohn ist nur scheinbar Mensch geworden), ist alt und wurde schon von der johanneischen Schule bekämpft (vgl. unten S. 259f.). Johannes betont jedoch, daß der, der wirklich ins Fleisch gekommen, der wirklich Mensch geworden ist, sichtbar am Kreuz starb. Nur von dort aus kann er dann auch für die Jünger die Ethik begründen: Sie muß wirklich in der Welt getan werden.

Man muß aber auch auf die Differenz zu Paulus achten. Für Johannes ist das Kreuz kein Heilsgeschehen. Das Heilsgeschehen ist vielmehr das Herabkommen Gottes in die Welt, ist die Sendung des Sohnes. Da das Heil aber nicht sichtbar in der Welt da ist, argumentiert er mit dem *kosmologischen* Vorbehalt: In der Welt kann man nicht sehen, sondern immer nur "sehen", daß es sich um Heil handelt. Wenn die Welt dieses Heil am Kreuz enden läßt, ist das kein Gegenargument. Wer "sehen" kann, sieht, daß der Gekreuzigte der Erhöhte ist.

Paulus dagegen argumentiert mit einem *eschatologischen* Vorbehalt, wenn er gegen einen enthusiastischen Perfektionismus betont, daß der Auferstandene der Gekreuzigte ist. Denn wer sich in dem noch weiterlaufenden alten Äon am Auferstandenen orientiert, führt deswegen kein Herrlichkeitsleben, sondern trägt allezeit das Sterben Jesu an seinem Leibe herum (2.Kor. 4,10).

Paulus benutzt Zeitvorstellungen (schon - noch nicht), Johannes dagegen Raumvorstellungen (oben - unten). Durch seine (nur so genannte) präsentische Eschatologie durchkreuzt Johannes aber die ihm aus der Tradition der Kirche bekannten Zeitvorstellungen. Darum ist für ihn ewiges Leben nicht die Antizipation zukünftigen Lebens in der Vollendung, sondern ewiges Leben ist "von oben" bestimmtes Leben, ist wahres Leben bzw. Leben in der Wahrheit. Das aber kann die Welt nicht "sehen".

Weil die Welt nichts "sieht", muß sie sich aufgrund des Anspruchs Jesu, den sie hört, gegen ihn wenden und bringt ihn schließlich ans Kreuz. Dementsprechend verfolgt sie mit ihrem Haß auch die Jünger (15,18f.; 17,14). Das darf diese aber nicht dazu bringen, aus der Welt zu fliehen. Wohl bittet Jesus den Vater, er möge die Jünger vor dem Bösen bewahren (17,15). Er nimmt sie aber nicht aus der Welt heraus, sondern sendet sie weiter in die Welt, wie er selbst vom Vater in die Welt gesandt worden ist (17,18). Der Platz der Jünger ist die Welt. In die Welt hinein sind sie gesandt.

Weil die Jünger nun zwar in der Welt sind, aber nicht von der Welt, können sie "sehen" (Indikativ). Sie können "sehen", daß Jesus ihnen die Herrlichkeit gegeben hat, die er vom Vater bekommen hat. Darum kann Jesus bitten, daß die

Jünger und er eins seien, wie der Vater und er eins sind (17,22). Was die Jünger bei ihrer Sendung tun, ist genau dasselbe, was Jesus bei seiner Sendung getan hat und was der Vater getan hat, als er seinen Sohn in die Welt sandte.

Wie sollen sie das nun aber bei ihrer Sendung in die Welt hinein verwirklichen? Werden sie nicht aufgefordert, etwas sichtbar zu gestalten, von dem sie von vornherein wissen, daß die Welt das zwar sehen kann und sogar sehen können muß, es aber trotzdem gar nicht "sehen" kann? Wie sieht bei einem solchen Indikativ der Imperativ aus? Das Tun der Jünger ist doch immer ein konkretes Tun.

Nur an einer Stelle wird der Imperativ, einander zu lieben, mit einem konkreten Inhalt gefüllt: Die Jünger sollen einander die Füße waschen (13,14). Man darf das nicht zu einer bloßen Geste verharmlosen und auch nicht das Einander unterschlagen. Es geht vielmehr um ein wirkliches gegenseitiges Tun, das in seinem Sinn pervertiert wird, wenn man daraus einen liturgischen Ritus macht. Das Waschen der Füße ist niedriger Sklavendienst. Wenn alle Jünger den einander tun, verzichtet jeder darauf, das zu sein, was er in der Welt und nach den Maßstäben der Welt ist.

Nun wird ausdrücklich gesagt, daß es sich hier um ein Beispiel handelt, das Jesus den Jüngern gegeben hat, indem er es tat (13,15). Als Beispiel hat der Inhalt des Imperativs exemplarische Bedeutung, denn selbstverständlich erschöpft sich das Einander-Lieben nicht im gegenseitigen Waschen der Füße. Wie dieses Beispiel sonst noch in anderes konkretes Tum umzusetzen ist, wird wieder nicht gesagt. Es kann auch gar nicht gesagt werden. Dennoch muß bei jedem Einander-Lieben gefragt werden, ob das konkrete Tun diesem Beispiel entspricht. Da es das Beispiel ist, das Jesus seinen Jüngern gegeben hat, bleibt wieder die Christologie der einzige Maßstab für das Tun.

Das Tun soll zwar vor den Augen der Welt geschehen, denn es ist ja die gestaltete Sendung der Jünger in die Welt. Was aber ist der "Erfolg" dieses Tuns? Die Welt kann es wirklich sehen; aber "sieht" sie es auch? Daß die Welt es "sieht", liegt nicht in der Macht der Jünger. - Die Welt kann es als ein vorbildliches gegenseitiges Verhalten von Menschen verstehen und dem vielleicht sogar Anerkennung zollen. Nach Johannes ist eher etwas anderes zu erwarten: Die Welt nimmt Anstoß daran, verfällt in Haß und verfolgt die Jünger. Die Welt hat eben beim Tun der Jünger nur das vor Augen, was sie vor Augen hat.

Wenn die Welt aber, weil sie nun einmal Welt ist, gar nicht "sehen" kann, wie hat dann die Sendung eine Chance, in der Welt als das anzukommen, wie sie vom Vater gedacht war? Offenbar überhaupt nicht, denn dieser Kreis (nur die, die "sehen" können, "sehen") scheint nicht zu durchbrechen zu sein. Das darf die Jünger aber nicht verwundern; und erst recht darf es sie nicht dazu bringen, das Einander-Lieben *vor den Augen der Welt* aufzugeben. Der Imperativ bleibt bestehen, da er ja im Indikativ mitgegeben ist.

Vielleicht deutet Johannes, wenn auch sehr zurückhaltend, mindestens eine Möglichkeit an, wie ein Eintritt in diesen Kreis geschehen könnte. Auf dem Laubhüttenfest läßt er Jesus sagen, daß, wenn jemand Gottes Willen tun will, er erkennen wird, ob Jesu Lehre von Gott ist oder ob Jesus von sich selber (also als Mensch, also als Welt) spricht (7,17). Entsprechend könnte man dann etwa sagen: Wer das Einander-Lieben der Jünger sieht und dieses Einander-Lieben so lebt, wie er es die Jünger leben sieht, der kann *beim Leben* dieses Einander-Liebens erfahren, daß er nicht seine eigene Liebe lebt, sondern daß er die Liebe lebt, die Gott durch den Sohn in die Welt gebracht hat. *Beim* Einander-Lieben *kann* er das erfahren; und dann kann er "sehen". Das ist aber immer ein Wunder und darum von den Jüngern nicht planbar. Niemand kann zu Jesus kommen, es ziehe ihn denn der Vater (6,44a). Nur wer "von oben", wer "aus dem Geist" geboren ist, kann "das Reich Gottes sehen" (3,3.5). Der Geist aber weht, wo er will (3,8).

Folgende Überlegung soll den Abschnitt abschließen: Wie ist Johannes dazu gekommen, die Ethik nahezu vollständig in die Christologie zurückzunehmen, ohne doch die Ethik aufzugeben? Eine sichere Antwort auf diese Frage gibt es nicht, weil Herkunft und Ursprung der johanneischen Theologie im dunkeln liegen. Dementsprechend sind die Meinungen darüber bis heute kontrovers. Man kann jedoch allgemeinere Überlegungen anstellen und dann davon ausgehen: Irgendwo in der ablaufenden "Geschichte der Kirche" setzte Johannes um die erste Jahrhundertwende seinen eigenen Akzent; und ganz offenbar tat er das so, daß er korrigierend in die Tradition eingriff, aus der er kam und in der er lebte.

Es ist allerdings schon problematisch, in dieser Zeit von einer Geschichte "der" Kirche zu reden. Die Entwicklung verlief von den Anfängen an sehr unterschiedlich, wie die neutestamentlichen Schriften zeigen, die alle sozusagen als Momentaufnahmen zu verschiedenen Zeiten, an verschiedenen Orten und in unterschiedlichen Traditionszusammenhängen entstanden sind. Eine direkte Linie, die zu Johannes führt, kann man nicht erkennen. Wohl aber finden sich einige gemeinsame Züge, die sich in der Zeit bis um 100 n.Chr. herausgebildet haben und die man, mit aller gebotenen Vorsicht, als den johanneischen Hintergrund ausmachen kann: Es hat eine gewisse Institutionalisierung stattgefunden. In diesen nun stärker als früher abgegrenzten soziologisch beschreibbaren Größen (Gemeinden, Kirchenprovinzen) hat man über das eigene Selbstverständnis reflektiert.

Die Jesus-Vergangenheit (des Irdischen und/oder des Auferstandenen), die früher unmittelbar die Menschen in ihrer Gegenwart bestimmte, war nun eine wirklich vergangene Vergangenheit geworden, und man wurde sich dessen bewußt. Aus der "christlichen Naherwartung" (vgl. oben S. 76) wurde wieder (wie in der Apokalyptik) die Erwartung einer Zukunft mit der Parusie des Kyrios. Dazwischen lag die Gegenwart, die zwischen Vergangenheit und Zukunft ihre eigene Bedeutung bekam. Sie selbst wurde immer weniger als Zeit erfahren, in die Gott mit seinem Heil einbrechen wollte und immer wieder einbrach, sondern man reflektierte, wie man sie so gut wie möglich gestalten konnte.

Dafür nahm man zwar die Christologie zu Hilfe. Die aber wurde mit der Zeit immer stärker zur Lehre über in der Vergangenheit geschehenes Heil. So brachte sie wohl die *Überzeugung* der Menschen zum Ausdruck, kam aber nicht mehr wirklich bei ihnen an. So fielen Christologie und Ethik auseinander. Für die Ethik konnte man sich auch auf alttestamentliche Sätze berufen oder auf die bürgerliche Ethik der Umwelt. Das Heil war aus der Gegenwart ausgewandert. Die Institution erhob den Anspruch, sich wegen ihres Ursprungs, in dessen Tradition sie stand, von allen anderen "weltlichen" Institutionen zu unterscheiden. Ihre Dogmatik *und* ihre Ethik machten das Christliche aus, wie man es verstand.

Auch wenn die Entwicklung nicht überall gleichmäßig und gleich schnell verlief, ist der allgemeine Trend doch einigermaßen deutlich zu erkennen. Die Entwicklung im Zuge dieses Trends war auch nahezu unvermeidbar und wurde daher von denen, die in ihm lebten, kaum als Problem empfunden. Das "eschatologische Existieren" in einer Gemeinschaft läßt sich nun einmal nicht in ablaufende Zeit hinein einfach prolongieren. Da das aber nicht möglich ist, droht die Gefahr, daß es überhaupt verlorengeht. Eine zur Lehre gewordene Christologie ist kein ausreichender Schutz.

Das hat Johannes offenbar gesehen und wird nun zum ersten "Reformator" der Kirche. Woher und durch welche Traditionen er die Kriterien für seine Reformation bezogen hat, muß offenbleiben. Jedenfalls fand er sich nicht mit dem ab, was geworden war. Die "Lehre von den letzten Dingen", die er vorfand, bog er um zu dem, was wir heute präsentische Eschatologie nennen. Damit wollte er die Gegenwärtigkeit des Heils herausstellen. Daß er dann zur Darstellung nicht die Kategorien der Zeit, sondern die des Raumes benutzte, half ihm, das mögliche Mißverständnis zu vermeiden, das gegenwärtige Heil sei verfügbar. Welt bleibt Welt. (Sachlich wird damit dasselbe ausgesagt, wie wenn man in zeitlichen Kategorien formuliert: In den [noch] weiterlaufenden alten Äon bricht Gottesherrschaft ein.) Die Sendung Gottes erfolgt von oben in die Welt hinein, und zwar im Sohn. Dabei stellt Johannes die Jesus-Vergangenheit (im Unterschied zu Matthäus und Lukas) nicht einfach als eine vergangene Vergangenheit dar, sondern so, daß sie unmittelbar transparent für die Gegenwart werden kann. Daß Petrus früher einmal für die Kirche und in der Kirche eine zentrale Rolle gespielt hat, weiß er und bestreitet es auch nicht. Doch dies ist Vergangenheit und hat für die Gegenwart keine unmittelbare Bedeutung mehr. Heute kommt es auf den Jünger an, den Jesus liebhatte. Wahrscheinlich hat er sich selbst als diesen (oder als einen solchen) Jünger verstanden. Er ist der Jünger, der ganz aus dem Einander-Lieben lebt. Jesus hat ihn lieb; und er liebt Jesus. Darum läßt er sich nun in das Einander-Lieben senden. Um ihn herum bildet sich dann der Kreis der Jünger, der das Einander-Lieben vor den Augen der Welt lebt.

b) Die Ethik der johanneischen Schule

Johannes hatte durch seine "Reformation" versucht, mit dem Problem der Bindung in die Tradition kritisch fertig zu werden. Nach seinem Tode (vgl. 21,22f.) stehen nun aber die Jünger aus seinem Kreis sehr bald vor genau demselben Problem. Denn die Reformation des Johannes wird Vergangenheit.

Besonders deutlich wird das dort, wo das "neue Gebot" (Joh. 13,34) als altes Gebot bezeichnet wird, das von Anfang an (also von der Zeit des Johannes an) den Kreis begleitet hat, das aber dennoch das neue Gebot (jetzt aber: des Johannes) bleiben soll (1.Joh. 2,7f.; 2.Joh. 5).

Diese Vergangenheit wird jetzt zum Inhalt für eine neue Tradition. Die Jünger wissen sich weiterhin ihrem Lehrer verpflichtet. Sie berufen sich auf ihn, den sie nun ausdrücklich mit dem Jünger identifizieren, den Jesus geliebt hatte (Joh. 21,24). Die Frage ist jetzt aber: Gehen sie mit dieser Tradition ebenso kritisch um?

Auch wenn man das nicht immer streng trennen kann, muß man beim Umgang der Jünger mit der Tradition (mindestens grundsätzlich) unterscheiden zwischen dem *Anliegen,* das Johannes vertreten hatte, und der *Gestalt,* in der das Anliegen zur Zeit des Johannes gelebt und von ihm im Evangelium (erster Hand) fixiert worden war.

Das Anliegen kann man, wenn auch in späterer Terminologie, etwa folgendermaßen formulieren: *Die Kirche muß immer reformiert werden.* Die durch Tradition entstandene Institution kann nicht garantieren, daß die den Jüngern aufgetragene Sendung in die Welt wirklich als Sendung "von oben" geschieht. Damit hängt zusammen, daß es keine konkreten Weisungen geben kann, die präzise angeben, wie das Einander-Lieben gestaltet werden muß. Durchgehalten werden soll zwar die Christologie als Bleiben in der Liebe Jesu (Joh. 15,9f.). Da die Jünger aber in der Welt leben, müssen sie immer wieder und immer neu entscheiden, wie sie das vor den Augen der Welt sichtbar leben, was die Welt gerade nicht "sehen" kann. In Kategorien der Zeit ausgedrückt: Der erwartete Herr will in einer "christlichen Naherwartung" jeden Augenblick - und immer wieder - als Kommender erwartet werden. Ist das aber in ablaufende Zeit hinein wirklich durchzuhalten?

Der charismatische Führer ist tot. Da liegt es einfach nahe, daß man sich, statt an sein Anliegen, an das Werk hält, das er hinterlassen hat. Dadurch verschieben sich aber die Akzente: Statt die Reformation des Johannes fortzuführen, blickt man auf die von ihm durchgeführte Reformation zurück und orientiert sich an ihr.

Statt kritisch mit der Tradition umzugehen (und nun auch mit der neuen Tradition), nimmt die johanneische Schule die neue Tradition auf. *Sie* wird ihr Maßstab. Doch auch das ist in späterer Zeit nicht ganz einfach. An einigen Punkten ist Kritik an der Tradition nötig. Diese Kritik findet ihren literarischen Niederschlag in der sogenannten kirchlichen Redaktion des Johannes-Evangeliums.

Um ihr Anliegen zu verstehen, muß man davon ausgehen, daß "die Kirche" den Kreis um Johannes und dann auch seine Schule beobachtet hat. Was sie dort sah und hörte, entsprach nun aber nicht ihrer eigenen Dogmatik. Die für unverzichtbar gehaltene Lehre von den letzten Dingen fehlte ebenso wie die Sakramente. In der johanneischen Schule hört man diese Kritik, wird unsicher - und versucht einen "Ausgleich".

Die von der Kirche vermißte futurische Eschatologie wird in das Evangelium des Johannes eingeschleust. Hatte Johannes Jesus sagen lassen, daß, wer glaubt, ewiges Leben hat, nicht in das Gericht kommt, sondern schon aus dem Tode in das Leben hinübergegangen ist (Joh. 5,24f.), dann fügt die johanneische Schule hinzu: Alle, die in den Gräbern sind, werden die Stimme des "Menschensohnes" hören; die Gutes getan haben, *werden* zum Leben, die Böses getan haben, zum Gericht auferstehen (Joh. 5,29). In die Zukunft blickt dann auch die geradezu refrainartig wiederkehrende redaktionelle Wendung: "Ich *werde* ihn auferwecken am jüngsten Tage" (Joh. 6,39.40.44.54).

Der Gedanke des Johannes, daß das Brot, das vom Himmel herabgekommen ist, Jesus ist, und daß, wer von diesem Brot ißt, leben wird (Joh. 6,51a), wird durch einen eingefügten längeren Abschnitt massiv sakramental weitergeführt (Joh. 6,51b-58). Das Brot, das aus dem Himmel herabgekommen ist, wird als das "Fleisch" Jesu, ja, als "das Fleisch des Menschensohnes" bezeichnet. Dazu tritt (im ursprünglichen Text des Johannes gar nicht vorbereitet) die Erwähnung des "Blutes des Menschensohnes". Betont heißt es dann, daß, wer das Fleisch Jesu "kaut" und sein Blut trinkt, ewiges Leben hat - und am Jüngsten Tage auferweckt *werden* wird. Die Speise des Abendmahls ist ein "Heilmittel zur Unsterblichkeit".

Schließlich wird auch die Taufe durch Redaktion eingeführt (3,5). Die Geburt "von oben" und "aus dem Geist" wird durch ein eingeschobenes "aus Wasser" in die kirchliche Tauflehre integriert: Durch die (Wasser-)Taufe geschieht die Geburt von oben und die Verleihung des Geistes.

Wenn man nach dem Sinn dieser kirchlichen Redaktion fragt, darf man nur sehr bedingt davon reden, daß die johanneische Schule die Kritik dadurch auffängt, daß sie einen "Ausgleich" schafft zwischen der Lehre der Kirche und den Überspitzungen des Johannes. Vordergründig stimmt das zwar. Wichtiger aber ist, daß man sieht: Die johanneische Schule hat bereits die Aussagen des Johannes kirchlich, und das heißt: dogmatisch, verstanden, gar nicht mehr so, wie Johannes sie gemeint hatte.

Wenn Johannes sagt, daß der, der glaubt, vom Tode zum Leben hinübergegangen ist, dann sagt er damit, daß er *in der Welt* Leben "von oben" hat, wahres Leben. Aber Johannes sagt nicht, daß er damit schon auferstanden sei. Hier wird also gar nicht Zukunft so antizipiert, daß sie in der Korrektur neu herausgestellt werden müßte. - Wenn Menschen Brot suchen und Johannes nun sagt, daß das Brot des Lebens, das die Menschen suchen (Subjekt!), Jesus ist (Prädikatsnomen!), dann ist das Essen dieses Brotes uneigentlich gemeint. In der johanneischen Schule wird daraus ein massives Essen. - Wenn Johannes von der Geburt von oben oder aus dem Geist spricht, dann spricht er von einem unverfügbaren und sich immer wieder ereignenden Geschehen. Die johanneische Schule versteht das als eine einmalige kirchliche Handlung.

Da die johanneische Schule sich auf die dogmatische Kritik der Kirche an den Aussagen des Johannes einläßt, läßt sie sich auf die Fragestellung der Kirche ein. Sie gibt damit zu erkennen, daß sie nun selbst die Aussagen des Johannes im Sinne einer Dogmatik versteht. Von dieser neuen Voraussetzung aus ist sie bereit, die Einseitigkeit der johanneischen Aussagen zuzugeben. Durch dieses Mißverständnis schafft sie in der Tat einen Ausgleich.

Das Interesse der johanneischen Schule an Dogmatik als einem isolierten Thema wird auch noch an einer anderen Stelle deutlich. Mit der kirchlichen Lehre versucht sie sich zu arrangieren. Dagegen setzt sie sich mit der Christologie von Irrlehrern in großer Schroffheit auseinander.

Die Position der Irrlehrer läßt sich indirekt aus der Polemik gegen sie recht deutlich erkennen. Es handelt sich um doketistische Gnostiker, die die wirkliche Fleischwerdung Jesu Christi leugnen (1.Joh. 4,2f.; vgl. 2,22; 2.Joh.7). Da dann auch das Kreuz ohne Bedeutung für sie sein muß, lehnen sie offenbar das Abendmahl ab (1.Joh. 5,6).

Daß die Vertreter der Irrlehre auch Libertinisten waren, ist (trotz 1.Joh. 2,15ff.; 5,4) unwahrscheinlich. Entweder sind diese Vorwürfe Bestandteil traditioneller Ketzerpolemik; oder aber es liegt ein Mißverständnis vor. Die Irrlehrer halten sich nämlich wegen ihres Geistbesitzes (1.Joh. 4,1) für sündlos (1.Joh. 1,8). Sie werden als falsche Propheten bezeichnet (1.Joh. 4,1), ja als Antichristen (1.Joh. 2,18).

Bemerkenswert ist nun, daß diese Irrlehrer sich nicht nur selbst für Christen halten, sondern daß sie sich *auch* auf Johannes berufen. Der Verfasser des 1.Joh. sagt von ihnen: "Sie sind von uns ausgegangen; aber sie gehörten nicht zu uns. Denn wenn sie zu uns gehört hätten, wären sie bei uns geblieben" (2,19). Es hat also eine Spaltung der johanneischen Schule stattgefunden, und zwar wegen einer unterschiedlichen Auffassung über die "richtige" Christologie.

Wie es zu dieser Spannung kam, ist relativ leicht zu erklären. Für die Christologie des Johannes galt: Der Vater ist im Sohn in die Welt gekommen. Damit ist zwar die Herrlichkeit des Vaters *wirklich* in der Welt. Aber die Welt kann *diese Wirklichkeit* nicht sehen, weil sie nicht "sehen" kann. Charakteristisch für diese Christologie ist also: Nur wenn *Menschen* "sehen" können, kommt die Christologie bei ihnen an. Wenn sie nicht "sehen" können, sehen sie immer nur Welt.

Löst man diese Paradoxie zwischen "Sehen" und Sehen auf, wird zwischen den Weisen des Sehens nicht mehr unterschieden; damit aber auch nicht mehr zwischen den Menschen. Jetzt wird von *allen* vorausgesetzt, daß sie sehen können. *Was* aber sehen sie? Das wird nun zum Problem. Die ursprünglich bei den Menschen liegende Alternative zwischen "Sehen" und Sehen verlagert sich und wird zu einer Alternative im Urteil über die Wirklichkeit des Gesehenen. Mit anderen Worten: Die Christologie wird vergegenständlicht und damit zu einer Lehre. Darüber kommt es zum Streit, weil von der Paradoxie des Johannes aus die Akzente unterschiedlich gesetzt werden können.

Wenn man von unten aus argumentiert und streng an der Trennung zwischen unten und oben festhält, kommt heraus: Da das Kommen des Vaters im Sohn nicht sichtbar geschah, weil es wegen der Trennung gar nicht sichtbar geschehen konnte, kann der Sohn *nicht wirklich* in die Welt gekommen sein. Jesus war nur der Scheinleib für den Christus. Also: eine als Lehre beschreibbare Christologie, aber eben doketisch.

Wenn man dagegen von oben aus argumentiert und dabei den kosmologischen Vorbehalt des Johannes vergißt, dann ist der Vater im Sohn nicht nur wirklich, er ist *wirklich sichtbar* in die Welt gekommen. Jetzt wird nicht nur verkündigt, "was wir gehört haben", sondern zugleich damit und mit Nachdruck, "was unsere Augen gesehen haben" und "was unsere Hände betastet haben" (1.Joh. 1,1). Dieser *Jesus* Christus ist im Wasser und im Blut gekommen (1.Joh. 5,6). So ist die Taufe eine wirklich geschehene neue Geburt (vgl. Joh. 3,5); vor allem aber kann beim Abendmahl Jesu Fleisch "gekaut" und sein Blut getrunken werden (Joh. 6,54).

Beide Christologien kommen aus derselben Wurzel, sowohl die der johanneischen Schule (deren Schriften später in den neutestamentlichen Kanon gelangten) als auch die ihrer Gegner (die aber auch, was man nicht vergessen darf, eine johanneische Schule waren). Beide Schulen haben in einander ganz entsprechender Weise die Aussagen des Johannes entweder mißverstanden oder nicht mehr verstanden. Sie haben *die Menschen,* die in der Welt entweder "sehen" oder nicht sehen, unterschlagen und sich jetzt nur noch für den *Gegenstand des Sehens* interessiert. Die Christologie ist zu einer wißbaren Lehre geworden. Die Alternative ist nicht mehr, ob die Christologie ankommt oder nicht, sondern sie lautet: Wer hat die "richtige" Christologie?

Wenn man schon in diesem Zusammenhang von Häretikern redet, sollte man nicht nur die Doketisten als solche bezeichnen, und schon gar nicht sollte man es mit der Begründung tun, daß sie in "kanonischen" Schriften bekämpft werden. Wer aus der Konzeption des Johannes den kosmologischen Vorbehalt streicht und von einer sichtbaren und darum verfügbaren Wirklichkeit spricht, ist nicht weniger ein Häretiker.

Wie steht es jetzt in der ("kanonisch" gewordenen) johanneischen Schule mit der Ethik? Wird sie, wie die Christologie, auch zu einem Thema für sich? Oder bestehen Beziehungen? Wenn ja, wie sehen die aus? Die hier zu behandelnden Probleme greifen zum Teil ineinander über und betreffen oft auch, wenn auch indirekt, die Gegner.

Der Verfasser des 1.Joh. ist in erster Linie daran interessiert, seine Leser beim rechten Bekenntnis zu halten. Kriterium dafür ist die Anerkennung der wirklichen Menschwerdung Jesu Christi. Das ältere Bekenntnis "Jesus ist der Christus" (4,2) wird gegen die Irrlehrer polemisch zugespitzt: Wer *Jesus* nicht bekennt (und das heißt, wer nur den himmlischen Christus, nicht aber den Menschen Jesus in das Bekenntnis einbezieht), stammt nicht von Gott, sondern ist dem Geist des Antichristen verfallen (4,2f.). Der Antichrist ist zwar in der Lehre der Kirche eine in der Endzeit erwartete Gestalt; sie wird aber hier als jetzt schon wirksam angesehen (vgl. 2,18). Seine gegenwärtige Wirksamkeit besteht jedoch nicht darin, daß er das Tun der Menschen bestimmt, sondern darin, daß er sie zu einer falschen Christologie verführt. Nur für den, der die richtige Christologie vertritt, gibt es Hoffnung (3,2f.). Dazu gehört auch die Anerkennung der Heilsbedeutung des Kreuzes. Hier greift der Verfasser jedoch auf traditionelle Formulierungen zurück, ohne sie näher zu erläutern (1,7; 2,1f.; 4,10). Solchen dogmatischen Ausführungen folgen dann zwar immer wieder Paränesen (vgl. 2,3-6 nach 2,1f.: 2,28-3,24 nach 2,18-27; 4,7-5,4a nach 4,1-6). Doch wird der Wandel weder näher expliziert noch aus der Dogmatik begründet.

Das entscheidende Charakteristikum für den Wandel ist die Liebe zu den Brüdern. Ganz offenkundig knüpft der Verfasser damit an das Einander-Lieben des Johannes an, versteht es aber völlig anders. Denn "die Brüder" sind für ihn ein genau abzugrenzender Kreis.

Zu den Brüdern gehören ausschließlich die, die Glieder der rechtgläubigen Gemeinde sind. Nur sie sind es, die glauben, daß *Jesus* der Christus ist. Darum sind nur sie aus Gott geboren (5,1). Darum ist auch nicht etwa (christlicher) Glaube schlechthin, sondern ausschließlich "unser" Glaube der Glaube, der die Welt besiegt (5,4). Nur der "orthodoxe" Glaube glaubt, daß *Jesus* Gottes Sohn ist (5,5). So gibt es für rechten Glauben nur ein Kriterium: die Zugehörigkeit zur Gemeinde des Verfassers. Wer diese Gemeinde verläßt, zeigt damit, daß er vom Glauben abgefallen und darum kein Bruder mehr ist (2,19).

Er kann sogar als schlechthin gottlos bezeichnet werden. Denn wer nicht in der Lehre Christi bleibt (die man nur in der Gemeinde des Verfassers haben kann), hat nicht einmal mehr Gott. Wer aber darin bleibt, hat den Vater *und* den Sohn (2.Joh. 9).

Der Verfasser des 1.Joh. bekämpft aber nicht nur die Christologie, sondern auch den Anspruch der Gegner. Wenn diese sich auf eine Salbung berufen, dann betont er, daß *seine Gemeinde* diese Salbung empfangen habe (2,20). Sehr wahrscheinlich spielt er damit auf die geschehene Taufe an, die, zusammen mit der bei der Taufe erfolgten Unterweisung in der richtigen Christologie, unverlierbar ist (2,27). So hat die Gemeinde einen doppelten "Besitz". Doch wie geht sie damit um?

Hier kommt der Verfasser sprachlich in Schwierigkeiten, wenn er dieselbe Vokabel, nämlich Sünde, mit ganz unterschiedlichen Inhalten verwendet. Einerseits behauptet er, daß "jeder, der aus Gott gezeugt ist, nicht sündigt, sondern die Zeugung aus Gott bewahrt ihn, und das Böse rührt ihn nicht an" (5,18). Da diese Zeugung aus Gott, wie der Verfasser meint, für seine Gemeinde zutrifft, lebt sie dauernd ohne Sünde. Andererseits charakterisiert der Verfasser nun gerade eine behauptete Sündlosigkeit als Irrlehre (1,8.10) und spricht von der auch für Christen immer wieder nötigen, aber auch möglichen Sündenvergebung (1,9; vgl. 5,16). Das scheint sich zu widersprechen, hängt aber nur mit seinem sorglosen Umgang mit der Sprache zusammen. Vermutlich merkt er das selbst gar nicht (so wie ja bis heute oft dieselben Vokabeln unreflektiert in unterschiedlicher Bedeutung benutzt werden). - Bemüht man sich um Definitionen, hebt sich der scheinbare Widerspruch auf.

Sicher ist zunächst: Wenn der Verfasser gegen eine behauptete Sündlosigkeit *polemisiert,* will er damit einen Anspruch seiner Gegner treffen.

Doketisten können tatsächlich behaupten, ohne Sünde zu sein. Sie meinen damit aber nicht, daß ihr Leib bei konkretem Tun keine Sünde begeht. Ihr Leib interessiert sie gar nicht. Dem kosmologischen Dualismus zwischen unten und oben (an dem sie festhalten, wie ihre Christologie zeigt) entspricht nämlich ein anthropologischer Dualismus wie der zwischen Kern und Schale. Nur der Kern (die Seele) ist durch den himmlischen Christus (nicht: durch *Jesus* Christus) erlöst. Daher ist der *Kern* ohne Sünde und wohnt in der Schale, also in einem "Scheinleib". *Diese* Sündlosigkeit ist für Doketisten ein unverlierbarer Besitz.

Der Verfasser will nun den Anspruch der Gegner bestreiten. Behaupten sie Sündlosigkeit, bezeichnet er das als eine Selbsttäuschung. Dabei merkt er nicht (oder will nicht merken), daß er an seinen Gegnern vorbei argumentiert. Wenn er nämlich eine Sündlosigkeit für Täuschung hält, dann meint er, daß das Leben *im Leib* ohne Sünde nicht möglich ist. Das hatten die Doketisten aber auch gar nicht behauptet.

Dennoch nimmt der Verfasser nun einen Gedanken aus der gegnerischen Behauptung auf. Er möchte für seine Gemeinde einen unverlierbaren Besitz reklamieren. Für diesen unverlierbaren Besitz verwendet er nun selbst die Vokabel Sündlosigkeit, die er (allerdings nur als Vokabel) von den Gegnern bezogen hat. Für seine Gemeinde behauptet er jetzt: Für den, der wirklich aus Gott gezeugt ist, gibt es keine Sünde. Er ist ja Gottes Kind und bleibt Gottes Kind; und das erweist sich daran, daß er die Brüder liebt (3,8-10). Sündlosigkeit ist für den Verfasser also identisch mit Zugehörigkeit zur Gemeinde. Solange jemand in der rechtgläubigen Gemeinde bleibt, kann von ihm gesagt werden, daß er ohne Sünde ist. Wer sich aber von dieser Gemeinde trennt, beweist allein schon durch die Trennung, daß er nicht aus Gott gezeugt war. Mit der Trennung begeht er "die Sünde zum Tode" (5,16).

Was darunter zu verstehen ist, ist freilich exegetisch umstritten. Das hängt mit der gelegentlich geäußerten Vermutung zusammen, der Abschnitt 5,14-21 sei durch spätere Redaktion an den 1.Joh. angefügt worden. Wenn das zutrifft, kann man Erwägungen darüber anstellen, was *in der Vorlage* des Verfassers unter der "Sünde zum Tode" verstanden worden ist. Man darf aber dieses Verständnis nicht unmittelbar in den 1.Joh. übernehmen.

Im vorliegenden 1.Joh. ist die Aussage eindeutig: Die Sünde zum Tode begeht der, der sich von der rechtgläubigen Gemeinde trennt und zur Irrlehre abfällt. Für die johanneische Schule gilt: extra ecclesiam nulla salus (außerhalb der Kirche gibt es kein Heil).

Das hat sofort problematische Konsequenzen für die Ethik. Im Zentrum steht die Forderung der Bruderliebe. Das Selbstverständnis der Gemeinde führt dazu, daß hier strenge Exklusivität herrscht. Die außerhalb der Gemeinde Lebenden kommen beim Liebesgebot nicht in den Blick. Abgefallene werden ausdrücklich ausgeschlossen. Sie sind keine Brüder mehr. Gastfreundschaft darf ihnen nicht gewährt werden (2.Joh. 10). Selbst der Gruß ist ihnen zu verweigern; denn schon wer sie grüßt, macht sich mit ihnen gemein (2.Joh. 11). In schärfster Zuspitzung wird dann sogar die Fürbitte für den untersagt, der die Sünde zum Tode begangen hat (1.Joh. 5,16).

Man sollte nicht versuchen, durch eine sogenannte "kritische" Exegese diese Einzelaussagen zu entschärfen. Abgesehen davon, daß Kritik in der Exegese nichts zu suchen hat (vgl. oben S. 25), muß die historische Exegese einzelner Aussagen im Rahmen des ganzen Schreibens erfolgen. Da ist dann festzustellen, daß die Bruderliebe der johanneischen Schule mit einer Lieblosigkeit erkauft wird, die innerhalb der neutestamentlichen Schriften beispiellos ist. Die Exegese von "Perikopen" darf das nicht außer acht lassen, auch dann nicht, wenn die innerhalb der Perikopen benutzten Vokabeln einen anderen Eindruck zu vermitteln scheinen.

Nun weiß der Verfasser des 1.Joh. natürlich auch, daß es innerhalb der "sündlosen Gemeinde" Übertretungen des Gesetzes gibt, für die er nun aber auch die Vokabel Sünde benutzt. Wer *diese* Sünde bestreitet, täuscht sich (1,8) und macht Jesus Christus zum Lügner (1,10), dessen Blut doch gerade von den Sünden reinigt (1,7). Hier bewegt sich der Verfasser ganz im Rahmen der "Kirche" seiner Zeit. Mit solchen Sünden muß man leider rechnen. Man darf aber wissen, daß das keine Sünden zum Tode sind, auch wenn es sich bei ihnen um "Ungerechtigkeit" handelt (5,17). Denn wo diese Sünden bekannt werden, darf mit Vergebung und Reinigung von aller Ungerechtigkeit gerechnet werden (1,9). Diese Institution des Bußinstruments ist eingebettet in die Institution der johanneischen Schule. Denn die Leser werden aufgefordert, für *diese* Sünder Fürbitte zu üben, weil auf die Fürbitte der Leser hin Gott denen das Leben geben wird, die eine Sünde nicht zum Tode begangen haben (5,16). Aber eben *nur* ihnen. Zwar gilt die Verpflichtung, so zu wandeln, wie Jesus gewandelt ist (2,6). Wenn das aber nicht oder nicht immer gelingt, bedeutet allein das noch nicht Ausschluß aus der Gemeinde und damit Verlust des Heils. Das gilt aber nur, wenn die, die die Sünde nicht zum Tode begangen haben, nicht die Sünde zum Tode begehen. Sie müssen also "Brüder" bleiben; das heißt, sie müssen in der Gemeinde mit der "richtigen" Christologie bleiben.

So hat die johanneische Schule nahezu alles verdorben, was Johannes mit seiner Reformation erreichen wollte. Christologie und Ethik sind wieder auseinandergefallen. Die Christologie wurde zu einem intellektuellen Besitz. Der wurde jetzt konstitutiv für die Gemeinde. Innerhalb der Gemeinde bemühte man sich (und man darf unterstellen: bemühte man sich ernsthaft), so gut wie möglich zu leben. Gelang das einmal nicht, blieb immer noch ein Ausweg. Und statt der "indirekten" Mission des Johannes (Joh. 13,35) treibt man nun auch bald direkte Mission (vgl. 3.Joh. 7). Die *Reformation* des Johannes war zur *Institution* geworden.

Epilegomena: Das Problem der Begründung einer christlichen Ethik aus dem Neuen Testament

Zum Selbstverständnis der Kirche gehört, daß sie einen Auftrag in der Welt hat. Wenn Johannes das in seiner Sprache noch so formulierte: Der Vater hat durch den Sohn die Glieder der Kirche als Jünger Jesu in die Welt gesandt, sah er die Eigenart dieser Sendung in der Art und Weise, wie die Jünger je und je redeten und handelten. Das geschah nie sichtbar eindeutig. Die johanneische Schule aber wollte Eindeutigkeit herstellen und flüchtete wieder in eine Institution, aus der Johannes sie gerade hatte herausführen wollen.

Diese Entwicklung von der vorjohanneischen Kirche über Johannes zur johanneischen Schule hat sich in der nachneutestamentlichen Kirchengeschichte vielfach wiederholt. Die Begründung einer christlichen Ethik aus dem Neuen Testament kann daher nur gelingen, wenn man sieht, daß alle 27 Schriften des Neuen Testaments Zeugnisse der Kirchengeschichte sind. Kirchengeschichte beginnt also nicht erst dort, wo ausdrücklich von Kirche im Sinne einer soziologisch konstatierbaren Größe die Rede ist, sondern bereits dort, wo einzelne Menschen in der Begegnung mit Jesus zum eschatologischen Existieren eingeladen und befähigt worden sind. Johanneisch gesprochen: Kirche ist da, wo Menschen durch die Sendung in das Einander-Lieben hineingeführt werden. "Kirche" ist daher nicht hier oder dort sichtbar; "Kirche" *geschieht*.

Wird diese besondere Eigenart der "Kirche" heute noch gesehen? Wenn die Sendung institutionalisiert wird, ist das nicht mehr der Fall. Als Institutionen sind die Kirchen "Welt". Wenn sie das nicht sehen, versuchen sie, Gott in die Welt hereinzunehmen. Indem sie sein Wirken als *sein* Wirken sichtbar und beschreibbar machen wollen, vereinnahmen sie ihn. Die Konsequenz daraus kann man bis in die Gegenwart hinein vielfach beobachten: Die Kirchen werden zu "Lehrmeistern" der Welt. Mit konkreten Imperativen geben sie an, was Gott von der Welt und von den Menschen verlangt. Hier aber sollten sich die Kirchen zurücknehmen.

Wenn sie das nicht tun (und als Institutionen tun sie das nicht gern), sollten sie deutlich sagen, daß sie als "Welt" reden. "Worte der Kirche" im Sinne von Verlautbarungen oder Handlungsanweisungen herauszugeben, ist ein "weltliches Geschäft". Dabei kann ja durchaus Sinnvolles und Beherzigenswertes herauskommen. Das auszusagen gehört jedoch nicht zur Sendung der Kirche. Gerade um ihrer Sendung willen muß sie ein Interesse daran haben, ihr Selbstverständnis als "Kirche" durchzuhalten.

Die Sendung der Kirche in die Welt hat nur einen einzigen Inhalt: den Menschen immer wieder den Indikativ zu vermitteln. Wer jetzt meint, dies sei zuwenig, hat das Wesen des Indikativs noch nicht wirklich verstanden. Denn der Indikativ befähigt doch gerade erst zu einem Tun, das "christlich" *genannt* werden kann. Da es jedoch als "christlich" nicht *erkannt* werden kann, ist zwar eine christliche konkrete materiale Ethik vielleicht möglich, niemals aber eine "christliche".

Daß "Kirche" immer wieder zu Kirche wird, ist in dieser Welt wahrscheinlich unvermeidbar. Hier hat jede Kirche, geradezu als Unterscheidungsmerkmal, ihre eigene Dogmatik und innerhalb der Dogmatik ihre Christologie.

Für die meisten Glieder der Kirche ist die *Dogmatik* fast eine Geheimwissenschaft, so daß sie gar nicht unmittelbar davon in ihrem Leben bestimmt werden können. Dementsprechend werden die Lehrdifferenzen fast ausschließlich von den jeweiligen Fachleuten diskutiert. Das hat zur Folge, daß die Ethik neben der Dogmatik behandelt wird.

Bei der *Ethik* reden nun aber gerade die Glieder der Kirche mit, oft sehr engagiert. Das geschieht dann durchweg ohne Christologie; und selbst wenn die Fachleute in diese Diskussion eingreifen, bleibt die Ethik ein Thema für sich. Zwar wird verbal darauf hingewiesen und auch stets behauptet, daß das Leben Konsequenz aus der Lehre sei. Doch wird der Zusammenhang von Dogmatik und Ethik kaum je explizit dargestellt.

Wie sehr man sich mit der Trennung von Dogmatik und Ethik abgefunden hat und das überhaupt nicht mehr als Problem empfindet, zeigt eine vielgeübte Praxis. Glieder verschiedener Kirchen und auch die Kirchenleitungen bemühen sich um eine gemeinsame christliche Ethik. Das geschieht trotz unterschiedlicher Dogmatiken, deren Differenzen man kennt und bestehen läßt, weil man sie, wenigstens vorläufig, noch nicht überwinden kann. Wie kann man dann aber zu einer gemeinsamen Ethik kommen?

Daß Ethik immer ein Aspekt von Christologie ist, scheint sowenig gesehen zu werden, wie es in der Tradition gesehen wurde, in der Johannes stand und in die die johanneische Schule wieder einschwenkte.

Sind wir heute nicht in derselben Situation wie die johanneische Schule? Als Christen müssen wir unentwegt zu diesem oder jenem Thema Stellung nehmen, wie jeder andere auch. Ein Mensch aber, für den die "christliche" Botschaft die entscheidende Wahrheit über sein Leben ist, kann aus dieser Botschaft nicht besondere Argumente für Auffassungen etwa über die Ehe, über die Erziehung, über die Gesellschaftsordnung oder die Politik holen. Hier muß er für seine Ansichten auf diesem oder jenem Gebiet wie jeder andere argumentieren, und zwar mit solchen Argumenten, die von Christen ebenso gut wie von "Christen" gebilligt werden können.

Das Christentum verleiht dem einzelnen nicht politisches oder ethisches Besser-Wissen. Im Gegenteil: Sobald das "Christliche" in eine christliche Ethik hineinverlegt wird, geht es verloren.

Ob es noch zu retten ist?

Mk. 10,27!

Register

1. Definitionen
und Vorschläge für sprachliche Präzisierungen

alter Äon: 116, 129
Bergpredigt: 213
Buße/Umkehr: 74
Christ: 61f., 77, 79, 95, 115
Christologie: 39, 47f., 57
implizite Christologie: 48
eschatologisches Existieren: 77
Ethik: 23, 86
Exegese: 25
Evangelium (I): 68, 72, 77f.
Evangelium (II): 221f.
Feind: 100
Gott: 21
Rede über/von Gott: 20
Reich Gottes/Herrschaft Gottes: 75

historischer/irdischer Jesus: 39f., 45f.
Jesus/Paulus: 46
Jesus, ein Theologe: 57, 83
kairos/chronos: 73
Liebe (johanneisch): 248
Nächstenliebe: 95
Perikope/Text: 63, 76f.
sola scriptura: 90f.
Sünde: 100
Theologe: 24
Theologie: 19, 21, 23
typos/mimetes: 173
Urgemeinde(n): 44, 49, 52, 55
Wissen/Glauben: 135

2. Sachkomplexe (in Auswahl)

Adhortativ: 169f., 189, 194
Anthropologie: 183f., 220, 224f., 236f., 250, 262
Antithesen: 76, 96-104, 205
Äonenwende: 69-71, 73-77, 80, 85, 111, 132
Apokalyptik: 69, 71-73, 75, 77, 80, 83, 220
Bergpredigt: 204-217
Christ sein/Christ werden: 59-61, 77-79, 102, 119, 121, 123, 176, 183f., 199
anonyme Christen: 93, 165, 169, 198
Damaskus-Erlebnis: 133-136, 139, 143, 150f.
Ehescheidung: 106, 109-112
Einlaßbedingungen: 70, 72, 213f.
Erfolg: 125-131, 158, 181, 198f., 254
Ethik, bessere und schlechtere: 33, 95, 105, 151, 168f., 198, 216
Exegese: 25, 29, 63, 76f., 87-90, 112, 155, 166f., 204f., 215, 218
Exegese, "historisch-kritisch": 25, 30
Feindesliebe: 97f., 189, 212
Formgeschichte: 42-44, 49
Freiheit: 185, 187f., 197, 233
galiläische Gemeinden: 49f., 52-55, 62, 81, 86
Gerechtigkeit (Gottes): 70f., 145-147, 208f., 214
Gesetz: 26, 48, 64, 70-72, 74f., 91-94, 97, 108-111, 122, 128, 136-142, 144-151, 168, 175, 207f., 211, 244
Gott der Bibel: 21f., 24f., 29
Götterwechsel: 21, 72, 101, 108f., 137, 150f., 175, 187, 197
Götzenopfer(-fleisch): 186
Isolierung der Ethik von der Dogmatik (bzw. Christologie): 17, 165, 189, 201, 210, 212, 217, 219, 222-226, 240, 256, 259-261, 263, 266
Kreuz: 54f., 126-131, 154-158, 177, 180, 237f., 243, 252f.

Menschensohn: 40, 54, 70, 82-86, 129f.
Menschwerdung Gottes: 28, 56f., 148, 253
Messias: 40, 83, 136
Mitarbeiter Gottes: 103, 151f., 175f., 199
Monotheismus: 19, 21, 186f., 228
(Nah-)erwartung (apokalyptisch): 71f., 201, 211, 234
Naherwartung (christlich): 76, 79, 201, 219, 234, 257
Offenbarung: 24, 27
Ostern (Datum): 36f., 44, 47, 49, 51f., 54, 132
Ostern (Inhalt): 38, 40, 49, 52, (86), 132, 158-163
Pharisäer: 26, 70, 136f., 145, 147, 210, 216
Prägen (typos/mimetes): 23, 30f., 55, 71, 83, 171-176, 185, 192, 222
Qualifizierung/Qualität Jesu: 60, 78, 80 bis 82, 104
Reformation der Kirche: 256f., 263f.
Rigorismus: 64, 96, 99, 107f., 225
Sätze, erste und zweite: 23f., 28, 57, 149, 170, 240
Schöpfung: 26-28, 250
sehen und "sehen": 81f., 93, 104f., 251 bis 253, 257, 259, 265f.
Sklaven: 195, 232f.
Staat, politische Ethik: 112-115, 123, 130, 166, 215, 232f., 235, 266
Sünde, Sünder: 71, 100, 115f., 119-125, 155, 261f.
Sünde zum Tode: 262f.
Taufe: 61, 170, 238f., 258, 261
Tun/Täter: 57, 92f., 95, 99f., 111, 114, 118f., 121, 124, 168, 181, 186, 192, 198, 209, 230
Vorbehalt, eschatologischer/kosmologischer: 238f., 251, 253, 260
Wahrheit: 30-33, 66, 135

3. Bibelstellen (in Auswahl)

Genesis
1,1: 26f.
2,4bff.: 27

Buch der Richter
5,31: 24

Matthäus-Evangelium
204-207
3,2: 211
4,17: 211
5,17-19: 207-209
5,20: 208f.
5,21f.: 98
5,27f.: 98
5,31f.: 97f., 110
5,33f.: 98
5,39: 101
5,43f.: 96-104
5,45a: 103
5,45b: 101f.
5,48: 103f.
6,9-15: 210
11,2-6: 79-82
13,24-30: 212
19,9: 110
23: 210
28,16-20: 206
28,20: 207

Markus-Evangelium
1,14f.: 67-79, 87, 128, 211, 230
2,1-3,6: 129
8,34: 130
8,38: 85
9,2-8: 120
10,2-9: 109-112
10,10-12: 110
10,17-27: 176
10,27: 266
11,27-33: 117f.

12,13-17: 112-116
12,41-44: 117

Lukas-Evangelium
6,5 (D): 91-93
10,27-39: 93-96
12,8: 85
16,1-8: 116f.
18,9-14: 98,210

Johannes-Evangelium
247-256
11,1-44: 251
13,1-20: 254

Apostelgeschichte
1,21f.: 50
8,1: 138, 143

Römerbrief
3,28: 30
10,1-4: 144f.
10,3: 209
10,4: 147, 149
12,1-2: 198f., 234
13,1-7: 166, 233
13,8-10: 167f.

1. Korintherbrief
3,9: 175
4,16f.: 171f.
5-16: 182
6,12: 182, 185, 189f.
7,29b-31: 190
9,1: 136
10,1-6: 171
11,1: 171f.
11,5: 167
14,33a: 182, 188
14,33b-36: 167
14,40: 182

15,3-5: 153f., 177
15,8: 136

2. *Korintherbrief*
4,6: 136, 144, 147
4,10: 253
4,8-12: 180
5,18: 157
6,8-10: 181

Galaterbrief
1,16: 136, 143f.
2,1-10: 139, 143
2,11ff.: 139, 143, 193
3,23-25: 150
3,28: 167
4,4f.: 52, 148, 157
5,25: 169f.

Philipperbrief
3,3-11: 144
3,6: 137, 210
3,9: 209
3,17: 171f., 174

Kolosserbrief
235-240

1. Thessalonicherbrief
166, 173f., 244
1,6f.: 23, 171f.
2,14: 171
3,2: 175

4,14: 153f., 177
4,15.17: 202
5,5: 202

2. Thessalonicherbrief
219-223
2,2: 219f., 224
3,9: 171

Pastoralbriefe
223-226
2. Tim. 2,18: 220, 224

Philemonbrief
195f.

Hebräerbrief
240-245

Jakobus-Brief
226-229

1. Petrus-Brief
229-235

Johannes-Briefe
257-264

1. Johannes-Brief
1,1: 260
5,4: 261
5,16: 262f.

4. Autoren (mit Literaturhinweisen, in Auswahl)

Bultmann, Rudolf: 15, 20, 43, 47, 54, 163, 169, 190, 191, 246
- Theologie des Neuen Testaments (1953), 9. Aufl. 1984
- Welchen Sinn hat es, von Gott zu reden? (1924), in: R.B., Glauben und Verstehen I, 2. Aufl. 1954, S. 26-37
- Das Problem der Ethik bei Paulus (1924), in: R.B., Exegetica, 1967, S. 36-54

Dibelius, Martin: 223
- Die Pastoralbriefe (Handbuch zum NT), 1913

Ebeling, Gerhard: 43
- Das Wesen des christlichen Glaubens, 1959, S. 50f.

Harnack, Adolf von: 42
- vgl. Agnes von Zahn-Harnack, Adolf von Harnack, 2. Aufl. 1951, S.46

Jeremias, Joachim: 43
- Das Problem des historischen Jesus, 1960

Käsemann, Ernst: 43, 192, 243
- Das Problem des historischen Jesus (1954), in: E.K., Exegetische Versuche und Besinnungen I, 1960, S. 187-214
- Sackgassen im Streit um den historischen Jesus, in: E.K., Exegetische Versuche und Besinnungen II, 1964, S. 31 bis 68
- An die Römer (Handbuch zum NT), 1973

- Das wandernde Gottesvolk (1939), 2. Aufl. 1957

Klausner, Joseph: 106, 107
- Jesus von Nazareth, 3. Aufl. 1952

Lapide, Pinchas: 107
- Er predigte in ihren Synagogen, 1980

Lohse, Eduard: 213
- Theologische Ethik des Neuen Testaments, 1988

Luther, Martin: 21, 28, 71, 88, 89, 116, 215, 242

Reimarus, Hermann Samuel: 38, 40, 41, 43, 44, 47, 49, 50, 55
- Apologie oder Schutzschrift für die vernünftigen Verehrer Gottes (1770/1771) hg. von Gerhard Alexander, 1972
- vgl. Albert Schweitzer, Geschichte der Leben-Jesu-Forschung (1907), 2. Aufl. 1913, S. 13-26

Schmithals, Walter: 55
- Jesus Christus in der Verkündigung der Kirche, 1972 (S. 72)

Schrage, Wolfgang: 134, 191
- Ethik des Neuen Testaments, 1982

Schulz, Siegfried
- Neutestamentliche Ethik, 1986

Windisch, Hans: 213
- Der Sinn der Bergpredigt, 1937

Wrede, William: 59
- Das Messiasgeheimnis in den Evangelien, 1901

Anhang

Zu einzelnen der in diesem Buch behandelten Themen hat sich der Verfasser früher an folgenden Stellen geäußert:

sola scriptura/Exegese

Historisch-kritische Exegese?, in: Kirchlicher Dienst und theologische Ausbildung. Festschrift für Präses Dr. Heinrich Reiß, hg. von Helmut Begemann und Carl Heinz Ratschow, 1985, S. 53-62.
Orientierung am Neuen Testament?, in: Pastoraltheologie (74/1), 1985, S. 2-16.

Sünde/Sünder

Lukas 18,9-14, in: Göttinger Predigtmeditationen (39/4), 1985, S. 383-390.

Pflichtenkollision

Sündige tapfer. Wer hat sich beim Streit in Antiochien richtig verhalten?, in: Evangelische Kommentare (20/2), 1987, S. 81-84.

Bergpredigt

Der Streit um die Bergpredigt - ein exegetisches Problem? Anmerkungen zum Umgang mit der Sprache, in: Studien zum Text und zur Ethik des Neuen Testaments. Festschrift zum 80. Geburtstag von Heinrich Greeven, hg. von Wolfgang Schrage, 1986, S. 315-324.

Prägen (typos/mimetes)

Der erste Brief an die Thessalonicher (Zürcher Bibelkommentare), 1979.

Trennung der Ethik von der Christologie

Der zweite Thessalonicherbrief (Zürcher Bibelkommentare), 1982.